A 腫瘍

B 生殖内分泌

C 女性医学

D 周産期

産婦人科
ベッドサイドマニュアル

第8版

編集

青野敏博
徳島大学名誉教授,徳島大学学長(第11代)

苛原 稔
徳島大学特命教授

岩佐 武
徳島大学教授・産科婦人科学分野

医学書院

産婦人科ベッドサイドマニュアル

発　行	1991 年 9 月 15 日	第 1 版第 1 刷
	1995 年 2 月 15 日	第 2 版第 1 刷
	1997 年 5 月 1 日	第 2 版第 3 刷
	1998 年 1 月 15 日	第 3 版第 1 刷
	2000 年 10 月 1 日	第 3 版第 3 刷
	2001 年 3 月 15 日	第 4 版第 1 刷
	2005 年 5 月 1 日	第 4 版第 5 刷
	2006 年 1 月 1 日	第 5 版第 1 刷
	2009 年 12 月 1 日	第 5 版第 5 刷
	2012 年 1 月 1 日	第 6 版第 1 刷
	2015 年 12 月 15 日	第 6 版第 4 刷
	2018 年 7 月 1 日	第 7 版第 1 刷
	2021 年 12 月 15 日	第 7 版第 3 刷
	2023 年 11 月 1 日	第 8 版第 1 刷Ⓒ

編　集　青野敏博・苛原　稔・岩佐　武
発行者　株式会社　医学書院
　　　　代表取締役　金原　俊
　　　　〒113-8719　東京都文京区本郷 1-28-23
　　　　電話　03-3817-5600（社内案内）

印刷・製本　三美印刷

本書の複製権・翻訳権・上映権・譲渡権・貸与権・公衆送信権（送信可能化権を含む）は株式会社医学書院が保有します．

ISBN978-4-260-05107-1

本書を無断で複製する行為（複写，スキャン，デジタルデータ化など）は，「私的使用のための複製」など著作権法上の限られた例外を除き禁じられています．大学，病院，診療所，企業などにおいて，業務上使用する目的（診療，研究活動を含む）で上記の行為を行うことは，その使用範囲が内部的であっても，私的使用には該当せず，違法です．また私的使用に該当する場合であっても，代行業者等の第三者に依頼して上記の行為を行うことは違法となります．

JCOPY〈出版者著作権管理機構　委託出版物〉
本書の無断複製は著作権法上での例外を除き禁じられています．
複製される場合は，そのつど事前に，出版者著作権管理機構（電話 03-5244-5088，FAX 03-5244-5089，info@jcopy.or.jp）の許諾を得てください．

執筆者一覧 (五十音順)

青野　敏博	徳島大学名誉教授，徳島大学学長(第11代)
東　　桃代	徳島大学病院准教授・感染制御部長
阿部　彰子	がん研究会有明病院産婦人科副医長・ゲノム診療部副医長
今泉　絢貴	大阪母子医療センター
苛原　　稔	徳島大学特命教授
岩佐　　武	徳島大学教授・産科婦人科学分野
香川　智洋	徳島大学助教・産科婦人科学分野
加地　　剛	徳島大学准教授・周産母子センター長
加藤　剛志	徳島大学特任教授・地域産婦人科診療部
門田　友里	徳島大学産科婦人科学分野
鎌田　周平	徳島大学助教・産科婦人科学分野
鎌田　正晴	医療法人医仁会徳島検診クリニック副院長
河北　貴子	徳島県立中央病院産婦人科
白河　　綾	徳島大学産科婦人科学分野
新家　崇義	徳島大学特任教授・放射線医学分野
大豆本　圭	徳島大学助教・泌尿器科学分野
谷口　友香	徳島大学産科婦人科学分野
中川　竜二	徳島大学講師・小児科学分野
西村　正人	徳島大学准教授・がん診療連携センター長
湊　　沙希	徳島大学特任助教・産科婦人科学分野
峯田あゆか	徳島大学特任講師・産科婦人科学分野
山本　由理	徳島大学講師・産科婦人科学分野
吉田あつ子	徳島大学講師・産科婦人科学分野
吉田加奈子	徳島大学講師・産科婦人科学分野

第 1 版〜第 7 版執筆者一覧 (五十音順)

東　敬次郎	田中　　優	松崎　利也
井川　　洋	中川　浩次	南　　　晋
乾　　貞治	中山聡一朗	三宅　敏一
上村　浩一	中山　孝善	森　　一正
沖津　　修	橋本　　公	森　　英俊
加川　俊明	檜尾　健二	森下　　一
岸　　恭也	夫　　律子	森根　幹生
桑原　　章	福井　理仁	安井　敏之
毛山　　薫	福家　義雄	山崎　　淳
斎藤誠一郎	古本　博孝	山﨑　幹雄
坂本　康紀	前川　正彦	山野　修司
佐藤　美紀	前田　和寿	山本　哲史
漆川　敬治	前田　信彦	山本　恭代
大頭　敏文	松井寿美佳	
高橋　洋平	松崎　健司	

第 8 版 序

　本書は産婦人科の卒後臨床研修や生涯研修を効果的に進める目的で編集された．1991年に初版が刊行されてから本年で33年目を迎えたが，数年ごとに全面的な改訂を加え今回で第8版を刊行することができた．国の制度上は2018年4月に新専門医制度が開始され，卒後2年間の初期臨床研修を修了した医師は産婦人科（19の基本領域の1つ）の専攻医となり，3年後に専門医資格を取得することになっている．

　本書の内容は専門医資格を取得する一助になるとともに，産婦人科の一般的知識を組織的に修得し，実地臨床に生かせるよう配慮したものである．その結果永年にわたり多くの読者を得て，続けてご愛読いただいているのには大いに感謝している．

　今回の改訂で新規に追加した項目は，1．子宮肉腫に対する薬物療法，2．がん・生殖医療，3．月経異常を伴う「やせ」の管理，4．外陰部瘙痒症，5．プレコンセプションケア，6．産褥精神障害と精神疾患合併妊娠の6項目である．しかし合併または削除したテーマもあり，全体としては126項目と第7版から1項目増えたのみで，ページ数の増加を抑制してハンディ性を損なわないように処理できた．

　一方 Side Memo では新しく7項目を新設し，トピックスとして簡潔に紹介した．新規の大項目6項目と Side Memo の7項目は産婦人科診療の進歩を紹介するために必要なもので，ページ数の増加を来すが，紙面をタイトに仕上げることにより影響を少なく抑えることができた．

本書の特徴はテーマを必須の内容に厳選し，それを解説する際には問題解決型になるように処理し，興味をもって取り組めるように工夫したことである．内容は2色刷りを活用し，図表を駆使してわかりやすく構成し，関連項目からの検索の際にも参照ページを入れるなど便宜を図っている．日常診療の折，困難な問題に遭遇した際に本書を開いていただければ，間違いなく答えが見つかるものと思われる．

　本書は初期研修医，産婦人科専攻医，実地医家のほか，助産師や産婦人科にかかわる看護師の皆様にも幅広く利用していただき，日常の診療に役立てていただければ幸いに思う．

　終わりに臨み，本書の改訂作業に献身的にご尽力下さった徳島大学産科婦人科学教室の河北貴子先生をはじめ諸先生方および医学書院書籍編集部の藤本さおり様はじめ皆様に深甚の感謝を申し上げる．

2023年9月

青野　敏博

第8版の上梓に際して
『産婦人科ベッドサイドマニュアル』30年を超えて

　今回の改訂を進めていく過程で実感したことであるが，産婦人科医療が今まさに大きな転換点を迎えている．少子化により分娩数が減少する一方で，高齢女性のケアの必要性が増加している．有用性の高い薬剤の開発や手術方法の革新により，がん治療はより高度化，ミニマム化し，個別化してきている．さらに遺伝学的知識の必要性の増大など，大きな変化が急速に進んでいる．このような変化のなかで，医学書の在り方もまた大きく変わらなければならないであろう．第8版の改訂にあたって本書の在り方を絶えず考え続けてきた．

　医学の知識を総合的に得るために相応しい教科書的な書物は，これからも必要とされるに違いない．ただ当然ながら，それのみで日常診療を適切に進めることは難しい．一方，各種疾患に対してEBMに基づいたさまざまなガイドラインが示され，現場ではEBMに基づいた医療を行うことが要求されている．ただ，EBMの蓄積がある場合はガイドラインを参照できるが，日常診療ではEBMがない症例にも数多く遭遇する．その場合には長年の経験や先人の情報を応用して対処しなければならない．

　経験や情報は簡単には得られるわけではない．そこで，教科書やガイドラインの基本的事項を適切に網羅しつつ，EBMがない状況に向かい合う場合のヒントが得られる書物はやはり必要とされるのではないだろうか．本書のようなマニュアルの意義はここにあるはずである．

　その観点に立って，7版までのコンセプトを基本に，日常診療で遭遇する頻度の高い症例について，何が標準なのか，何が一般的であるか，何をまず考えるべきかを示したうえで，応用のためのヒントとなる情報を厳選して提供する書物にするという目的を達成する

よう編集した．この第8版が，旧版以上に，基本事項を反復学習する研修医の友となり，経験を積んだ医師たちには多様な情報を得る手段としての役割を担うことができれば幸いである．

1987年2月1日に，恩師であり本書の共同編者である青野敏博名誉教授が徳島大学産科婦人科の主任教授として就任された．その日から，日々の診療を通して，新体制における診療方針を確立していく作業が始まった．疾患ごとに標準方式を医局内で検討し，その結果をプリントにして積み上げていった．そうして1988年に私家本の『徳島大学産婦人科診療マニュアル』をつくったのが本書の源流である．丁度，私が病棟医長を拝命した時期であり，病棟管理や新入医局員の教育に，この私家本はとても有用であった．そして，1991年の本書初版の発刊に結び付くわけである．

このように本書は，徳島大学産科婦人科とその関係者が実地診療に悪戦苦闘した戦歴の集積である．われわれは常に，患者にとって最適な対応をしよう，患者の理解のうえで治療を行おうと考えてきた．そして，網羅的に項目立てをして頁を割り振るのではなく，実地臨床に必要不可欠な項目を厳選し，それぞれの項目に必要な情報を必要な分量で盛り込むことを編集方針として貫いてきた．これが，30年にわたり読者に支持されてきた原動力だと考えている．

この間に執筆する医局員も変わったが，各項目を検討する手順と姿勢は初版と変えていない．すなわち，資料を集め文献に当たり，上下関係なく侃々諤々の議論を行って，その結果をまとめる．この一連の作業をほぼ半年，毎週繰り返してきた．それゆえ，本書はわれわれの宝であり，統合の象徴ともいえる．

初版から8版までに関連したすべての当科医局員に感謝するとともに，医学書院および編集関係者に厚く御礼を申し上げたい．

2023年9月

苛原　稔

第1版 序

 昭和62年から日本産科婦人科学会では認定医制度が発足し，卒後研修や生涯研修の実を挙げている．このような状況下で，研修医をはじめ，医師は能率よく着実に産婦人科の知識を蓄え，技術を身につけ，医師の心構えを磨く必要がある．

 一方，社会的には「informed consent」の概念が普及し，診療の各時点での診断，治療方針，予後などについて，最新の医療水準に基づいて患者とその家族に十分に説明したうえで，自己決定できるよう助言することも望まれている．このような時に，ベッドサイドで利用できる産婦人科の診療マニュアルが求められていた．

 本書は産婦人科の研修医，実地医家を主たる対象としているが，ポリクリの学生，病棟の助産婦，看護婦の方々にも理解して頂けるよう心掛けて編集した．以下には本書の特徴を箇条書きにする．

 ① テーマを厳選した．

 本書では，A.腫瘍，B.内分泌，C.不妊，D.周産期，E.感染症の5つの領域につき各々5～35個，合計81個の小項目を選んだ．その選択には，是非とも知っておく必要のある定義，分類はもちろん，各領域における診断や治療法につき，医局員および関連病院の医師にアンケート調査を行って，明確にして欲しい点，知りたい点を集計した結果，要望の多い問題を中心に項目を編成した．

 ② 内容を吟味した．

 各テーマの執筆については教室の専門領域のスタッフに担当してもらった．内容は文章の羅列による教科書的な記述を排し，できる限り箇条書きやフローチャートを多用し，薬剤名などは具体的に入れ，実地に役立つよう配慮した．

 また各項目の内容は毎週月曜日のスタッフミーティングで深夜に

至るまで討論し，内容が不十分であれば，2度，3度と担当者が書き直して，全員の了解が得られるまで推敲を重ねて，まとめあげたものである．

　③ ハンディな造本とした．

本書は外来や病棟のベッドサイドで開く機会が多く，患者への説明の際にも用いることが考えられるので，白衣のポケットに常備できるようにサイズをコンパクトにした．われわれは昭和63年7月にほぼ本書の半分の頁数のマニュアルを私家版として作成し，実地診療の場で重宝しているので，このことを生かすことにしたわけである．

いずれの項目も，現時点では最も新しい資料に基づいて執筆したものであるが，内容および記述などにつき，お気付きの点があれば御叱正頂ければ幸いである．本書が皆様方の御参考になり，診療業務を円滑に運ぶ一助になれば望外の喜びである．

終りに臨み，本書の刊行に御尽力頂いた，山野修司君と医学書院の皆様に心から感謝いたします．

平成3年6月　梅雨の晴れ間に

青野　敏博

A 腫瘍

1. 婦人科悪性腫瘍の進行期分類と TNM 分類　2
2. 記述式細胞診報告様式　13
3. CIN の取り扱い　16
4. 子宮頸癌と HPV　20
5. 円錐切除術の適応　24
6. 子宮頸癌の標準的治療法　26
7. 子宮頸部腺癌Ⅰ期〜Ⅲ期の取り扱い　30
8. 子宮体癌，内膜増殖症の取り扱い　32
9. 子宮体癌の手術術式および後療法　34
10. 広汎子宮全摘術後の排尿障害の管理　35
11. 卵巣癌の治療方針　37
12. 再発卵巣癌に対する化学療法　42
13. 腟癌の標準的治療法　49
14. 外陰癌の標準的治療法　50
15. 子宮肉腫に対する薬物療法　52
16. 絨毛性疾患の分類と胞状奇胎の管理　54
17. 侵入胞状奇胎，絨毛癌，存続絨毛症の化学療法　60
18. TC/DC 療法の実際　64
19. 抗癌薬の副作用対策　66
20. 婦人科悪性腫瘍の妊孕性温存療法　72
21. 産婦人科領域における腫瘍マーカーの取り扱い　77
22. 末期癌患者の疼痛管理　80
23. 子宮内膜ポリープの取り扱い　85
24. 自己血輸血　86

- 25 婦人科の画像診断　89
- 26 婦人科のMRI診断　90
- 27 婦人科の腹腔鏡下手術　96
- 28 子宮鏡検査および子宮鏡下手術　99
- 29 遺伝性腫瘍　100
- 30 静脈血栓塞栓症の予防　103

別表

- 1 婦人科領域における抗癌薬一覧表　107
- 2 婦人科領域における抗癌薬の多剤併用療法　109

B 生殖内分泌　111

- 1 ホルモンの基準値と解釈　112
- 2 内分泌負荷試験の適応と診断基準　115
- 3 無月経の検査，診断手順　117
- 4 無排卵症の排卵誘発法(ゴナドトロピン療法以外)　121
- 5 ゴナドトロピン療法　124
- 6 黄体機能不全の診断と治療　129
- 7 多嚢胞性卵巣症候群(PCOS)の診断と治療　131
- 8 高プロラクチン血症性排卵障害　139
- 9 卵巣過剰刺激症候群(OHSS)の取り扱い　144
- 10 機能性子宮出血の診断と治療　148
- 11 月経の人工移動　151
- 12 不妊検査のスケジュール　152
- 13 子宮卵管造影法(HSG)の手技と読影のポイント　154
- 14 卵管不妊の治療方針　157
- 15 不妊症における子宮内膜症の取り扱い　159
- 16 男性不妊の診断と治療　161
- 17 抗精子抗体による不妊　165
- 18 原因不明不妊の取り扱い　167
- 19 配偶者間人工授精(AIH)　168

- 20 生殖補助医療(ART) 170
- 21 異所性妊娠の治療法 176
- 22 不育症の診断と治療 179
- 23 抗リン脂質抗体による不育症 183
- 24 がん・生殖医療 187

C 女性医学 189

- 1 過多月経 190
- 2 月経困難症 192
- 3 月経前症候群 194
- 4 避妊法の選択 196
- 5 子宮内膜症 203
- 6 子宮筋腫 211
- 7 月経異常を伴う「やせ」の管理 213
- 8 女性アスリート診療の留意点 215
- 9 片頭痛 218
- 10 更年期障害 220
- 11 ホルモン補充療法(HRT) 224
- 12 閉経後骨粗鬆症 231
- 13 女性の排尿障害 238
- 14 骨盤臓器脱 245
- 15 成人女性の肥満の判定とメタボリックシンドローム 248
- 16 脂質異常症 250
- 17 乳癌検診 253
- 18 乳癌検診の画像診断 256
- 19 尖圭コンジローマ 264
- 20 梅毒 267
- 21 淋菌感染症 271
- 22 クラミジア感染症 273
- 23 外陰部潰瘍 276
- 24 外陰部瘙痒症 280

- 25 産婦人科でみる急性腹症　282
- 26 産婦人科で用いる漢方療法　285
- 27 産婦人科領域で注意すべき薬物相互作用　291

D 周産期　295

- 1 プレコンセプションケア　296
- 2 分娩予定日，妊娠週数の診断法　298
- 3 遺伝相談　300
- 4 胎児染色体検査の適応と診断　307
- 5 合併症における妊娠許容基準　312
- 6 妊婦と放射線被曝　316
- 7 妊娠と感染症　320
- 8 HBs 抗原陽性妊婦の取り扱い　335
- 9 HIV 感染症の診断と感染妊婦の取り扱い　338
- 10 妊婦と予防接種　341
- 11 卵巣腫瘍合併妊娠　343
- 12 流産の超音波による診断　345
- 13 妊娠時期別の超音波検査　347
- 14 頸管縫縮術　349
- 15 妊娠中の糖代謝異常の診断と管理　352
- 16 膠原病合併妊娠　358
- 17 気管支喘息合併妊娠　362
- 18 甲状腺機能異常合併妊娠　364
- 19 血液型不適合妊娠　369
- 20 切迫早産の治療方針　377
- 21 前置胎盤　385
- 22 Preterm PROM(34 週未満)　389
- 23 B 群溶血性連鎖球菌(GBS)感染症　393
- 24 胎児発育不全(FGR)　396
- 25 多胎妊娠　399
- 26 ノンストレステスト(NST)　405
- 27 fetal biophysical profile による胎児評価法　408

| 28 | パルスドプラ法による胎児評価　412
| 29 | 急速遂娩(帝王切開)術の適応　416
| 30 | 骨盤位分娩の取り扱い　418
| 31 | 分娩誘発法(頸管熟化法を含む)　420
| 32 | 分娩中の胎児機能不全への対応　425
| 33 | 妊娠高血圧症候群の管理と娩出時期の決定　431
| 34 | 子癇の治療法：ECLAMPSIA 法　439
| 35 | 産科危機的出血の診断と対応　441
| 36 | 新生児の蘇生と呼吸管理　447
| 37 | 新生児血管確保に必要な器具，手技と輸液療法　449
| 38 | 新生児に汎用される検査と参考値　452
| 39 | 新生児によくみられる症状とその検査，処置　454
| 40 | 新生児高ビリルビン血症の管理　461
| 41 | 産褥期の乳房管理　463
| 42 | 乳汁分泌の促進と抑制　465
| 43 | 妊娠・授乳と薬剤　467
| 44 | 産褥精神障害と精神疾患合併妊娠　474
| 45 | 胎児・新生児の発育　478

- 和文索引　484
- 欧文索引　505
- 略語索引　後ろ見返し

Side Memo ● 目次

- 閉経後卵巣腫瘍の取り扱い　41
- 部分胞状奇胎（部分奇胎）の管理　57
- 予防的卵管切除・予防的卵巣摘出術　102
- ヘパリン起因性血小板減少症（HIT）　106
- がん遺伝子パネル検査　109
- 早発卵巣不全　120
- PCOS に対するクロミフェン-メトホルミン併用療法　138
- 高プロラクチン血症採血時の注意　143
- ART における多胎妊娠予防と選択的単一胚移植　175
- 着床前遺伝学的検査（PGT-M）　175
- 経口中絶薬　202
- OC・LEP と血栓症　209
- 稀少部位子宮内膜症　210
- 骨吸収抑制薬使用上の注意点　237
- 妊娠中の MRI　319
- 凍結後解凍母乳　327
- 出産後甲状腺機能異常症　368
- 早産予防に対する黄体ホルモン療法　384
- 無痛分娩　417
- パルスオキシメーター　446
- All or None の解釈について　468
- ボンディング障害　477

A

腫瘍

婦人科悪性腫瘍の進行期分類とTNM分類

子宮頸癌

表A1-1 子宮頸癌の進行期分類（日産婦 2020，FIGO 2018）とTNM分類（UICC 第8版 2017）

進行期	T分類	
	TX	原発腫瘍の評価が不可能
	T0	原発腫瘍を認めない
	Tis	上皮内癌（浸潤前癌）
Ⅰ期	T1	癌が子宮頸部に限局（体部浸潤の有無は考慮しない）
ⅠA期	T1a	病理学的にのみ診断できる浸潤癌のうち、間質浸潤が5mm以下．浸潤がみられる部位の表層上皮の基底膜より計測して5mm以下．脈管（静脈またはリンパ管）侵襲があっても進行期は変更しない
		ⅠA1期：間質浸潤の深さが3mm以下
		ⅠA2期：間質浸潤の深さが3mmをこえるが，5mm以下
ⅠB期	T1b	子宮頸部に限局する浸潤癌のうち，浸潤の深さが5mmをこえる（ⅠA期をこえる）
		ⅠB1期：腫瘍最大径が2cm以下
		ⅠB2期：腫瘍最大径が2cmをこえるが，4cm以下
		ⅠB3期：腫瘍最大径が4cmをこえる
Ⅱ期	T2	癌が子宮頸部をこえて広がっているが，腟壁下1/3または骨盤壁には達していない
ⅡA期	T2a	腟壁浸潤が腟壁上2/3に限局していて、子宮傍組織浸潤は認められない
		ⅡA1期：腫瘍最大径が4cm以下
		ⅡA2期：腫瘍最大径が4cmをこえる
ⅡB期	T2b	子宮傍組織浸潤が認められるが，骨盤壁までは達しない
Ⅲ期	T3	癌浸潤が腟壁下1/3まで達する，ならびに/あるいは骨盤壁にまで達する．ならびに/あるいは水腎症や無機能腎の原因となっている，ならびに/あるいは骨盤リンパ節ならびに/あるいは傍大動脈リンパ節に転移が認められる
ⅢA期	T3a	癌は腟壁下1/3に達するが，骨盤壁までは達していない
ⅢB期	T3b	子宮傍組織浸潤が骨盤壁にまで達している，ならびに/あるいは明らかな水腎症や無機能腎が認められる（癌浸潤以外の原因による場合を除く）
ⅢC期	T3c	骨盤リンパ節ならびに/あるいは傍大動脈リンパ節に転移が認められる（rやpの注釈をつける）
		ⅢC1期：骨盤リンパ節にのみ転移が認められる
		ⅢC2期：傍大動脈リンパ節に転移が認められる
Ⅳ期	T4	癌が膀胱粘膜または直腸粘膜に浸潤するか，小骨盤腔をこえて広がる
ⅣA期		膀胱粘膜または直腸粘膜への浸潤がある
ⅣB期		小骨盤腔をこえて広がる

N分類：領域リンパ節〔骨盤リンパ節(閉鎖，外腸骨，鼠径上，内腸骨，総腸骨，仙骨，基靱帯)，傍大動脈リンパ節〕

NX	領域リンパ節の評価が不可能
N0	領域リンパ節転移なし
N1	骨盤リンパ節への転移あり
N2	骨盤リンパ節への転移の有無に関係なく，傍大動脈リンパ節への転移あり

M分類：遠隔転移

M0	遠隔転移なし
M1	遠隔転移あり(鼠径リンパ節と腹腔内病変を含む)．腟，骨盤漿膜への転移は除外するが，子宮漿膜と付属器転移は遠隔転移に含む．

〔日本産科婦人科学会，日本病理学会(編)：子宮頸癌取扱い規約 病理編．第5版, pp16-17, 23-25, 金原出版, 2022 より作成〕

■分類にあたっての注意事項[1]

1) 子宮頸部と体部に同時に癌を認め，原発部位を明確に決定できない場合，扁平上皮癌であれば子宮頸癌に，腺癌であれば子宮体癌に分類する．
2) 内診，画像，病理学的所見が一致しない場合は，原則として病理学的所見を優先させて進行期を決定する．腫瘍径については画像診断を優先させる．
3) 進行期決定には子宮体部浸潤の有無，骨盤腹膜や付属器への転移の有無は考慮しない．
4) ⅠA期は浸潤の深さが5mm以下のものであり，水平方向への広がりは考慮しない．
5) 肉眼的に明らかな腫瘍形成のみではⅠB期と診断しない．
6) ⅢC期の進行期決定に際しては画像診断を用いた場合はrを，病理診断を用いた場合はpを付記する．(例：ⅢC1r, ⅢC2p)
7) リンパ節転移の評価は短径10mm以上の腫大をもって転移と判断するが，PET-CTでは短径10mm以下でも集積を認めれば転移と判断する．画像診断はPET-CTでの評価を優先する．
8) リンパ節転移巣の最大径により遊離腫瘍細胞(isolated tumor cells；ITC)(<0.2mm)，微小転移(0.2〜2.0mm)，肉眼的転移(>2.0mm)と区分し，微小転移以上をⅢC期とする．
9) 膀胱または直腸の粘膜への浸潤がMRIで明らかに認められる場合には，その所見のみでⅣA期と判断する．

子宮体癌・癌肉腫

表A1-2 子宮内膜癌の進行期分類(日産婦2011, FIGO 2008)とTNM分類(UICC第8版2017)

進行期			T分類	
			TX	原発腫瘍の評価が不可能
			T0	原発腫瘍を認めない
Ⅰ期			T1	癌が子宮体部に限局
	ⅠA期		T1a	筋層浸潤1/2未満
	ⅠB期		T1b	筋層浸潤1/2以上
Ⅱ期			T2	癌が頸部間質に浸潤するが子宮をこえていない
Ⅲ期			T3	癌が子宮外に広がるが,小骨盤腔をこえていない.または領域リンパ節転移
	ⅢA期		T3a	子宮漿膜ならびに/あるいは付属器を侵す
	ⅢB期		T3b	腟ならびに/あるいは子宮傍組織へ広がる
	ⅢC期		N1, N2	骨盤リンパ節ならびに/あるいは傍大動脈リンパ節転移陽性
		ⅢC1期	N1	骨盤リンパ節転移陽性
		ⅢC2期	N2	骨盤リンパ節への転移の有無にかかわらず傍大動脈リンパ節転移陽性
Ⅳ期				癌が小骨盤腔をこえる,あるいは明らかに膀胱ならびに/あるいは腸粘膜浸潤,ならびに/あるいは遠隔転移
	ⅣA期		T4	膀胱ならびに/あるいは腸粘膜浸潤
	ⅣB期		M1	腹腔内ならびに/あるいは鼠径リンパ節転移を含む遠隔転移

N分類:領域リンパ節〔骨盤リンパ節(閉鎖,外腸骨,鼠径上,内腸骨,総腸骨,仙骨,基靱帯),傍大動脈リンパ節〕

NX	領域リンパ節の評価が不可能
N0	領域リンパ節転移なし
N1	骨盤リンパ節への転移あり
N2	骨盤リンパ節への転移の有無に関係なく,傍大動脈リンパ節への転移あり

M分類:遠隔転移

M0	遠隔転移なし
M1	遠隔転移あり(腟,骨盤漿膜,付属器への転移は除外し,鼠径リンパ節への転移と,傍大動脈リンパ節と骨盤リンパ節以外の腹腔内リンパ節への転移を含む)

〔日本産科婦人科学会,日本病理学会(編):子宮体癌取扱い規約 病理編.第5版,pp16-19,金原出版,2022より作成〕

1 子宮内膜癌の組織学的分化度

- 類内膜癌は腺癌成分の形態により分類される.

表A1-3 類内膜癌の分類

Grade 1 (G1)	明瞭な腺管構造が大半を占め,充実性胞巣からなる領域が5%以下
Grade 2 (G2)	充実性胞巣からなる領域が5%をこえるが50%以下,または充実性胞巣が5%以下でも核異型が強い場合
Grade 3 (G3)	充実性胞巣からなる領域が50%をこえる,または充実性胞巣が50%以下でも核異型が強い場合

〔日本産科婦人科学会,日本病理学会(編):子宮体癌取扱い規約 病理編.第5版,p33,金原出版,2022より作成〕
注 1. 漿液性腺癌,明細胞腺癌,扁平上皮癌は核異型でGrade判定.
 2. 扁平上皮への分化を伴う腺癌のGradeは腺癌成分によって判定.

2 子宮体部肉腫

表 A1-4 平滑筋肉腫/子宮内膜間質肉腫の進行期分類（日産婦 2014, FIGO 2008）と TNM 分類（UICC 第 8 版 2017）

進行期		T 分類	
I 期		T1	腫瘍が子宮に限局
	IA 期	T1a	腫瘍サイズ 5 cm 以下
	IB 期	T1b	腫瘍サイズ 5 cm をこえる
II 期		T2	腫瘍が骨盤腔に及ぶ
	IIA 期	T2a	付属器浸潤
	IIB 期	T2b	その他の骨盤内組織浸潤
III 期		T3	骨盤外に進展
	IIIA 期	T3a	1 部位
	IIIB 期	T3b	2 部位以上
	IIIC 期	N1	骨盤リンパ節ならびに/あるいは傍大動脈リンパ節転移
IV 期			膀胱粘膜ならびに/あるいは直腸粘膜に浸潤，ならびに/あるいは遠隔転移
	IVA 期	T4	膀胱粘膜ならびに/あるいは直腸粘膜に浸潤
	IVB 期	M1	遠隔転移

※腺肉腫に関しては I 期は下記のように細分類する．

	IA 期	T1a	子宮体部内膜，頸部内膜に限局（筋層浸潤なし）
	IB 期	T1b	筋層浸潤 1/2 以内
	IC 期	T1c	筋層浸潤 1/2 をこえる

N 分類：領域リンパ節〔骨盤リンパ節（閉鎖，外腸骨，鼠径上，内腸骨，総腸骨，仙骨，基靭帯），傍大動脈リンパ節〕

NX	領域リンパ節の評価が不可能
N0	領域リンパ節転移なし
N1	領域リンパ節転移あり

M 分類：遠隔転移

M0	遠隔転移なし
M1	遠隔転移あり（付属器，骨盤組織，腹部組織への転移は除外）

〔日本産科婦人科学会，日本病理学会（編）：子宮体癌取扱い規約 病理編．第 5 版．pp19-23．金原出版，2022 より作成〕

- 子宮腺肉腫は子宮内膜癌の進行期分類を使用する(p4).

卵巣癌・卵管癌・腹膜癌

表 A1-5 卵巣癌・卵管癌・腹膜癌の進行期分類(日産婦 2014,FIGO 2014)と TNM 分類(UICC 第 8 版 2017)

進行期		T 分類	
Ⅰ期		T1	卵巣あるいは卵管内限局発育
	ⅠA 期	T1a	腫瘍が一側の卵巣あるいは卵管に限局,被膜正常,腹腔細胞診(-)
	ⅠB 期	T1b	腫瘍が両側の卵巣あるいは卵管に限局,被膜正常,腹腔細胞診(-)
	ⅠC 期	T1c	腫瘍が一側または両側の卵巣あるいは卵管に限局するが以下の所見を認める
	ⅠC1 期	T1c1	手術操作による被膜破綻
	ⅠC2 期	T1c2	自然被膜破綻あるいは被膜表面浸潤
	ⅠC3 期	T1c3	腹水,洗浄細胞診(+)
Ⅱ期		T2	一側または両側の卵巣・卵管に存在し,骨盤内への進展を認める,あるいは原発性腹膜癌
	ⅡA 期	T2a	進展ならびに/あるいは転移が子宮ならびに/あるいは卵管ならびに/あるいは卵巣に及ぶ
	ⅡB 期	T2b	他の骨盤内臓器に進展
Ⅲ期			一側または両側の卵巣・卵管に存在,あるいは原発性腹膜癌で,骨盤外の腹膜播種ならびに/あるいは後腹膜リンパ節転移
	ⅢA1 期		後腹膜リンパ節転移
	ⅢA1(i)期	T1-2	転移巣 10 mm 以下
	ⅢA1(ii)期	T1-2	転移巣 10 mm をこえる
	ⅢA2 期	T3a	骨盤外に顕微鏡的播種
	ⅢB 期	T3b	2 cm 以下の腹腔内播種
	ⅢC 期	T3c	2 cm をこえる腹腔内播種
Ⅳ期			腹膜播種を除く遠隔転移
	ⅣA 期	T1-3	胸水細胞診(+)
	ⅣB 期	T1-3	実質転移あるいは腹腔外臓器転移

N 分類：領域リンパ節〔骨盤リンパ節(閉鎖，外腸骨，鼠径上，内腸骨，総腸骨，仙骨，基靱帯)，傍大動脈リンパ節，大網のリンパ節などの腹腔内リンパ節〕

NX		領域リンパ節転移の評価が不可能
N0		領域リンパ節転移なし
N1		領域リンパ節転移あり
	N1a	最大径 10 mm 以下のリンパ節転移
	N1b	最大径 10 mm をこえるリンパ節転移

M 分類：遠隔転移

M0		遠隔転移なし
M1		遠隔転移あり
	M1a	細胞診陽性の胸水
	M1b	実質転移および腹腔外臓器への転移(鼠径リンパ節と腹腔外リンパ節を含む)

〔日本産科婦人科学会, 日本病理学会(編)：卵巣腫瘍・卵管癌・腹膜癌取扱い規約 病理編. 第2版, pp12-16, 金原出版, 2022 より作成〕

外陰癌

表 A1-6 外陰癌の進行期分類(日産婦 2022, FIGO 2021)と TNM 分類(UICC 第7版 2009*)

進行期		T 分類	
		TX	原発腫瘍の評価が不可能
		T0	原発腫瘍を認めない
		Tis	上皮内癌(浸潤前癌)，上皮内腫瘍悪性度Ⅲ(VINⅢ)
Ⅰ期		T1	外陰に限局した腫瘍
	ⅠA 期	T1a	腫瘍径 2 cm 以下の腫瘍で，間質浸潤の深さ[注1] が 1 mm 以下
	ⅠB 期	T1b	腫瘍径 2 cm をこえるかまたは間質浸潤の深さ[注1] が 1 mm をこえる
Ⅱ期		T2	腫瘍が隣接組織の下部(尿道下部 1/3, 腟下部 1/3, 肛門管[注2] 下部 1/3)に浸潤する．リンパ節転移はない．腫瘍の大きさは問わない
Ⅲ期		T3	腫瘍が隣接組織の上部まで浸潤するか，固着や潰瘍を伴わない鼠径リンパ節に転移．腫瘍の大きさは問わない
	ⅢA 期		尿道上部 2/3, 腟上部 2/3, 肛門管[注2] 上部 2/3, 膀胱粘膜, 直腸粘膜に浸潤する腫瘍, または 5 mm 以下の鼠径リンパ節転移. 腫瘍の大きさは問わない
	ⅢB 期		5 mm をこえる鼠径リンパ節転移
	ⅢC 期		被膜外浸潤を有する鼠径リンパ節転移

(次ページへつづく)

表 A1-6 **外陰癌の進行期分類**(日産婦 2022, FIGO 2021)**と TNM 分類**(UICC 第 7 版 2009*)(つづき)

IV期		腫瘍が骨に固着するか,固着あるいは潰瘍化したリンパ節転移,または遠隔転移.腫瘍の大きさは問わない
	IVA 期	骨盤骨に固着した腫瘍か,固着あるいは潰瘍化した鼠径リンパ節注3 転移
	IVB 期	遠隔臓器に転移

注 1. 癌および VIN の近傍にある正常表皮突起の最深部の基底膜の深さから癌の浸潤先端の深さまでの距離を間質浸潤の深さとする.
  2. ここでの肛門管は肛門縁から肛門括約筋上縁の高さまでの部分である.
  3. 鼠径リンパ節は深鼠径および浅鼠径リンパ節を指す.
*:FIGO 2021 と TNM 分類第 8 版の間には乖離がある.

N 分類:領域リンパ節〔鼠径リンパ節(浅鼠径,深鼠径)〕

NX	領域リンパ節の評価が不可能
N0	領域リンパ節転移なし
N1	以下の特徴をもつ領域リンパ節転移
N1a	1 個 5 mm 未満のリンパ節転移が 1〜2 個
N1b	5 mm 以上のリンパ節転移が 1 個
N2	以下の特徴をもつ領域リンパ節転移
N2a	1 個 5 mm 未満のリンパ節転移が 3 個以上
N2b	5 mm 以上のリンパ節転移が 2 個以上
N2c	節外浸潤を呈するリンパ節転移
N3	固着性または潰瘍性の領域リンパ節転移

M 分類:遠隔転移

M0	遠隔転移なし
M1	遠隔転移あり(骨盤リンパ節転移を含む)

〔日本産科婦人科学会,日本病理学会(編):子宮頸癌取扱い規約 病理編.第 5 版,pp112-114,金原出版,2022 より作成〕

腟癌

表 A1-7　腟癌の進行期分類(日産婦 2014 改，FIGO 1971)**と TNM 分類**(UICC 第 8 版 2017)

進行期	T 分類	
	TX	原発腫瘍の評価が不可能
	T0	原発腫瘍を認めない
	Tis	上皮内癌(浸潤前癌)
Ⅰ期	T1	腟壁に限局
Ⅱ期	T2	傍腟結合織に浸潤，骨盤壁に達しない
Ⅲ期	T3	骨盤壁に達する
Ⅳ期		癌が小骨盤腔をこえて広がるか，膀胱，直腸粘膜を侵す
ⅣA 期	T4	膀胱および/または直腸粘膜浸潤，および/または小骨盤腔をこえて直接進展
ⅣB 期	—	遠隔転移

N 分類：領域リンパ節

NX	領域リンパ節の評価が不可能
N0	領域リンパ節転移なし
N1	領域リンパ節転移あり

領域リンパ節は
腟上部 2/3：閉鎖リンパ節，内腸骨リンパ節(下腹リンパ節)，外腸骨リンパ節，骨盤リンパ節(その他のもの)を含めた骨盤リンパ節
腟下部 1/3：鼠径リンパ節(浅鼠径，深鼠径)

M 分類：遠隔転移

M0	遠隔転移なし
M1	遠隔転移あり

〔日本産科婦人科学会，日本病理学会(編)：子宮頸癌取扱い規約 病理編 第 5 版．pp114-115，金原出版，2022 より作成〕

乳癌の臨床病期(stage)分類

表A1-8 浸潤癌のTNM臨床病期分類(UICC第8版2017)
TNM分類(臨床病期)

		T0	T1	T2	T3	T4
M0	N0	該当せず	Ⅰ	ⅡA	ⅡB	ⅢB
	N1	ⅡA	ⅡA	ⅡB	ⅢA	ⅢB
	N2	ⅢA	ⅢA	ⅢA	ⅢA	ⅢB
	N3	ⅢC	ⅢC	ⅢC	ⅢC	ⅢC
M1		Ⅳ	Ⅳ	Ⅳ	Ⅳ	Ⅳ

T分類:原発巣[注1]

		大きさ(mm)	胸壁固定[注2]	皮膚の浮腫,潰瘍,衛星皮膚結節
TX		評価不可能		
Tis		非浸潤癌あるいはPaget病[注3]		
T0		原発巣を認めず[注4,5]		
T1[注6]		≦20	−	−
T2		20< ≦50	−	−
T3		50<	−	−
T4	a	大きさを問わず	+	−
	b		−	+
	c		+	+
	d	炎症性乳癌[注7]		

注1. Tの大きさは原発巣の最大浸潤径を想定しており,視触診,画像診断を用いて総合的に判定する.乳管内成分を多く含む癌で,触診径と画像による浸潤径との間に乖離がみられる場合は画像による浸潤径を優先する.乳腺内に多発する腫瘍の場合は最も大きいTを用いて評価する.
2. 胸壁とは,肋骨,肋間筋および前鋸筋を指し,胸筋は含まない.
3. 浸潤を伴わない場合.
4. 視触診,画像診断にて原発巣を確認できない場合.
5. 異常乳頭分泌例,マンモグラフィの石灰化例などはT0とはせず判定を保留し,最終病理診断によってTis, T1miなどに確定分類する.
6. mi(≦1 mm), a(1 mm< ≦5 mm), b(5 mm< ≦10 mm), c(10 mm< ≦20 mm)に亜分類する.
7. 炎症性乳癌は通常腫瘤を認めず,皮膚のびまん性発赤,浮腫,硬結を示すものを指す.腫瘤の増大,進展に伴う局所的な皮膚の発赤や浮腫を示す場合はこれに含めない.

N分類：領域リンパ節[注1]

	同側腋窩リンパ節レベルI, II		内胸リンパ節	同側腋窩リンパ節レベルIII[注2]	同側鎖骨上リンパ節
	可動	周囲組織への固定あるいはリンパ節癒合			
NX	評価不可能				
N0	−	−	−	−	−
N1	+	−	−	−	−
N2 a	−	+	−	−	−
N2 b	−	−	+	−	−
N3 a	+/−	+/−	+/−	+	−
N3 b	+または+		+	−	−
N3 c	+/−	+/−	+/−	+/−	+

注1. リンパ節転移の診断は触診と画像診断などによる．
 2. UICC/TNM分類第8版でいう鎖骨下リンパ節を含む．

M分類：遠隔転移

M0	遠隔転移なし
M1	遠隔転移あり

〔日本乳癌学会（編）：臨床・病理 乳癌取扱い規約．第18版，pp3-6，金原出版，2018より作成〕

文献

1）日本産科婦人科学会，日本病理学会（編）：子宮頸癌取扱い規約 病理編．第5版，pp5-6, 28, 35, 金原出版，2022.

A2 記述式細胞診報告様式

記述式子宮頸部細胞診

- 新しい子宮頸部細胞診の報告様式であるベセスダシステムが本邦でも 2009 年から採用されている．その特徴は以下のとおりである．
1) 標本の質を評価し，不適な標本は診断しない．
2) 診断困難な異型細胞に対して新しいクライテリアを設ける（ASC-US，ASC-H，AGC）．
3) クラス分類ではなく，記述的な診断である．

表 A2-1　子宮頸部細胞診のベセスダシステム 2014

ベセスダ	推定される病理診断	取り扱い	コメント
NILM (negative for intraepithelial lesion or malignancy)	異型細胞が認められない	1～2年後に再検	
ASC-US (atypical squamous cells of undetermined significance)	CIN (cervical intraepithelial neoplasia) 1の可能性があるが断定できない	1. HPV検査が望ましい 　陰性：1年後に細胞診，HPVを再検 　陽性：コルポスコピー下に生検を行う 2. HPV検査をしない場合は6か月後に細胞診を再検 3. コルポスコピー下に生検を行う場合もある	10～20%はCIN2～3
ASC-H (atypical squamous cells, cannot exclude HSIL)	CIN2以上の可能性があるが断定できない	コルポスコピー下に生検	CIN2以上の病巣のある可能性は30～40%
LSIL (low-grade squamous intraepithelial lesion)	HPV感染やCIN1を示唆する	コルポスコピー下に生検	

（次ページへつづく）

表 A2-1　子宮頸部細胞診のベセスダシステム 2014（つづき）

ベセスダ	推定される病理診断	取り扱い	コメント
HSIL（high-grade squamous intraepithelial lesion）	CIN2～3 を示唆する	・コルポスコピー下に生検 ・生検陰性で細胞診を再評価しやはり HSIL であれば円錐切除を考慮	70～75％に CIN2～3，1～2％に浸潤癌
SCC（squamous cell carcinoma）	浸潤扁平上皮癌を示唆する	・コルポスコピー下に生検 ・微小浸潤癌の可能性がある場合には円錐切除	
AGC（atypical glandular cells）	腺系の異常を示唆するが AIS や腺癌の基準に達しない（腺異形成）	コルポスコピー下に生検を行うが，浸潤癌になるまでコルポスコピーでは所見がなく，円柱上皮の奥にも病巣のある可能性があるので頸管掻爬を必ず併用し，多数箇所の生検や円錐切除を行うなどの慎重な取り扱いが必要である． また異型腺細胞が頸管由来か内膜由来かはっきりしない場合には体癌細胞の混入も考えておく	10～40％に高度病変が認められ，CIN2，3 など扁平上皮系の病変のほうが多い
AIS（adenocarcinoma in situ）	上皮内腺癌を示唆する		
adenocarcinoma	浸潤腺癌を示唆する		

〔日本臨床細胞学会（編）：細胞診ガイドライン 1　婦人科・泌尿器．2015 年版（2022 年補遺版），p21，2022 より一部改変〕

記述式子宮内膜細胞診

- 子宮内膜細胞診の記述式報告様式（The Yokohama System）が考案され，日本臨床細胞学会（編）『細胞診ガイドライン 1　婦人科・泌尿器．2015 年版（2022 年補遺版）』に記載されている．診断困難な異型細胞に対して ATEC が設けられ，また組織診断を意識した評価法となっている．

表 A2-2 子宮内膜細胞診の The Yokohama System (TYS)

診断	意義	推定される状態	対応
unsatisfactory for evaluation	検体不適正		
negative for malignancy	陰性：悪性ではない	正常内膜，萎縮内膜，炎症に伴う変化，ホルモン環境異常に伴う変化〔子宮内膜腺間質破綻（endometrial glandular and stromal breakdown；EGBD）〕，子宮内膜ポリープなど	内膜に腫瘍がある場合は組織診を考慮
ATEC-US（atypical endometrial cells, of undetermined significance）	内膜異型細胞：意義不明		細胞診の再検，あるいは組織診を考慮
endometrial hyperplasia without atypia	異型を伴わない子宮内膜増殖症		
ATEC-AE〔atypical endometrial cells, cannot exclude atypical endometrial hyperplasia（AEH）/endometrioid intraepithelial neoplasia（EIN）or malignant condition〕	内膜異型細胞：異型増殖症/類内膜上皮内腫瘍，または悪性腫瘍を除外できない		組織診を行う
atypical endometrial hyperplasia（AEH）/endometrioid intraepithelial neoplasia（EIN）	子宮内膜異型増殖症/子宮内膜上皮内腫瘍	子宮内膜異型増殖症	組織診を行う
malignant neoplasms	悪性腫瘍	類内膜癌，漿液性癌など	組織診を行う

〔日本臨床細胞学会（編）：細胞診ガイドライン 1 婦人科・泌尿器. 2015 年版（2022 年補遺版），p44，2022 より一部改変〕

A3 CINの取り扱い

非妊娠時

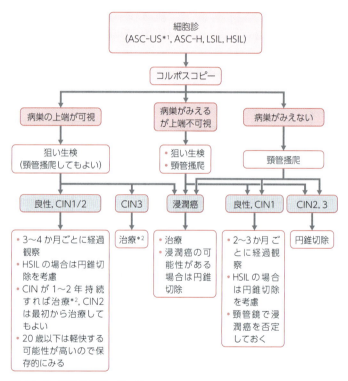

図 A3-1　細胞診異常の取り扱い

*1：ASC-USの場合はコルポスコピーを行わず，表A2-1（p13参照）に従ってもよい．
*2：CIN（cervical intraepithelial neoplasia）の治療：レーザー蒸散，LEEP切除，円錐切除のいずれかを選択する．「円錐切除術の適応」の項を参照，p24．
  1. レーザー蒸散は病理診断で確認ができないので，CISやCISの可能性がある場合は，LEEPや円錐切除で病理診断を確認するのが望ましい．
  2. 挙児希望のある場合はできるだけ円錐切除は避ける．

妊娠中

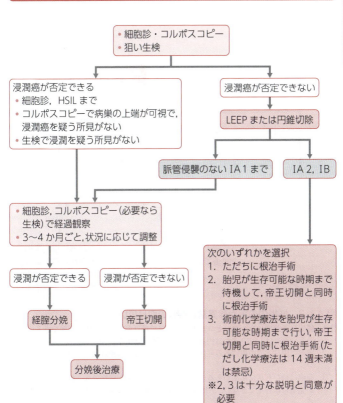

図 A3-2 妊娠中の細胞診異常（扁平上皮系）の取り扱い

注 1. 妊娠中の CIN の管理の要点は浸潤癌を否定することである．
   浸潤癌が否定できれば，基本的に分娩まで待機し，経腟分娩後に再評価し治療する．
 2. 細胞診，コルポスコピー，生検のいずれかが浸潤を示唆する場合には LEEP で病巣をすべて切除するか，円錐切除で浸潤癌を否定する必要がある．妊娠中の円錐切除は出血が多く，早産などの危険もあり，頸管縫縮後に円錐切除している施設もある．
 3. 妊娠中のレーザー蒸散や円錐切除は治療が不十分になる可能性が高いので，妊娠中は行わず，分娩後 1 か月以上経ってから行う．
 4. LEEP や円錐切除の結果，脈管侵襲のない IA 1 期で，完全切除であれば満期まで待機し経腟分娩または帝王切開，不完全切除の場合は帝王切開，より高度な病巣の残っている可能性がある場合は IA 2 期，IB 期に準ずる．

妊娠中（腺系）

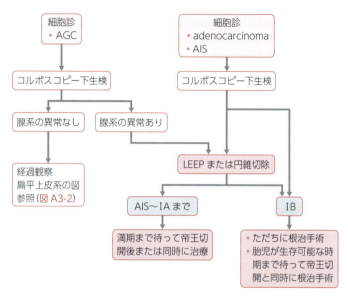

図 A3-3　妊娠中の細胞診異常（腺系）の取り扱い

注1. 腺癌は浸潤癌にならないとコルポスコピーで所見がなく，診断が困難であるので疑わしい場合は LEEP または円錐切除で診断を確認するべきである．
2. 腺癌は円柱上皮の奥にある可能性があるが，妊娠中は頸管搔爬は行わないほうがよい．
3. 腺癌は飛び石状に病巣があるので，円錐切除で断端が陰性でも，病巣残存の可能性が完全には否定できない．AIS を円錐切除で治療する場合には慎重に行う必要がある．

子宮頸癌の自然史

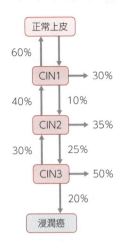

図 A3-4　子宮頸癌の自然史

〔Ostör AG：Natural history of cervical intraepithelial neoplasia：a critical review. Int J Gynecol Pathol 12(2)：186-192, 1993 より一部改変〕

- CIN1/2 は経過観察されることも多いが，その際には以下の注意が必要である．
- 狙い組織診は過小評価の傾向があり，より高度な病変の存在を常に考えておく必要がある(表A3-1)．
- 上記の図A3-4 は，これまでに発表されたいくつかの論文をまとめて 1993 年に Ostör が解析したものを少し改変している．CIN3 の診断がついた場合は治療を行う．
- 診断的円錐切除術の適応を見落とさない(p24 参照)．

表 A3-1　狙い組織診の術後診断結果(徳島大学)

狙い組織診	術後診断			
	高度異形成	上皮内癌	IA1	IA2以上
高度異形成	17(1)	13(1)	7(3)	
上皮内癌	1(1)	23(6)	11(5)	7(7)
IA1			4(4)	4(4)

(　)：診断的円錐切除術の適応があったもの．

A4 子宮頸癌とHPV

HPV 型別の病変

- HPV（human papillomavirus）には現在100以上の型があり，子宮頸癌の原因となるハイリスクHPVは下記の13種類である．
- 16, 18, 31, 33, 35, 39, 45, 51, 52, 56, 58, 59, 68
- このうち本邦における症例のメタアナリシスより，浸潤癌からの検出率が高く，よりリスクが高いものはHPV16, 18, 31, 33, 35, 45, 52, 58の8種類である[1]．
- 本邦における細胞診LSILまたは組織診CIN1/2患者570例の追跡調査でHPV型別での進展率，自然消失率が報告されている[2]．

表 A4-1 5年以内に CIN3 へ進展する頻度

HPV 型	CIN3 進展数	進展率	相対危険度
低リスクまたは陰性	1/90	1.7%	1.00
39, 51, 56, 59, 68	5/126	6.0%	4.04
16, 18, 31, 33, 35, 45, 52, 58	33/233	20.5%	12.0
16, 18	10/72	22.4%	12.3

〔Matsumoto K, et al：Predicting the progression of cervical precursor lesions by human papillomavirus genotyping：a prospective cohort study. Int J Cancer 128(12)：2898-2910, 2011 より改変〕

表 A4-2 　CIN1/2 の 2 年以内の病変自然消失率

HPV 型	病変自然消失数	2 年以内自然消失率	自然消失までの中央期間(月)
低リスクまたは陰性	64/90	77.4%	9.0 (7.0~11.3)
39, 51, 56, 59, 68	82/126	68.7%	9.4 (6.0~13.2)
16, 18, 31, 33, 35, 45, 52, 58	107/233	51.6%	22.7 (18.7~38.7)
16, 18 (CIN2)	4/15	44.4%	NA

〔Matsumoto K, et al：Predicting the progression of cervical precursor lesions by human papillomavirus genotyping：a prospective cohort study. Int J Cancer 128(12)：2898-2910, 2011 より改変〕

HPV の検出方法と保険適用

1 検出方法

a 核酸検出法

- DNA 検体を検出したい DNA に特異的な RNA プローブをハイブリダイゼーションさせ，抗 RNA 抗体を固相化したマイクロプレートを反応させ発色させる方法で，現在第 2 世代のもの(ハイブリッドキャプチャーⅡ：HCⅡ)になっており，HPV16, 18, 31, 33, 35, 39, 45, 51, 52, 56, 58, 59, 68 の 13 種類を検出できる．
- ハイリスク HPV の有無をみるもので型は検出できない．

b PCR 法

- DNA 検体を PCR で増幅し，DNA の配列を解読したり特異的プローブとのハイブリダイゼーションによって HPV の型判定が可能．

2 保険適用

a 細胞診で ASC-US の場合

- 核酸検出法によるハイリスク HPV 検査が保険適用となっている．細胞診と同日には算定できない．陰性の場合は 1 年後に細胞診再検，陽性の場合はコルポスコピー下狙い生検を行う．

b 組織診で CIN1/2 の場合

- HPV 型の同定を算定できる．HPV の型別のリスクによって CIN の取り扱いを個別化することは今後の課題であるが，参考例を表 A4-3 に挙げる[3]．

表 A4-3 HPV 型別の管理法

CIN1 で HPV16, 18, 31, 33, 35, 45, 52, 58 陽性	4〜6 か月ごと経過観察
CIN1 で上記以外	12 か月ごと経過観察
CIN2 で HPV16, 18, 31, 33, 35, 45, 52, 58 陽性	3〜4 か月ごと経過観察または治療
CIN2 で上記以外	6 か月ごと経過観察

24 か月以上 regress しない場合は治療を考慮する.
〔日本産科婦人科学会, 日本産婦人科医会(編集・監修):産婦人科診療ガイドライン—婦人科外来編 2023. p45, 日本産科婦人科学会, 2023 より改変〕

HPV DNA 検査の臨床的意義

1) 一次スクリーニングで細胞診と併用することで見落としがなくなる(特に腺癌).
2) ASC-US の取り扱い(「記述式細胞診報告様式」の項を参照, p13)
3) CIN が軽快した後の取り扱い
4) 細胞診と HPV の両者が陰性の場合は検診間隔を長くすることが可能である.

HPV ワクチンによる子宮頸癌の予防

- 子宮頸癌の 95% 以上は性交によるハイリスク HPV の感染により発生する. ワクチンを接種することにより CIN を予防することができる.

1 ワクチンの種類

ⓐ 2 価ワクチン(サーバリックス®)
- HPV16/18 型に対するワクチン. 1 回 0.5 mL を 0 か月, 1 か月, 6 か月の 3 回筋注する.

ⓑ 4 価ワクチン(ガーダシル®)
- HPV16/18 型と尖圭コンジローマの原因となる HPV6/11 型に対する 4 価ワクチンで, 1 回 0.5 mL を 0 か月, 2 か月, 6 か月の 3 回筋注する.

ⓒ 9 価ワクチン(シルガード®9)
- HPV6/11/16/18/31/33/45/52/58 型に対する 9 価ワクチンで, 1 回 0.5 mL を 0 か月, 2 か月, 6 か月の 3 回筋注する. 9 歳以上 15 歳未満は 0 か月, 6〜12 か月の 2 回筋注する.

2 接種対象

- 初交の前に接種するのが理想的で，現在の薬事承認ではサーバリックス®は10歳以上の女性，ガーダシル®は9歳以上の男女，シルガード®9は9歳以上の女性を対象としている．
- 45歳までは推奨される．

3 予防効果

- 子宮頸癌から検出されるHPV型別の頻度は16/18型で約70%，16/18/31/33/45/52/58型では約90%である．これらのHPVから発生するCINや性器周辺のHPV関連癌（腟癌，外陰癌，肛門癌）がそれぞれのワクチンで予防できる．
- ガーダシル®，シルガード®9はHPV6/11が原因の尖圭コンジローマも予防できる．ガーダシル®は肛門癌，その前駆病変，尖圭コンジローマの発症予防効果が明らかとなり男性にも適応が追加された．

4 ワクチン接種時の注意

- 接種後に注射部位の発赤，腫脹，疼痛が認められるほか，稀に（ほぼ2万回に1回の割合）失神，血管迷走神経反射を起こすことがあるので，接種後30分間は病院内で様子をみる必要がある．

5 定期検診の必要性

- ワクチンではすべての型の発癌性HPV感染を予防することはできないので，20歳を過ぎたら細胞診などによる定期検診を受けることが必要である．

6 ワクチン接種後の副反応

- 不随意運動，持続的な疼痛などの多様な24症状がワクチン接種の有無とは関係なく同頻度に発生していることが名古屋市での研究で明らかとなっている[4]．副反応の可能性がある患者の対応窓口が各都道府県に設定されている．

文献

1) Miura S, et al：Do we need a different strategy for HPV screening and vaccination in East Asia? Int J Cancer 119(11)：2713-2715, 2006.
2) Matsumoto K, et al：Predicting the progression of cervical precursor lesions by human papillomavirus genotyping：a prospective cohort study. Int J Cancer 128(12)：2898-2910, 2011.
3) 日本産科婦人科学会，日本産婦人科医会（編集・監修）：産婦人科診療ガイドライン―婦人科外来編2023．日本産科婦人科学会，2023．
4) Suzuki S, et al：No association between HPV vaccine and reported post-vaccination symptoms in Japanese young women：Results of the Nagoya study. Papillomavirus Res 5：96-103, 2018.

A5 円錐切除術の適応

診断的円錐切除術の適応

- コルポスコピーで外頸部から内頸部に及ぶ異常所見(異型変換帯および微小浸潤癌を疑わせる所見)がみられるが,鑷子で外子宮口を開いても,その上端が確認できない場合.
- 細胞診で HSIL 以上であるが,コルポスコピーで外頸部に異常所見がみられず,鑷子で外子宮口を開くと,その下端がみえるかあるいはまったくみえない場合.
- 狙い組織診で CIN3 と診断されたが,細胞診で微小浸潤癌以上の病変(主として細胞診で SCC,adenocarcinoma)が推定される場合.
- 狙い組織診で微小浸潤癌と診断された場合.

治療的円錐切除術の条件

1) CIN2,CIN3
2) 切除断端に病変がなく,切除断端から 3 mm 以内に glandular involvement を認めないこと[1].
3) 脈管侵襲・癒合浸潤のない I A1 期の場合,断端が陰性で頸管搔爬診が陰性であれば,子宮温存が可能である(癒合浸潤は影響しないとの報告もある).
4) 妊孕性を温存する場合,CIN3 に対しては LEEP 切除やレーザー蒸散を用いることも多い.
5) フォローアップを確実に行いうること.

- 以上の 1)~5)の項目をすべて満たす場合,治療的円錐切除術とする.

円錐切除術後の妊娠の取り扱い

- CIN 治療後の妊娠中の流・早産のリスクは，治療法により異なる[2]．

表 A5-1 治療法別にみた妊娠 24 週未満での流・早産のリスク（meta-analysis）

治療法	治療群	無治療対照群	リスク
円錐切除（cold knife）	62/448（13.8%）	53/502（10.6%）	1.30
円錐切除（レーザー）	17/138（12.3%）	18/110（16.4%）	0.69
LEEP 切除	88/685（12.8%）	82/647（12.7%）	1.03
レーザー蒸散	24/210（11.4%）	26/149（17.4%）	0.65

（Kyrgiou M, et al：Fertility and early pregnancy outcomes after treatment for cervical intraepithelial neoplasia：systematic review and meta-analysis. BMJ 349：g6192, 2014 より改変）

- 円錐切除術後の妊娠における早産率は，予防的頸管縫縮術施行群と未施行群との差がないとの報告が多い．

文献

1）坂口幸吉：円錐切除後の残存子宮における病巣遺残の判定について．日産婦誌 38(6)：924-932, 1986.
2）Kyrgiou M, et al：Fertility and early pregnancy outcomes after treatment for cervical intraepithelial neoplasia：systematic review and meta-analysis. BMJ 349：g6192, 2014.

A6 子宮頸癌の標準的治療法

1 進行期別子宮頸癌治療法

表 A6-1 進行期別子宮頸癌治療法

進行期	治療法
CIN3	LEEP 切除，円錐切除，単純子宮全摘術，remote after loading system（RALS）
IA1 脈管侵襲なし[*1]	円錐切除，単純子宮全摘術
IA1 脈管侵襲あり	● trachelectomy[*2] あるいは単純子宮全摘術あるいは準広汎子宮全摘術＋骨盤リンパ節郭清 ● 円錐切除＋骨盤リンパ節郭清[*3]
IA2 脈管侵襲なし	● trachelectomy[*2] あるいは単純子宮全摘術あるいは準広汎子宮全摘術（＋骨盤リンパ節郭清）[*4] ● 円錐切除[*4]
IA2 脈管侵襲あり	● trachelectomy[*2] あるいは準広汎子宮全摘術＋骨盤リンパ節郭清（＋傍大動脈リンパ節生検または郭清[*5]） ● RALS＋骨盤外照射 ● 円錐切除＋骨盤リンパ節郭清[*3]
IB1	● trachelectomy[*2] あるいは広汎子宮全摘術＋骨盤リンパ節郭清（＋傍大動脈リンパ節生検または郭清[*5]） ● RALS＋骨盤外照射（±weekly CDDP）[*6]
IB2, IB3	● 広汎子宮全摘術＋骨盤リンパ節郭清（＋傍大動脈リンパ節生検または郭清[*5]） ● concurrent chemoradiotherapy（CCRT） ● CCRT 後に子宮摘出[*7]
IIA1	● 広汎子宮全摘術＋骨盤リンパ節郭清（＋傍大動脈リンパ節生検または郭清[*5]） ● RALS＋骨盤外照射（±weekly CDDP）[*6]
IIA2	● 広汎子宮全摘術＋骨盤リンパ節郭清（＋傍大動脈リンパ節生検または郭清[*4]） ● CCRT ● CCRT 後に子宮摘出[*7]

（次ページへつづく）

表 A6-1　進行期別子宮頸癌治療法(つづき)

進行期	治療法
ⅡB	● (術前化学療法[*8] →)広汎子宮全摘術＋骨盤リンパ節郭清(＋傍大動脈リンパ節生検または郭清) ● CCRT [*9]
ⅢA, ⅢB	CCRT
ⅢCr	● CCRT 後に全身化学療法を考慮[*10] ● 広汎子宮全摘術＋骨盤リンパ節郭清[*11]
ⅣA	CCRT
ⅣB	化学療法を主体に放射線療法を組み合わせる

＊1：ⅠA の診断には円錐切除が必須である
＊2：trachelectomy は妊孕性温存希望が強く，腫瘍径が 2 cm まで，体部の切除断端に腫瘍がなく，リンパ節転移がない場合に考慮される．
＊3：National Comprehensive Cancer Network(NCCN)のガイドライン Ver.1 2022 では切除断端まで 3 mm 以上ある場合は円錐切除＋骨盤リンパ節郭清の選択肢を提示している．
＊4：円錐切除で脈管侵襲がないと診断された場合，リンパ節転移の可能性は 5/377(1％)であり，リンパ節郭清の省略が考慮される．また子宮傍組織への浸潤の頻度も少なく単純子宮全摘術も考慮される．
＊5：子宮頸癌において傍大動脈リンパ節(PAN)郭清(生検)が必要な場合〔PAN の腫大がなければ PAN 郭清は下腸間膜動脈(IMA)まででよいとする報告もある〕．
　①骨盤リンパ節に複数のリンパ節転移が疑われる場合(骨盤リンパ節に腫大があり，迅速組織診で転移陽性の場合)
　②PAN の腫大がある場合
　③広汎な体部浸潤がある場合
＊6：放射線治療単独で十分な治療効果が得られるが，CCRT を選択することも可能である．
＊7：NCCN のガイドラインでは CCRT 後に子宮摘出する選択肢もあるが，CCRT の効果が低い場合や，RALS の範囲外に病巣が進展している場合で，推奨度は低い．
＊8：術前化学療法(NAC)が予後を改善するかどうかは結論が一

致していないが，腫瘍径が大きい場合や基靱帯へ広がっている場合は考慮される．NAC＋手術とCCRTのいずれが優れているかについてはコンセンサスが得られていないがNAC＋手術に比較してCCRTの5年無病生存率が高い（CCRT 76.7％，NAC＋手術69.3％）との研究報告[3]がある．

* 9：NCCNのガイドラインではⅡB期には手術の選択肢はない
*10：PAN転移がある場合（ⅢC2r）は全身化学療法（TC 3コース）の追加を推奨するが，CCRT終了時の全身状態を考慮して決定する．
*11：画像診断でリンパ節転移が疑われる場合でも腫瘍が子宮頸部に限局している場合は手術を考慮する選択肢はある．特に放射線抵抗性の腺癌ではより積極的に考慮する．

2 子宮頸癌における付属器の取り扱い

- 子宮頸癌における卵巣転移率は下記の報告がある．

表 A6-2　子宮頸癌の卵巣転移率

	ⅠB	ⅡA	ⅡB
扁平上皮癌	4/1,784（0.2％）	3/402（0.7％）	16/739（2.2％）
腺癌	14/376（3.7％）	2/38（5.3％）	13/132（9.8％）

〔Shimada M, et al：Ovarian metastasis in carcinoma of the uterine cervix. Gynecol Oncol 101(2)：234-237, 2006 より〕

- ⅠB期の性成熟女性では卵巣を温存することも可能である．この場合，術後照射が必要な場合に備えて，卵巣を照射野外（腎臓下極の傍結腸窩）に移動する．腺癌の卵巣転移率は2〜14％あり，扁平上皮癌に比べ高率であることを念頭におき温存の可否を決定する．

3 子宮頸癌（扁平上皮癌）の後療法

- 表 A6-3 の分類に従って後療法を選択する．

1）A 群
- 後療法を追加しない．

2）B 群
1) 健常残存筋層が3mm未満の場合：放射線単独療法あるいは全身化学療法3コース．
2) 腟断端陽性の場合：腔内照射を行う．

表A6-3　子宮頸癌のリスク

A群	1. IA2まで 2. 次の条件をすべて満たす場合 　1）骨盤リンパ節，子宮傍組織および腟断端への進展がみられないもの 　2）残存健常筋層3mm以上 　3）脈管侵襲がみられない
B群	次の条件を1つでも満たす場合 　骨盤リンパ節転移を認めず 　1）健常残存筋層が3mm未満 　2）腟断端陽性
C群	次の条件を1つでも満たす場合 　1）脈管侵襲を認める 　2）骨盤リンパ節転移陽性，子宮傍組織進展

3）C群：CCRTを行う．複数のリンパ節転移やPAN転移がある場合はPAN領域を含める．

- 化学療法が術後照射に代わりうるか否かについてはコンセンサスが得られていない．十分なリンパ節郭清を行った場合には術後照射と比較し再発率に有意差がないとの報告[4]もあるが，不十分な手術〔リンパ節摘出個数少数（20個以下）や傍組織摘出不十分症例〕に化学療法を追加すると再発のリスクが上昇する．現在，婦人科悪性腫瘍研究機構で術後化学療法の有効性・安全性を確認する特定臨床研究が進行している（JGOG1082）．

文献

1）日本婦人科腫瘍学会（編）：子宮頸癌治療ガイドライン2022年版．第5版，金原出版，2022.
2）NCCN Guidelines. National Comprehensive Cancer Network：Guidelines—Cervical cancer, Version 1. 2023. https://www.nccn.org/guidelines/guidelines-detail?category=1&id=1426（2023年9月1日アクセス）
3）Gupta S, et al：Neoadjuvant chemotherapy followed by radical surgery versus concomitant chemotherapy and radiotherapy in patients with stage IB2, ⅡA, or ⅡB squamous cervical cancer：a randomized controlled trial. J Clin Oncol 36(16)：1548-1555, 2018.
4）Takeshima N, et al：Treatment results of adjuvant chemotherapy after radical hysterectomy for intermediate-and high-risk stage IB-ⅡA cervical cancer. Gynecol Oncol 103(2)：618-622, 2006.

A7 子宮頸部腺癌Ⅰ期～Ⅲ期の取り扱い

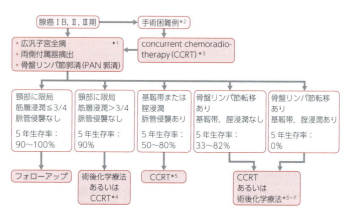

図 A7-1　子宮頸部腺癌Ⅰ期～Ⅲ期の取り扱い

- ＊1：Ⅰ期～Ⅲ期に対しては手術療法が放射線療法よりも予後が良好であるとの報告[1]が数件あり，手術可能な症例には原則として手術療法を考慮する．
- ＊2：手術が困難な合併症保持症例や，80歳以上の高齢症例．
- ＊3：CCRTはシスプラチン併用が基本であるが，腺癌に対してはタキサン，プラチナ製剤の併用によるCCRTの効果が高いとする報告[2]がある．
- ＊4：深い筋層浸潤のみのリスク因子を有する症例は，日本婦人科腫瘍学会(編)『子宮頸癌治療ガイドライン2022年版』では再発中リスクに該当し，術後放射線治療が推奨されている．徳島大学では，術後照射の合併症を考慮し，化学療法 TC/DCを3コース追加することを選択肢の1つとしている(「TC/DC療法の実際」の項参照，p64)．
- ＊5：術後のハイリスク症例に対する放射線治療は放射線単独ではなく，CCRTが効果が高いとの報告[3]がある．
- ＊6：術後化学療法：TC/DCを6コース．

*7：化学療法が術後照射に代わりうるか否かについてはエビデンスが少ない．癌が照射野内にとどまる場合はCCRTを行う．不十分な手術後に化学療法を追加すると再発リスクが上昇するので避けるべきである．婦人科腫瘍専門医が在籍し，多数の広汎子宮全摘術を行っている施設においては術後化学療法の有効性が認められる可能性がある．術後療法として放射線治療，CCRT，化学療法の治療効果に差を認めない報告も本邦からある[4]．

文献

1) Landoni F, et al：Randomised study of radical surgery versus radiotherapy for stage Ib-IIa cervical cancer. Lancet 350(9077)：535-540, 1997.
2) Nagai Y, et al：Concurrent chemoradiotherapy with paclitaxel and cisplatin for adenocarcinoma of the cervix. Anticancer Res 32(4)：1475-1479, 2012.
3) Peters WA, et al：Concurrent chemotherapy and pelvic radiation therapy compared with pelvic radiation therapy alone as adjuvant therapy after radical surgery in high-risk early-stage cancer of the cervix. J Clin Oncol 18(8)：1606-1613, 2000.
4) Shimada M, et al：Comparison of adjuvant chemotherapy and radiotherapy inpatients with cervical adenocarcinoma of the uterus after radical hysterectomy: SGSG/TCGA Intergroup surveillance. Eur J Gynecol Oncol 34(5)：425-428, 2013.

A8 子宮体癌，内膜増殖症の取り扱い

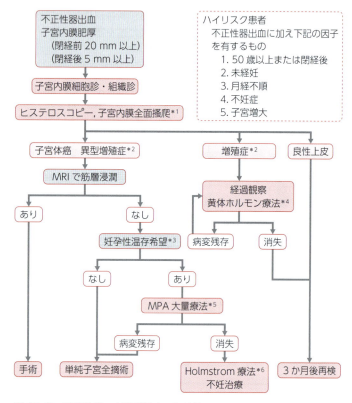

図 A8-1　子宮体癌，内膜増殖症の取り扱い

* 1：通常の子宮内膜組織診で診断が確定しない場合，ヒステロスコピーや子宮内膜全面搔爬を考慮する．
* 2：子宮体癌に進展する頻度は，異型のない増殖症1～3%，異型増殖症29%と報告されている．
* 3：45歳未満で挙児希望がある場合は妊孕性温存を考慮する．

MRIを施行し，筋層浸潤がないことを確認してから行う．

*4：黄体ホルモン療法：異型のない子宮内膜増殖症は80%の症例で自然退縮するが，消失しない場合や出血などの症状を伴う場合は治療を考慮する．消失しない場合は処方例1→3の順番で治療を行う．

処方例1 下記のいずれかを用いる．

1）ヒスロン®錠(5 mg) 1日10 mg(2錠)を1～3回に分服 7日内服，21日休薬を3コース
2）プロベラ®錠(2.5 mg) 1日10 mg(4錠)を1～3回に分服 7日内服，21日休薬を3コース
3）デュファストン®錠(5 mg) 1日10 mg(2錠)を1～3回に分服 7日内服，21日休薬を3コース

処方例2 下記のいずれかを用いる．

1）ヒスロン®錠(5 mg) 1日10～20 mg(2～4錠)を1～3回に分服 14日内服，14日休薬を3～6コース
2）プロベラ®錠(2.5 mg) 1日10～20 mg(4～8錠)を1～3回に分服 14日内服，14日休薬を3～6コース
3）デュファストン®錠(5 mg) 1日10～20 mg(2～4錠)を1～3回に分服 14日内服，14日休薬を3～6コース

処方例3 下記のいずれかを用いる．

1）ヒスロン®錠(5 mg) 1日20 mg(4錠)を1～3回に分服 3か月連続服用
2）プロベラ®錠(2.5 mg) 1日20 mg(8錠)を1～3回に分服 3か月連続服用
3）デュファストン®錠(5 mg) 1日20 mg(4錠)を1～3回に分服 3か月連続服用

*5：MPA大量療法

ヒスロン®H錠(200 mg)
1回1錠 1日2～3回 食後，4～6か月 12週以上服用

- 子宮体癌の温存療法の適応，治療法はp73参照．

*6：体外受精を含む積極的な不妊治療を考慮する．不妊治療を行わない場合はHolmstrom療法で定期的に消退出血を起こし，子宮体癌や異型増殖症の再発を予防する．

A9 子宮体癌の手術術式および後療法

1 子宮体癌の手術術式

- 単純子宮全摘術または準広汎子宮全摘術・両側付属器切除術・骨盤リンパ節郭清術を基本とする.
- 傍大動脈リンパ節郭清を行わない術式は腹腔鏡下手術,ロボット支援下手術が保険適用されている.
- Ⅱ期症例は準広汎子宮全摘術あるいは広汎子宮全摘術を行う.
- 高分化で浅い筋層浸潤の若年(45歳以下)症例の場合,温存に伴う危険性を説明したうえで,卵巣温存が考慮される.
- 術中迅速診断で筋層浸潤1/2未満かつ類内膜癌(Grade 1またはGrade 2)の場合はリンパ節郭清を省略する選択肢もある.
- 類内膜癌(Grade 3),漿液性癌,明細胞癌の特殊組織型や腹腔内播種を認める場合は大網切除を追加する.
- 以下の場合には傍大動脈リンパ節郭清を追加する.
  1) 類内膜癌(Grade 3)の場合,漿液性癌,明細胞癌などの特殊な組織型の場合
  2) CT,MRI,触診で傍大動脈リンパ節に腫大のある場合,術中迅速診断で骨盤リンパ節に転移がある場合
  3) 摘出した子宮の術中迅速診断で筋層浸潤が1/2をこえる場合
  4) 頸部間質浸潤例

2 子宮体癌の後療法

表A9-1 子宮体癌の後療法

手術進行期	脈管侵襲なし G1	G2	G3	脈管侵襲あり G1	G2	G3
ⅠA	①	①	②	②	②	③
ⅠB	②	②	③	③	③	③
Ⅱ 体部筋層浸潤≦1/2	①	①	②	②	②	③
体部筋層浸潤>1/2	②	③	③	③	③	③
Ⅲ以上	③	③	③	③	③	③

G:組織分化度:G1(Grade 1),G2(Grade 2),G3(Grade 3)
①:後療法なし,②:TC 3〜6コース,③:TC 6コース

A10 広汎子宮全摘術後の排尿障害の管理

- 広汎子宮全摘術後に発生する排尿困難や尿意減弱などの排尿障害の病態は,骨盤内神経の損傷による神経因性膀胱である.神経系は一度障害されると完全に元の状態に回復することは不可能な場合が多く,バランス膀胱(十分な膀胱容量を有し,残尿が少ない)とよばれる状態を治療の目標とする.可逆的な障害の場合は6〜12か月で改善することが多い.
- 術後排尿障害の予防,治療として以下のことが行われているが,適宜,尿流動態検査を行い個々の症例の状態を把握する必要がある.

図 A10-1 排尿障害の管理方針

1 定時排尿,排尿訓練

- 術後2日間はカテーテルを留置し,3日目に抜去する.抜去後は排尿後に毎回残尿を測定し,100 mL以下になるまで継続する.自排尿がみられない場合は,1日4〜5回の導尿を行う.残尿量が200 mL未満となれば導尿を1回減らす.残尿が150 mL以上の場合,尿路感染症の頻度が増加する.
- 残尿測定は簡易型の残尿測定器が普及しており患者の侵襲が少ない(リリアム®α-200やブラッダースキャン®).
- 排尿時にむやみに圧力を加えると利尿筋の線維化や膀胱破裂をきたすことがあるので注意を要する.

2 薬物療法

- 留置カテーテルを抜去後1週間経過しても残尿が100 mL以下に減少しないときには薬物療法を併用する.使用する薬としては,尿道抵抗低下作用を有するエブランチル®がある.
- 1週間程度で効果が不十分な場合は,利尿筋の収縮を起こし,排出

時の膀胱内圧上昇作用を有するベサコリン®やウブレチド®を併用する．ウブレチド® はコリン作動性クリーゼに注意し，最大投与量は1日5mgまでとする．

処方例1
エブランチル® カプセル(15mg)　1回1〜2錠　1日2回

処方例2　下記のいずれかを用いる．
1) ベサコリン® 散　1日30〜50mg(成分量として)を3〜4回に分服．
2) ウブレチド® 錠(5mg)　1回1錠　1日1回

3 間欠自己導尿法(CIC：clean intermittent self-catheterization；清潔間欠自己導尿)

- 薬物療法を併用後1週間経過しても自然排尿不能，あるいは自然排尿可能でも残尿が多い(残尿率50%以上あるいは100mL以上)例では間欠自己導尿の適応となる．自己導尿により感染，上部尿路への悪影響が避けられる．
- カテーテルは再利用型と使い捨て型があり，親水性コーティングされた使い捨て型が扱いやすい．

ⓐ 方法
1) 石鹸で手を洗う．アルコール綿で手指を消毒
2) 陰唇を広げて外尿道口を確認
3) カテーテルを挿入
4) 残尿を排出

ⓑ 注意点
- 膀胱過伸展を予防するために患者の水分摂取をコントロールする必要がある．また，1日尿量が1,500mL程度となるよう水分を摂る．
- 導尿回数は約6時間ごとに1日4回が標準であり，1回導尿量を500mL以下にする．1回導尿量がそれを超えるようなら水分摂取を制限するか導尿回数を増やす．

A11 卵巣癌の治療方針

1 卵巣癌の初回治療方針

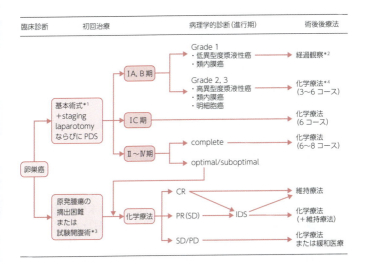

図 A11-1　卵巣癌の治療方針

CR：complete response．PR：partial response．SD：stable disease．PD：progressive disease
PDS：primary debulking surgery（初回腫瘍減量手術），IDS：interval debulking surgery（腫瘍減量手術）
〔National Comprehensive Cancer Network：Ovarian Cancer Guideline. Version 1. 2007. より改変〕

- ＊1：根治手術：基本術式（単純子宮全摘術＋両側付属器切除術＋大網切除術＋骨盤リンパ節郭清術）＋傍大動脈リンパ節（PAN）郭清術（粘液性の場合は虫垂切除）
- 卵巣癌において PAN 郭清を省略できる基準はない．徳島大学では高分化で腫瘍の solid part が 2 cm 以下の場合には PAN 郭清を省略している．境界悪性のⅠ〜Ⅱ期の場合は骨盤部を含めてリンパ節郭清を省略している．境界悪性Ⅲ期以上の場合は悪性に準ずる．

＊2：術後化学療法を省略する場合は，厳格な surgical staging が必要．肉眼的なⅠA期の16〜40％が実際はより進行している．ⅠA，ⅠB期かつ Grade 1 症例の5年生存率は94％以上であり，術後化学療法を省略しうる．しかし Grade 2, 3 症例に対して術後化学療法は有意に再発率を減少させる．

- 腫瘍は片側性か両側性か，被膜破綻の有無，周囲との癒着の有無，表面の腫瘍の有無
- 対側卵巣の性状
- 腹水（量，性状），大網，肝臓表面，横隔膜下の状態
- 腹水細胞診，腹水がない場合は腹腔内洗浄細胞診
- 以下を系統的に観察し，播種が疑われる場合は腹膜生検を行う．腫瘍表面，癒着表面，Douglas 窩，直腸表面，左右傍結腸窩，小腸表面，大腸表面，大網表面

＊3：根治術式を完遂できないと判断したときは腫瘍減量術にとどめ，化学療法後に根治手術を行う．

- 保存手術を行う場合は「婦人科悪性腫瘍の妊孕性温存療法」の項参照，p74．

＊4：化学療法は最低6コース，寛解後3コース行う．
化学療法は TC/DC 療法を行う．TC 療法は末梢神経障害が強く，DC 療法は骨髄抑制が強く出る．効果については同等とされている（p64 参照）．一方で，明細胞癌，粘液性癌は TC 療法に抵抗性であるが，組織型別に化学療法のレジメンを変更することは勧められない．明細胞癌に対する TC 療法と CPT-11＋CDDP の比較試験（JGOG3014）では効果に差はみられなかった[1]．

2 Ⅲ期以上の症例に対する治療

- optimal surgery が困難あるいは不可能と予測される症例では，術前化学療法（NAC）＋腫瘍減量手術（IDS）が推奨される．
- NAC＋IDS の場合は，治療開始時点での腫瘍組織を採取し，正確な病理組織学的診断を行うことが望ましい．
- 診断目的の腹腔鏡下手術は，化学療法前の組織採取ができることや進行卵巣癌における初回開腹手術が suboptimal surgery に終わる症例を低減できるというメリットがある．
- TC＋ベバシズマブ（15 mg/kg）療法は術後に使用する．術後の TC 療法6コースの2〜6コースにベバシズマブを併用し，TC 療

法終了後は，ベバシズマブ単独で16コース使用する．GOG-0218試験では通常のTC療法のみに比較して無病生存期間を10.3か月から14.1か月に有意に延長していた．

- 徳島大学では完全切除困難が予想される癌性腹膜炎症例ではNAC後にIDSを行っている．NACにはdose dense TCを，術後にTC＋ベバシズマブを採用している．化学療法は術前と術後あわせて8コース以上行い，ベバシズマブは合計21回投与している．

3 初回手術＋化学療法で寛解が得られた場合の維持療法

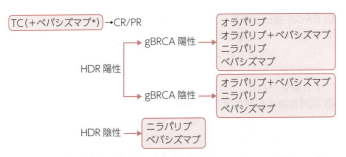

図A11-2 初回手術＋化学療法で寛解が得られた場合の維持療法
＊：ベバシズマブ省略（オラパリブ単独維持療法の適応症例：下記①〜④をすべて満たす）
① HGSC/ENC（高異型度漿液性癌/類内膜癌），②Ⅲ期，③R0，④ *BRCA* 陽性．
gBRCA：生殖細胞系列 *BRCA* 変異

- *BRCA1/2* 遺伝子変異を有する症例にはオラパリブの維持療法を推奨する．
- 相同組換え修復欠損（HRD）陽性症例に対してはPAOLA1レジメン（オラパリブ＋ベバシズマブ）が適応になる．
- 術後に *BRCA* 遺伝子検査またはHRD検査を行い，維持療法の適応を決定する．

表 A11-1　コンパニオン診断

検査	保険適用	対応薬剤	検体
*BRCA*遺伝子	初回化学療法後のオラパリブ維持療法	オラパリブ	血液
HRD	①HRDを有する卵巣癌におけるベバシズマブを含む初回化学療法後の維持療法としてオラパリブを考慮する場合 ②3つ以上の化学療法歴のある再発卵巣癌の治療としてニラパリブを考慮する場合	①オラパリブ＋ベバシズマブ ②ニラパリブ	腫瘍組織

ⓐ *BRCA* 遺伝子検査

- オラパリブの適応を判断するコンパニオン診断として実施されている．遺伝情報であることより，結果は当該患者のみならず，その血縁者に対しても，心理社会的影響などに配慮して検査を実施する必要がある．

ⓑ 相同組換え修復欠損（HRD）検査

- HRDとは，DNA修復機構の1つである相同組換え修復に異常がある状態のことを表す．
- myChoice™診断システムに含まれる *BRCA* 遺伝子検査は，腫瘍組織（tBRCA）の遺伝子検査であるため，生殖細胞系列由来（gBRCA）か体細胞由来（sBRCA）かの区別はできない．*BRCA* 病的バリアントが陽性となった場合，遺伝カウンセリングや遺伝学的検査を含む遺伝医療を適切に提供する必要がある．

文献

1) Takakura S, et al：Randomized phase Ⅱ trial of paclitaxel plus carboplatin therapy versus irinotecan plus cisplatin therapy as first-line chemotherapy for clear cell adenocarcinoma of the ovary：a JGOG study. Int J Gynecol Cancer 20(2)：240-247, 2010.
2) 日本婦人科腫瘍学会（編）：卵巣がん・卵管癌・腹膜癌治療ガイドライン2020年版．金原出版，2020.

Side Memo 閉経後卵巣腫瘍の取り扱い

BarberとGraberら(1971)がpostmenopausal palpable ovary syndromeという概念を提唱して以来，閉経後卵巣腫瘍は悪性の頻度が高いと考えられているが(徳島大学のデータでは4.7％)，最大径5cm未満の卵巣嚢腫に関しては，悪性である頻度が0.3～0.7％であり経過観察も可能である．しかしその場合にはインフォームド・コンセントを十分行う必要がある．

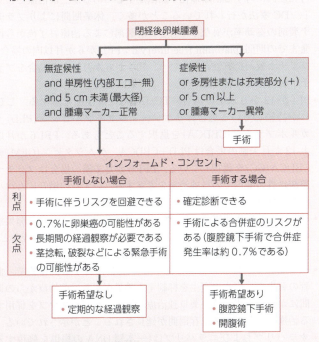

図 A11-3 閉経後卵巣腫瘍の取り扱いの流れ

〔Roman LD：Small cystic pelvic masses in older women：is surgical removal necessary? Gynecol Oncol 69(1)：1-2, 1998 より〕

A12 再発卵巣癌に対する化学療法

再発症例に対する治療の考え方

- 再発症例に対する治療は化学療法が中心であるが，前治療としてTC/DC療法が行われていることが多く，休薬期間によりプラチナ製剤の奏効率が異なる．プラチナ製剤による治療終了後から再発までの期間（platinum free interval；PFI）が6か月以内の場合，プラチナ製剤抵抗性再発という．PFIが6か月以上の場合をプラチナ製剤感受性再発という．

- PFIが12か月以上の場合，TC/DCの再投与を考慮する．しびれが持続している場合はリポソーマルドキソルビシン（PLD）+カルボプラチン（CBDCA）を選択することもある．PFI 6か月以上12か月未満の場合はPLD+CBDCA，ゲムシタビン（GEM）+CBDCA（GC）を選択している．PFI 6か月未満の場合はプラチナ製剤以外の薬剤での単独治療を考慮する．いずれの場合にもベバシズマブ（Bev）が併用できる状況であれば併用する．

- 近年，血管新生阻害薬，PARP阻害薬の登場により，再発卵巣癌の生物学的特徴（コンパニオン診断，がん遺伝子パネル検査など）に基づく治療薬が選択され始めている．

- ベバシズマブは癌細胞が分泌するVEGFに対する抗体薬で，血管の新生や，腹水の産生を抑制する効果がある．前治療からの期間にかかわらず，抗癌薬単独治療に比べ，ベバシズマブを併用する治療により無増悪生存期間が延長されることが示されている．

- オラパリブおよびニラパリブは（一本鎖DNAの損傷を修復する酵素である）PARPを阻害する．*BRCA1/2*変異など相同組換え修復機構に異常がある細胞ではDNA損傷が修復できなくなり死に至る．

- オラパリブはプラチナ感受性再発症例に対してプラチナ併用化学療法で完全奏効あるいは部分奏効している場合に，化学療法に引き続いて8週以内に投与を開始する．Study19試験ではプラセボ群に比較して，無増悪生存期間を4.8か月から8.4か月に延長した．

- ニラパリブは①プラチナ感受性の再発卵巣癌における維持療法および②3つ以上の化学療法歴があるプラチナ感受性の相同組換え修復欠損(HRD)を有する再発卵巣癌に対し使用できる．NOVA試験ではgBRCAおよびHRD陰性の場合にもプラセボ群と比較して有意に無増悪生存期間を延長した．

表A12-1　休薬期間別の選択薬剤とその効果（再発卵巣癌）

前治療からの期間	6か月未満	6～12か月	12か月以上
考慮される薬剤	・GEM ・CPT-11 ・NGT ・PLD（+Bev）	●TC/DC ●GC（+Bev）	●TC/DC（+Bev）
奏効率	<10%	29%	44～84%
無増悪生存期間（月）	<6	6～13	

GEM：ゲムシタビン，CPT-11：イリノテカン塩酸塩水和物，NGT：ノギテカン，PLD：リポソーマルドキソルビシン，Bev：ベバシズマブ

処方例と注意点

1 ゲムシタビン（GEM）＋カルボプラチン（CBDCA）（GC）

- 3週ごとに繰り返す．

投与日			1	8	15
ジェムザール®	1,000 mg/m²	30分	↓	↓	休
カルボプラチン	AUC 4	60分	↓	休	休

ⓐ 投与基準

	1日目	8日目		
好中球（/μL）	1,500以上	1,500以上	1,000～1,499	1,000未満
血小板（/μL）	100,000以上	100,000以上	75,000～99,999	75,000未満
投与量	100%	100%	50%	中止

2 ゲムシタビン（GEM）

- 4週ごとに繰り返す．

投与日			1	8	15	22
ジェムザール®	1,000 mg/m²	30分	↓	↓	↓	休

ⓐ 投与基準
- 各投与日に白血球 2,000/μL 以上,血小板 70,000/μL 以上

ⓑ メカニズム
- DNA 合成阻害(ピリミジン代謝拮抗薬)

ⓒ 注意事項
- 胸部放射線療法との併用は重篤な食道炎,肺臓炎が発現するリスクがあり禁忌

3 イリノテカン(CPT-11)

- 4 週ごとに繰り返す.

投与日			1	8	15	22
トポテシン® カンプト®	100 mg/m²	90 分	↓	↓	↓	休

ⓐ 投与基準
- 各投与日に白血球 3,000/μL 以上,血小板 100,000/μL 以上

ⓑ メカニズム
- トポイソメラーゼ I 阻害

ⓒ 注意事項
- 下痢:CPT-11 の活性代謝物 SN-38 による腸粘膜障害が原因.症状に応じて補液,ロペラミド塩酸塩を使用する.
- 骨髄抑制,下痢発症に関係する *UGT1A1* 遺伝子多型検査.SN-38 の主な代謝酵素である UDP-グルクロン酸転移酵素(UGT)の 2 つの遺伝子多型(*UGT1A1**6,*UGT1A1**28)について,いずれかをホモ接合体(*UGT1A1**6/*6,*UGT1A1**28/*28),または,いずれもヘテロ接合体(*UGT1A1**6/*28)としてもつ患者では,UGT1A1 のグルクロン酸抱合能が低下し,SN-38 の代謝が遅延する.このため,これらの患者では重篤な副作用発現の可能性が高くなることが報告されており,投与量の減量やレジメンの変更を考慮する.
- CPT-11 の減量基準は明記されていないが,徳島大学では上記の 100 mg/m²/週のレジメンでは 75 mg/m²/週に減量している.150 mg/m² 以上のレジメンの場合は 50% に減量を勧める報告がある.

表 A12-2　*UGT1A1* 遺伝子多型による有害事象発現率

	Grade 3 以上の好中球減少	Grade 3 の下痢
*6 と *28 をともにもたない	14.3%（3/21）	14.3%（3/21）
*6 または *28 がヘテロ	24.1%（7/29）	6.9%（2/29）
*6 または *28 がホモ，あるいは *6, *28 ともにヘテロ	80.0%（4/5）	20.0%（1/5）

4 ノギテカン（NGT）

- 3週ごとに繰り返す．

投与日			1	2	3	4	5
ハイカムチン®	1.25 mg/m²	30分	↓	↓	↓	↓	↓

ⓐ 投与基準
- 好中球 1,500/μL 以上，血小板 100,000/μL 以上

ⓑ メカニズム
- トポイソメラーゼⅠ阻害

ⓒ 注意事項
- NGT の投与量は 1.5 mg/m²，5日間の保険適用がある．骨髄抑制が強い薬（Grade 3～4 の好中球減少発生率 95%）であるため，徳島大学ではセカンドライン以降で用いる場合，投与量は 1.25 mg/m² で開始している．

5 リポソーマルドキソルビシン（PLD）+カルボプラチン（CBDCA）（PLD-C）

- 4週ごとに繰り返す．

投与日			1	8	15	22
ドキシル®	30 mg/m²	60分	↓	休	休	休
カルボプラチン	AUC5	60分	↓	休	休	休

6 リポソーマルドキソルビシン（PLD）

- 4週ごとに繰り返す．

投与日			1	8	15	22
ドキシル®	50 mg/m²	1 mg/分	↓	休	休	休

ⓐ 投与基準
- 好中球 1,500/μL 以上，血小板 75,000/μL 以上

ⓑ メカニズム
- DNA 合成阻害,RNA 合成阻害,トポイソメラーゼⅡ阻害

ⓒ 注意事項
- 口内炎(潰瘍,紅斑,痛み),手足症候群(紅斑,落屑,腫脹など)の特徴的な副作用がある.手足を冷却しながら投与すると手足症候群が軽減されるとの報告もある.症状が出た場合は,軽快するまで最長 2 週間延期する.軽快した場合でも 25% 減量,軽快しない場合は投与の中止を考慮する.
- ドキソルビシン塩酸塩の総投与量が 500 mg/m^2 を超えると心筋障害によるうっ血性心不全が生じる可能性が高くなる.
- ほてり,呼吸困難,低血圧などの infusion reaction があるため投与速度は 1 mg/分を超えないこと.

７ ベバシズマブ(Bev)
- 3 週ごとに繰り返す.

投与日			1	8	15
アバスチン®	15 mg/kg	30〜90 分	↓	休	休

ⓐ 投与基準
- 併用するレジメンの開始基準に従う.

ⓑ メカニズム
- VEGF に結合し血管新生を阻害する.

ⓒ 注意事項
- 化学療法と併用する場合は抗癌薬が終了してから投与する.
- 投与時間は 1 回目 90 分,2 回目 60 分,3 回目以降は 30 分かける.
- 副作用として,高血圧,蛋白尿,血栓症,腸穿孔などがある.GOG-218 試験での副作用頻度を下記に示す.
  1) **高血圧(Grade 3 以上 32.2%)**:自宅での血圧測定が必須であり,140 mmHg 以上の高血圧を認める場合は降圧薬投与を考慮する.アンジオテンシンⅡ受容体拮抗薬(ミカルディス® 40 mg/日)が第 1 選択であるが,効果不十分な場合は Ca 拮抗薬(アムロジン®)を併用する.
  2) **蛋白尿(Grade 3 以上 8.4%)**:尿検査で蛋白尿(3+)になった場合は,投与を中止する.蛋白尿(2+)が持続し尿中蛋白/クレアチニン比が 3.5 以上の場合は中止とする.中止後,基準以内に戻れば再投与は可能である.

3) 腸穿孔（Grade 3 以上 2％）：腹痛，発熱など腸穿孔を疑う場合は CT を行う．再発腫瘍が広範囲に腸管に接している場合や，腸閉塞の原因になっている場合は腸穿孔のリスクが高いため投与を行わない．

8 オラパリブ

- リムパーザ® 錠（150 mg）を 1 回 2 錠　1 日 2 回　連日内服．

ⓐ 適応

- プラチナ感受性再発症例に対して，プラチナ併用化学療法で完全奏効あるいは部分奏効している場合に，化学療法に引き続いて 8 週以内に投与を開始する．

ⓑ 投与基準

- Hb 10.0 g/dL 以上，好中球 1,500/μL 以上，血小板 100,000/μL 以上

ⓒ メカニズム

- 一本鎖 DNA 損傷を修復する PARP を阻害する．

ⓓ 注意事項（表 A12-3）

- 300 mg を投与するときは 150 mg 錠を 2 錠使用する（100 mg 錠と 150 mg 錠の生物学的同等性は示されていない）．

表 A12-3　オラパリブの副作用発現時の用量調節基準

副作用	程度*	処置	再開時の投与量
貧血	Hb 値が Grade 3 または 4	Hb 値≧9 g/dL に回復するまで最大 4 週間休薬	・1 回目の再開の場合，減量せずに投与 ・2 回目の再開の場合，1 回 250 mg を 1 日 2 回で投与 ・3 回目の再開の場合，1 回 200 mg を 1 日 2 回で投与
好中球減少	Grade 3 または 4 の場合	Grade 1 以下に回復するまで休薬	
血小板減少	Grade 3 または 4 の場合	Grade 1 以下に回復するまで最大 4 週間休薬	減量せずに投与
上記以外の副作用	Grade 3 または 4 の場合	Grade 1 以下に回復するまで休薬	

＊：Grade は NCI-CTCAE ver 4.0 に準じる．

- 有害事象として，SOLO2 試験（300 mg 1 日 2 回服用）にて Grade 3 以上の頻度でみられたのは，貧血（19.5％），好中球減少（5.1％），

血小板減少(1.0%),悪心・嘔吐(3.6%),疲労および無力症(4.1%),下痢(1.0%)であった.

9 ニラパリブ

- ゼジューラ®錠(100 mg)を1回2錠　1日1回　連日内服.

ⓐ 適応
- プラチナ感受性の再発卵巣癌における維持療法および3つ以上の化学療法歴のあるプラチナ感受性の HRD を有する再発卵巣癌

ⓑ 投与基準
- Hb 8.0 g/dL 以上,好中球 1,000/μL 以上,血小板 100,000/μL 以上

ⓒ メカニズム
- 一本鎖 DNA 損傷を修復する PARP を阻害する.

ⓓ 注意事項(表 A12-4)
- 体重 77 kg 以下,血小板 150,000/μL 以下の場合は 200 mg,それ以上の場合は 300 mg で開始.

表 A12-4　ニラパリブの副作用発現時の休薬・減量・中止基準

副作用	程度[*1]	再開基準[*2]	再開時の投与量
貧血	Hb 値 8 g/dL 未満	Hb 値 9 g/dL 以上	1 段階減量
好中球減少	好中球数 1,000/μL 未満	好中球数 1,500/μL 以上	1 段階減量
血小板減少	血小板数 100,000/μL 未満	初回発現時 血小板数 100,000/μL 以上	・同量または1段階 　(100 mg)減量 ・血小板数 75,000/μL 　未満に低下した場合 　に1段階減量
		2回目の発現時 血小板数 100,000/μL 以上	1 段階減量
上記以外の副作用	Grade 3 以上	ベースラインまたは Grade 1 以下に回復	1 段階減量

[*1]:Grade は NCI-CTCAE ver 4.03 に準じる.
[*2]:再開基準を満たすまで最大28日間休薬.休薬期間が28日を超える場合は中止する.

- 有害事象として,NOVA 試験(300 mg 1日1回服用)にて Grade 3 以上の頻度でみられたのは,悪心(2.5%),貧血(24.5%),疲労(4.4%),血小板減少(28.1%),嘔吐(1.1%)であった.

A13 腟癌の標準的治療法

- 腟癌は稀な癌で女性生殖器癌の1%を占める．80〜90%は扁平上皮癌，10%程度が腺癌である．初期では症状がないが進行すると不正性器出血が出現する．主に高齢者に発生する．
- 周辺臓器合併切除が必要となるケースも多く，QOLを考慮して放射線治療が選択されることが多い．腟上部1/3の位置に発生することが多く（56%），症例により手術療法も選択される．

表A13-1 腟癌の進行期と治療法

進行期	治療法
HSIL（VAIN 2〜3）	レーザー蒸散，部分腟壁切除
Ⅰ期　腫瘍厚5mm以下	腔内照射（＋外部照射）[*1]，手術療法[*3]
Ⅰ期　腫瘍厚5mm超	腔内照射＋外部照射[*2]，手術療法[*3]
Ⅱ期	腔内照射＋外部照射[*2]，手術療法[*3]
Ⅲ期	腔内照射＋外部照射，CCRT[*4]
ⅣA期	腔内照射＋外部照射，CCRT[*4]
ⅣB期	化学療法

*1：腫瘍厚が5mm以下と明らかな場合は腔内照射単独でよいとされるが，厚みが不明な場合は外部照射の併用を施行する．
*2：腫瘍部位が腟上部2/3の場合は，骨盤リンパ節，腟下部1/3の場合は鼠径リンパ節を照射野に加える．
*3：腟上部1/3に局在している場合は，広汎子宮全摘術（または準広汎子宮全摘術）＋骨盤リンパ節郭清＋腟壁切除が考慮される．放射線治療に比較して手術療法の治療成績が良好との報告がある[1]．また腺癌などの放射線感受性が不良と考えられる症例は，手術療法を優先して考慮する．
*4：Ⅲ，ⅣA期の進行例では，シスプラチン（CDDP）を使用した同時化学放射線療法（CCRT）を考慮する．

文献

1) Tjalma WA, et al：The role of surgery in invasive squamous carcinoma of the vagina. Gynecol Oncol 81(3)：360-365, 2001.
2) 日本婦人科腫瘍学会（編）：外陰がん・腟がん治療ガイドライン2015年版．金原出版，2015.

A14 外陰癌の標準的治療法

- 外陰癌の年間発生率は10万人に0.5人以下で，60歳台に多く，その5年生存率は1期：82％，2期：58％，3期：48％，4期：0～20％となっている．腫瘍径や発生部位で治療法が異なる．

外陰癌（浸潤癌）の標準的治療法

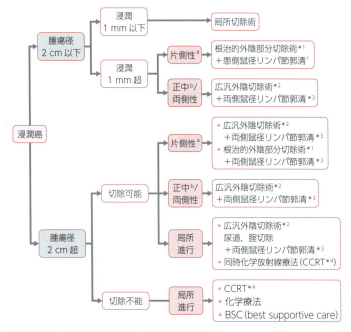

図 A14-1 外陰癌（浸潤癌）の標準的治療法
a. 正中線より1cm以上離れた病変．
b. 恥骨結合，陰核を通る正中線上の外陰に発生する病変．
c. 孤在性で臨床的に鼠径リンパ節転移が疑われない病変．
*1：根治的外陰部分切除術は会陰の側方に限局した病変に対して施行されるが，肉眼的に2cmの切除断端が必要である．

（次ページへつづく）

*2：広汎外陰切除術は鼠径リンパ節を一塊として摘出する一括切開法と鼠径リンパ節郭清を分割した創で行う分割切開法がある．治療成績に差はなく，術後の創部離開が少ないことから分割切開法が勧められている．
*3：鼠径リンパ節郭清は浅鼠径に加え深鼠径リンパ節郭清を行う．
*4：手術不能例や，患者の状態により手術を回避したほうがよいと判断される症例に対しては，CCRT を行う．CCRT で 89％(16/18)に臨床的完全奏効が得られたとする報告[1]がある．

〔日本婦人科腫瘍学会（編）：外陰がん・腟がん治療ガイドライン 2015 年版．p8，金原出版，2015 より一部改変〕

術後追加治療の適応

- 鼠径リンパ節転移の状況で術後照射を考慮する．

表 A14-1　鼠径リンパ節転移と術後照射

鼠径リンパ節転移	術後照射
なし	不要
1 個かつ被膜外浸潤なし	省略が考慮される*1
2 個以上あるいは被膜外浸潤あり	鼠径＋骨盤領域の照射*2：45～50.4 Gy/25～28 回（CCRT）*3

*1：単発のリンパ節転移を認める症例に対して，放射線療法が有効であるとする報告[2]がある一方で，被膜外浸潤のない単発のリンパ節転移症例に限局すると，術後照射の有効性は認められないとする報告[3]がある．
*2：鼠径リンパ節転移を認める症例に対して骨盤リンパ節郭清を行う群と，鼠径および骨盤領域への照射群で照射群の優越性が示されている[4]．
*3：増感効果を期待した化学療法の同時併用が行われている．

文献

1) Russell AH, et al：Synchronous radiation and cytotoxic chemotherapy for locally advanced or recurrent squamous cancer of the vulva. Gynecol Oncol 47(1)：14-20, 1992.
2) Parthasarathy A, et al：The benefit of adjuvant radiation therapy in single-node-positive squamous cell vulvar carcinoma. Gynecol Oncol 103(3)：1095-1099, 2006.
3) Fons G, et al：Adjuvant radiotherapy in patients with vulvar cancer and one intra capsular lymph node metastasis is not beneficial. Gynecol Oncol 114(2)：343-345, 2009.
4) Kunos C, et al：Radiation therapy compared with pelvic node resection for node-positive vulvar cancer：a randomized controlled trial. Obstet Gynecol 114(3)：537-546, 2009.
5) 日本婦人科腫瘍学会（編）：外陰がん・腟がん治療ガイドライン 2015 年版．金原出版，2015.

A15 子宮肉腫に対する薬物療法

- 再発・進行子宮肉腫に対する薬物療法は発生した組織型により薬剤が異なる．ホルモン感受性の低異型度内膜間質肉腫に対してはホルモン療法が考慮されるが，平滑筋肉腫，未分化肉腫，癌肉腫に対しては化学療法が選択される．
- 化学療法は単独の奏効率ではアドリアマイシンで21％，イホスファミドで17％と報告されている．併用療法ではアドリアマイシン＋イホスファミド(AI)で30％，ドセタキセル＋ゲムシタビン(DG)でも30％前後の効果が示されている．一方，DGとアドリアマイシン単剤の比較試験で両群での治療効果に差はないという報告[1]があり，ファーストラインはアドリアマイシン単独とされている[2]．
- 効果を認めない場合は，患者の状態によりエリブリン，トラベクテジン，パゾパニブから薬剤を選択する．
- 癌肉腫に対してはパクリタキセル＋カルボプラチン併用療法(TC)の奏効率が67％と効果が最も高い．
- 低異型度内膜間質肉腫に対する薬物療法は黄体ホルモン(MPA)，アロマターゼ阻害薬であるレトロゾールの適用外使用が認められている．

処方例

1 アドリアマイシン

ドキソルビシン塩酸塩(60 mg/m^2) 3週ごとに繰り返す
有害事象：心筋障害．
注意点：ドキソルビシンの総投与量が500 mg/m^2を超えると重篤な心筋障害を発症することがある．

2 アドリアマイシン＋イホスファミド

イホスファミド(2 g/m^2/日)　　第1〜5日
ドキソルビシン塩酸塩(30 mg/m^2)　第1, 2日
3週ごとに繰り返す
有害事象：骨髄抑制，出血性膀胱炎，心筋障害．

3 ドセタキセル+ゲムシタビン

ゲムシタビン(800 mg/m²)　第1, 8日
ドセタキセル(60 mg/m²)　第8日　3週ごとに繰り返す

有害事象：骨髄抑制，末梢神経障害．

4 エリブリン

ハラヴェン®(1.4 mg/m²)　2～5分で静脈内投与
第1, 8日　3週ごとに繰り返す

有害事象：骨髄抑制，末梢神経障害．

5 トラベクテジン

ヨンデリス®(1.2 mg/m²)　24時間で投与　3週ごとに繰り返す

有害事象：骨髄抑制，肝機能障害，横紋筋融解(筋肉痛)，投与部の炎症．

注意点：中心静脈からの薬剤投与が必要．

6 パゾパニブ

ヴォトリエント®錠(200 mg)　1回4錠　1日1回　食事の1時間前あるいは食後2時間　毎日内服

作用機序：VEGFR1, 2, 3，PDGFR-α, β，c-Kitのリン酸化阻害薬．

有害事象：骨髄抑制，肝機能障害，高血圧，心機能障害，蛋白尿，毛髪変色．

注意点：日本人に対しては800 mg/日は高用量であり600 mg/日で開始することもある．

7 メドロキシプロゲステロン酢酸エステル(MPA)

ヒスロン®H錠(200 mg)　1回1錠　1日3回　毎日内服

有害事象：肝機能障害，血栓症．

8 レトロゾール

フェマーラ®錠(2.5 mg)　1回1錠　1日1回　毎日内服

作用機序：アロマターゼ阻害薬．

有害事象：血栓症，肝機能障害，中毒性表皮壊死融解症(TEN)．

文献

1) Seddon B, et al：Gemcitabine and docetaxel versus doxorubicin as first-line treatment in previously untreated advanced unresectable or metastatic soft tissue sarcomas(GeDDiS)：a randomized controlled phase 3 trial. Lancet Oncol 18(10)：1397-1410, 2017.
2) 日本婦人科腫瘍学会(編)：子宮体がん治療ガイドライン2018年版．pp181-202, 金原出版, 2018.

A16 絨毛性疾患の分類と胞状奇胎の管理

絨毛性疾患の分類と診断

1 絨毛性疾患取扱い規約の分類と定義

表 A16-1　絨毛性疾患の臨床的分類

1. 胞状奇胎 (hydatidiform mole)
   1) 全胞状奇胎 (complete hydatidiform mole)
   2) 部分胞状奇胎 (partial hydatidiform mole)
2. 侵入胞状奇胎 (invasive hydatidiform mole)
   1) 侵入全胞状奇胎 (invasive complete hydatidiform mole)
   2) 侵入部分胞状奇胎 (invasive partial hydatidiform mole)
3. 絨毛癌 (choriocarcinoma)
   1) 妊娠性絨毛癌 (gestational choriocarcinoma)
      a. 子宮絨毛癌 (uterine choriocarcinoma)
      b. 子宮外絨毛癌 (extrauterine choriocarcinoma)
      c. 胎盤内絨毛癌 (intraplacental choriocarcinoma)
   2) 非妊娠性絨毛癌 (non-gestational choriocarcinoma)
      a. 胚細胞性絨毛癌 (choriocarcinoma of germ cell origin)
      b. 他癌の分化異常によるもの (choriocarcinoma derived from dedifferentiation of other carcinomas)
4. 胎盤部トロホブラスト腫瘍 (placental site trophoblastic tumor)
5. 類上皮性トロホブラスト腫瘍 (epithelioid trophoblastic tumor)
6. 存続絨毛症 (persistent trophoblastic disease)
   1) 奇胎後 hCG 存続症 (post-molar persistent hCG)
   2) 臨床的侵入奇胎 (clinical invasive mole)
   3) 臨床的絨毛癌 (clinical choriocarcinoma)

〔日本産科婦人科学会, 日本病理学会(編)：絨毛性疾患取扱い規約, 第3版, p12, 金原出版, 2011〕

ⓐ 胞状奇胎の診断

- 胞状奇胎は従来, 肉眼的に水腫様の絨毛の短径が 2 mm を超えるものとされていたが, 妊娠早期の場合にはそれ未満のものも認められるため, 肉眼所見ではなく, その診断は組織学的検査によることとなった.

- 組織検査を行っても水腫様流産や部分奇胎，全奇胎の鑑別は困難な場合があり，p57抗体を用いた免疫組織化学的検査や遺伝子検査で診断が確定される．
- 超音波診断での正診率は全奇胎では90％であるが，部分奇胎では20〜50％にとどまっている．

❺ 侵入胞状奇胎と絨毛癌の診断

- 侵入胞状奇胎および絨毛癌の確定判断は摘出物の組織学的検査で行い，掻爬物での診断はすべきでない．
- 多くの場合，組織学的な診断が困難であるので，「絨毛癌診断スコア」(表A16-2)を用いて診断し，合計スコアが4点以上を臨床的侵入胞状奇胎，5点以上を臨床的絨毛癌という．その正診率は93％である．

表A16-2 絨毛癌診断スコア（石塚のスコア）

スコア (絨毛癌である可能性)		0 (〜50％)	1 (〜60％)	2 (〜70％)	3 (〜80％)	4 (〜90％)	5 (〜100％)
先行妊娠[*1]		胞状奇胎	−	−	流産	−	満期産
潜伏期[*2]		〜6か月	−	−	−	6か月〜 3年	3年〜
原発病巣		子宮体部・ 子宮傍結合 組織・腟	−	−	卵管 卵巣	子宮頸部	骨盤外
転移部位		なし・肺・ 骨盤内	−	−	−	−	骨盤外 (肺を除く)
肺転移巣	直径	〜20 mm	−	−	20〜30 mm	−	30 mm〜
	大小不同性[*3]	なし	−	−	−	あり	−
	個数	〜20	−	−	−	−	21〜
尿中hCG値(mIU/mL)		〜10^6	10^6〜10^7	−	10^7	−	−
BBT[*4] (月経周期)		不規則・ 一相性 (不規則)	−	−	−	−	二相性 (整調)

合計スコア：4点以下…臨床的侵入奇胎あるいは転移性奇胎と診断する．
　　　　　：5点以上…臨床的絨毛癌と診断する．
*1：直前の妊娠とする．
*2：先行妊娠の終了から診断までの期間とする．
*3：肺陰影の大小に直径1 cm以上の差がある場合に大小不同とする．
*4：先行妊娠の終了から診断までの期間に少なくとも数か月以上続いてBBT（基礎体温）が二相性を示すか，あるいは，規則正しく月経が発来する場合に整調とする．なお，この間にhCG値がカットオフ値以下であることが数回にわたって確認されれば5点を与える．

〔石塚直隆，他：絨毛癌と侵入奇胎の臨床的診断に関する「絨毛癌診断スコア」の検討．日産婦誌36(3)：459-462, 1984 より改変〕

ⓒ 存続絨毛症

- 妊娠後各種検査で侵入胞状奇胎,転移性奇胎あるいは絨毛癌が疑われるが,病巣の組織所見が得られないか,得られても不正確な場合を存続絨毛症という.

ⓓ 奇胎後 hCG 存続症

- 奇胎除去後,hCG 値の下降が「胞状奇胎娩出後の hCG 値の減衰パターンの分類」(図 A16-1)で経過非順調型で,臨床的に病巣の存在が確認できないものをいう.

2 胞状奇胎娩出後の hCG 値の減衰パターンの分類

- 奇胎娩出後 5 週で 1,000 mIU/mL,8 週で 100 mIU/mL,24 週で hCG カットオフ値の 3 点を結ぶ線を判別線とし,いずれの時期でもこの線を下回る場合を経過順調型(Ⅰ型),いずれか 1 つ以上の時期でこの線を上回る場合を経過非順調型(Ⅱ型)と分類する.

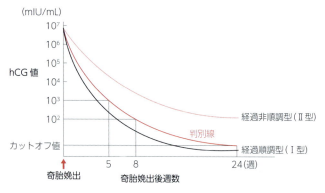

図 A16-1　胞状奇胎娩出後の hCG 値の減衰パターンの分類
〔日本産科婦人科学会,日本病理学会(編):絨毛性疾患取扱い規約.第 3 版,p27,金原出版,2011 より〕

奇胎の管理

1 奇胎の発生頻度

- 本邦での奇胎の発生頻度は妊娠 1,000 に対し平均 1.87(約 500 の妊娠に 1 例)である.

表 A16-3 年齢による奇胎発生率

年齢(歳)	<20	20〜	25〜	30〜	35〜	40〜	45≦
奇胎発生の年齢別割合(%)	0.6	23.5	43.8	19.1	5.5	2.2	5.3
年齢による奇胎発生率 (25歳〜を1.00とする)	1.12	1.18	1.00	0.76	1.18	2.41	39.2

2 奇胎の管理

- 奇胎の診断が確定すれば,可能な限り早く吸引娩出法にて内容を除去(搔爬)する.さらに,初回除去後1週目に再搔爬を行い,遺残がないことを確認することが,予後管理上重要である.奇胎娩出後の管理は図 A16-2 などを参考にして系統的に行う.

Side Memo 部分胞状奇胎(部分奇胎)の管理

1 全奇胎と部分奇胎の比較

表 A16-4 全胞状奇胎,部分胞状奇胎,水腫様流産の鑑別

	全奇胎	部分奇胎	水腫様流産*
発生機序	雄核発生 多くは46XX	多くは3倍体	正常2倍体
組織学的検査 　胎児部分 　絨毛形態水腫様変化 　栄養膜細胞増殖	 なし 大部分 広範囲	 あり 一部 局所的	 あり 一部 なし
免疫組織化学的所見 　p57	陰性	陽性	陽性
絨毛性疾患の発症 　一次管理中の侵入胞状奇胎の発症 　二次管理中の絨毛癌発症	 10〜20% 1〜2%	 2〜4% 0%	

＊:組織学的に栄養膜細胞の異常増殖がないものは奇胎としないため,水腫様流産という呼称に統一された.

2 管理方法

- 部分奇胎は,きわめて稀に二卵性の妊娠で片方の妊娠が全胞状奇胎の場合が考えられるので,念のため全胞状奇胎に準じて,6か月〜1年程度経過観察を行うのが望ましい.

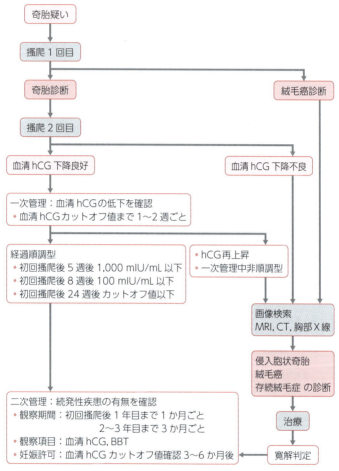

図 A16-2 奇胎の管理法

3 続発性疾患の発生頻度

- 続発性疾患の発生は、早いと奇胎娩出後1か月以内、遅いと10年以上にわたり、その頻度は約10％である。なお、正期産後に発生するものはすべて絨毛癌と考えられる。

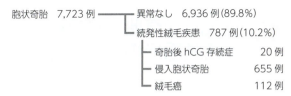

図 A16-3　奇胎の続発性変化
(友田　豊, 他：絨毛性疾患の診断と治療. 永井書店, 1996 より著者作成)

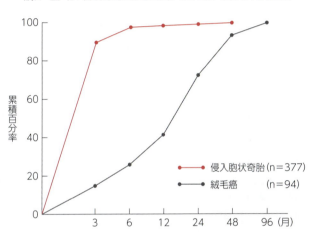

図 A16-4　胞状奇胎娩出より侵入胞状奇胎, 絨毛癌診断までの期間
侵入胞状奇胎はほとんど6か月以内に診断されていることに注意.
(友田　豊, 他：絨毛性疾患の診断と治療. p29, 永井書店, 1996 より)

4 妊娠の許可について

- 少なくとも正常の排卵性周期を3回確認した後, 通常は奇胎娩出後6か月以降, 特に異常経過がなければ許可する. なお, 奇胎娩出後の初回妊娠は, 健常者に比べ奇胎反復率が高い(1.4%)ことに留意する. 奇胎反復率の高さは奇胎娩出からの期間には関係ないとされている.

文献
1) 日本産科婦人科学会, 日本病理学会(編)：絨毛性疾患取扱い規約. 第3版, 金原出版, 2011.
2) 坂元正一, 他(編)：絨毛性疾患. 産婦人科 Mook 38. 金原出版, 1987.
3) 友田　豊, 他：絨毛性疾患の診断と治療. 永井書店, 1996.

A17 侵入胞状奇胎，絨毛癌，存続絨毛症の化学療法

■ 侵入胞状奇胎，絨毛癌，存続絨毛症の管理

- 侵入胞状奇胎，絨毛癌，あるいは存続絨毛症と診断されれば，ただちに諸検査を行って，子宮病巣の状態を把握するとともに，他臓器への転移の有無を検索し，必要に応じて化学療法を実施する．
- 侵入胞状奇胎あるいは絨毛癌では血行性転移を示し，最も頻度の高い肺転移は臨床的に24〜56％にみられると報告されている．
- FIGOの予後スコアは侵入胞状奇胎，絨毛癌，存続絨毛症の予後の判定，治療法の選択に有用である．

1 主な検査項目

①尿中・血中hCG測定，②子宮内容の掻爬と組織学的検索，③MRI，④腹部超音波検査(骨盤内，肝臓)，⑤胸部X線撮影，⑥頭部・胸部・腹部CT．

2 転移の部位と頻度

表A17-1 絨毛性疾患の転移部位と頻度

転移の部位	転移例での頻度(％)
肺	80
腟	30
骨盤内	20
脳	10
肝	10

3 進行期：FIGO進行期(奇胎後hCG存続症には適用されない)

- **Ⅰ期**：子宮体部に限局
- **Ⅱ期**：付属器や腟に進展するが，生殖器に限局
- **Ⅲ期**：生殖器の病巣の有無にかかわらず肺に進展
- **Ⅳ期**：肺以外の転移巣

4 化学療法の選択：FIGO の予後スコアによってリスクを評価し，薬剤を選択する．
- 予後スコア≦6：low risk：単剤
- 予後スコア≧7：high risk：多剤併用

表 A17-2　FIGO 予後スコア（FIGO 2000）

スコア	0	1	2	4
年齢	<40	≧40		
先行妊娠	胞状奇胎	流産	正期分娩	
先行妊娠から化学療法までの期間(月)	<4	4〜<7	7〜<13	≧13
治療前血清 hCG mIU/mL	<10^3	10^3〜<10^4	10^4〜<10^5	≧10^5
最大腫瘍径(子宮含)(cm)	<3	3〜<5	≧5	
転移部位(子宮含)	肺	脾・腎	胃腸	脳・肝
転移巣数		1〜4	5〜8	>8
前化学療法			単剤	2剤以上

注 1. 6点以下を low risk，7点以上を high risk とする．
   2. hCG は血清値．
   3. 肺転移数は胸部 X 線で評価する．

〔日本産科婦人科学会，日本病理学会(編)：絨毛性疾患取扱い規約．第3版，p73，金原出版，2011 より一部改変〕

5 各治療法のプロトコール

ⓐ FIGO 予後スコア≦6，Ⅰ〜Ⅲ期(単剤化学療法)
1) MTX：0.4 mg/kg×5日間筋注または静注，2週ごと
2) ACT-D：10 μg/kg あるいは 0.5 mg/body×5日間静注，2週ごと

ⓑ FIGO 予後スコア≧7，Ⅳ期(多剤併用化学療法)
1) EMA/CO：ETP＋MTX＋ACT-D＋CPA＋VCR＋FA(folinic acid)(表 A17-3)
2) MAC：MTX＋ACT-D＋CPA(表 A17-4)

ⓒ EMA/CO 耐性または多剤併用化学療法後の再発
EP-EMA：ETP＋CDDP＋ACT-D＋MTX＋FA(folinic acid)(表 A17-5)

ⓓ EP-EMA が無効の場合
TP/TE，BEP(BLM/ETP/CDDP)，VIP(ETP/IFM/CDDP)，TIP(PTX/IFM/CDDP)，ICE(IFM/CDDP/ETP)

表 A17-3　EMA/CO 療法

コース1（EMA）

第1日	ACT-D ETP MTX	0.5 mg/body（静注） 100 mg/m^2（30〜60分かけて点滴静注） 300 mg/m^2（12時間かけて点滴静注）
第2日	ACT-D ETP FA (folinic acid)	0.5 mg/body（静注） 100 mg/m^2（30〜60分かけて点滴静注） 15 mg/body（経口または筋注） （MTX投与開始24時間後から12時間ごとに4回）

コース2（CO）

第8日	VCR CPA	1.0 mg/m^2（静注） 600 mg/m^2（30〜60分かけて点滴静注）

1. コース1と2が6日間の間隔で繰り返される．
2. 肺・腹腔内または頭蓋内出血のリスクが有意に高い広範な転移を認める患者（予後スコア＞12）では，EMA/CO の開始に先行して，低用量の導入化学療法（ETP 100 mg/m^2＋CDDP 20 mg/m^2 を7日ごとの1および2日目に投与，を1〜3コース考慮する）．
3. 脳転移がある患者ではMTXの投与量を1,000 mg/m^{2}に増量し，投与開始32時間後から3日間にわたり12時間ごとにロイコボリン30 mgを投与する．

表 A17-4　MAC 療法

MTX	0.4 mg/kg×4日間筋注または静注
ACT-D	10 μg/kg×4日間静注
CPA	2〜4 mg/kg×4日間点滴静注

14日間休薬．

表 A17-5　EP-EMA 療法

第1日	ETP CDDP	150 mg/m^2　（30分かけて点滴静注） 75 mg/m^2　（12時間かけて点滴静注）
第8日	ETP MTX ACT-D	100 mg/m^2　（30分かけて点滴静注） 300 mg/m^2　（12時間かけて点滴静注） 0.5 mg/body　（静注）
第9日	FA (folinic acid)	15 mg/body　（経口または筋注） （MTX投与開始24時間後から12時間ごとに4回）

1. 上記を2週間ごとに反復する．
2. G-CSFを一次予防として使用すること（NCCNガイドライン「造血成長因子」を参照）．

6 化学療法を実施するうえでの注意点

a 各周期開始の一般的基準

- 白血球＞3,000/μL，顆粒球＞1,500/μL，血小板＞100,000/μL を

目安にするが，症例によって考慮する．

ⓑ 治療による hCG の下降
- 各周期ごとに治療前の値の 1/10 を目安とし，下降が不十分な場合は薬剤抵抗の可能性があるので，プロトコールの変更を考える．

ⓒ 寛解基準
- 細胞効果消失後 hCG-β 系にて血中 hCG が 0.5 mIU/mL 以下を 3 週間以上持続したときとする．その後，1～5 周期化学療法を追加する．

ⓓ アクチノマイシン D（ACT-D）
- 血管外に漏出しないよう特に注意する．

手術療法の併用

- 侵入胞状奇胎や絨毛癌で挙児を希望しない場合，化学療法に抵抗性の子宮病巣がある場合などに子宮摘出を行う．
- 手術は，化学療法により尿中 hCG が LH レベルに下降した後（少なくとも 100 IU/L 以下），可能な限り早く行う．hCG の下降が悪い場合に手術を強行すると転移を促進する可能性がある．手術は時機を逸さずに実施する必要がある．
- 転移巣も切除可能であれば摘出する．

寛解後の管理

- 化学療法による寛解後，約 19% 前後の症例で平均 3～4 か月で再発が認められる．特に寛解後 3 か月間は厳重に管理する必要がある．

表 A17-6　絨毛性疾患の 5 年生存率

侵入胞状奇胎	臨床的侵入奇胎	絨毛癌	臨床的絨毛癌
97.6%	99.2%	76.1%	68.2%

〔絨毛性疾患登録委員会報告．日産婦誌 39(5)：871-880，1987 より〕

文献
1) 日本産科婦人科学会，日本病理学会（編）：絨毛性疾患取扱い規約．第 3 版，金原出版，2011.
2) National Comprehensive Cancer Network：Guidelines—Gestational Trophoblastic Neoplasia, Version 1. 2023. https://www.nccn.org/guidelines/guidelines-detail?category=1&id=1489（2023 年 9 月 1 日アクセス）

A18 TC/DC 療法の実際

TC 療法(パクリタキセル, カルボプラチン)

- 生食 100 mL で点滴ラインをとる
- 生食 100 mL
  ＋デキサート®(3.3 mg) 5〜6 A
  ＋H_2受容体拮抗薬(ガスター®)
  20 mg　点滴静注
  抗ヒスタミン薬(レスタミン®) 50 mg
  経口投与
- 生食 100 mL＋制吐薬＊　　点滴静注
- 生食 500 mL
  ＋パクリタキセル (175 mg/m^2)
  (タキソール®) (3 時間点滴静注)
- 生食 250〜500 mL
  ＋カルボプラチン　AUC＝5〜6
  (1〜2 時間点滴静注)

DC 療法(ドセタキセル, カルボプラチン)

- 生食 100 mL
  ＋デキサート®(3.3 mg) 2 A
  ＋制吐薬＊　　点滴静注
- 生食 500 mL
  ＋ドセタキセル (60〜70 mg/m^2)
  (タキソテール®) (1 時間点滴静注)
- 生食 250〜500 mL
  ＋カルボプラチン　AUC＝5〜6
  (1〜2 時間点滴静注)

図 A18-1　TC/DC 療法の流れ

生食：生理食塩水.
＊：制吐薬
・第 1 世代 5-HT_3 受容体拮抗薬(グラニセトロン, ラモセトロン)と NK_1 受容体拮抗薬(アプレピタント)の併用, または
・第 2 世代 5-HT_3 受容体拮抗薬(パロノセトロン)

1) TC 療法
- パクリタキセル　175 mg/m^2 (3 時間点滴), カルボプラチン AUC＝5〜6 (1〜2 時間点滴)

2) DC 療法
　ドセタキセル　60〜70 mg/m^2 (1 時間点滴), カルボプラチン AUC＝5〜6 (1〜2 時間点滴)
　上記を 3〜4 週間ごとに投与する.

- パクリタキセル中の溶媒(クレモホール)に対する重篤な過敏反応を予防するために前投薬が必要である.
- パクリタキセルはエタノールを含有するため(10 バイアルでビール 500 mL 相当)アルコール過敏症患者には慎重に投与する.
- パクリタキセルを使用する場合は 0.22 μm 以下のフィルターを併用し,DEHP(可塑剤)を含有していない点滴セットを用いること.
- パクリタキセル,ドセタキセルはカルボプラチンの前に投与する(骨髄抑制が少ない).
- パクリタキセル投与後 5〜20 分間は過敏反応が現れやすいので注意が必要.
- TC/DC 療法は中等度催吐性リスクに分類されているが,そのなかでもより高い催吐作用があると考えられており,第 1 世代の 5-HT$_3$ 受容体拮抗薬と NK$_1$ 受容体拮抗薬の併用,もしくは,第 2 世代 5-HT$_3$ 受容体拮抗薬(+NK$_1$ 受容体拮抗薬)を使用している.
- 骨髄抑制などの副作用が強く出る場合には,weekly TC 療法(パクリタキセル:60〜80 mg/m^2 第 1, 8, 15 日,カルボプラチン:AUC=6 第 1 日,3 週ごとに投与.または AUC=2 第 1, 8, 15 日,4 週ごとに投与)に変更すると副作用が軽減される場合がある.通常の TC 療法と同程度の効果が期待できるとされている.
- TC 療法は神経毒性が強く,DC 療法は骨髄抑制の副作用が強く出ることが明らかになっている.進行卵巣癌に対する臨床試験(SCOTROC1)の成績を表 A18-1 に示す.
- dose dense TC 療法(ddTC 療法.パクリタキセル:80 mg/m^2 第 1, 8, 15 日,カルボプラチン:AUC=6 第 1 日,3 週ごとに投与)は TC 療法に比較して,日本人の卵巣癌患者を対象とした臨床試験(JGOG-3016)では治療効果が有意に高かったが,欧米で行われた臨床試験(ICON-8, GOG-262)では効果は同等であった.

表 A18-1 TC 療法と DC 療法の進行卵巣癌に対する臨床試験成績の比較

	無病生存期間	2 年生存率	骨髄抑制 (Grade 3〜4)	神経毒性 (Grade 2〜4)
TC	15.4(月)	69.8%	82%	30%
DC	15.1(月)	65.4%	94%	11%

A19 抗癌薬の副作用対策

抗癌薬の副作用

- 別表1(p107)に主な抗癌薬の副作用を示す．骨髄障害のほか，シスプラチンで認められる腎障害，ブレオマイシンの肺線維症，アドリアマイシンの心筋障害などは，投与量を規定する dose limiting factor となる．

骨髄障害（主として白血球減少）

- 骨髄抑制に伴う血球減少，特に発熱性好中球減少症(febrile neutropenia；FN)により全身状態が悪くなると次コース治療開始の延期を余儀なくされるため，FN に対して適切な治療を行うこと，さらに FN を予防することが重要である．
- 原則として，前治療で FN を生じた場合は，次コース以降は抗癌薬の減量，もしくはスケジュールの変更を検討することが望ましい．しかし，胚細胞性腫瘍のような抗癌薬の減量やスケジュールの変更を行うことが望ましくない患者で，前コースで FN を認めた場合には G-CSF 製剤の予防投与を考慮する．

1 FN の定義（日本臨床腫瘍学会のガイドライン）
- 好中球が 500/μL 未満，または 1,000/μL 未満で 48 時間以内に 500/μL 未満に減少すると予測される状態で，かつ腋窩温 37.5℃（口腔内温 38℃）以上の発熱を生じたもの．

2 G-CSF 製剤の予防投与が許容される場合
- FN の発症頻度が 20％以上，もしくは FN の発症頻度が 10〜20％以上，かついずれかの FN の危険因子(65 歳以上の高齢者，進行期，FN 既往がある)を有するもの．

3 FN 発症頻度
- TC 2〜9％，ddTC 9％，DC 11％，GC 9％，BEP 19％

4 FN の治療(下記のいずれかを用いる)

1) タゾバクタム・ピペラシリン注　1回 4.5 g　6 時間ごと　点滴静注
2) セフェピム注　1回 2 g　12 時間ごと　点滴静注
3) メロペネム注　1回 1 g　8 時間ごと　30 分以上かけて点滴静注

表 A19-1　G-CSF 製剤

一般名(商品名)	由来	性質	投与量・投与方法
レノグラスチム (ノイトロジン®)	遺伝子組換え型 G-CSF	分子量約 2 万 糖鎖を有する	2 μg/kg/日 皮下注
フィルグラスチム (グラン®)	遺伝子組換え型 G-CSF	分子量約 2 万 糖鎖をもたない	50 μg/m²/日 皮下注
ペグフィルグラスチム (ジーラスタ®)	遺伝子組換え 持続型 G-CSF	分子量約 4 万 グランの N 末端に ポリエチレングリ コールを共有結合	抗癌薬投与終了後 の翌日以降、3.6 mg を 1 コースあたり 1 回皮下投与*

＊：化学療法開始 14 日前から投与後 24 時間以内の安全性は確立していない．

■ 悪心・嘔吐

1 発現機序

ⓐ 末梢性経路
- 主に消化管に存在する 5-HT$_3$ 受容体とセロトニンとの結合を介する．

ⓑ 中枢性経路
- 第四脳室の化学受容器引金帯(CTZ)や延髄の嘔吐中枢に多く存在する NK$_1$ 受容体とサブスタンス P との結合を介する．

ⓒ その他
- 精神的素因などによる大脳皮質からの刺激を介する経路．

2 発現時期による分類

ⓐ 急性期悪心・嘔吐
- 化学療法開始後 24 時間以内に出現する．セロトニンの関与が高いと考えられている．

ⓑ 遅発性悪心・嘔吐
- 24 時間以上経過してから出現し，セロトニンだけでなくサブスタンス P の関与が高い．

ⓒ 予測性悪心・嘔吐
- 過去に経験した悪心・嘔吐の記憶によって条件反射的に出現する.

表 A19-2　注射抗癌薬の催吐性リスク分類

催吐性リスク	薬剤
高度 催吐頻度＞90%	シスプラチン シクロホスファミド（≧1,500 mg/m^2） ダカルバジン
中等度 催吐頻度 30～90%	カルボプラチン（HECに準じた扱い） シクロホスファミド（＜1,500 mg/m^2） アクチノマイシンD ドキソルビシン（＜60 mg/m^2） エピルビシン（＜90 mg/m^2） イホスファミド（＜2 g/m^2/回） イリノテカン メトトレキサート（≧250～1,000 mg/m^2） オキサリプラチン ネダプラチン
軽度 催吐頻度 10～30%	ドセタキセル ドキソルビシン　リポソーム エトポシド フルオロウラシル ゲムシタビン メトトレキサート（50～250 mg/m^2 未満） マイトマイシンC パクリタキセル ノギテカン
最小 催吐頻度＜10%	ベバシズマブ ブレオマイシン ビノレルビン ビンクリスチン

〔日本癌治療学会（編）：制吐薬適正使用ガイドライン. 第2版（2018 一部改訂版 ver. 2.2），pp28-29, 金原出版, 2015 より徳島大学産婦人科で使用頻度の高い薬剤を抽出し一部改変〕
HEC：高度催吐性化学療法（highly emetogenic chemotherapy）

3 代表的な制吐薬
ⓐ コルチコステロイド
デキサメタゾン
注射1日 4～16.5 mg　1～2回に分けて静注，点滴静注または
経口1日 4～20 mg　1日 1～2回

❺ NK₁受容体拮抗薬(下記のいずれかを用いる)

1) アプレピタント　経口1日目1回125 mg　1日1回, 2日目以降1回80 mg　1日1回
2) ホスアプレピタント　注射1回150 mg　1日1回　点滴静注
3) ホスネツピタント　注射1回235 mg　1日1回　点滴静注

- ホスネツピタントはホスアプレピタントと比較して有意ではないが遅発性悪心がやや少なく, 注射部位の疼痛が有意に少ない[2].

❻ 5-HT₃受容体拮抗薬(下記のいずれかを用いる)

1) パロノセトロン　注射1回0.75 mg　1日1回　静注
2) グラニセトロン　注射1回40 μg/kg　1日1回　静注または点滴静注
3) ラモセトロン　注射1回0.3 mg　1日1回　静注または経口1回0.1 mg　1日1回
4) オンダンセトロン　注射1回4 mg　1日1回　緩徐に静注または経口1日4 mg　1日1回. 効果不十分には同量静注

❼ 多受容体作用抗精神病薬

オランザピン　経口1回5~10 mg　1日1回. 最大6日間

4 催吐リスク別の制吐薬の使用方法

- 催吐リスク軽度にはデキサメタゾンを用いる.
  デキサメタゾン　1日目6.6 mgのみ
- 催吐リスク中等度には5-HT₃受容体拮抗薬とデキサメタゾンを併用する. 悪心が強い場合NK₁受容体拮抗薬を併用する. TC療法については, p64を参照.
  デキサメタゾン　1日目9.9 mg, 2~4日目8 mg
  (催吐リスク高度用のレジメンをデキサメタゾン半量で用いてもよい)
- 催吐リスク高度には以下の1)~3)の3剤を併用する.

1) NK₁受容体拮抗薬：下記のいずれかを用いる.
   1) アプレピタント　経口1日目125 mg, 2・3日目80 mg
   2) ホスアプレピタント　注射1日目150 mg　点滴静注
   3) ホスネツピタント　注射1日目235 mg　点滴静注
2) 5-HT₃受容体拮抗薬　1日目のみ
3) デキサメタゾン　1日目9.9 mg, 2~4日目8 mg
   上記の併用で制御困難な場合は4)を併用する.

4）多受容体作用抗精神病薬
　オランザピン　1回5 mg　1～4日間

5 予測性悪心・嘔吐に対する

①薬物療法/放射線療法前夜と当日治療の1～2時間前に経口
　ロラゼパム　1回0.5～1.5 mg　1日1回（高齢者は0.5 mgから）
②薬物療法/放射線療法前夜から経口
　アルプラゾラム　1回0.4～0.8 mg　1日2～3回
　通常1回0.2～0.4 mg（高齢者は0.2 mgから開始）

末梢神経障害

- 抗癌薬による末梢神経障害は，タキサン系薬およびプラチナ製剤などに多い事象である．日常生活が困難となるような症状が出現する前に，減量もしくは中止を検討する必要がある．
- 末梢神経障害での神経性疼痛には通常の鎮痛薬の効果は乏しく，また神経性疼痛の予防や治療としてプレガバリンやノイロトロピン®，牛車腎気丸などが使用されることがある．

1 パクリタキセル

- ドセタキセルに比べ，末梢神経障害がより強い．微小管阻害による軸索変性と脱髄により生じる．1回投与量と点滴速度への依存性，総投与量，プラチナ製剤との併用，糖尿病などが毒性に影響を与える．間欠的投与よりも，毎週投与のほうが神経障害をきたしやすい．

2 シスプラチン

- 蓄積毒性であり，後根神経節が障害されるため，主に知覚障害を生じる．また内耳障害で高音域の感音性難聴をきたすこともある．

脱毛

- 通常1～3週間で抜け始め，抗癌薬治療が終わると1～2か月で再生が始まり，3～6か月で回復するが，個人差や治療の組み合わせにより異なる．有効な予防法はない．

● 脱毛の起こる頻度

- 90％以上：パクリタキセル（92.3％）
- 90％未満：ドセタキセル（78.4％），エトポシド（75.7％），ドキソルビシン（61.6％），イリノテカン（50.3％）
- 50％未満：シスプラチン（25.7％），カルボプラチン（18.3％）

- 10％未満：ゲムシタビン，ネダプラチン

手足症候群

- 抗癌薬治療数週間後から出現する腫脹，疼痛，紅斑，手足の皮膚の落屑を特徴とする手掌・足底の皮疹である．リポソーマルドキソルビシン（ドキシル®）の投与により，78.4％に発現する．レンバチニブ＋ペムブロリズマブの投与では20.7％に発現する．
- 予防法として，点滴中の局所（手首・足首）冷却，手袋の使用，皮膚の清潔，保湿クリームの使用などが有効とされている．またステロイド系抗炎症薬やビタミンB_6，非ステロイド性抗炎症薬の経口投与が有効であるとの報告がある．

心筋障害

- ドキソルビシン（ADR）の総投与量が500 mg/m^{2}を超えると重篤な心筋障害を起こすことが多く，500 mg/m^{2}以下に規定されている．

口内炎

- フルオロウラシル（5-FU），メトトレキサート，リポソーマルドキソルビシン，ブレオマイシン，エトポシドなどが頻度の高い薬である．
- 歯科での口腔ケアにより口内炎を予防または軽減することができる．投与開始後は，水またはうがい液アズレンスルホン酸ナトリウム（アズノール® うがい液）によるうがいを1日4～5回行うことが望ましい．
- 口内炎ができたらリドカイン塩酸塩（キシロカイン®），アズノール® うがい液によるうがいやステロイド口腔用軟膏（アフタゾロン® 口腔用軟膏など）を用いる．また，ガスロンN® やレバミピドなども効果があるとの報告がある．

文献

1) 日本癌治療学会（編）：制吐薬適正使用ガイドライン．第2版，金原出版，2015.
2) Hata A, et al：Randomized, double-blind, phase Ⅲ study of fosnetupitant versus fosaprepitant for prevention of highly emetogenic chemotherapy-induced nausea and vomiting：CONSOLE. J Clin Oncol 40(2)：180-188, 2021.

A20 婦人科悪性腫瘍の妊孕性温存療法

妊孕性温存

1) 患者本人が妊娠への強い希望をもち,妊娠可能な年齢であること
2) 患者と家族が癌の再発の可能性について十分に理解していること
3) 治療後長期にわたる注意深い厳重な経過観察に同意していること

などの社会的条件を前提として,以下に各癌種別要件を示す.

子宮頸癌

1 上皮内癌からⅠA1期(脈管侵襲なし)
- 円錐切除のみでフォローアップ可能な条件は「円錐切除術の適応」の項参照,p24.

2 ⅠA2期およびⅠB1期
- 広汎子宮頸部切除(radical trachelectomy)・骨盤リンパ節郭清.

3 注意点

ⓐ レーザー蒸散の場合
- 正確な診断がつかないので慎重に症例を選択する必要がある.LEEP切除を併用するほうが安全である.

ⓑ ⅠA1期を円錐切除で治療した場合
- 断端陰性でも17%に遺残があるとの報告もあり慎重な取り扱いが必要である.

ⓒ 広汎子宮頸部切除術の適応
1) ⅠA2期・ⅠB1期
2) ⅠA1期で脈管侵襲あり
3) 腫瘍径2cm以下
4) 明らかなリンパ節転移がない
5) 組織型は扁平上皮癌,腺癌,腺扁平上皮癌

ⓓ 広汎子宮頸部切除術後の妊娠
- 術後の妊娠率は30~50%との報告が多い.妊娠後の流早産のリ

スクは非常に高く，1st trimester で 14%，2nd trimester で 14%，3rd trimester では 72% と報告されている．実施にあたっては，婦人科腫瘍医，病理医，生殖医療，周産期治療，新生児管理を担当する医師との協力体制が不可欠である．

子宮体癌・異型増殖症

- MPA(メドロキシプロゲステロン酢酸エステル；medroxyprogesterone acetate)療法(600 mg/日)で治療された子宮内膜異型増殖症の 82%，子宮体癌 IA 期(内膜限局)の 55〜71% で病変消失を認めた．MPA 療法が奏効した 34% が，治療後妊娠に至っている．
- MPA 療法後の再発率は子宮内膜異型増殖症で 23%，子宮体癌 IA 期で 35〜48% である．さらに，若年子宮体癌では，原発卵巣癌あるいは卵巣転移が多いとの報告もあり，注意が必要である．

1 MPA による温存療法の適応

- 以下の条件をすべて満たす場合．
1) MRI，超音波検査，ヒステロスコープで筋層，頸管浸潤が認められず，IA 期相当である．
2) 高分化腺癌(Grade 1)あるいは異型増殖症である．
3) エストロゲン受容体(ER)，プロゲステロン受容体(PgR)陽性が望ましい．
4) 危険性についてインフォームド・コンセントがとれており，フォローアップが可能である．

2 MPA による温存療法の実際

- MPA(ヒスロン®H)400〜600 mg/日を 12 週間投与する．
- 効果発現には 6〜8 週必要である．
- MPA を 12 週間投与し，全面掻爬による組織診で，効果判定を行う．
1) 病変消失していれば，さらに 12 週間投与する．
2) 効果はあるが，一部残存のある場合には，さらに MPA を継続し，12 週間後に病変の消失を確認する．
3) 効果のない場合は手術療法に切り替える．
- MPA 終了後は，排卵周期を確立するか，Holmstrom 療法を行う．
- 治癒後 3〜4 か月フォローアップし，再発がなければ妊娠を許可．
- MPA の副作用については p75 を参照．

卵巣癌

1 上皮性卵巣癌で温存手術を行う条件

- IA期は厳格に診断される必要がある．肉眼的なIA期の16〜40%が実際はより高い臨床期であり，全腹腔内の系統的な検索が必須である．
- 術式は患側付属器切除，大網切除，系統的な全腹腔内の生検，リンパ節生検を行う．粘液性腺癌の場合は，虫垂切除も行う．表A20-1の条件を満たす場合リンパ節転移は稀である．
- 術後化学療法は，標準術式を施行した場合と同様の基準で行う．TC療法(パクリタキセル，カルボプラチン)に関しては，高度な卵巣毒性は報告されていない．
- 明細胞癌のIA期は妊孕性温存を提案できるが，IC1期に関しては議論の余地がある．明細胞癌の妊孕性温存の可能性についてJCOGで症例を蓄積中である．

表A20-1 卵巣悪性腫瘍で温存手術を行う条件

1. IA期である
2. 周囲組織との癒着がない
3. 腹水がなく，腹腔内洗浄細胞診陰性
4. 開腹時，摘出時にも被膜破綻がない
5. 腫瘍径が10cm以下
6. 被膜は十分に厚く，平滑，擦過細胞診陰性
7. 大部分が囊胞性で一部充実部が内胞に増殖
8. 組織型が高分化型腺癌，境界悪性
9. 子宮に病変がない
10. 十分なフォローアップが可能である

2 胚細胞性腫瘍(dysgerminoma, yolk sac tumor, embryonal carcinoma, immature teratoma)

- 胚細胞性腫瘍は，未分化胚細胞腫を除けば，ほとんどが片側性である．
- BEP療法(ブレオマイシン，エトポシド，シスプラチン)，PVB療法(シスプラチン，ビンブラスチン，ブレオマイシン)などの導入により良好な治癒率が得られる．
- I期にみえてもそのほとんどにおいて外科的な根治範囲を越えて

おり，後方視的研究では温存手術と根治手術で治癒率に差がないことから妊孕性温存手術が可能である．よって，妊孕性温存が必要な症例では片側付属器切除と大網切除，および腫瘍減量手術にとどめる．
- 対側卵巣の楔状切除は肉眼的に異常がなければ行わない．
- 術後化学療法はBEP療法やPVB療法を行う．未熟奇形腫（Grade 1）Ⅰ期と未分化胚細胞腫ⅠA期では省略できる．

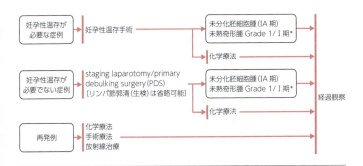

図 A20-1　悪性卵巣胚細胞腫瘍の治療フローチャート

注：妊孕性温存手術は，患側付属器摘出術＋大網切除術＋腹腔細胞診に加えて腹腔内精査．
＊：15歳未満の未熟奇形腫の完全切除例では，Gradeによらず化学療法を行わずに経過観察することが推奨されている

〔日本婦人科腫瘍学会（編）：卵巣がん・卵管癌・腹膜癌治療ガイドライン2020年版．第5版，p22，金原出版，2020より改変〕

MPA（ヒスロン®H）投与上の注意点

- MPAの副作用としては血栓症，肝障害，乳房痛，ムーンフェイス，浮腫などがあるが，最も問題となるのは血栓症である．推定症例数40,371例から33例の血栓症が発生し，うち11例が死亡しているが因果関係は不明である．

1 禁忌

- 手術後1週間以内
- 脳梗塞，心筋梗塞，血栓性静脈炎などの血栓性疾患，またはその既往
- 動脈硬化症
- 心臓弁膜症，心房細動，心内膜炎，重篤な心不全などの心疾患

- ホルモン薬(黄体ホルモン,卵胞ホルモン,副腎皮質ホルモンなど)投与中
- 妊婦または妊娠している可能性のある女性
- MPA に対する過敏症の既往
- 診断未確定の性器出血,尿路出血,乳房病変
- 重篤な肝障害
- 高カルシウム血症

2 慎重投与

- 手術後1か月以内,高血圧症,糖尿病,脂質異常症,肥満症,心疾患,うつ病,てんかん,片頭痛,喘息,慢性肺機能障害,ポルフィリン症,腎機能障害,肝機能障害,授乳婦,高齢者.

3 MPA 投与時にチェックすべき凝固線溶系検査

- FDP,フィブリノゲン,PIC,TAT,プロテイン C,t-PA,ATⅢ,プラスミノゲン,D ダイマー
- 上記のうちどの検査が指標になるか,あるいはどの程度になればMPA を中止すべきかについてはまだ明らかでないが,ATⅢとプロテイン C の変化が最も大きい.添付文書には「FDP,a_2プラスミンインヒビター・プラスミン複合体等の検査を実施し,異常が認められた場合は中止する」と記載されている.

文献

1) 日本婦人科腫瘍学会(編):卵巣がん・卵管癌・腹膜癌治療ガイドライン 2020 年版,第 5 版.金原出版,2020.

A21 産婦人科領域における腫瘍マーカーの取り扱い

腫瘍マーカーの種類とその特徴

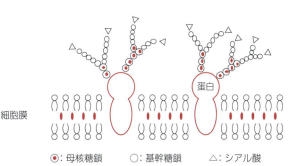

図 A21-1 細胞膜の糖鎖抗原（糖蛋白）の構造

表 A21-1 腫瘍マーカーの種類とその特徴

選択的マーカー				汎用マーカー
コア蛋白[*1]	母核糖鎖[*2]	基幹糖鎖	その他	
CA125 CA602 CA130	CA72-4 CA546 STN	CA19-9（CA50） SLX（SSEA-1）	SCC HE4 [*3] CA15-3 AFP [*4]	CEA

[*1]：CA125，CA602，CA130 は同じ分子の異なる部分を認識する．卵巣癌で陽性率が高いが，粘液性癌では陽性例が少ない．子宮内膜症や良性卵巣腫瘍でも陽性例があり特異性が低い．

[*2]：CA72-4，CA546，STN はムチンに関係した分子を認識する．卵巣癌での陽性率は高くないが，粘液性癌で陽性率が高く，良性卵巣腫瘍での偽陽性率が低い．

[*3]：HE4（ヒト精巣上体蛋白 4，human epididymis protein 4）は子宮内膜症などの良性疾患で上昇することが少なく，CA125 と比べて特異性が高い．さらに，HE4 と CA125 を組み合わせ算出される卵巣悪性腫瘍推定値（risk of ovarian malignancy algorithm；ROMA）は高い感度と特異度を示した報告があり，卵巣癌の鑑別に役立つ．

[*4]：AFP は胎児性癌で高値を示す．

婦人科悪性腫瘍における腫瘍マーカーの有用性

表 A21-2　婦人科悪性腫瘍における腫瘍マーカーの有用性

	SCC	CEA	CA125 CA602 CA130	CA19-9 CA50	AFP	CA72-4 CA546 STN	SLX SSEA-1	HE4
子宮頸癌	◎	◎				○		
子宮体癌			◎	◎	○		◎	▲
卵巣癌			◎		○	◎	○	◎

注1. 腟癌，外陰癌は子宮頸癌に準じる．
2. 奇形腫が疑われるときは悪性転化の鑑別のため SCC を加える．
3. 子宮頸部腺癌の場合は CA125 を加える．
4. 検査回数　診断および治療前　　1～2回
　　　　　　治療中　　　　　　　1か月に1回
　　　　　　再発のチェック　　　1か月に1回まで
5. 子宮体癌においても，HE4 はステージ，筋層浸潤，リンパ節転移などの因子と相関関係があるとの報告があり，術式や術後療法の必要性を判断するのに有用である可能性が考えられている（保険収載なし）．

組織型別腫瘍マーカー陽性率と基準値

表 A21-3　組織型別腫瘍マーカー陽性率（%）

	SCC	CEA	CA125 CA602 CA130	CA19-9 CA50	AFP	CA72-4 CA546 STN	SLX SSEA-1
漿液性嚢胞腺癌	13	12	82	38		67	46
ムチン性嚢胞腺癌	15	33	47	53		75	50
類内膜癌	22	37	77	48		63	20
明細胞癌	29	22	58	41		41	43
yolk sac 腫瘍					90		
転移性卵巣癌		71				88	

☐：70%以上の陽性率を示すもの．

表 A21-4 腫瘍マーカーの基準値

	基準値	陽性率 健常者・良性腫瘍	陽性率 悪性腫瘍	比較的高値をとる疾患・状態
SCC	1.5 ng/mL 以下	健常者：5% 子宮筋腫：5% 良性卵巣腫瘍：10～15%	子宮頸癌(扁平上皮癌：50%, 腺癌：14%) 子宮体癌：14% 卵巣癌：26%	肝炎
CEA	5 ng/mL 以下	健常者：6% 子宮筋腫：5～20% 良性卵巣腫瘍：2～20%	子宮頸癌：5～20% 子宮体癌：10% 卵巣癌：30～50% (特にムチン性嚢胞腺癌で高率)	妊婦, 喫煙者, 炎症性胃腸疾患, 肝疾患
CA125	42.7 U/mL 以下 (閉経後は 17 U/mL 以下)	健常者：3% 子宮筋腫：15% 子宮腺筋症：86% チョコレート囊胞：94% 良性卵巣腫瘍：18%	卵巣癌：83% (漿液性：94%, ムチン性：48%) 子宮頸癌：14% 子宮体癌：30%	子宮内膜症, 腹膜炎, 妊娠初期, 月経期
CA19-9	1.1～47.7 U/mL	健常者：2% 良性卵巣腫瘍：7% (皮様囊腫で高率との報告あり)	子宮頸癌：3% 子宮体癌：10% 卵巣癌：30%	子宮内膜症 胆石, 膵炎など
CA72-4	4 U/mL 未満	健常者：4% 良性卵巣腫瘍：0～5%	卵巣癌：30～90% (特にムチン性囊胞腺癌で高率) 子宮頸癌：10～20% 子宮体癌：23%	膵炎, 胆石
SLX	39.6 U/mL 未満	健常者：3.9% 子宮筋腫：16% 良性卵巣腫瘍：12%	卵巣癌：50～60% 子宮頸癌：10～20% 子宮体癌：10%	肺線維症 気管支拡張症
HE4	閉経前 70 pmol/L 以下 閉経後 140 pmol/L 以下	健常者／良性卵巣腫瘍：1～22%	卵巣癌：58～83%	高齢, 閉経, 喫煙, 腎機能障害
ROMA	閉経前 7.4%未満 閉経後 25.3%未満	健常者／良性卵巣腫瘍：7～31%	卵巣癌：75～97%	―

文献

1) Behrouzi R, et al：HE4 as a Biomarker for Endometrial Cancer. Cancers 13 (19)：4764, 2021.
2) Dochez, V, et al：Biomarkers and algorithms for diagnosis of ovarian cancer CA125, HE4, RMI and ROMA, a review. J Ovarian Res 12(1)：28, 2019.

A22 末期癌患者の疼痛管理

疼痛治療の概要

- 癌患者に対する疼痛管理は，患者の病状にかかわらず，苦痛が生じたときから開始する．治療は，疼痛がなく鎮痛薬の副作用も適切に対処され，患者が現在の治療に満足した状態を目標とする．一般的にはWHO方式の癌性疼痛治療法に沿って薬剤を選択して治療を進めていく．
- 一方，癌患者の疼痛発症機序は単一ではなく，またすべての疼痛に鎮痛薬が有効であるとは限らない．発生機序の第一は神経末端の障害によるもので鎮痛薬が有効である．第二は神経線維に対する圧迫によるもので鎮痛薬およびコルチコステロイドが有効であり，神経ブロックも用いられる．第三は神経線維あるいは神経路の破壊であり，抗うつ薬および抗痙攣薬が有効である．
- オピオイド(麻薬)，コルチコステロイド，神経ブロックは末梢神経が破壊されたときには有効であるが脊髄性病変には無効である．疼痛の発症機序に応じて適切な治療法を選択することが重要である．本項では鎮痛薬による疼痛管理について述べる．

鎮痛薬使用の原則

- 2018年に改訂されたWHOのガイドラインで7つの基本原則が示されている．
1) 疼痛治療の目標：患者にとって許容可能な生活の質を維持できるレベルまで痛みを軽減する．
2) 包括的な評価：癌疼痛マネジメントの最初のステップは常に患者を評価することである．安全かつ適切な癌疼痛治療を維持するためには定期的に再評価することが必要である．
3) 安全性の保障：癌医療におけるオピオイドの適切かつ効果的な管理は患者の安全の確保と薬物の社会への転用のリスクを減らすために不可欠である．
4) 癌治療マネジメントは薬物治療が含まれるが，心理社会的およ

び精神的ケアも含まれうる．
5) オピオイドを含む鎮痛薬はいずれの国でも使用できるべきである．
6) 鎮痛薬は，「経口的に」「時間を決めて」「患者ごとに」「細かい配慮をもって」投与する．
7) 癌疼痛治療は癌治療の一部として考えられる．

- 日本緩和医療学会による『がん疼痛の薬物療法に関するガイドライン』(2020年版)では，中等度以上の癌疼痛のある患者には強オピオイドをまず投与し，弱オピオイドは患者の選好，医療者の判断，医療現場の状況で強オピオイドが投与できないとき，中等度の癌疼痛のある患者に投与するとされている．

代表的治療薬

1 非オピオイド鎮痛薬

- 『がん疼痛の薬物療法に関するガイドライン』やNCCN，ESMOのガイドラインでは，オピオイドが投与されていない患者に対してアセトアミノフェン1,000 mgを6時間ごとに投与することが推奨されている．

表A22-1 非オピオイド鎮痛薬(アセトアミノフェン)の投与法

薬剤名	投与開始量	投与間隔	1日最大投与量
カロナール®	300～1,000 mg/回	4～6時間	4,000 mg
アセリオ®	300～1,000 mg/回	4～6時間	4,000 mg

- また，NSAIDsも有効であるが，消化管潰瘍の予防のためPPIもしくはH_2受容体拮抗薬の併用が必要である．
- これらは中等度以上の痛みに対しては単独で開始されるべきではなく，オピオイドを単独で，あるいはオピオイドと非オピオイド鎮痛薬を組み合わせて使用すべきである．

2 弱オピオイド

- 非オピオイド鎮痛薬で十分な鎮痛効果が得られない，または中等度以上の癌疼痛のある患者に対して使用される．コデインリン酸塩やトラマドールがこれにあたる．しかし，鎮痛効果をもたらす投与量に上限があるため，強度の痛みでは強オピオイドを使用することが望ましいと考えられる．

表 A22-2　弱オピオイドの投与法

薬剤名	投与開始量	投与間隔	最大投与量
コデインリン酸塩錠（20 mg）	1回1錠	4〜6時間	1回6錠
トラマール®錠（25 mg）	1回1錠	4〜6時間	1日16錠
トラムセット®配合錠	1回1錠	4〜6時間	1日8錠

3 強オピオイド

ⓐ 種類

- 一般的には経口投与を優先するが，経口投与できない場合は，持続静注・持続皮下注・経皮投与，または直腸内投与可能な薬剤を選択する．
- 腎機能障害がある患者ではモルヒネとコデインリン酸塩は避けることが望ましい．強い便秘や腸蠕動を低下させることを避ける必要がある病態では，フェンタニルが望ましい．また呼吸困難がある場合にはモルヒネが望ましい．

表 A22-3　強オピオイドの種類

	徐放性製剤	速放性製剤	坐剤	注射剤
モルヒネ	MSコンチン®錠	モルヒネ塩酸塩錠 オプソ®内服液	アンペック®坐剤	モルヒネ塩酸塩注射液
オキシコドン	オキシコンチン®TR錠 オキシコドン錠/カプセル	オキノーム®散		オキファスト®注
フェンタニル	フェントス®テープ ワンデュロ®パッチ デュロテップ®MTパッチ フェンタニル3日用テープ	アブストラル®舌下錠 イーフェン®バッカル錠		フェンタニルクエン酸塩注射液
タペンタドール	タペンタ®錠			
ヒドロモルフォン	ナルサス®錠	ナルラピド®錠		ナルベイン®注
メサドン		メサペイン®錠		

ⓑ 投与法

1）中等度以上の疼痛のある患者には，強オピオイドを開始するが，

NSAIDsは引き続き併用する.
2) 一般的な処方：薬剤に応じた時間ごとの定期服用とする．レスキューは徐放性製剤と同じ種類の速放性製剤を使用する．
下記を組み合わせて用いる．

　1) オキシコンチン®TR錠(10 mg)　1回1錠　1日2回　12時間ごと
　2) オキノーム®散(2.5 mg)　1回1包　1日10回まで　疼痛時頓用
　3) ノバミン®錠(5 mg)　1回1錠　1日3回　毎食後

3) 疼痛が比較的強い場合の処方：最初に速放性製剤や注射剤でタイトレーションする．必要量が決まれば，徐放性製剤に切り替える．1) または2) のいずれかと3) を併用する．

　1) オプソ®液(5 mg)　1回1包　1日10回まで　疼痛時頓用
　2) オキノーム®散(2.5 mg)　1回1包　1日10回まで　疼痛時頓用
　3) ノバミン®錠(5 mg)　1回1錠　1日3回　毎食後

- 1時間経過しても痛みが変わらない場合は，同量を内服する．2〜3周期増量しても改善しない場合には静注漸増法などを考える．
- 痛みがやや改善した場合は同量を内服し60分後に再評価する．
- 痛みがほぼ消失すれば現在の有効量を継続し，24時間の総量を計算し，適宜換算のうえ徐放性製剤に変更する．

4) 内服が困難である場合の処方：下記のいずれかを用いる．

　1) モルヒネ塩酸塩注射液(10 mg/mL)　1A＋
　　生理食塩水47 mL(計48 mL)　2.0 mL/時　持続静注
　2) モルヒネ塩酸塩注射液(10 mg/mL)　1A＋
　　生理食塩水9 mL(計10 mL)　0.4 mL/時　持続皮下注
　3) フェンタニルクエン酸塩注射液(0.1 mg/2 mL)　3A＋
　　生理食塩水42 mL(計48 mL)　2.0 mL/時　持続静注

- 開始時と痛み時に1時間量を早送りする．間隔は30分以上空ける．

5) 副作用として，便秘，悪心などに対する処方はあらかじめ行う．
6) 導入後，効果と副作用のバランスに苦慮する場合や，効果が不十分な場合には他のオピオイド製剤への変更を試みる（オピオイドローテーション）．
7) デュロテップ®MTパッチは，他のオピオイド製剤で必要量を決め，その量から投与量を換算して開始する．

表A22-4　オピオイドの力価換算表

経口モルヒネ(mg)	30	60	120	180	240
経口オキシコドン(mg)	20	40	80	120	160
デュロテップ® MT(mg)	2.1	4.2	8.4	12.6	16.8
モルヒネ注(mg)	15	30	60	90	120
フェンタニル注(mg)	0.3	0.6	1.2	1.8	2.4
経口タペンタ®(mg)	100	200	400		
経口ナルサス®(mg)	6	12	24		
ナルベイン®注(mg)	1〜2	2〜4	4〜8	6〜12	8〜16

※ナルベイン®の1日用量は，モルヒネ注の1/8，ナルサス®の1/5を目安とする．

オピオイドの副作用対策

表A22-5　オピオイドの副作用対策

副作用	対策
悪心・嘔吐	プロクロルペラジン(ノバミン® 5mg　1回1錠　1日3回)などをオピオイド開始時に併用し，2週間後に悪心がなければ中止する
便秘	緩下剤や刺激性下剤を適宜組み合わせる．近年はオピオイド誘発性便秘に保険適用のあるナルデメジン(スインプロイク®)が選択肢になる．
眠気	多くは数日で耐性を生じるので，オピオイドは継続する．増量時には安静時の呼吸数に注意する
呼吸抑制	モルヒネの減量またはナロキソンを投与する
せん妄	抗不安薬や睡眠薬ではなく抗精神病薬を第1選択とし，ハロペリドール(セレネース®)が古典的に使われる．最近ではオランザピン(ジプレキサ®)などを用いることもある
口内乾燥	可能であれば原因薬剤の減量や変更を行う．頻回の水分摂取や部屋の加湿，人工唾液や口腔内保湿薬の使用を検討する．
瘙痒感	可能であれば投与経路の変更を含むオピオイドスイッチングを検討する．亜鉛華軟膏，サリチル酸軟膏，0.25〜2％のメントール混合製剤が有用とされている．擦過による皮膚障害が強い場合は弱〜中等度のステロイド外用薬の使用も考慮する．
排尿障害	括約筋を弛緩させる$α_1$受容体遮断薬や，排尿筋の収縮を高めるコリン作動薬の投与を考慮する．

文献

1) 日本緩和医療学会(編)：がん疼痛の薬物療法に関するガイドライン2020年版．金原出版，2020.

A23 子宮内膜ポリープの取り扱い

子宮内膜ポリープ

- 40〜60歳に好発．不正性器出血を伴うことが多いが，無症候性の症例が3〜23%存在する．
- 細胞診，組織診（子宮鏡検査）にて悪性を否定する．
- 細胞診，組織診で悪性所見が得られなくても，悪性である確率は0〜3%．閉経後の子宮内膜ポリープは閉経前に比べて悪性である確率が高いので切除が望ましい．
- 不妊症の原因と考えられる場合は切除が考慮される．
- 閉経前で無症候性（不正性器出血なし，不妊症でない）の場合は，説明と同意のうえ，経過観察してもよい．

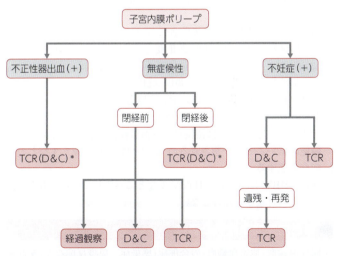

図 A23-1 子宮内膜ポリープの治療方針（徳島大学）

TCR；transcervical resection：経頸管摘除術，D&C；dilatation and curettage：子宮内容除去術
＊：D&Cを行う場合は取り残す可能性を説明しておく必要がある．

A24 自己血輸血

自己血輸血の種類

1 貯血式自己血輸血
- 術前に出血量に相当する自己の血液を採血し,冷蔵保存しておき,手術時に戻し輸血する方法.

2 希釈式自己血輸血
- 全身麻酔下に手術直前に400〜1,200 mLの自己血を採血し,同量の代用血漿を輸注し,出血量に応じて術中または手術終了時に戻し輸血する方法.

貯血式自己血輸血の適応

- 輸血を必要とする待機的手術を行う予定で,全身状態がほぼ良好な患者.
- 心疾患を有する外来患者の貯血については,ニューヨーク心臓協会(NYHA)分類Ⅰ度およびⅡ度を原則とする(表D5-3参照,p313).
- 稀な血液型やすでに免疫(不規則)抗体をもつ場合.
- 患者が自己血輸血の利点を理解し,協力できる場合.
- 年齢制限はないが,脳・心血管合併症の有無に注意する.特に80歳以上の高齢者では循環器・脳血管疾患の合併やこれらの予備能が低いことが予想されるので,1回貯血量を減らすなどの対応を考慮する.
- 梅毒,HBV,HCV,HIV,HTLV-1 などに感染している患者も自己血輸血の対象から除外しない.

自己血輸血の説明の要点

- 同種血輸血(他家血輸血)の合併症(感染症,免疫反応など)を回避できるという利点
- 方法
- 合併症の可能性(血管迷走神経反射,細菌の混入など)

- 貯血した血液を戻し輸血しない可能性があること，同種血輸血を追加する可能性があること

貯血式自己血輸血の方法

1 貯血の準備
- 手術が決定した時点で血液検査を行い，ヘモグロビン(Hb)値を把握する．
- 採血1〜2週間前から鉄剤経口投与を開始することが望ましい．
- 経口薬が投与困難，Hb 12 g/dL 未満の場合は静注薬が適応になる．

2 採血の実際
- 自己血の有効期限は5週間である．患者の状況に応じて貯血のスケジュールを立てる．

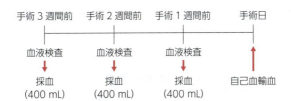

採血間隔：最低5日間．最終の採血は手術の最低3日前
図 A24-1 貯血のスケジュール例

3 採血量
- 1回 400 mL を目標とするが，患者の状況に応じて決定する．

表 A24-1 Hb 値と採血量

	Hb (g/dL)	採血量 (mL)
手術2週間前まで	<10 10≦Hb<12 12≦	採血せず 200 400
手術1週間前	<11 11≦Hb<13 13≦	採血せず 200 400
低体重の患者に対して		400×患者体重(kg)/50

4 採血時の注意

- 採血用 CPD 液含有バッグに患者氏名,採血日,血液型を自署してもらう.
- 採血中は血液と CPD 液を十分混和する.
- 予定採血量が採取できたらチューブをチューブシーラーで 2 か所以上クランプする.
- 血液保存専用冷蔵庫で保存する.
- 妊婦の場合は胎児心拍をモニタリングしながら採血を行う.また妊娠中の血液は過凝固の状態にあるため,少なめ(400 mL バッグなら 300 mL)に採血する.Hb 10 g/dL 以上で行う.

5 カルボキシマルトース第二鉄注射液(フェインジェクト®)の使用

ⓐ 適応:経口鉄剤の投与が困難で Hb 12 g/dL 未満の場合(Hb 8 g/dL 以上では症状詳記が必要).

ⓑ 用法・用量:過量投与とならないよう総投与量(投与回数)に注意すること.1 回あたり鉄として 500 mg(1 バイアル)を週 1 回投与する.

表 A24-2 フェインジェクト®の用法・用量

	体重		
	25 kg 以上 35 kg 未満	35 kg 以上 70 kg 未満	70 kg 以上
Hb 10 g/dL 以上	500 mg (500 mg を 1 回投与)	1,000 mg (1 回 500 mg を 週 1 回,2 回投与)	1,500 mg (1 回 500 mg を 週 1 回,3 回投与)

貯血式自己血輸血と希釈式自己血輸血の併用

- 800 mL の貯血と 1,200 mL の希釈血液により 2,500 g までの出血に対して同種血輸血を回避することが可能となる.

表 A24-3 出血量と同種血輸血率

出血量(g)	~1,000	1,001~ 1,500	1,501~ 2,000	2,001~ 2,500	2,501~ 3,000	3,001~
同種血輸血率	0/9	0/5	0/3	0/5	1/3	1/1

A25 婦人科の画像診断

各画像診断法の特性

表 A25-1 CT，MRI，PET/CT の利点・欠点

	CT	MRI	PET/CT
利点	・石灰化や脂肪の同定に優れる ・施設間のデータ比較が超音波や MRI より容易 ・広い撮像が可能で，遠隔転移・リンパ節転移の検索に有利	・子宮の病変の診断に最も有用 ・出血・脂肪の同定に最も優れる ・病変の組織型が推定できる ・病変の内部構造や嚢胞の内容液の描出に優れる	・糖代謝の亢進した癌組織を鋭敏に検出 ・婦人科癌の病期診断・再発診断に有用 ・全身の評価が可能で，予期せぬ転移巣の発見にも有用
欠点	・X 線被曝（若い女性には注意） ・子宮・卵巣の詳細な評価は困難	・MRI 非対応デバイスを装着している人には禁忌 ・撮像範囲が狭い	・小病変の検出には限界がある ・子宮，卵巣に生理的集積をみる

PET/CT(positron emission tomography/CT)

- グルコースに類似した FDG(fluorodeoxyglucose)に陽電子(positron)を放出する ^{18}F を結合させ，細胞内への蓄積を利用した検査で，活動性の細胞が検出される．
- 癌細胞は一般的にグルコースの取り込みが亢進しており，FDG が集積する．7〜8 mm の腫瘍径があれば検出可能とされている．
- 原発不明癌の原発巣の検索に有用．
- 婦人科癌では病期診断と再発診断に有用で，リンパ節転移の検出や予期せぬ転移巣の発見にも有用．
- 正常子宮や正常卵巣にも集積をみることがあり，注意が必要．
- FDG は尿中に排泄される．骨盤部では尿管や膀胱への集積に注意．
- CT 装置と複合した PET/CT 装置により診断精度が向上．

A26 婦人科の MRI 診断

MRI(magnetic resonance imaging)

- スピンをもつ水素原子核が磁場中で特定波長の電磁波エネルギーを共鳴吸収し，次いでこれを電磁波として放出する現象を利用し画像化，診断に利用する．

MRI の信号強度を決定する組織パラメーター

1) プロトン密度
- 水素原子の密度を反映する．
2) 緩和時間(T1 緩和時間，T2 緩和時間)
- 水素原子の存在する分子の物理状態を反映する．
3) 流れの速さ
- 血流など
4) 組織の拡散

表 A26-1　T1，T2 強調画像の撮像条件

	T1 強調画像	T2 強調画像
TR(繰り返し時間)	500〜600 msec	4,000〜5,500 msec
TE(エコー時間)	10〜20 msec	90〜100 msec

正常組織の信号強度

表 A26-2　T1, T2 強調画像における正常組織の信号強度

		T1 強調画像	T2 強調画像
水		低	高
脂肪		高	高
石灰化		なし	なし
空気		なし	なし
子宮	筋層	中	やや高
	junctional zone	中	低
	内膜	中	高
	頸部間質	中	低
卵巣	卵胞	中	高
	間質	中	低
子宮傍組織		低〜高	低〜高
リンパ節		中	中〜高
筋肉		中	低
靱帯		低	低
皮下脂肪		高	高
骨皮質(石灰化)		なし	なし
骨髄(脂肪)		高	高
血管	動脈(流速が速い)	なし	なし
	静脈(流速が遅い)	低	高
出血	急性	低	低
	慢性	高	高
ガドリニウム製剤	(造影剤)	高	—

注 1.　T1 強調画像では骨盤内臓器の組織間コントラストが少なく，T2 強調画像では骨盤内臓器の組織間コントラストが良好であるので，一般的には T2 強調画像がよく用いられる．

　2.　ガドリニウム製剤は，血液，細胞外液中に分布し，T1 を短縮させ信号強度を増強する．

MRI が特に有用である婦人科疾患

- 他の画像診断(超音波診断法,CT)と診断能力を比較すると,下記の婦人科疾患には MRI が有用であると考えられる.
1) 子宮体癌:筋層浸潤の程度
2) 子宮頸癌:子宮傍組織への進展の有無
3) 卵巣チョコレート囊胞:皮様囊腫との鑑別
4) 卵巣腫瘍:良悪性の鑑別

婦人科疾患の MR 画像の特徴

1 子宮筋腫
- T2 強調画像が有用.
- 境界明瞭な低信号領域として認められる.
- 変性部分は高信号となる.

2 子宮腺筋症
- T2 強調画像が有用.
- 境界不明瞭,びまん性の低信号領域として認められ,junctional zone が拡大したようにみえる.

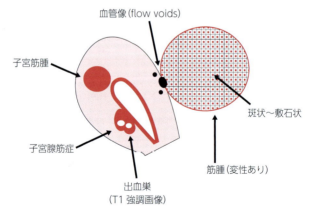

図 A26-1 子宮筋腫と子宮腺筋症の MR 画像

3 子宮頸癌

- T2強調画像が有用.
- 高信号領域(頸部間質, 腟は低信号)となり, 水平断面で頸部間質を示す低信号の環状構造が保たれていれば, 子宮傍組織への浸潤がないと考えてよい.

4 子宮体癌

- T2強調画像が有用.
- 高信号を示す.
- junctional zone の中断は筋層浸潤の診断に有用.
- 筋層浸潤の深さの評価は造影が有用.

表 A26-3　子宮体癌の MRI による病期診断

1. 筋層浸潤の評価
   - IA期　T2強調画像にて junctional zone が保たれる, または junctional zone が断裂して筋層浸潤を認めるが, 1/2 未満. 残存筋層の厚さの評価には造影が有用(濃染する筋層に比して腫瘍の増強効果は弱い)
   - IB期　筋層浸潤が 1/2 以上
2. 頸部進展の評価
   - II期　頸部間質の低信号に不整像をみる

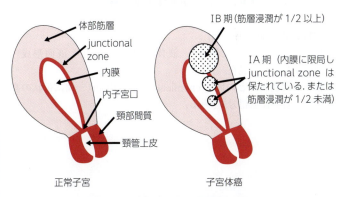

図 A26-2　MR画像による子宮体癌の筋層浸潤の評価

5 卵巣腫瘍

ⓐ 囊胞性腫瘍

- T1強調画像にて高信号(出血,脂肪,高蛋白)を呈する場合は,出血であれば卵巣チョコレート囊胞,黄体出血などを疑う,脂肪であれば皮様囊腫を疑う.

1) 卵巣チョコレート囊胞
・反復する囊胞内への出血を反映し,T2強調画像にて高〜不均一な低信号(shading)を呈する(図A26-3).
・多中心性の病態を反映し,時期の異なる出血性囊胞が多発する.
・時に被膜が肥厚し周囲との癒着をみる.

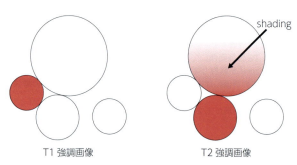

図 A26-3 卵巣チョコレート囊胞のMR画像

2) 皮様囊腫(dermoid cyst)
・脂肪,石灰化(CTで明瞭),液体成分(時に脂肪と液面形成),hair ball などが混在.
・脂肪と周囲組織との間にchemical shift artifact(一側に帯状の高信号,対側に低信号)をみる.

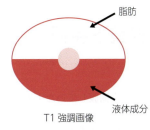
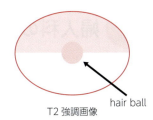

図 A26-4　皮様嚢腫の MR 画像

- T1 強調画像にて低信号を呈する場合は単純嚢胞，黄体嚢胞，漿液性嚢胞腺腫などを疑う．
- T1，T2 強調画像にて多彩な信号を呈する場合は粘液性嚢胞腺腫を疑う〔多房性で内容の蛋白濃度により多彩な信号パターン（ステンドグラス様）をとることが多い〕．

ⓑ 充実部を伴う嚢胞性腫瘤
- 嚢胞性腫瘤に造影される充実部分があれば悪性を疑う．
- 多くの卵巣癌がこの性状を呈する．

ⓒ 充実性腫瘤
- 良性・悪性ともに，非特異的な信号パターンを呈することが多い．
- 線維成分に富む良性腫瘍（線維腫，莢膜細胞腫）は T2 強調画像にて低信号を呈する．

⑥ 出血・血腫
- 出血は CT にて高濃度に描出され，MRI では時期により異なる信号を呈する．

表 A26-4　血腫の信号強度と出血時期との関係

出血時期	T1 強調画像	T2 強調画像
超急性（6 時間まで）	低	高
急性（1 週間以内）	辺縁より高信号化	低
亜急性（1 週〜1 か月）	高	高
慢性（1 か月以上）	徐々に縮小	辺縁より信号低下

A27 婦人科の腹腔鏡下手術

- 手術器具の改良や技術の向上により従来開腹していた手術を腹腔鏡下に行うことが増えている.
- 婦人科領域の良性疾患のほとんどに腹腔鏡下手術が適応可能である.
- 悪性腫瘍手術にも適応が拡大しており,2014年に初期子宮体癌に対する腹腔鏡下子宮体癌根治術が,2018年に子宮頸癌に対する腹腔鏡下広汎子宮全摘術が,2020年には子宮体癌に対する腹腔鏡下傍大動脈リンパ節郭清術が保険適用された.
- なお,仙骨腟固定術および悪性腫瘍に対する手術には,特掲診療料の施設基準ならびに関連学会からの指針が示されている.実施には,これらを満たす必要がある.

各種婦人科疾患に対する腹腔鏡下手術の適応

表 A27-1　各種婦人科疾患に対する腹腔鏡下手術の適応

疾患	手術様式
子宮筋腫/子宮腺筋症	腹腔鏡補助下腟式子宮全摘術,腹腔鏡下子宮全摘術,腹腔鏡下筋腫核出術
卵巣囊腫	腹腔鏡下付属器切除術,腹腔鏡下囊腫摘出術
異所性妊娠	腹腔鏡下卵管切除術,腹腔鏡下卵管線状切開術
子宮内膜症	腹腔鏡下子宮内膜症病巣除去術(腹膜病変焼灼,癒着病変剝離,囊腫摘出)
卵管閉塞	腹腔鏡下卵管形成術
多囊胞性卵巣	腹腔鏡下卵巣多孔術
骨盤臓器脱	腹腔鏡下仙骨腟固定術
子宮体癌	腹腔鏡下子宮体癌根治術,腹腔鏡下傍大動脈リンパ節郭清術
子宮頸癌	腹腔鏡下広汎子宮全摘術

〔堤　治:産婦人科における内視鏡手術の現況と将来.臨婦産52(12):1460-1463, 1998を参考に作成〕

気腹法と吊り上げ法の比較

- 腹腔鏡には炭酸ガスを腹腔内に注入し視野を得る気腹法とガスを使用しない吊り上げ法の2種類がある．両者の比較を表A27-2に示した．

表A27-2 気腹法と吊り上げ法の比較

	気腹法	吊り上げ法
手術視野	・広い	・狭い
装置，器具	・高価 ・逆流防止弁付きのトロッカーが必要でそのトロッカーの内径に合った手術器具が必要	・安価 ・逆流防止弁のないトロッカーを使用できる．通常の手術器具も使用可 ・吊り上げ装置およびファンの位置により把持鉗子などの挿入部位が限定される
副作用	・高炭酸ガス血症 ・ガス塞栓の危険性 ・腹腔内圧の上昇による循環呼吸状態の悪化	・吊り上げ部の疼痛，血腫，腹膜の損傷

腹腔鏡下手術の合併症

- 腹腔鏡下手術においては血管損傷や臓器損傷など重篤な合併症の頻度が0.7%，開腹移行率は0.06%，死亡率は0.003%である．表A27-3に代表的な合併症の頻度を示した．
- 術前診断が良性卵巣腫瘍で術後に悪性と診断される頻度は1.4%（0.0～3.1%）とされ，適切な追加治療が必要である（「卵巣癌の治療方針」の項参照，p37）．
- モルセレーター使用時の組織片の飛散が問題とされており，使用にあたっては，回収袋を使用する．

表A27-3 産婦人科領域の腹腔鏡下手術における代表的な合併症の頻度（2021年）

合併症	頻度
多量出血	1.5%
腸管損傷	0.2%
膀胱尿管損傷	0.2%

（日本内視鏡外科学会：内視鏡外科手術に関するアンケート調査．第16回集計報告，2022より）

ロボット支援下手術について

- 米国で開発された内視鏡手術支援ロボット(da Vinci surgical system)は,本邦において2009年1月に薬事承認され,泌尿器科領域で保険適用となってから機器の導入が進んでいる.
- 現在,腹腔鏡下腟式子宮全摘術(K877-2),子宮体癌に対する腹腔鏡下子宮悪性腫瘍手術(K879-2),腹腔鏡下仙骨腟固定術(K865-2)に対して算定が可能である.
- 保険適用は婦人科領域における普及の端緒となり,急速に拡大しているが,導入にあたっては日本産科婦人科学会の指針[2]などを遵守すること.

表A27-4 ロボット支援下手術の利点と課題

利点	・鮮明な3D画像が得られる ・手ぶれが補正され,精密な鉗子操作が可能 ・自由度の高い鉗子操作が容易にできるため,術者の手術技術の向上が容易
課題	・導入,維持費用が高額であるうえ,保険点数が腹腔鏡下手術と同一 ・機器のセットアップにやや時間を要する ・触覚が得られない

文献
1) 堤 治:産婦人科における内視鏡手術の現況と将来.臨婦産 52(12):1460-1463,1998.
2) 日本産科婦人科学会:婦人科領域におけるロボット支援下手術に関する指針.日産婦誌66(5):1296-1298,2014.

A28 子宮鏡検査および子宮鏡下手術

■ 子宮鏡検査

- 子宮鏡検査は子宮内腔形態観察を目的とした検査法であり,経腟超音波検査と同様に侵襲の少ない簡便な外来検査法として有用である.

1 対象疾患
- ①子宮筋腫(粘膜下筋腫),②子宮内膜ポリープ・胎盤ポリープ,③子宮形態異常,④子宮腔癒着症,⑤子宮内膜癌疑い(子宮鏡検査以外では診断が困難な場合).

2 注意点
- 月経終了後の増殖期に行う(分泌期は内膜が肥厚し観察が困難).
- 適切に灌流液を加圧することで観察がより容易になる.
- 子宮鏡による感染に十分配慮が必要である.

■ 子宮鏡下手術

- 子宮鏡検査の対象となる良性の子宮疾患は,子宮鏡下手術の適応となりうる.

1 注意点
- 月経終了後の増殖期に行うことが望ましい.
- 子宮頸管が狭い症例はラミセル®(3 mm)1本またはダイラパン®Sにて頸管拡張を行う(必要以上に頸管拡張を行うと,術中に十分な灌流圧が得られないので注意).
- 子宮内癒着を予防する場合は,術中または術後1日目にIUD(FD-1)を挿入し,1か月後に抜去する.
- 月経不順を伴う症例は術後早期にKaufmann療法を追加し,再癒着を避ける.

A29 遺伝性腫瘍

遺伝性腫瘍とは

- 遺伝性腫瘍とは，原因となる遺伝子に生殖細胞系列（生まれつき）の病的バリアントがあり，特定の腫瘍を発症するリスクが高い症候群の総称である．遺伝性腫瘍の原因遺伝子の多くは癌抑制遺伝子である．
- 図 A29-1 に遺伝性乳癌卵巣癌（hereditary breast and ovarian cancer；HBOC）の年齢別累積罹患率を示した．いずれも 100% とはなっておらず，これには浸透率が関与している．浸透率とは，ある遺伝子に病的バリアントをもっている集団でそのバリアントが関与する疾患の発症者の確率である．

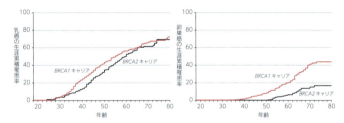

図 A29-1 *BRCA1/2* 遺伝子に病的バリアント（キャリア）がある場合の乳癌もしくは卵巣癌の生涯累積罹患率

〔Kuchenbaecker KB, et al：Risks of breast, ovarian, and contralateral breast cancer for *BRCA1* and *BRCA2* mutation carriers. JAMA 317(23)：2402-2416, 2017 より〕

表 A29-1 婦人科系腫瘍に関連する遺伝性腫瘍

疾患名	バリアント遺伝子	発生腫瘍	遺伝形式
HBOC	*BRCA1*, *BRCA2*	卵巣癌,乳癌,前立腺癌,胃癌,膵癌など	AD
Lynch 症候群	*MSH2*, *MSH6*, *PMS2*, *MLH1*	子宮体癌,卵巣癌,大腸癌,腎盂尿管癌など	AD
Peutz-Jeghers 症候群	*STK11*	卵巣癌,子宮頸部腺癌(悪性腺腫),小腸過誤腫など	AD

AD:autosomal dominant(常染色体顕性遺伝)

遺伝性乳癌卵巣癌(HBOC)とは

- *BRCA1* あるいは *BRCA2* 遺伝子に病的バリアント保持者およびその家系は HBOC と定義される.*BRCA1/2* 遺伝子の病的バリアント保持者の頻度は 400〜500 人に 1 人と推定されており,遺伝性疾患のなかでは頻度が高い.本邦の報告でも,卵巣癌患者の 15% が HBOC であった.
- 2020 年 4 月に,HBOC 診療の一部が保険収載された.しかし,保険の適用はすでに癌を発症した人を対象としており,癌未発症者に対するサーベイランスやリスク低減手術については保険適用外となっていることは,今後の課題である.

BRCA バリアント保持者の卵巣癌サーベイランス

- 現在,経腟超音波検査と CA125 測定が行われていることが多いが,卵巣癌検診の有用性は確立していない.このためリスク低減卵管卵巣摘出術(risk reducing salpingo-oophorectomy;RRSO)が,最も確実性の高い卵巣癌予防策として検討されている.
- 実施年齢は挙児を得た後,*BRCA1* バリアント保持者は 35〜40 歳,*BRCA2* バリアント保持者は 40〜45 歳が望ましいとされている.
- 十分なカウンセリングのもと実施すべきであり,遺伝カウンセリングを含めて,関連各科と連携体制を構築することが重要である.

表 A29-2　HBOC のサーベイランス（女性）

乳癌	・18 歳からのブレストアウェアネス（乳房を意識する生活習慣） ・25～29 歳：年に 1 回の MRI 検査 ・30～75 歳：年に 1 回の MRI 検査とマンモグラフィ検査 ・75 歳以上：個々の状況に応じた検診 ・リスク低減乳房切除について話し合う
卵巣癌	・35～40 歳：出産が完了している場合は，リスク低減卵管卵巣摘出術（RRSO）を推奨（BRCA2 バリアント保持者は RRSO を 40～45 歳に遅らせることが許容される） ・RRSO を行わない場合は，30～35 歳で経腟超音波検査と CA125 測定を検討する（ただし，その有効性は不明である）

(NCCN Clinical Practice Guidelines in Oncology. Genetic/Familial High-Risk Assessment：Breast and Ovarian ver.2, 2022 より)

Side Memo　予防的卵管切除・予防的卵巣摘出術

卵巣癌，腹膜癌の高異型度漿液性癌患者，または BRCA バリアント保持者の卵管内に微小な上皮内癌である serous tubal intraepithelial carcinoma（STIC）が高頻度で認められるとの報告がある．一部の卵巣漿液性癌および腹膜癌の発生母地は卵管上皮細胞であると提唱されている．さらに，良性婦人科手術の際に卵管切除を行うことで，卵巣癌のリスク低減効果を示した報告がある（HR 0.64，95％ CI＝0.52～0.81）[1]．良性疾患で婦人科手術を行う際に，妊孕性温存不要の症例では，予防的卵管切除を考慮する．

45 歳未満で予防的卵巣摘出術を受けた場合，心血管系疾患での死亡リスクが 1.44 倍に上昇する報告があり[2]，実施の際は十分なインフォームド・コンセントが必要である

文献

1) Falconer H, et al：Ovarian cancer risk after salpingectomy：a nationwide population-based study. J Natl Cancer Inst 107(2)：dju410, 2015.
2) Revera CM, et al：Increased cardiovascular mortality after early bilateral oophorectomy. Menopause 16(1)1：5-23, 2009.

A30 静脈血栓塞栓症の予防

- 分娩後や産婦人科手術後に起こる深部静脈血栓症(DVT)は、時に肺血栓塞栓症(PE)を引き起こし致命的な経過をたどることもある。食事、生活習慣の変化から増加傾向にあるといわれており、その予防は非常に重要である。
- 予防法としては、早期離床および積極的な運動、弾性ストッキングの着用、間欠的空気圧迫法などがあり、リスクレベルに応じて予防法を検討する。高リスクの症例には抗凝固療法を行う。リスクレベルについてはガイドラインなどを参考にされたい。

抗凝固療法

- 高リスク症例に対して、エノキサパリン、フォンダパリヌクスあるいは低用量未分画ヘパリンを使用する。
- 最高リスク症例に対しては、必要ならば、用量調節未分画ヘパリン、用量調節ワルファリンを選択する。
- エノキサパリン、フォンダパリヌクスは、未分画ヘパリンに比べ抗トロンビン作用が少なく、出血の副作用が少ないと考えられている。また半減期も長く、投与回数も少ない。ただし、モニタリングの指標がないこと、出血や過量投与の際には完全に中和されるわけではない点を留意する必要がある。
- エノキサパリンとフォンダパリヌクスは、15日以上投与した場合の有効性・安全性は検討されていないが、血小板第4因子とほとんど結合しないため、ヘパリン起因性血小板減少症(HIT)(Side Memo参照、p106)の発症リスクが低いと考えられる。
- 高リスクまたは最高リスク症例に対しては、妊娠初期からの予防的投与(未分画ヘパリン1回5,000単位 皮下注射 1日2回)が望ましい。ワルファリンは催奇形性のため、妊娠中は原則として投与しないほうがよい。分娩に際しては、陣痛が発来したらいったん未分画ヘパリンを中止し、分娩後止血を確認してからできるだけ早期に未分画ヘパリンを再開し、引き続きワルファリンに切り替える。

表 A30-1 抗凝固療法の特徴

	ヘパリン	エノキサパリン（クレキサン®）	フォンダパリヌクス（アリクストラ®）
分類	未分画ヘパリン	低分子ヘパリン	Xa阻害薬
抗Xa/トロンビン比	1：1	5：1	7,400：1
半減期	1時間以内	4～5時間	約17時間
硫酸プロタミンによる中和	可能	最大60％中和	不可

■ 用法・用量

ⓐ 低用量未分画ヘパリン
- 手術後なるべく出血の危険がなくなってから投与を開始する
  未分画ヘパリン　1回5,000単位　1日2～3回（8または12時間ごと），皮下注射

ⓑ エノキサパリン（クレキサン®）
- 術後24～36時間経過し，出血のないことを確認して投与を開始する
  クレキサン® 注（2,000 IU）　1回2,000 IU　1日2回（12時間ごと）皮下注射

ⓒ フォンダパリヌクス（アリクストラ®）
- 術後24時間経過し，出血のないことを確認して投与を開始する
  アリクストラ® 注（2.5 mg）　1回2.5 mg　1日1回　皮下注射

図 A30-1　クレキサン® 投与の実際（徳島大学）

クレキサン® は術後 1 日目の 22 時より開始する．硬膜外カテーテルを留置した患者では，術後 2 日目の 10 時にカテーテルを抜去し（クレキサン® 投与を 1 回スキップ），同日 22 時よりクレキサン® 投与を再開する．

＊：間欠的空気圧迫法（intermittent pneumatic compression；IPC）

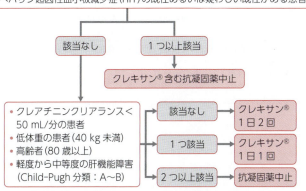

図 A30-2　出血リスク評価とクレキサン® 投与量の選択

文献

1) 肺血栓塞栓症/深部静脈血栓症(静脈血栓塞栓症)予防ガイドライン作成委員会:肺血栓塞栓症/深部静脈血栓症(静脈血栓塞栓症)予防ガイドライン. Medical Front International Limited, 2004.
2) 日本循環器学会,他:肺血栓塞栓症および深部静脈血栓症診断,治療,予防に関するガイドライン(2017年度改訂版). 2018.

Side Memo ヘパリン起因性血小板減少症(HIT)

HITはヘパリンの重要な副作用で2つのタイプに分類されるが,臨床上重要なのはⅡ型である.出血をきたすのではなく,動静脈血栓症を高率に合併し,死亡率も高くなる.ヘパリン投与時には経時的な血小板数の確認が必須であり,HITが疑われる場合には速やかにヘパリンを中止しなければならない.

表A30-2　HITの2つのタイプ

	Ⅰ型	Ⅱ型
病因	ヘパリンの物理化学的性状により血小板凝集を増強	抗PF4・ヘパリン抗体(抗HIT抗体)
発症頻度	約10%	約0.5〜5%
発症時期	2〜3日後	5〜14日後*
血小板減少	10〜30%	50%以上または100,000/μL以下
合併症	なし	動静脈血栓症(30〜50%)
治療	経過観察 ヘパリン投与継続可能	ヘパリン投与中止 抗トロンビン薬(アルガトロバン)

*:過去にHIT抗体を有する場合,ヘパリン投与後数分から数時間以内に発症する場合がある.
PF4:血小板第4因子(platelet factor 4)

別表1 婦人科領域における抗癌薬一覧表

系統	一般名	略号	商品名	有害事象
アルキル化薬	シクロホスファミド(pp61-62)	CPA(CPM)	エンドキサン®	骨髄抑制,出血性膀胱炎,イレウス,心筋障害 など
	イホスファミド(p52)	IFM	イホマイド®	骨髄抑制,出血性膀胱炎,間質性肺炎 など
	トラベクテジン(p53)		ヨンデリス®	骨髄抑制,胃腸障害,肝不全,肝機能障害,横紋筋融解症など
代謝拮抗薬	メトトレキサート(pp61-62, p177)	MTX	メソトレキセート®	骨髄抑制,消化管障害,肝機能障害 など
	フルオロウラシル	5-FU	5-FU	骨髄抑制,下痢,口内炎,肝障害 など
	テガフール・ウラシル	UFT	ユーエフティ®	骨髄抑制,下痢,口内炎,肝障害 など
	ゲムシタビン(p43)	GEM	ジェムザール®	骨髄抑制,間質性肺炎,心筋梗塞 など
抗癌性抗生物質	アクチノマイシンD(pp61-62)	ACT-D	コスメゲン®	骨髄抑制,肝障害,口内炎 など
	エピルビシン	EPI	ファルモルビシン®	骨髄抑制,消化器障害,心筋障害 など
	ドキソルビシン(アドリアマイシン)(p52)	DOX(ADM)	アドリアシン®	骨髄抑制,悪心・嘔吐,心筋障害 など
	リポソーマルドキソルビシン(p45)	PLD	ドキシル®	骨髄抑制,口内炎,手足症候群,心筋障害 など
	ブレオマイシン(p61)	BLM	ブレオ®	間質性肺炎,肺線維症,食欲不振 など
	マイトマイシンC	MMC	マイトマイシン	溶血性尿毒症症候群,急性腎障害,骨髄抑制 など
植物由来の抗癌薬	ノギテカン(p45)	NGT	ハイカムチン®	骨髄抑制,消化管出血,間質性肺炎 など
	ビンクリスチン(pp61-62)	VCR	オンコビン®	骨髄抑制,末梢神経障害 など
	イリノテカン(p44)	CPT-11	トポテシン®カンプト®	骨髄抑制,高度な下痢,腸管穿孔,間質性肺炎 など
	エトポシド(pp61-62)	ETP	ベプシド®ラステット®	骨髄抑制,間質性肺炎,ショック など

(次ページへつづく)

(つづき)

系統	一般名	略号	商品名	有害事象
植物由来の抗癌薬	パクリタキセル (p61, p64)	TXL (PTX)	タキソール®	骨髄抑制，末梢神経障害，ショック，関節痛，筋肉痛 など
植物由来の抗癌薬	ドセタキセル (p53, p64)	DOC	タキソテール®，ワンタキソテール®	骨髄抑制，末梢神経障害，ショック，関節痛，筋肉痛 など
プラチナ製剤	シスプラチン (pp61-62)	CDDP	ランダ®	急性腎障害，聴力低下，骨髄抑制，ショック など
プラチナ製剤	カルボプラチン (p43, p45, p64)	CBDCA	パラプラチン®	骨髄抑制，急性腎障害，ショック など
プラチナ製剤	ネダプラチン	NDP	アクプラ®	骨髄抑制，腎不全，抗利尿ホルモン分泌異常症候群 など
その他	エリブリン (p53)		ハラヴェン®	骨髄抑制，末梢神経障害，肝機能障害，間質性肺炎 など

分子標的薬

一般名	標的	商品名	有害事象
ベバシズマブ (p39, p46)	VEGF	アバスチン®	高血圧，蛋白尿，消化管穿孔，血栓塞栓症 など
パゾパニブ (p53)	チロシンキナーゼ阻害 (VEGFR, PDGFR, c-Kit)	ヴォトリエント®	高血圧，肝機能障害，心機能障害，下痢，疲労 など
レンバチニブ	チロシンキナーゼ阻害 (VEGFR, FGFR, PDGFR)	レンビマ®	高血圧，蛋白尿，下痢，悪心，出血，血栓塞栓症，肝障害，骨髄抑制，甲状腺機能低下，手足症候群 など
オラパリブ (p39, p47)	PARP阻害	リムパーザ®	骨髄抑制，間質性肺疾患，下痢，悪心，味覚異常，疲労，食欲減退 など
ニラパリブ (p39, p48)	PARP阻害	ゼジューラ®	骨髄抑制，高血圧，間質性肺疾患，頭痛，不眠症，下痢，便秘，悪心，疲労，食欲減退 など
ペムブロリズマブ	PD-1阻害	キイトルーダ®	骨髄抑制，間質性肺疾患，大腸炎，神経障害，肝機能障害，甲状腺機能障害，副腎機能障害，腎障害，infusion reaction など

別表2 婦人科領域における抗癌薬の多剤併用療法

多剤併用療法＼系統	アルキル化薬	代謝拮抗薬	抗癌性抗生物質	植物由来の抗癌薬	プラチナ製剤
AP			DOX		CDDP
BEP			BLM	ETP	CDDP
CPT/MMC			MMC	CPT-11	
CPT/NDP				CPT-11	NDP
DC				DOC	CBDCA
DG		GEM		DOC	
EMA/CO	CPA	MTX	ACT-D	VCR, ETP	
EP				ETP	CDDP
GC		GEM			CBDCA
TC				PTX	CBDCA
TP				PTX	CDDP
DOX+CBDCA			DOX		CBDCA
AI	IFM		DOX		

Side Memo　がん遺伝子パネル検査

- がん遺伝子パネル検査はがんに関する遺伝子変異を網羅的に調べることで，1種類の遺伝子だけに絞った従来の検査ではわからなかった変異をみつけることができる．結果に応じて，患者1人ひとりにふさわしい治験や薬剤の治療機会を検索することができる．
- 腫瘍検体を使って行う方法と，腫瘍から血液中に流出しているcirculating tumor DNAを用いて行う方法がある．
- この検査により遺伝子変異に基づいた治療につながる割合はおよそ10％とされている．
- 2019年6月に保険適用となり，治癒切除不能または再発で，標準治療終了後であり，全身状態が良好ながん患者や，治療法が確立していない希少がんの患者が対象である．今後ますますがんゲノム医療の成果が期待される．

B

生殖内分泌

B1 ホルモンの基準値と解釈

1 測定系
- 現在，多数のホルモン測定系が普及しており，測定系により測定値は若干異なる．特に，LH，FSH，PRL を評価する際は，使用した測定系を知っておく必要がある．

2 性機能異常とホルモン測定値の判定

ⓐ 黄体形成ホルモン（LH），卵胞刺激ホルモン（FSH）
- LH，FSH 基礎値により，性機能異常の障害部位を推定できる．視床下部性では正常〜軽度低下，重症視床下部障害と下垂体性では低値，卵巣性では高値，と特徴的なパターンを示すので，表 B1-1 の基準値を参考にして判定する．FSH が 10 mIU/mL 以上なら，卵巣機能の低下に注意して治療を行う．
- 多嚢胞性卵巣症候群（PCOS）を疑い LH，LH/FSH 比を検討する場合，カットオフ値は平均値＋1 SD の値を用いるのが一般的であり，必ずしも基準値の上限値とは一致しない（表 B1-2）．また，LH は性ステロイドホルモンの影響に加え，血中濃度がパルス状に変動しているために，測定値の再現性は低い．

ⓑ プロゲステロン
- 黄体期中期の測定値が，5 ng/mL 以上で排卵あり，5 ng/mL 以上 10 ng/mL 未満で黄体機能不全と判定する．

ⓒ プロラクチン（PRL）
- 使用する測定系の基準値上限に注意が必要である（表 B1-3）．PRL 値が高くとも，乳汁漏出，排卵障害がないなら，生物活性の低いマクロプロラクチンの可能性があり，必ずしも治療を要さない．エクルーシス プロラクチンⅢはマクロプロラクチンの影響を受けにくい．

3 測定に適した時期

ⓐ LH，FSH
- 性機能障害の評価のために測定する場合は，性ステロイドホルモンの影響を受けにくい卵胞期中期がよい．月経周期のある場合も，ホルモン製剤で消退出血を起こす場合も周期の 7〜9 日目頃

表 B1-1　月経周期の各時期における基準値

ホルモン	測定系	卵胞期	排卵期	黄体期	閉経期
LH (mIU/mL)	アーキテクト LHⅡ	1.80〜11.78	7.59〜89.08	0.56〜14.00	5.16〜61.99
	エクルーシス LH	2.4〜12.6	14.0〜95.6	1.0〜11.4	7.7〜58.5
	ケンタウルス LH	1.2〜13.3	1.3〜55.7	0.5〜16.5	13.3〜61.6
FSH (mIU/mL)	アーキテクト FSH	3.03〜8.08	2.55〜16.69	1.38〜5.47	26.72〜133.41
	エクルーシス FSHⅡ	3.5〜12.5	4.7〜21.5	1.7〜7.7	25.8〜134.8
	ケンタウルス FSH	2.2〜11.5	2.1〜18.6	1.1〜10.6	10.5〜142.8
エストラジオール (pg/mL)	アーキテクト エストラジオールⅡ	21〜251	38〜649	21〜312	≦28
	エクルーシス エストラジオール	28.8〜196.8	36.4〜525.9	44.1〜491.9	≦47.0
	ケンタウルス エストラジオール	19.5〜144.2	63.9〜356.7	55.8〜214.2	≦32.2
	Eテスト「TOSOH」Ⅱ エストラジオール	<20〜300.8	41.3〜527.4	<20〜349.1	≦48
プロゲステロン (ng/mL)	アーキテクト プロゲステロン	≦0.3	データなし	1.2〜15.9	≦0.2
	エクルーシス プロゲステロンⅢ	≦0.3	≦5.7	2.1〜24.2	≦0.3
	ケンタウルス プロゲステロン	≦1.2	0.3〜10.4	1.4〜20.6	≦0.9
	Eテスト「TOSOH」Ⅱ プロゲステロンⅢ	≦1.23	データなし	≦14.70	≦0.90

表 B1-2　多嚢胞性卵巣症候群の診断における高 LH の基準の例（徳島大学）

測定系	ホルモン	卵胞期
アーキテクト (LHⅡ, FSH)	LH(mIU/mL)	≧7
	LH/FSH 比	≧1
エクルーシス (LH, FSHⅡ)	LH(mIU/mL)	≧8.55
	LH/FSH 比	≧1.25
ケンタウルス (LH, FSH)	LH(mIU/mL)	≧8
	LH/FSH 比	≧1.37

が適している．PCOS の診断の場合は表 B7-5 の注 3，注 5 を参照(p134)．

ⓑ プロゲステロン

- 黄体期中期（基礎体温高温相 5〜8 日目）に測定する．

表 B1-3　その他のホルモンの基準値

ホルモン	測定系		基準値
PRL (ng/mL)	アーキテクト プロラクチン		5.18〜26.53
	エクルーシス プロラクチンⅢ		4.91〜29.32
	ケンタウルス プロラクチン		3.5〜32.7
	Eテスト「TOSOH」Ⅱ プロラクチン		4.1〜28.9
テストステロン(ng/mL)	エクルーシス テストステロンⅡ		0.11〜0.47
	ケンタウルス	テストステロン	0.03〜0.67
		テストステロンⅡ	0.1209〜0.5946
	Eテスト「TOSOH」Ⅱ テストステロン		0.09〜0.56
遊離テストステロン (pg/mL)	コスミック 遊離テストステロン		20〜29歳　1.5〜4.9 30〜39歳　0.8〜4.1 40〜49歳　0.5〜4.0
DHEA-S (μg/dL)	Eテスト「TOSOH」Ⅱ DHEA-S		20〜29歳　65〜514 30〜39歳　71〜208 40〜49歳　34〜303 50〜59歳　41〜222
	ケンタウルス DHEA-S		25.9〜460.2

DHEA-S は保険適用がないが，PCOS 患者で測定する場合がある．

❸ PRL

- 卵胞期中期に測定する．食事，ストレス，睡眠，エストロゲンなどで上昇するので，午前中空腹時に検査するのがよい．

内分泌負荷試験の適応と診断基準

ゲスターゲンテスト

ⓐ 対象
- 原発または続発無月経

ⓑ 方法

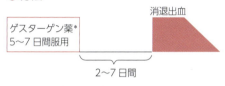

図 B2-1　ゲスターゲンテストの方法
＊：ルトラール®錠(2 mg)　1回2錠　1日1回，デュファストン®錠(5 mg)　1回2錠　1日1回，プロベラ®錠(2.5 mg)　1回4錠　1日1回など

ⓒ 診断
- 消退出血(＋)→第1度無月経

エストロゲン・ゲスターゲンテスト

ⓐ 対象
- ゲスターゲンテスト陰性例

ⓑ 方法

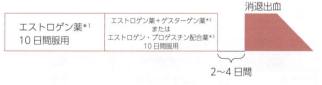

図 B2-2　エストロゲン・ゲスターゲンテストの方法
＊1：プレマリン®錠(0.625 mg)　1回2錠　1日1回
＊2：ルトラール®錠(2 mg)　1回2錠　1日1回，デュファストン®錠(5 mg)　1回2錠　1日1回，プロベラ®錠(2.5 mg)　1回4錠　1日1回など
＊3：プラノバール®配合錠(ノルゲストレル 0.5 mg＋エチニルエストラジオール 0.05 mg)　1回1錠　1日1回

c 診断

- 消退出血(＋)→第2度無月経
- 消退出血(－)→子宮性無月経

GnRH テスト(LH-RH テスト)

a 対象
- 排卵障害

b 方法
- GnRH 0.1 mg(LH-RH 注 0.1 mg「タナベ」)を生理食塩水 5〜10 mL で希釈して静注．注射前，注射 30 分後に採血し，血清 LH，FSH 濃度を測定(図 B2-3)．

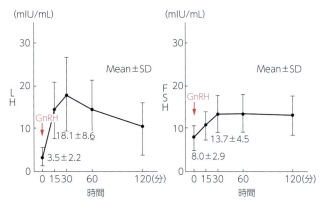

図 B2-3　健常成熟女性(卵胞期)における GnRH テストでの LH(左)および FSH(右)の反応(徳島大学)

c 診断

表 B2-1　GnRH テストによる診断

原因	前値	反応
間脳不全型	低値または正常	正常
下垂体不全型*	低値	不良
多嚢胞卵巣型	LH 中等度高値 FSH 低値または正常	LH 過剰反応 FSH ほぼ正常
卵巣不全型	高値	過剰反応

＊：重度の視床下部障害では下垂体不全型となる．

B3 無月経の検査，診断手順

原発（性）無月経

- 満18歳を迎えても初経の起こらないものをいう．
- 14歳までに98％の初経がみられる現状から，15歳以上18歳未満で初経の発来していない場合は初経遅延とされる．18歳までの初経を待つのではなく初経遅延の段階から無月経の検査，治療などの介入を行うことが肝要である．

1 原因分類と頻度

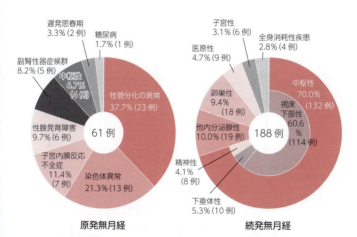

図 B3-1　無月経の原因分類とその頻度
〔倉智敬一：原発無月経の診断と治療．産婦治療 18(4)：363-374, 1969 より〕

表 B3-1 月経周期日数

頻発月経	24 日以内
正常月経	25 日～38 日
希発月経	39 日～3 か月
続発性無月経	3 か月以上停止

〔月経に関する定義．日本産科婦人科学会(編)：産科婦人科用語集・用語解説集．改訂第 4 版，p47，59，214，314，2018 より著者作成〕

2 鑑別診断

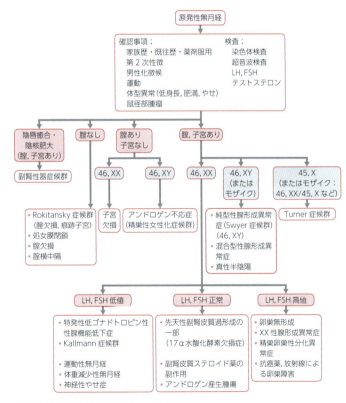

図 B3-2　原発無月経の原因の鑑別診断

続発(性)無月経

- 1回以上月経の発来を認めた後に無月経に陥ったもの．無月経の期間は3か月以上．
- 診断は図 B3-3, 4 のごとく行う．

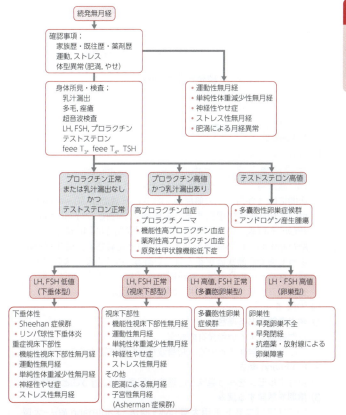

図 B3-3　続発無月経の原因疾患の鑑別診断

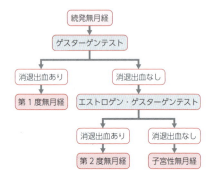

図 B3-4 続発無月経の分類

> **Side Memo　早発卵巣不全**
>
> **1 定義**
> - 早発卵巣不全 (premature ovarian insufficiency; POI) は，「40 歳未満で卵巣性無月経となったもの」と定義されており，臨床的には 3 か月以上の無月経，血中 FSH 濃度が 30〜40 mIU/mL 以上の症例が相当する．また premature ovarian failure (POF) も同義で使用される．一方，早発閉経は「40 歳未満で卵胞が枯渇し，自然閉経を迎えた状態」と定義され，臨床経過によって後で診断が確定する概念である．POI の多くは突然無月経になるといわれるが，前駆期からゴナドトロピン値は上昇し，すでにゴナドトロピンによる卵巣刺激に反応しない．
>
> **2 治療法**
> **ⓐ 挙児希望のある場合**
> 1) 自然経過による卵胞発育の観察
>   - 時に自然に排卵するので，超音波検査を根気強く行う．
> 2) Kaufmann 療法
>   - 女性ホルモンを補う意味と心理的な配慮から，行うことがある．
> 3) 排卵を誘発する試み
>   - GnRH アゴニスト併用大量 hMG 療法，Kaufmann 療法-大量 hMG 療法などが試みられる場合があるが，エビデンスのある治療法はない．
>
> **ⓑ 挙児希望のない場合**
> - ホルモン補充療法を行う．

無排卵症の排卵誘発法（ゴナドトロピン療法以外）

- 無排卵症による不妊には排卵誘発が行われる．高プロラクチン血症を伴うものは「高プロラクチン血症性排卵障害」の項(p139)を，第2度無月経患者は「ゴナドトロピン療法」の項(p124)および「無月経の検査，診断手順」の項(p117)を，多嚢胞性卵巣症候群(PCOS)は「多嚢胞性卵巣症候群(PCOS)の診断と治療」(p131)を参照．

クロミフェン療法

1 クロミフェン療法の適応

- 無排卵症のうち，第1度無月経，希発月経，無排卵周期症，黄体機能不全のように内因性エストロゲンの分泌がある程度保たれている患者で，血中プロラクチン濃度が正常の症例．多嚢胞性卵巣症候群も含む．
- やせ，肥満，ストレスなどに伴い月経異常が発症した症例には，まずそれらの誘因を除去することが必要である．

2 クロミフェン単独療法

- 月経または消退出血の5日目から，クロミフェンクエン酸塩（クロミッド®錠，50 mg/日）を，5日間内服させる．
- 排卵は投与終了後10日目を中心に自然に起こることが多い．
- 妊娠率を上げるために，経腟超音波検査で卵胞発育をモニターし，性交のタイミングを指導する．
- 卵胞平均径が22 mmを超えると排卵が近い．
- 卵胞平均径18〜20 mmでhCGを投与して排卵を誘発する方法もよく行われている．
- 卵胞が発育しない場合には，投与量を100 mg，150 mgと段階的に増量する．
- 卵胞が過剰発育を認めた場合には，次回治療開始時より内服の日数の削減を検討する．
- 排卵誘発の成功率は第1度無月経で70％，無排卵周期症では88％に及ぶが，妊娠率はいずれも28〜30％．

- 多胎妊娠が4～5％に発生するので，発育卵胞の個数に注意を払う．

3 クロミフェンと他剤の併用療法

- クロミフェンで排卵が起こらない症例や排卵しても妊娠が成立しない症例で，他剤との併用療法が奏効する場合がある．図 B4-1（次ページ）に各種併用療法の一覧を示す．

ゴナドトロピン療法

- 「ゴナドトロピン療法」の項参照，p124．

ドパミン作動薬療法

- 「高プロラクチン血症性排卵障害」の項参照，p141．

アロマターゼ阻害薬療法

- 「多嚢胞性卵巣症候群（PCOS）の診断と治療」の項参照，p136．

GnRH パルス療法

1 適応

- ゴナドトロピン単独欠損症，視床下部器質性障害

2 投与法

- 携帯型微量注入ポンプ（ニプロ SP-CI）により GnRH 製剤（ヒポクライン®注射液）を2時間ごとに 10 μg または 20 μg ずつ皮下投与する．
- 本来は恒常的にポンプを装着するが，消退出血の5日目から卵胞径が 18 mm になるまで装着し，排卵期，黄体期に hCG を投与することでポンプ装着日数を短くすることが可能である（図 B4-2）．

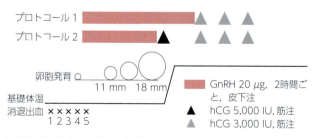

図 B4-2　GnRH パルス・hCG 療法

方法	適応症	投与方法
クロミフェン・ゲスターゲン療法	排卵はするものの黄体機能不全症と診断される症例	高温相2〜3日目からゲスターゲン製剤を10日間投与する 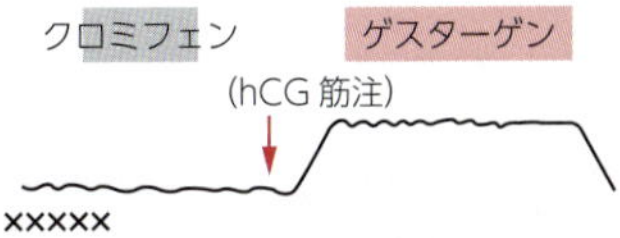 クロミフェン　ゲスターゲン　(hCG筋注) xxxxx
クロミフェン・hCG療法	卵胞の発育はある程度認められるが自然に排卵しない症例、および黄体機能が十分でない症例	卵胞平均径が18 mmを超えたらhCG製剤(5,000単位/日)を1回筋注．黄体機能が十分でないなら黄体期前半にhCG製剤(3,000単位/隔日)，3回筋注 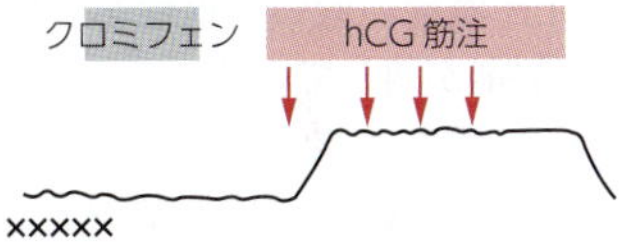 クロミフェン　hCG筋注 xxxxx
クロミフェン・温経湯療法[*1]	クロミフェンで排卵しない無排卵症	(月経周期の2日目から)温経湯7.5 g/日を連続投与する 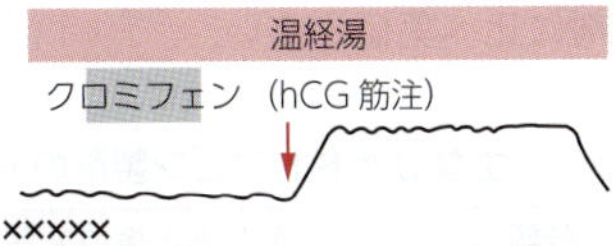 温経湯　クロミフェン　(hCG筋注) xxxxx
クロミフェン・当帰芍薬散療法[*1]	クロミフェンで排卵しない、または妊娠しない無排卵症	(月経周期の2日目から)当帰芍薬散7.5 g/日を連続投与する 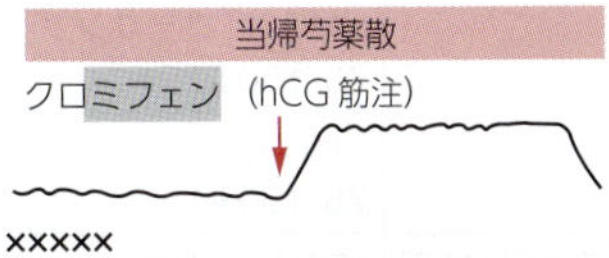 当帰芍薬散　クロミフェン　(hCG筋注) xxxxx
クロミフェン・メトホルミン併用療法[*2]	クロミフェンで排卵しない多嚢胞性卵巣症候群(主として肥満の症例)	メトホルミン500〜1,500 mg/日を連続投与する(750 mg/日の場合が多い)．  メトホルミン　クロミフェン　(hCG筋注) xxxxx

図 B4-1　クロミフェンと他剤の併用療法

[*1]：漢方療法の成績については，漢方薬の臨床効果(p287，表 C26-4)参照．
[*2]：クロミフェン・メトホルミン併用療法については p138 の Side Memo 参照．

B5 ゴナドトロピン療法

ゴナドトロピン製剤の種類

- 現在，本邦では閉経後婦人尿由来のhMG/FSH製剤と自己注射が可能な遺伝子組換えFSH製剤(rFSH)が用いられている．製剤によりLH含有量が異なる(表B5-1)．
- 血中LH濃度の低い中枢性第2度無月経には，LH含有量の多いhMG製剤が適している．
- 血中LH濃度の高い多嚢胞性卵巣症候群(PCOS)には，LH含有量の少ないhMG/FSH製剤やrFSHが適している．
- rFSHは投与時の痛みが軽い，アレルギー反応が少ない，自己注射が可能などの利点があるが，閉経後婦人尿由来のhMG/FSH製剤に比べ薬価が高い．

表B5-1 主なゴナドトロピン製剤のFSH：LH比

分類	製剤名と単位・量	製造・販売会社	FSH：LH比
尿由来hMG製剤	HMG注「あすか」75/150 IU	あすか製薬	1：0.33
	HMG注「フェリング」75/150 IU	フェリング・ファーマ	1：1
	HMG注「F」75/150 IU	富士製薬工業	1：0.33
尿由来FSH製剤(uFSH)	uFSH注「あすか」75/150 IU	あすか製薬	1：0.00053
	フォリルモン®P 75/150 IU	富士製薬工業	1：0.00053
遺伝子組換えFSH製剤(rFSH)	ゴナールエフ® 75/150/300/450/900 IU	メルクバイオファーマ	1：0
	レコベル® 12/36/72 μg	フェリング・ファーマ	1：0

ゴナドトロピン療法（hMG/FSH-hCG 療法）の適応

- ゴナドトロピン製剤を用いた治療は，排卵誘発と卵巣刺激に大別される．
- 排卵誘発は排卵障害を有し，かつ挙児希望がある症例に対して，単一卵胞発育を促すことを目的として用いられる．一方，（調節）卵巣刺激は排卵のある原因不明不妊症例や生殖補助医療を必要とする症例に対して，生理的範囲もしくはそれを超える刺激を与える目的で用いられる．

hMG/FSH-hCG 療法による排卵誘発法の実際

- 多胎や卵巣過剰刺激症候群（OHSS）のリスクを軽減するために，ゴナドトロピン製剤を少量から開始する FSH 低用量漸増療法が投与法の主流となっている．本法では投与日数が長引く傾向にあるので，通院日数の軽減のため，rFSH 製剤による自己注射が用いられることが多い．

■ FSH 低用量漸増療法の実際（図 B5-1）

ⓐ 初期投与量と卵胞発育モニター

- 月経周期の 5 日目から FSH 製剤 50 単位（IU）～75 IU を連日投与する．
- 初回の卵胞計測は投与開始の 7 日後に行い，その後は週に 2～3 回程度施行する．
- 卵胞の 3 方向径を測定し，それらの平均値を卵胞径とする．

ⓑ 増量判定

- 7 日間または 14 日間投与後に最初の増量判定を行い，その後は 7 日間ごとに増量判定を行う．
- 卵胞発育が認められなければ（主席卵胞径が 10 mm 未満）投与量を増量する．
- 増量幅は初期投与量の 1/2 とする．いずれの時期でも主席卵胞径が 10 mm を超えれば増量は行わない．
- 10 mm を超えた卵胞は 1 日 2 mm 程度のスピードで発育する可能性が高い．
- 次周期では卵胞発育を認めた際の投与量で開始する．

ⓒ hCG 投与の基準

- 主席卵胞径が 18 mm を超えたら，排卵を起こすために hCG

5,000 IU を投与する.
- 多発排卵による多胎妊娠と OHSS を防ぐために,多数の卵胞(16 mm 以上の卵胞が 4 個以上)が発育した周期では hCG 投与をキャンセルすることが推奨される.

ⓓ 黄体賦活(luteal support)
- 排卵後に黄体機能を賦活するために,hCG 3,000 IU を高温相に隔日で 3 回投与する.
- 卵胞が多数存在し OHSS のリスクが高い症例では hCG 投与は行わず,高温相に黄体ホルモン薬を 10 日間内服させる.

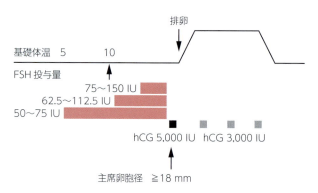

図 B5-1　FSH 低用量漸増療法のプロトコール

hMG/FSH-hCG 療法の工夫

1 FSH-GnRH パルス療法
- FSH 療法と GnRH パルス療法を組み合わせた方法で,PCOS や OHSS 既往のある視床下部性無排卵症が適応となる.
- 多胎や OHSS の発症リスクが軽減されるほか,FSH 低用量漸増療法に比べて治療期間は短くすむ傾向にある.

2 FSH-GnRH パルス療法の実際(図 B5-2)

ⓐ 初期投与量と GnRH パルス状投与への切り替えのタイミング
- 月経周期の 5 日目より FSH 製剤 150 IU を連日投与する.
- 卵胞径が 11 mm を超えた時点で GnRH パルス状投与に切り替える.

ⓑ GnRH パルス状投与

- 携帯型微量注入ポンプ（ニプロ SP-CI）を用いて GnRH 製剤（ヒポクライン® 注射液）20 μg を2時間ごとに皮下投与する（4日間程度）．

ⓒ hCG 投与の基準と黄体賦活

- 主席卵胞径が 18 mm を超えたら，GnRH パルス状投与を終了し，排卵を起こすために hCG 5,000 IU を投与する．
- 排卵後に黄体機能を賦活するために，hCG 3,000 IU を高温相に隔日で3回投与する．

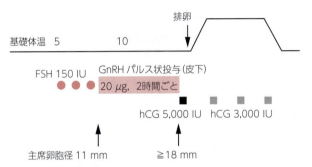

図 B5-2　FSH-GnRH パルス療法のプロトコール

3 FSH 低用量漸増療法の改良（BMI に応じた）

- FSH 自己注射デバイスの改良に伴い，投与量を細かく設定できるようになっている．これにより，従来の FSH 低用量漸増療法に比べて，効果と安全性をより高い水準で両立する方法が考案された．
- この方法では，初期投与量を BMI 20 未満であれば 50 IU，BMI 20 以上であれば 62.5 IU に設定し，7日間の投与で発育がみられなければ 12.5 IU 増量する．hCG 投与や黄体賦活は従来の方法と同様に行う．
- 排卵障害を有する症例に対して本法を使用したところ，排卵率は 90％以上で，このうち 80％は単一卵胞発育であったとされている．

hMG/FSH-hCG 療法の治療成績（表 B5-2）

1 FSH 低用量漸増療法，FSH-GnRH パルス療法の利点

- FSH 低用量漸増療法，FSH-GnRH パルス療法ともに，高用量

(150 IU 前後)の hMG/FSH 製剤を連日投与する用量固定法と比較して，多胎妊娠と OHSS の発生率が低く安全性が高い．
- 一方，排卵率や妊娠率は用量固定法と同等の成績が得られる．

2 FSH 低用量漸増療法，FSH-GnRH パルス療法の欠点

- FSH 低用量漸増療法では FSH 製剤の投与日数が長引く傾向にある．ただし，自己注射を用いることで通院回数を減らすことはできる．
- FSH-GnRH パルス療法では投与日数は短くすむが，ポンプの装着，除去など煩雑な手技を伴う．

表B5-2 排卵障害患者に対する各種ゴナドトロピン療法の成績(徳島大学)

		FSH 低用量漸増療法	FSH-GnRH パルス療法	hMG/FSH 用量固定法
視床下部性排卵障害	症例数(治療周期数)	16(25)	20(43)	24(44)
	治療日数(日)	11.1±2.1	7.4±2.4	7.3±1.4
	平均発育卵胞数[*1](個)	2.0±1.5	1.3±2.4	3.9±1.4
	周期別排卵率(%)	80.0	88.3	88.6
	周期別妊娠率(%)	20.0	11.6	18.2
	多胎率(%)	0.0	0.0	12.5
	周期別 OHSS 発生率[*2](%)	12.0	0.0	38.9
多嚢胞性卵巣症候群	症例数(治療周期数)	45(161)	23(67)	20(44)
	治療日数(日)	13.8±5.2	7.5±1.1	7.5±1.3
	平均発育卵胞数[*1](個)	1.4±0.8	2.4±1.5	6.3±3.8
	周期別排卵率(%)	87.6	88.6	88.6
	周期別妊娠率(%)	13.7	18.2	29.5
	多胎率(%)	18.2	0.0	30.3
	周期別 OHSS 発生率[*2](%)	0.0	13.4	40.9

*1：発育卵胞は 14 mm 以上
*2：卵巣平均径 70 mm 以上．

文献

1) 松崎利也, 他：新しい排卵誘発法. 産婦治療 102(増刊)：753-760, 2011.
2) Kuwahara A, et al：Induction of single ovulation by sequential follicle-stimulating hormone and pulsatile gonadotropin-releasing hormone treatment. Fertil Steril 64(2)：267-272, 1995.
3) Matsuzaki T, et al：Pilot study of the optimal protocol of low dose step-up follicle stimulating hormone therapy for infertile women. Reprod Med Biol 17(3)：315-324, 2018.

B6 黄体機能不全の診断と治療

診断

1 基礎体温（BBT）
- 高温相が 10 日以内.
- 低温相と高温相の平均の温度差が 0.3℃ 以下.
- 松本の分類でⅢ, Ⅲ′, Ⅳ, （Ⅴ）型（図 B6-1）.

2 血中プロゲステロン濃度
- 黄体期中期で 10 ng/mL 未満.

3 子宮内膜日付診（高温相 7 日目頃）
- 3 日以上のずれ.
- **1**, **2**, **3** のいずれかを満たせば黄体機能不全と診断.

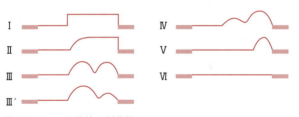

図 B6-1　BBT 曲線の型分類
（松本清一：月経異常. 産婦人科選書 9, 医学書院, p72, 1956 より一部改変）

治療

1 高プロラクチン血症を伴う場合

ⓐ ドパミン作動薬療法

処方例　下記のいずれかを用いる.
1) カバサール®錠（0.25 mg）　1 回 1～3 錠　1 週 1 回（同一曜日）
2) パーロデル®錠（2.5 mg）　1 回 1～2 錠　1 日 1～2 回

ⓑ ドパミン作動薬療法で改善しない場合
- 卵巣刺激, 黄体賦活療法, 黄体ホルモン補充療法を行う.

2 高プロラクチン血症を伴わない場合

ⓐ 卵巣刺激
1) クロミフェン療法
- 月経周期の5日目からクロミフェンクエン酸塩(クロミッド®錠)(50 mg) 1回1錠 1日1回を5日間投与.
2) ゴナドトロピン療法(連日投与)(「ゴナドトロピン療法」の項参照, p124).
- 月経周期の5日目からゴナドトロピン薬150単位を連日投与.
- 卵胞成熟時に hCG 5,000 IU 単回投与, 黄体期に hCG 3,000 IU 隔日3回投与.

ⓑ 黄体賦活療法
- 高温相2〜3日目から hCG 3,000 IU を隔日で3回投与.

ⓒ 黄体ホルモン補充療法
- 高温相2〜3日目から黄体ホルモン薬を10日間投与.

  処方例 下記のいずれかを用いる.
  1) デュファストン®錠(5 mg) 1回2錠 1日1回 10日間
  2) ルトラール®錠(2 mg) 1回2錠 1日1回 10日間

文献
1) 松本清一, 他:月経異常に関する研究(第14回日本産科婦人科学会総会宿題報告). 日産婦誌 14(8):523-541, 1962.

B7 多嚢胞性卵巣症候群（PCOS）の診断と治療

日本女性における PCOS の特徴

- 多嚢胞性卵巣症候群（polycystic ovary syndrome；PCOS）は，月経異常を主徴とし，特有の臨床症状，内分泌・代謝異常，卵巣の形態変化を伴う症候群である．生殖年齢女性の 20〜30 人に 1 人と頻度が高く，臨床上重要な疾患である．表 B7-1〜4 に日本産科婦人科学会生殖・内分泌委員会による全国調査の結果（1993年，2007 年）を示す．

1 臨床症状

- 各種症状の出現頻度は日本人女性と欧米人女性で差異があり，日本人女性では肥満，多毛，男性化を伴う者の割合が低い．また，PCOS の月経異常は，希発月経（月経周期が 39 日以上 3 か月未満）が多く，第 2 度無月経をきたすことは少ない．

表 B7-1　PCOS 患者における各種臨床症状の出現頻度（％）

症状	日本人女性		欧米人女性
	1993 年	2007 年	
月経異常	92	99.9	80
不妊	99	—	74
多毛	23	10.5	69
男性化	2	2.5	21
肥満	20	14.3	41

〔欧米人女性のデータは，Goldzieher JW：Polycystic ovarian disease. Fertil Steril 35(4)：371-394, 1981 より〕

表 B7-2 PCOS 患者における月経異常の分類（%）

月経異常	1993年	2007年
無排卵周期症	19.4	16.8
希発月経	35.4	44.0
第1度無月経	42.8	34.9
第2度無月経	2.4	4.9

2 内分泌検査所見

ⓐ ホルモンの異常高値率

- 男性ホルモンの過剰分泌と LH 高値は PCOS の重要な特徴である．

表 B7-3 PCOS 患者における内分泌異常（基準値上限を超える）の頻度（%）

ホルモン		異常高値率（%）
ゴナドトロピン	LH	68.2
	LH/FSH 比	74.6
プロラクチン		3.9
性ステロイドホルモン	テストステロン	14.3
	遊離テストステロン	65.3
	アンドロステンジオン	67.5
	DHEA-S	13.1
	DHEA	16.7
	エストロン	44.4
	エストロン/エストラジオール比（≧0.7）	100.0

ⓑ ホルモン測定の注意点

1) 排卵誘発薬や女性ホルモン薬を投与していない時期に，10 mm 以上の卵胞が存在しないことを確認のうえで行う．
2) 月経または消退出血から 10 日目までの時期は高 LH の検出率が低いので，最初からこの時期を避けて採血するか，この時期に採血した場合で異常値が出ないときは 11 日目以降に再検する．
3) 高 LH の基準は，測定系により異なるので注意が必要である（表 B1-2 を参照，p113）．

4) 男性ホルモン高値は,テストステロン,遊離テストステロンまたはアンドロステンジオンの少なくとも1つが,各測定系の正常範囲上限を超えるものとする.保険診療ではテストステロンと遊離テストステロンを同時に測定できないことが多い.
5) アンドロステンジオン,DHEA-S,DHEA,エストロンは保険適用外の検査である.

3 卵巣の形態

ⓐ 多囊胞性卵巣の判定

- 経腟超音波断層検査で,両側卵巣に多数の小卵胞がみられ,少なくとも一方の卵巣で2〜9 mmの小卵胞が10個以上存在する(一断面ではなく卵巣全体).

ⓑ 卵巣腫大の判定

- 少なくとも一方の卵巣体積が10 cm³以上.卵巣の3方向径(cm)の積を2で割って,簡易に体積を算出できる.

ⓒ 卵巣の異常所見発見率

表B7-4 PCOS患者における卵巣の異常所見発見率(%)

検査法	所見	異常所見率
内診	卵巣腫大	14.4
超音波	卵巣腫大 囊胞状変化	46.5 (21.9)* 82.9 (97.8)*
直視	卵巣腫大 白膜肥厚 表面隆起	71.9 77.1 82.0
組織	内莢膜細胞の肥厚 間質細胞の増生 顆粒膜細胞の変性	60.4 51.2 34.9

*:( )内の数値は同委員会2007年.
〔杉本 修,他:本邦婦人における多囊胞性卵巣症候群の診断基準設定に関する小委員会(平成2年度〜平成4年度)検討結果報告.日産婦誌45(1):1359-1367,1993より一部改変〕

PCOS の診断基準

- 表 B7-5 は，日本産科婦人科学会生殖・内分泌委員会が 2007 年に発表した PCOS の診断基準(日産婦 2007)である．この基準は，海外の診断基準(ESHRE/ASRM 2003)と互換性があり，本邦の PCOS の診断に適している．日産婦 2007 で診断した PCOS は，ESHRE/ASRM 2003 の基準を満たしている．

表 B7-5　多囊胞性卵巣症候群の診断基準

以下の 1〜3 のすべてを満たす場合を多囊胞性卵巣症候群とする
1. 月経異常
2. 多囊胞性卵巣
3. 血中男性ホルモン高値 または LH 基礎値高値かつ FSH 基礎値正常

注 1. 月経異常は，無月経，希発月経，無排卵周期症のいずれかとする．
　2. 多囊胞性卵巣は，超音波断層検査で両側卵巣に多数の小卵胞がみられ，少なくとも一方の卵巣で 2〜9 mm の小卵胞が 10 個以上存在するものとする．
　3. 内分泌検査は，排卵誘発薬や女性ホルモン薬を投与していない時期に，1 cm 以上の卵胞が存在しないことを確認のうえで行う．また，月経または消退出血から 10 日目までの時期は高 LH の検出率が低いことに留意する．
　4. 男性ホルモン高値は，テストステロン，遊離テストステロンまたはアンドロステンジオンのいずれかを用い，各測定系の正常範囲上限を超えるものとする．
　5. LH 高値の判定は，スパック®S による測定では LH≧7 mIU/mL(正常女性の平均値＋1×標準偏差)かつ LH≧FSH とし，肥満例(BMI≧25)では LH≧FSH のみでも可とする．他の測定系による測定値は，スパック®S との相違を考慮して判定する．
　6. クッシング症候群，副腎酵素異常，体重減少性無月経の回復期など，本症候群と類似の病態を示すものを除外する．

〔水沼英樹，苛原　稔，他：本邦における多囊胞性卵巣症候群の新しい診断基準の設定に関する小委員会(平成 17 年度〜平成 18 年度)検討結果報告．日産婦誌 59(3)：868-886，2007 より〕

PCOSの治療

- 肥満の有無，挙児希望の有無に分けて治療法を選択する（図B7-1）．

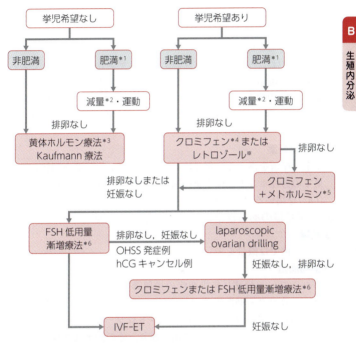

図 B7-1　多嚢胞性卵巣症候群の治療指針

*1：BMI≧25
*2：BMI≧25の場合，5～10%の減量と2～6か月のダイエット期間を目標とする．
*3：低用量経口避妊薬を用いる場合もある．
*4：高PRL血症にはドパミンアゴニスト，副腎高アンドロゲン血症にはグルココルチコイドを併用．
*5：肥満，耐糖能異常，インスリン抵抗性をもつ症例．
*6：主席卵胞径18 mm以上でhCG投与．ただし16 mm以上の卵胞が4個以上の場合はhCG投与を中止．

〔久保田俊郎，苛原　稔，他：「本邦における多嚢胞性卵巣症候群の治療法に関する治療指針作成のための小委員会」報告．日産婦誌61（3）：902-912, 2009より一部改変〕
※アロマターゼ阻害薬（レトロゾール）がPCOSの排卵誘発薬として2022年より保険適用となり，その効果はクロミフェンと同等とされている．

1 肥満を伴う PCOS
- 挙児希望の有無にかかわらず,減量を第1選択治療とする.
- 対象:BMI 25 以上の肥満 PCOS
- 目標:半年で5〜10%の減量
- 効果:70〜80%の症例で排卵が起こる.

2 挙児希望のない症例に対する治療
ⓐ 減量:肥満症例では減量を先行させる.

ⓑ 黄体ホルモン療法
- PCOS では,一般的に内因性のエストロゲン分泌が保たれているため,骨粗鬆症の危険は少なく,不正性器出血,子宮内膜増殖症,子宮内膜癌のリスクがある.そのため,黄体ホルモン薬(デュファストン®,ルトラール® など)を用いた Holmstrom 療法を行う.

ⓒ 経口避妊薬
- 多毛,痤瘡を訴える症例では,ゴナドトロピン分泌を抑制し,卵巣での男性ホルモン産生を抑制する効果を期待して,経口避妊薬(OC)を用いる(保険適用外).

3 挙児希望のある症例に対する治療
ⓐ 減量
- 肥満症例では減量を先行させる.

ⓑ 薬物療法
- クロミフェン療法(「無排卵症の排卵誘発法」の項参照,p121)またはアロマターゼ阻害薬〔レトロゾール(フェマーラ®)〕が第1選択である.アロマターゼ阻害薬(レトロゾール)が PCOS に対しての排卵誘発薬として保険適用となり,その効果はクロミフェンと同等とされている.

> フェマーラ®錠(2.5 mg) 1回1錠 1日1回 月経周期3日目から5日間投与

- 効果がなければ次周期からは1回2錠 1日1回に増量する.
- 次のステップとして3つの選択肢がある.
1) クロミフェン・メトホルミン併用療法(Side Memo 参照,p138)
2) FSH 低用量漸増療法(「ゴナドトロピン療法」の項参照,p125)
3) laparoscopic ovarian drilling(LOD:腹腔鏡下卵巣多孔術)

ⓒ 体外受精・胚移植(IVF-ET)の場合
- 卵巣過剰刺激症候群(OHSS)の発生に注意して行う(「生殖補助医

療（ART）」の項参照，p173）．

4 多毛に対する治療法

- 薬物療法は長期投与を要し，劇的な改善は望めず，また保険適用もない．
- 抗アンドロゲン薬を使用すると20%に排卵が回復し，妊娠した場合，男児に外陰の形態異常（尿道下裂など）を起こす危険があることから，避妊の意味で経口避妊薬の併用が望ましい．この併用は多毛の抑制効果の面でも有用である．

ⓐ 経口避妊薬
- 前ページおよび別項参照，p197．

ⓑ 抗アンドロゲン薬
1）スピロノラクトン
- アルダクトン®A錠（25 mg，高血圧症治療薬）を周期の5日目より1回2〜4錠　1日2回を17日間投与，または連続投与．6か月以上使用する．
- 高カリウム血症などの電解質異常，不整脈，全身倦怠感，脱力などが現れることがあるので，定期的に検査をする．降圧作用によるめまいがあるので，自動車の運転など危険を伴う機械を操作する際には注意をさせる．

2）フルタミド
- オダイン®錠（125 mg），またはフルタミド錠125「KN」（125 mg，前立腺癌治療薬）を，1回1錠　1日3回経口投与する．
- 副作用に劇症肝炎があるので，1か月に1回は肝機能を検査する．

3）フィナステリド
- プロペシア®錠（0.2 mgまたは1 mg，男性における男性型脱毛症治療薬，自費薬剤）を1回1錠　1日1回経口投与する．
- テストステロンを活性の高いDHT（ジヒドロテストステロン）に変換する酵素，5α-還元酵素Ⅱ型の阻害薬で，副作用が少ない．多毛女性での発毛抑制作用はスピロノラクトンよりも弱い．

> **Side Memo** PCOSに対するクロミフェン・メトホルミン併用療法

- メトホルミンはビグアナイド系経口血糖降下薬で，2型糖尿病の治療薬である．インスリン抵抗性を改善する作用があることから，PCOSの治療に保険適用となっている．

1 対象
- 不妊を主訴とし，クロミフェンで排卵が起こらないPCOS症例で，肥満，耐糖能異常またはインスリン抵抗性をもつ症例．

2 方法
- クロミフェン100〜150 mg/日(第5〜9日)とメトホルミン750 mg/日(妊娠確認まで連続，または卵胞期のみ)を併用．
- メトホルミンは1,500 mg/日まで使用報告がある．

3 効果
- 約55〜70%の排卵率，排卵周期あたり約20%の妊娠率．

4 副作用
1) 消化器症状(4%)
   - 悪心・嘔吐，下痢，消化不良，便秘，腹部膨満．
2) 乳酸アシドーシス(稀．10万人あたり年間3〜4人)
   - 腎機能の悪い症例に発生，致死的であり，初期症状の悪心・嘔吐に注意が必要．

5 禁忌
- 肝・腎機能障害のある患者．

6 注意点
1) 造影剤を使用する検査を行う場合は，その前後48時間はメトホルミンを休薬する．
2) 定期的に，肝機能，腎機能を検査する．
3) 妊娠反応陽性後には早期に中止する．

B8 高プロラクチン血症性排卵障害

高プロラクチン血症の頻度

- 健常女性の 0.4～5％.
- 無月経患者の 9％.
- 乳汁漏出症の 25％.
- 無月経・乳汁漏出症候群の 70％.

原因疾患とその頻度

表 B8-1 高プロラクチン血症をもたらす原因疾患とその頻度（女性）

原因疾患			頻度（％）
間脳障害	機能性	Chiari-Frommel 症候群（分娩後）	12.8
		Argonz-del Castillo 症候群（未妊婦）	17.8
	器質性	間脳および近傍の腫瘍	2.6
下垂体の障害		プロラクチン産生腫瘍	34.3
		アクロメガリーに伴うもの	4.0
甲状腺		原発性甲状腺機能低下症	5.2
薬剤服用		表 B8-2 参照	8.6
その他		胸部手術後や帯状疱疹など	14.7

〔倉智敬一，他：厚生省特定疾患間脳下垂体機能障害調査研究班，昭和55年度総括研究事業報告書．1980．倉智敬一，他：我が国における高プロラクチン血症症例の実態．臨床科学 17(4)：370, 1981 より一部改変〕

マクロプロラクチン血症の除外

- マクロプロラクチンとは，プロラクチン（PRL）と IgG などの自己抗体が結合した免疫複合体であり，ラジオイムノアッセイ（RIA）法では検出されるが生理活性は乏しい．
- 高プロラクチン血症患者の 15～25％ はマクロプロラクチン血症で，乳汁漏出と月経異常の臨床症状を呈さず治療も必要としない．

- 簡易な診断法としてポリエチレングリコール(PEG)法がある.
- PEG 処理後の上清中 PRL 値がもとの値の 40% よりも低く,基準範囲内を示すことでマクロプロラクチン血症と判定できる.

高プロラクチン血症を起こす薬剤

表 B8-2 高プロラクチン血症を起こす薬剤

PRL を上昇させる機序	系統名,一般名	商品名	薬剤作用
ドパミンの産生を抑制	・メチルドパ	アルドメット®	降圧薬
	Ca^{2+}遮断薬 ・ベラパミル	ワソラン®	抗不整脈薬
ドパミン受容体レベルで拮抗	フェノチアジン系 ・クロルプロマジン	ウインタミン®, コントミン®	定型抗精神病薬 (統合失調症など)
	・ペルフェナジン	トリラホン®	
	ブチロフェノン系 ・ハロペリドール	セレネース®	
	三環系抗うつ薬 ・イミプラミン ・クロミプラミン	トフラニール® アナフラニール®	抗うつ薬
	ベンザミド系 ・スルピリド	ドグマチール®	抗潰瘍薬,定型抗精神病薬
	・メトクロプラミド	プリンペラン®	制吐薬
	セロトニン・ドパミン拮抗薬 ・リスペリドン ・パリペリドン	リスパダール® インヴェガ®	非定型抗精神病薬 (統合失調症など)
下垂体への直接作用	エストロゲン・プロゲスチン配合薬 ・ノルエチステロン・エチニルエストラジオール	ルナベル®	月経困難症治療薬
作用機序不明	ヒスタミン H_2 受容体拮抗薬 ・ファモチジン ・シメチジン ・ロキサチジン	ガスター® タガメット® アルタット®	抗潰瘍薬

治療方針

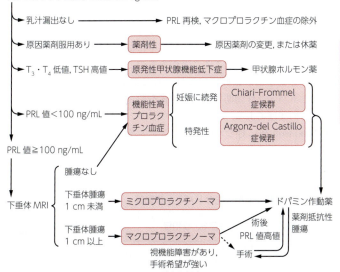

図 B8-1 高プロラクチン血症の鑑別診断手順と治療方針

高プロラクチン血症に対するドパミン作動薬療法

- ドパミン作動薬は PRL の分泌を抑制しプロラクチノーマを縮小させる．本邦では 2 剤が使用可能である．
- カベルゴリンは週 1 回投与である．カベルゴリンはブロモクリプチン抵抗性および副作用による不適症例の 98％ に有効であり，薬剤抵抗性のプロラクチノーマで手術を要する症例は少なくなった．
- 排卵が起こらない症例では，挙児希望があれば排卵誘発法の併用を，挙児希望のない症例では Holmstrom 療法か Kaufmann 療法を併用する．
- 悪心・嘔吐，頭痛・立ちくらみなどの副作用の発生頻度は，カベ

ルゴリンで低い．悪心・嘔吐に対しては，表B8-2に記載したプリンペラン®などはPRL分泌を刺激するので適さず，ガスモチン®などを用いる．ブロモクリプチンを始めるときは，悪心・嘔吐を軽減するために半錠(1.25 mg)を夜間投与で開始し，数日かけて常用量まで増量する漸増療法が望ましい．

- ドパミン作動薬は妊娠中は有益性投与となっており，原則として妊娠が成立したら休薬する．妊娠中にはマクロプロラクチノーマでは腫瘍の増大が起こることがあるので，頭痛，視野障害に注意し，必要があれば妊娠中にはブロモクリプチンを投与する．なお，ドパミン作動薬投与例の流産や胎児形態異常の発生は自然発生と同頻度である．
- Parkinson病に対しカベルゴリンを大量に長期投与した場合に心臓弁膜疾患の発生が報告されている．カベルゴリン投与前・投与中には，心雑音の有無をチェックすることが望ましい．

表B8-3　本邦で使用可能なドパミン作動薬

一般名	商品名，使用量	PRL正常化率	排卵率	副作用発現率
ブロモクリプチン	パーロデル®錠(2.5 mg) 1回1錠　1日2〜3回	75〜78%	75〜78%	68%
カベルゴリン	カバサール®錠(0.25 mg) 1回1〜4錠　週1回	82%	66%	28%

高プロラクチン血症の予後

- 経過中にプロラクチノーマが退縮する現象が観察される．一定期間の薬剤治療後に休薬してもミクロプロラクチノーマの25.8%，マクロプロラクチノーマの15.9%ではPRLは再上昇しない．この現象は妊娠出産後，閉経後，また無治療経過中にも観察される．
- ミクロプロラクチノーマを無治療で経過観察しても，マクロプロラクチノーマ(径10 mm以上)になる率は低い．
- プロラクチノーマのためカベルゴリンを2年以上投薬後に休薬すると，約40%はPRLの再上昇がみられないことから，Pituitary Society[2]はプロラクチノーマにおけるドパミン作動薬の減量また

は中止の条件として,「3年以上血中 PRL 値が正常化し,腫瘍が著明に縮小している状態」としている.また,薬剤中止後は 2～5 年程度経過を観察する.

文献
1) 倉智敬一,他:厚生省特定疾患間脳下垂体機能障害調査研究班,昭和 55 年度総括研究事業報告書. 1980.
2) Casanueva FF, et al:Guidelines of the Pituitary Society for the diagnosis and management of prolactinomas. Clin Endocrinol 65(2):265-273, 2006.
3) Bargiota SI, et al:The Effects of Antipsychotics on Prolactin Levels and Women's Menstruation. Schizophr Res Treatment 2013:502697, 2013.

Side Memo 高プロラクチン血症採血時の注意

- PRL 値は多様な要因で変動する.そのため,臨床症状がないのに PRL 値が高値を示す場合には,測定の際の患者の状態の影響やマクロプロラクチンの可能性があるので,慎重な判断が必要である.

1 血中 PRL 濃度に影響を与える生理的要因
- 妊娠・授乳:妊娠中に上昇,授乳で上昇
- 月経周期:黄体期,排卵期に高い
- 食事:食後 30 分以内に 1.5～2 倍
- 睡眠:就寝後 60～90 分で上昇
- 運動・ストレス:1 時間以内に 2～3 倍

2 PRL が高値の場合の対応
- 適切な採血条件で再検査:ストレスを避け,空腹時に採血
- 臨床症状の見直し
- マクロプロラクチンの存在を検査する

B9 卵巣過剰刺激症候群（OHSS）の取り扱い

OHSS のリスク管理

- ゴナドトロピン療法による排卵誘発や調節卵巣刺激は5％程度の症例で卵巣過剰刺激症候群（ovarian hyperstimulation syndrome；OHSS）が発生している．重篤例（血栓症など）は稀であるが，重篤な症例の取り扱いはきわめて難しい．改善がみられない場合には，OHSS の管理経験が豊富で集中治療可能な高次施設への搬送を考慮することが重要である．

OHSS の重症度分類

- 検査により重症度を判断する．

表 B9-1 OHSS の重症度分類

	軽症	中等症	重症
自覚症状	腹部膨満感	腹部膨満感 悪心・嘔吐	腹部膨満感 悪心・嘔吐 腹痛，呼吸困難
胸腹水	小骨盤腔内の腹水	上腹部に及ぶ腹水	腹部緊満を伴う腹部全体の腹水．あるいは胸水を伴う場合
卵巣腫大（左右いずれかの最大径）	≧6 cm	≧8 cm	≧12 cm
血液所見	血算・生化学検査がすべて正常	血算・生化学検査が増悪傾向	Ht≧45% WBC≧15,000/μL TP＜6.0 g/dL または Alb＜3.5 g/dL

注：1つでも該当する所見があれば，より重症なほうに分類する．
〔苛原 稔，他：卵巣過剰刺激症候群の管理方針と防止のための留意事項．日産婦誌 61（5）：1138-1145, 2009 より〕

- 診療所などでも実施可能な検査項目で判断できるよう工夫されている．

- 中等症および妊娠例は高度医療機関での管理を考慮する．
- 重症は入院を考慮する．入院施設をもたない医療機関では慎重な対応が必要である．

OHSS の管理

- 重症度に従って管理する．
1) 体重，腹囲，尿量
2) 経腟超音波検査（卵巣径，腹水）
3) 血算・生化学検査

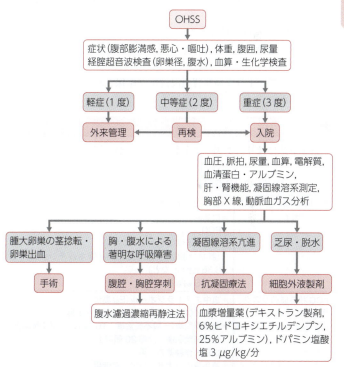

図 B9-1　OHSS の管理
〔苛原 稔，他：卵巣過剰刺激症候群の管理方針と防止のための留意事項．日産婦誌 61 (5)：1138-1145, 2009 より〕

OHSS に対する輸液管理のポイント

1 血液濃縮の補正
- 細胞外液補充液を最初の1時間で1,000 mL点滴静注.
- 改善不良の場合は,血漿膠質浸透圧を上昇させるため血漿増量薬のデキストラン製剤あるいは6%ヒドロキシエチルデンプン500 mLを緩徐に点滴(腎障害の可能性を考慮し5日間以内の使用とする).
- 高張アルブミン製剤(25%)を緩徐に点滴.
必要投与量=期待上昇度×体重(2〜3日で分割投与する)

2 尿量の確保
- 尿量30 mL/時間を確保する.
- ドパミン塩酸塩(1〜5 μg/kg/分):腎血流量を増加させ利尿効果を発揮する.
- 原則として,十分な血漿膠質浸透圧が確保されない限り利尿薬は使用しない.

OHSS の予防

- 発症予防にはリスク因子を認識することが大切である(表B9-2).

表 B9-2　OHSS のリスク因子

排卵誘発法の決定時のリスク因子	・若年(35歳以下) ・やせ型 ・PCOS ・高卵巣予備能を示唆する所見 〔胞状卵胞≧14個,抗Müller管ホルモン(AMH)≧3.36 ng/mL など〕 ・OHSS の既往
hCG 投与時のリスク因子	・血中エストラジオール(E_2)高値 (≧3,000 pg/mL)あるいは急激な上昇 ・発育卵胞数(一般不妊治療:16 mm 以上が4個以上,生殖補助医療:片側20個以上) ・GnRH 作動薬の併用 ・高用量のゴナドトロピン薬使用
黄体期以降のリスク因子	・hCG による黄体機能補充 ・妊娠反応陽性

- 生殖補助医療に伴う OHSS の発症や重症化を予防するために，特に OHSS ハイリスク患者には coasting 法による調節卵巣刺激が考慮される．
- OHSS ハイリスク患者には種々の薬剤を用いた予防法が考慮される（表 B9-3）．
- OHSS ハイリスク患者には全胚凍結も推奨される．

表 B9-3　OHSS の発症予防薬の投与法の例

薬剤名	用法・用量
ドパミン作動薬 （カバサール®）（0.25 mg）	1 回 1 錠　1 日 2 回 （hCG 投与開始日または採卵後から 7〜8 日間）
アロマターゼ阻害薬 （フェマーラ®錠）（2.5 mg）	1 回 1 錠　1 日 2 回 （採卵日から 5 日間）
GnRH アンタゴニスト （レルミナ®錠）（40 mg）	1 回 1 錠　1 日 1 回 （採卵日からカバサール®と併用のうえ 5 日間）
低用量アスピリン （バイアスピリン®錠）（100 mg）	1 回 1 錠　1 日 1 回 （卵巣刺激開始日から妊娠判定日まで） （血栓症予防目的．他剤と併用）

B10 機能性子宮出血の診断と治療

診断

1 定義

- 産科婦人科用語集・用語解説集では「器質性疾患が認められない子宮からの不正出血をいう．多くは内分泌異常によるが，稀に血液疾患によるものもある」とされている．一方，欧米では止血機構の異常は除外されることが多い．

2 鑑別診断のために行う検査

1) 妊娠反応
2) 超音波断層法
3) 子宮内膜組織診
4) 止血凝固系検査
5) 基礎体温（BBT）
6) 各種ホルモン測定
7) ヒステロスコピー

- 病型分類を図 B10-1 に，病型分類と性腺ホルモン動態との関連を表 B10-1 に示した．

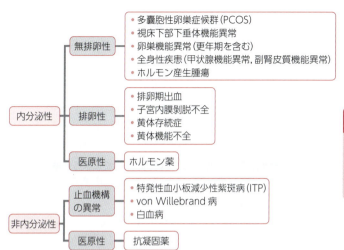

図 B10-1　機能性子宮出血の原因と病態

表 B10-1　機能性子宮出血の好発年齢，性腺ホルモン動態と子宮内膜像

排卵の有無	好発年齢	性腺ホルモン動態	子宮内膜像
排卵性	性成熟期	卵胞・黄体ホルモン分泌異常 黄体ホルモン分泌不足 黄体ホルモン分泌持続	正常成熟期内膜 不正成熟内膜 剝離不全内膜
無排卵性	思春期 更年期	卵胞ホルモン分泌の持続・過剰	正常増殖内膜 内膜増殖症

〔苛原　稔，他：機能性出血．産婦治療 86（増刊）：648-652，2003 より一部改変〕

治療法

1 エストロゲン・プロゲスチン配合薬療法（図 B10-2）

- 増殖期内膜，分泌期内膜からの出血に有効．

　プラノバール®配合錠　1回1錠　1日1回　5〜7日間服用

2 黄体ホルモン療法

- 内膜増殖症，分泌期内膜，成熟不全内膜からの出血に有効．

処方例　下記のいずれかを用いる．

1）デュファストン®錠（5 mg）またはヒスロン®錠（5 mg）

　1回1錠　1日1〜3回　5〜7日間服用．

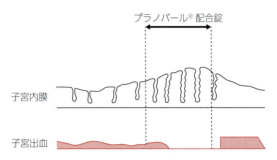

図 B10-2 機能性子宮出血のプラノバール®配合錠による治療法
〔青野敏博, 他(編):産婦人科外来処方マニュアル. 第5版, p54, 医学書院, 2019 より〕

2) ルトラール®錠(2 mg)またはプロベラ®錠(2.5 mg)
　1回2錠　1日1～3回　5～7日間服用.

3 エストロゲン薬およびエストロゲン・プロゲスチン配合薬順次投与療法(Kaufmann 療法)

- 増殖期内膜からの出血, 思春期出血に有効.
- 頑固な思春期出血にはこの方法を2～3周期行う.

プレマリン®錠(0.625 mg)　1回1～2錠　1日1～2回を10日間服用後, エストロゲン・プロゲスチン配合薬(または, エストロゲン薬とプロゲスチン薬の併用)を10日間服用

4 排卵誘発法

- 無排卵性機能性子宮出血に, 一時的に排卵誘発で対処する場合もある.

クロミッド®錠(50 mg)　1回1錠　1日1～2回　5日間服用

5 止血薬

処方例　下記のいずれかを用いる.
1) トランサミン®カプセル(250 mg)　1回1～2カプセル　1日3～4回
2) アドナ®錠(30 mg)　1回1錠　1日3回

6 子宮内膜全面搔爬

- 若年女性にはできるだけ避ける.

- なお, 1～3 の治療では消退出血の発来について必ず患者に説明すること.

B11 月経の人工移動

- 受診時の月経周期と月経を回避したい時期に応じて，月経を早める方法，または月経を遅らせる方法のいずれかを選択する．月経を早める場合は，月経周期の5日目までに内服を開始する．

月経を早める方法

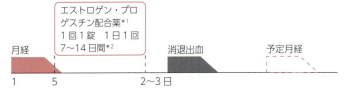

図 B11-1　月経を早める場合のエストロゲン・プロゲスチン配合薬の投与方法

*1：エストロゲン・プロゲスチン配合薬：プラノバール®配合錠など，月経周期の5日目までに内服を開始することが望ましい．
*2：10日間以上使うことが望ましい．10日未満の使用では内服終了後2〜3日で消退出血が起こらないことがある．

月経を遅らせる方法

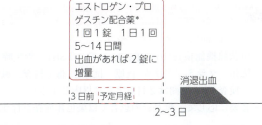

図 B11-2　月経を遅らせる場合のエストロゲン・プロゲスチン配合薬の投与法

*：エストロゲン・プロゲスチン配合薬：プラノバール®配合錠など

B12 不妊検査のスケジュール

不妊検査の一般的注意事項

- 検査内容について十分なインフォームド・コンセントを行う．
- 不妊検査は計画を立て一定の順序で要領よく行う．
- 基礎体温(BBT)記録を習慣にさせる．
- 必要なルーチン検査を実施してから治療を開始することを原則とする．
- 検査は女性側のみでなく，男性側も行う．
- これまでに医療施設で受けた検査・治療成績を可能な限り集める．
- 施行後1年以上経過した検査については再度施行することが望ましい．

問診事項

1 女性側
- 月経歴，妊娠分娩歴，不妊期間，避妊の有無と期間，既往症(特に腹腔内や生殖器の感染症，子宮内膜症)，手術歴，過去の不妊検査・治療成績など．

2 男性側
- 既往症(特に耳下腺炎)，性交障害の有無，職業など．

不妊症ルーチン検査項目

1 月経周期に関係しない検査
- 甲状腺機能検査(free T_3, free T_4, TSH)，空腹時血糖，抗精子抗体，クラミジア検査(抗原，抗体)，梅毒検査，風疹抗体価，精液検査(禁欲期間は2日以上7日以内とする)．
- 必要に応じて，無月経の患者では染色体検査を行う．

2 月経周期に合わせて行う検査(可能な限り同一周期で行う)

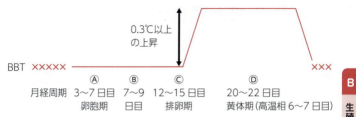

Ⓐ血中 LH,FSH,PRL
Ⓑ子宮卵管造影
Ⓒ血中 PRL,血中エストラジオール,超音波断層法(子宮形態,卵胞計測),頸管粘液検査(必要な場合,Huhner テスト)
Ⓓ血中プロゲステロン,超音波断層法による内膜の厚さの測定

図 B12-1　月経周期と不妊検査

B13 子宮卵管造影法（HSG）の手技と読影のポイント

子宮卵管造影法（HSG）所見と正診率

- 子宮卵管造影法（hysterosalpingography；HSG）は，両側とも正常の場合，または両側とも卵管留水症（卵管遠位部閉塞）の場合は正診率が高い．間質部（近位部）閉塞，または片側性の閉塞は偽陽性が多いことに気をつける．診断の限界を知ることが重要である．

表 B13-1 HSG と読影の特徴

所見	読影医間のばらつき	正診率
正常所見	少ない	高い
近位部閉塞	少ない	低い
遠位部閉塞	少ない	高い
卵管周囲癒着（PTA）などの腹膜病変	多い	低い

造影時の注意事項

1 禁忌
- 骨盤腹膜炎（活動性），造影剤アレルギー，妊娠中，重篤な甲状腺疾患．
- 超音波検査で卵管留水症を認める場合，クラミジア感染（未治療）がある場合は実施後の感染リスクが高く，事前の抗菌薬投与を検討する．

2 実施時期
- 月経終了後から3〜4日目．
- 排卵前であれば必ずしも月経10日目までにこだわらず実施可能．

3 造影剤
- 原則として水溶性造影剤を用いる．

表 B13-2 造影剤の長所・短所

	油性	水溶性
商品名	リピオドール®	イソビスト®
安全性	安全	より安全
コントラスト	高い	やや低い
卵管, 骨盤腹膜の描出	不良(後撮影が必要になることが少なくない)	繊細で良好(後撮影は不要なことが多い)
実施後の妊娠率	やや高い	高い
吸収性(術後合併症)	残存し肉芽形成のリスク	吸収されやすい

4 撮影

- 透視下に実施し, 造影剤が静脈に流入するときには検査を中止する.
- 透視中に子宮形態や卵管通過性を診断しながら, 写真撮影する.
- 造影剤不足で通過性と拡散性が不明なまま終了しない. 造影剤は5〜8 mL 使用することが多いが, 筋腫合併や経産婦など子宮内腔が広い場合には 10 mL 以上必要になることもある.
- 写真撮影のタイミング

①左右卵管采まで造影剤が到達し, 子宮と卵管の形態がわかるとき.

②両側の卵管から造影剤が腹腔内に流出し卵管周囲癒着(PTA)の懸念がないと確認できたとき.

- 腹腔内の拡散が不十分な場合には 5〜10 分後, あるいは後日撮影する(後撮影).

HSG の読影例

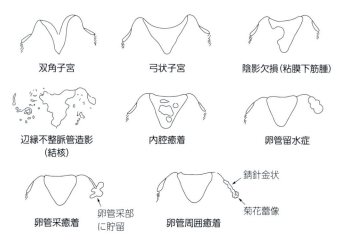

図 B13-1　子宮, 卵管の代表的な異常陰影

B14 卵管不妊の治療方針

片側卵管に異常がある場合の取り扱い

- 子宮卵管造影(HSG)で対側が正常の場合は偽陽性の可能性や，正常側で妊娠が期待できることも考慮する．妊娠成立までにより長い期間が必要とされる．若年で他に異常がない場合は一定期間待機し，妊娠しない場合に腹腔鏡検査や生殖補助医療(ART)を考慮する．

通水療法

- HSG で卵管周囲癒着(PTA)が疑われる場合に実施する．
- 効果は限定的で，通水療法を数回行っても妊娠しない場合は，腹腔鏡検査や ART を施行する．

観血的治療法の適応と手術術式

1 卵管留水症
- 卵管開口術：卵管采に切開を加える．
- 卵管切除・閉鎖術：外科的修復が困難で ART を行う場合は着床不全を回避するために考慮．

2 卵管周囲癒着・卵管采癒着：卵管周囲癒着剝離術・卵管采癒着剝離術

3 卵管通過障害：卵管鏡下卵管形成術(FT)
- 近位部閉塞に対して卵管鏡下にバルーンカテーテルで治療する．

体外受精・胚移植(IVF-ET)

- 「生殖補助医療(ART)」の項参照，p170．

1 絶対的適応：両側卵管閉塞
2 相対的適応：両側 PTA(術後 6 か月〜1 年しても妊娠しない場合)

卵管不妊の治療方針

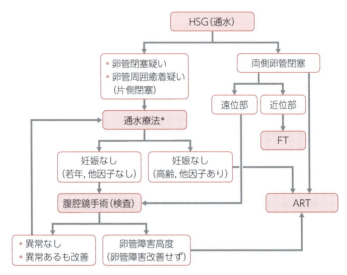

図 B14-1　卵管不妊の治療方針
＊：他の因子も考慮しながら数周期程度実施する．

B15 不妊症における子宮内膜症の取り扱い

治療の流れ

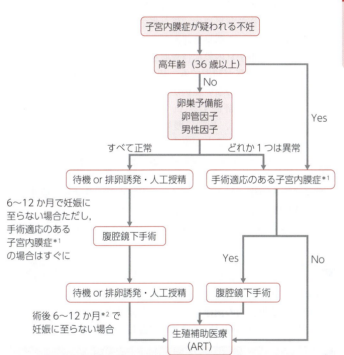

図 B15-1　子宮内膜症が疑われる不妊患者の治療方針

*1：強い疼痛，大きな卵巣囊胞，悪性を疑う所見など．
*2：Endometriosis Fertility Index（EFI）を参考に，必要であればすぐに．
〔Zondervan KT, et al：Endometriosis. Nat Rev Dis Primers 4(1)：9, 2018 より改変．日本産科婦人科学会（編）：子宮内膜症取扱い規約　第2部　診療編．第3版, p26, 金原出版, 2021〕

- 子宮内膜症を伴う挙児希望例は，手術（開腹，腹腔鏡）による腹腔内評価，腹腔内環境改善（癒着の解除，病変の焼灼・切除），卵管および腹腔内の洗浄を行うことを検討する．
- 卵巣子宮内膜症性囊胞を認める症例は腹膜表面にも子宮内膜症病変を伴うことが大半であるが，長期間不妊で原因不明の場合は子宮内膜症が腹腔内にあることを念頭におく．
- 卵巣子宮内膜症に対する手術は卵巣機能を低下させる可能性があり，将来を含め「挙児希望」がある症例に子宮内膜症手術を行う場合は，十分な術前卵巣機能評価と術中の愛護的操作を行う．
- 若年でも生まれつき卵巣機能が低い症例，卵巣手術の既往がある症例，両側卵巣子宮内膜症性囊胞を認める症例，高齢の子宮内膜症症例など，月経が順調でも，極端に卵巣機能が低下しており，術後に妊孕性が望めない症例が稀にある．疑わしい症例では積極的に卵巣予備能を評価する〔抗 Müller 管ホルモン（AMH）測定など〕ことが望ましく，極端に卵巣機能の低下を認める挙児希望症例は，手術を避けることが望ましい．

術前卵巣機能評価

- 卵巣子宮内膜症に対する手術は卵巣機能を低下させる可能性があり，AMH などで術前卵巣機能評価を行う．
- 極端に卵巣機能低下を認める症例は手術を避けることを考慮する．

手術時の留意点

- 腹腔内評価・腹腔内環境改善（癒着の解除，病変の焼灼・切除），卵管および腹腔内の洗浄を行うことを検討する．
- 術中卵巣囊腫摘出時は卵巣機能に配慮した愛護的操作を行う．

術後

- 術後のホルモン療法は妊娠率を改善しないので，術後ただちに妊娠を希望する症例では，術後早期（2 か月程度）から妊娠を図る．

B16 男性不妊の診断と治療

精液検査法

1) 精液の採取：2〜7日の禁欲期間の後，用手法にて全量採取する．
2) 検査項目：採取後，室温で約30分間放置し，十分に液化させた後に検査する．

表 B16-1　精液検査の正常値（WHO, 2021）

パラメーター	基準値
精液量	1.4 mL 以上[*1]
pH	7.2 以上
精子濃度	16×10^6/mL 以上
総精子数	39×10^6 以上
精子運動率	42％以上[*2]
前進運動率	30％以上
正常形態精子	4％以上[*3]
精子生存率	54％以上
白血球数	1×10^6/mL 未満

*1：重量を測定する．比重1として 1.0 g＝1.0 mL として精液量を換算する．
*2：i) 前進運動精子(PR)：非常に活発に，直線的にあるいは大きな円弧を描くように動く精子．
　　ii) 非前進運動精子(NP)：前進性を欠いた精子．
　　iii) 不運動精子(IM)：動きがない精子．
　　iv) 運動率：PR＋NP(％)
*3：Kruger らの strict criteria に準じる．

表 B16-2 　精液所見の表記法 (WHO, 2021)

日本語名	英語名	定義
正常精液	normozoospermia	総精子数*，前進運動率，形態が基準内
乏精子症	oligozoospermia	精子濃度 16×10^6/mL 未満
精子無力症	asthenozoospermia	精子運動率 42％未満
乏無力精子症	oligoasthenozoospermia	精子濃度と精子運動率が基準値未満
奇形精子症	teratozoospermia	正常形態精子 4％未満
無力奇形精子症	asthenoteratozoospermia	前進運動率と形態が基準値以下
乏奇形精子症	oligoteratozoospermia	総精子数と形態が基準値以下
乏無力奇形精子症	oligoasthenoteratozoospermia	総精子数，前進運動率，形態が基準値以下
無精子症	azoospermia	精液中に精子が存在しない（遠心分離で確認）
不定形無精子症	cryptozoospermia	遠心分離中に精子あり
血精液症	haemospermia	赤血球あり
白血球精液症	leukospermia	基準値以上の白血球あり
死滅精子症	necrozoospermia	生存率が低く，不動精子率が高い
無精液症	aspermia	精液が射出されない

＊：基準値は常に総精子数を示すべきで，濃度より優先される．

精子採取術について

- 無精子症は大きく閉塞性無精子症と非閉塞性無精子症に分類される．
- 閉塞性無精子症は精巣上体管や精管などが何らかの原因で閉じてしまう精路障害であり，精巣内精子回収法 (testicular sperm extraction；TESE) が適応となる．
- 非閉塞性無精子症は，精子産生ができなくなる造精機能障害でありKlinefelter 症候群などの精子形成に関係する染色体異常，Y染色体微小欠失，精巣炎，精巣捻転症，抗癌薬や放射線治療後などが原因となることがある．この場合，精巣内の造精機能が不均一であるため顕微鏡下に白濁，蛇行した精細管のみを採取する顕微鏡下精巣内精子回収法 (microdissection TESE) が適応となる．

- microdissection TESE により非閉塞性無精子症患者の精子採取率は向上することが報告されている[2].

精液所見からみた治療法

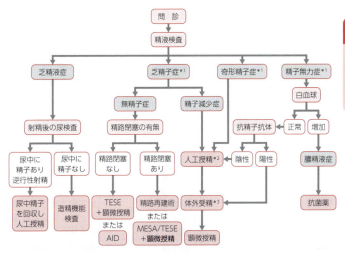

図 B16-1　精液所見からみた男性不妊の検査および治療方法(徳島大学)

TESE：精巣内精子回収法，AID：非配偶者間人工授精，MESA：顕微鏡下精巣上体精子吸引法
*1：適宜，泌尿器科学的検索を行い精索静脈瘤の有無を調べる．
*2：人工授精を6回繰り返しても妊娠しない場合は体外受精を行う．
*3：体外受精で著しく受精率が低い場合は顕微授精を行う．
〔檜尾健二：男性不妊の治療方針．産婦治療 87(4)：460-466, 2003 より一部改変〕

男性不妊症の薬物療法

表 B16-3 男性不妊症の薬物療法

適応	薬剤	投与法	備考
特発性造精機能障害	カルナクリン®錠（25単位）	1回2単位 1日3回 毎食後	カルナクリン®, メチコバール®の大量投与はプラセボを用いたコントロール試験での有効性が示されているが, 常用量ではその有効性は検討されていない
	メチコバール®錠（500 µg）	1回1錠 1日3回 毎食後	
	ツムラ補中益気湯エキス顆粒（2.5 g）	1回1包 1日3回 毎食後	コントロール試験での有効性は証明されていない 経験的療法として用いられる
高プロラクチン血症を伴う場合	パーロデル®錠（2.5 mg）	1回1錠 1日2回 朝夕食後	プロラクチンと男性不妊の関連については不明であるが, 高値が続く場合には使用される
	カバサール®錠（0.25 mg）	1回1錠 1週間に1回	
膿精液症を伴う場合	クラビット®錠（500 mg）	1回1錠 1日1回 食後	膿精液症の治療により精液所見の改善が期待できる
低ゴナドトロピン性性腺機能低下症	ゴナールエフ®皮下注用（150）	1回150 IUを1週3回皮下投与. 精子形成の誘導が認められない場合には, 1回に最大300 IU, 1週3回を限度として適宜増量可能	低ゴナドトロピン性腺機能低下症や下垂体手術後の男性不妊では85〜100%の症例に有効である
	ゴナトロピン®注用（5,000単位）	1,000〜5,000単位を1週2〜3回皮下注射	

注 1. 精子の成熟に74日, 精路通過に10〜14日必要であるので, 治療の効果判定は3か月後に行う.
　 2. 薬物療法が無効と判断される場合は生殖補助医療への移行を考慮する.

文献

1) World Health Organization, Department of Reproductive Health and Research：WHO laboratory manual for the examination and processing of human semen. 6th ed, World Health Organization, 2021.
2) Tsujimura A：Microdissection testicular sperm extraction：prediction, outcome, and complications. Int J Urol 14(10)：883-889, 2007.

B17 抗精子抗体による不妊

定義

- 抗精子抗体による不妊とは，不妊女性患者の血中に配偶者の精子に対する抗体が存在することに起因する不妊をいう．

表 B17-1 抗精子抗体の特徴

抗体の種類	同種抗体
対応抗原	多種多様
不妊症発症機序	精子通過障害 受精阻害
主な測定法	精子不動化試験

不妊女性における出現頻度

表 B17-2 抗精子抗体の出現頻度（徳島大学）

	検査数	抗精子抗体*陽性数〔陽性率（％）〕
原因不明	66	12（18.2）
排卵障害	48	3（ 6.3）
卵管因子	52	2（ 3.8）
精子異常	58	0（ 0 ）
先天性子宮形態異常	19	0（ 0 ）
計	243	17（ 7.0）

＊：精子不動化試験による測定

- 不妊女性における抗精子抗体の陽性率は 7.0％ であり，特に原因不明不妊女性では，18.2％ と高率を示している．

治療

1) AIH(配偶者間人工授精)を行う，p168．
2) 上記治療で妊娠に至らない場合，IVF-ET(体外受精・胚移植)を行う．
3) IVF-ETでは，抗精子抗体が悪影響を与える危険性があるという予想に反して他の因子の成績に比し高い妊娠率が期待できるので，1)の治療に固執することなく，積極的に応用するべきである(表B17-3)．

表B17-3　抗精子抗体陽性不妊症に対するIVF-ET成績(徳島大学)

	抗精子抗体陽性不妊女性	卵管性不妊
受精率	63.3%*	76.8%
分割率	85.7%	83.5%
着床率(着床胚/移植胚)	23.5%*	7.9%
妊娠率(採卵周期あたり)	37.1%*	17.9%
妊娠率(ET周期あたり)	40.6%*	20.0%
流産率	23.1%*	18.4%

＊：$p<0.01$

B18 原因不明不妊の取り扱い

- 日常の不妊診療において,一般的系統的検査では異常を発見できない「原因不明不妊」は全不妊症患者の10〜20%を占める.加齢に伴う妊孕性の低下が原因であることが多い.

治療方針

- 6か月〜1年間を目途に一般的治療法を試みる〔性交タイミング療法,調節卵巣刺激(COH)＊＋配偶者間人工授精(AIH)など〕.
- 妊娠しない場合は腹腔鏡検査,あるいは生殖補助医療(ART)を考慮する.
- 若年者(30歳以下),卵管造影検査,クラミジア検査などで腹腔内癒着が疑われる症例には腹腔鏡検査を優先して考慮する.
- 高齢者(35歳以上),精液検査に異常を認める症例ではARTを優先して考慮する.
- 高齢者は早めのステップアップを考慮する.40歳以上では治療初期からARTを考慮する.

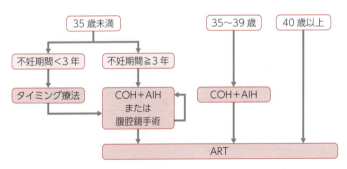

図 B18-1 原因不明不妊の治療方針

＊:調節卵巣刺激(controlled ovarian hyperstimulation;COH):排卵を有する女性に対し,卵胞発育期間の適正化,黄体機能賦活,複数排卵などを目的に,クロミフェン,レトロゾール,FSH(hMG)などを投与する.多胎妊娠,OHSSのリスクを説明したうえで実施する.FSH療法は連日50〜75単位を基本とする.

B19 配偶者間人工授精(AIH)

AIHとは

- AIH(artificial insemination with husband's semen)は,人工的に夫の精子を女性性器内へ注入し,多数の運動精子を卵管内に到着させて受精させることを目的とする.子宮腔内へ注入する方法(intrauterine insemination;IUI)が最も汎用されている.

適応

- 人工授精は主として男性因子不妊症例に対し行われるが,原因不明不妊や性交障害など多岐にわたって広く用いられる.
- 女性側の要件としては,①少なくとも片側の卵管に通過性があり,②排卵が存在することが挙げられる.
- 表B19-1に人工授精の医学的適応を示す.

表B19-1 AIHの医学的適応

男性因子	精液の性状が不良な症例
頸管因子	頸管粘液が不良な症例 Huhnerテストの不良な症例 (男性因子を除く)
免疫因子	抗精子抗体陽性例
性交障害	性交不能な例(機能性,器質性)
その他	原因不明不妊

AIH の手技

1 タイミング
- 卵胞径≧18 mm であれば hCG 5,000 単位を筋注し，翌日 AIH を行う．

2 手技
- 生理食塩水にて腟内を洗浄する．
- 前処置した洗浄精子浮遊液（1 mL 未満）を専用カテーテルなどに吸引し，子宮内に注入する．
- カテーテルが挿入困難な場合は頸管内に注入する．
- AIH 後の安静は必ずしも必要ではない．
- 感染予防のため抗菌薬を 2 日間内服させる．

精液処理

- 一般に AIH に用いる精液は精漿の除去のため洗浄される．精漿中に含まれるプロスタグランジンなどは子宮収縮を誘発し痛みの原因となる．また，細菌などによる子宮内感染の原因としても否定できないため洗浄を行う．

AIH の有効性と限界

- AIH の妊娠率は女性の年齢，卵巣機能，卵管因子，精液所見により大きく変動する．海外で行われた AID（非配偶者間人工授精）成績では周期あたり妊娠率 12〜20％，累積妊娠率は 6 周期で 40〜70％であった．徳島大学での AIH による周期あたり妊娠率は 7.0％，累積妊娠率は 28.8％であり，妊娠例の 92.7％は 7 周期目までに妊娠していた．
- 6 周期施行して妊娠しない場合には ART や手術などステップアップを考慮する．

B20 生殖補助医療（ART）

- 生殖補助医療（assisted reproductive technology；ART）は難治性不妊症に対する重要な治療法である．また，倫理的・社会的な責任も大きく，慎重な対応が必要である．

ARTの適応

- 日本産科婦人科学会見解によるARTの適応は「これ以外の治療によっては妊娠の可能性がないかきわめて低いと判断されるもの，および本法を施行することが被実施者またはその出生児に有益であると判断されるもの」「被実施者は，挙児を強く希望する夫婦で，心身ともに妊娠・分娩・育児に耐えうる状態にあるもの」とされる．医学的適応としては以下のものが挙げられる．

1) 卵管性不妊症：薬物療法，手術の奏効しない症例．
2) 男性不妊症：薬物療法，手術など一般的な治療が奏効しない症例で，数回の人工授精を行っても妊娠しなかった症例．
3) 子宮内膜症：薬物療法，手術療法の奏効しなかった症例．
4) 免疫性不妊症（抗精子抗体陽性例）
5) 原因不明不妊：一定期間の積極的治療によっても妊娠しない症例．

顕微授精の適応

1) 高度乏精子症・精子無力症：運動精子数≦100万/mL または運動率＜15％．
2) 乏精子症：運動精子数≦500万/mL で通常の体外受精では受精が困難な症例．
3) 無精子症：精巣内精子回収法（testicular sperm extraction；TESE）で精巣精子が採取可能な場合．
4) 受精障害：通常の体外受精では著しく受精率が低い症例．

患者への説明の要点

- 妊娠率は胚移植あたり数％〜50％であり，女性年齢・原因（夫婦の）により大きく異なる．
- 流産率は約20％であり，生児獲得率は妊娠率より低くなる．
- 異所性妊娠の頻度は約1〜2％であり，特に卵管障害の存在する症例で高い．
- 多胎妊娠は2〜3％であり，単一胚移植により予防できる．
- 先天異常の発生率は約1〜2％で，自然妊娠での発生率と同等と考えられる．一部の男性不妊などでは造精機能異常が次世代に伝わる可能性がある．

ARTにおける調節卵巣刺激（COH）

1) GnRH agonist long protocol：黄体期中期よりGnRHアゴニストを開始し，月経後にゴナドトロピン（Gn）を開始する．Gn開始日をコントロールできるため，治療スケジュールの調節性に優れる．
2) GnRH agonist short protocol：月経2〜3日目からGnRHアゴニストとGnを開始する．GnRHアゴニストの一過性のフレアアップを利用し卵巣刺激を増強する．
3) GnRH antagonist protocol：月経2〜3日目よりGnを開始し，開始6日目もしくは卵胞が14〜16 mmでGnRHアンタゴニストを併用する．月経周期によらず卵胞が12 mm以下で刺激を開始するランダム・スタート法が行われることがある．
4) 黄体ホルモン併用卵巣刺激法（PPOS）：月経2〜3日目からプロゲスチン薬とGnを開始する．内服薬でLHサージを抑制できるが，新鮮胚移植は不可能となる．
5) クロミフェン/レトロゾール周期または自然周期：高齢者や極度のpoor responderに対して費用対効果の観点から用いられる．

- 徳島大学では基本的に採卵日をあらかじめ設定する採卵日固定法＋単一胚盤胞移植（採卵後5〜6日目）を行っている（図B20-1）．

① 高温相中期よりブセレリン酢酸塩 600 μg/日を投与 (トリガー日まで連日投与).
② 採卵予定日の 12 日前から注射開始 (この図では翌々週の水曜日に設定).
③ 卵胞計測.
④ 卵胞計測, 採卵日の最終決定を行う (主席卵胞径 18 mm 以上).
⑤ 採卵 (hCG 投与の 35〜36 時間後).

図 B20-1　採卵日固定法のスケジュール例 (徳島大学)

胚移植時期

- 採卵後 2〜3 日目に移植する初期胚 (分割期胚) 移植と, さらに 2 日間追加培養を行い胚盤胞期に移植する方法 (胚盤胞移植) がある.
- 胚盤胞に到達した胚は初期胚より妊娠する可能性が高いが, 胚数が少ない.
- 胚質が不良な場合は胚盤胞が得られず胚移植中止の可能性がある.

移植胚数と凍結融解胚移植

- 徳島大学では, 胚盤胞での選択的単一胚移植を行うことを基本としている. 高齢者, 反復不成功例では経済的, 精神的負担も含め症例ごとに移植時期, 移植胚数を検討する.
- 移植しない余剰良好胚は凍結保存し, 後の周期で融解胚移植を行う.
- 融解胚移植周期には自然周期とホルモン補充による人工周期がある.

胚移植後の管理と卵巣過剰刺激症候群(OHSS)

- ARTではOHSS,異所性妊娠,流産の発生頻度が高いため,移植後〜妊娠初期も慎重な管理が必要である(図B20-2).
- 特にOHSSは多胎妊娠とならんでARTにおける副作用として十分な注意が必要である(「卵巣過剰刺激症候群(OHSS)の取り扱い」の項参照,p144).

妊娠週数(週)	2	3	4		5
採卵後日数(日)	0 2	5	12	16	21

↑初期胚移植　↑胚盤胞移植

血中hCG定量　　胎囊の確認

早期発症型OHSS　　　晩期発症型OHSS

図 B20-2　胚移植後の管理

治療の限界

1 年齢

- 女性の妊孕能は年齢とともに低下する(流産率は上昇する).43歳以降の総治療あたりの生産率は数%となる(表B20-1,図B20-3).

2 治療回数

- 徳島大学での妊娠例において,妊娠に至るまでの採卵回数を検討すると4回までに91%が,6回までに98%が妊娠している.
- 採卵回数が多い症例では治療継続について慎重に対応する必要がある.

表 B20-1 新鮮単一胚盤胞移植時の総移植あたり妊娠率と総妊娠あたり流産率(2020年日本産科婦人科学会倫理委員会の全国データから抜粋して著者作成)

年齢	妊娠率	流産率	年齢	妊娠率	流産率
25	45.8%	17.7%	35	42.7%	19.6%
26	48.0%	14.7%	36	40.5%	22.9%
27	47.8%	14.3%	37	38.4%	23.7%
28	46.8%	15.2%	38	36.1%	25.7%
29	47.0%	15.4%	39	33.2%	28.7%
30	45.8%	16.1%	40	29.2%	33.3%
31	45.7%	17.7%	41	25.2%	36.8%
32	45.6%	17.0%	42	21.1%	42.4%
33	44.7%	18.3%	43	16.4%	47.7%
34	43.1%	18.9%	44	12.7%	55.9%

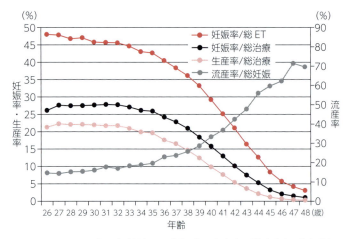

図 B20-3 2020年の年齢別ART妊娠率,生産率,流産率(日本産科婦人科学会倫理委員会)

(https://www.jsog.or.jp/activity/art/2020_ARTdata.pdf より)

文献
1) 令和3年度倫理委員会(現臨床倫理監理委員会)登録・調査小委員会報告(2020年分の体外受精・胚移植等の臨床実施成績および2022年7月における登録施設名).日産婦誌 74(9):1408-1429, 2022.

Side Memo　ARTにおける多胎妊娠予防と選択的単一胚移植

ARTにおいて複数胚移植は多胎妊娠のリスクがある．移植可能な胚が2個以上あるにもかかわらず1個のみ移植する選択的単一胚移植(elective single embryo transfer；eSET)は一部義務化し，ART多胎率は約4％となっている．

> 生殖補助医療における多胎妊娠予防に関する見解
> (平成20年4月12日，日本産科婦人科学会)
> 生殖補助医療の胚移植において，移植する胚は原則として単一とする．ただし，35歳以上の女性，または2回以上続けて妊娠不成立であった女性などについては，2胚移植を許容する．治療を受ける夫婦に対しては，移植しない胚を後の治療周期で利用するために凍結保存する技術のあることを，必ず提示しなければならない．

Side Memo　着床前遺伝学的検査（PGT-M）

着床前遺伝学的検査(preimplantation genetic testing for monogenic diseases；PGT-M)は単一遺伝子異常を原因とする重篤な遺伝性疾患を対象とし，受精卵における遺伝子変異の有無を診断することを目的とする．

重篤な遺伝性疾患とは，成人に達する以前に日常生活を強く損なう症状が出現したり，生存が危ぶまれる状況になる疾患で，現時点でそれを回避するために有効な治療法がないか，あるいは高度かつ侵襲度の高い治療を行う必要のある状態と定義される．しかしその判断は容易ではなく，疾患により児に伝わる病態の重篤性が幅をもつ事例も存在するため，実施にあたっては日本産科婦人科学会の施設認定と症例の適応に関する承認，さらに各施設の倫理委員会の承認を得なければならない．また，専門性の高い遺伝カウンセリング体制を必要とする．

B21 異所性妊娠の治療法

頻度

- 異所性妊娠の自然発生頻度は1〜2%(全妊娠あたり).
- 体外受精では新鮮分割期胚移植で2.2〜2.4%,凍結胚盤胞移植では0.8%.
- 反復率は10〜15%.

部位

表B21-1 異所性妊娠の部位

部位	間質部	狭部	膨大部	采部	卵管外(卵巣, 腹膜)
症例数(n)	41	201	1,175	186	76(54, 22)
頻度(%)	2.4	12.0	70.0	11.1	4.5(3.2, 1.3)

〔Bouyer J, et al: Sites of ectopic pregnancy: a 10 year population-based study of 1800 cases. Hum Reprod 17(12): 3224-3230, 2002 より〕

管理方針

- 治療の原則は手術療法だが患者の全身状態,着床部位,hCG値,胎児心拍の有無,腫瘤径,妊孕性の有無などを参考にして薬物療法や待機療法を選択できる.着床部位(頸管妊娠や帝王切開瘢痕部妊娠など)によっては手術療法のリスクを回避するために薬物療法や経カテーテル動脈塞栓術を先行する場合もある.
- 卵管温存手術療法(卵管切開術),薬物療法および待機療法を選択した場合は異所性妊娠存続症(persistent ectopic pregnancy;PEP)の可能性を念頭にhCG値が非妊娠時のレベルとなるまでの管理が必要である.
- 一方,対側卵管が健常であれば卵管切開術が卵管切除術に対して優れているという根拠はなく,体外受精の成績向上などもあるため,総合的に判断して十分な説明と同意を得たうえで治療方針を決定する.

- 卵管破裂を伴う重症例は急性腹症として鑑別診断が必要となる（「産婦人科でみる急性腹症」の項参照，p282）．

手術療法

- 基本的には腹腔鏡下手術が可能であるが，腹腔内出血量が多く循環動態が不安定な症例などは開腹手術を選択する．

1 根治的手術療法（卵管切除術）

- PEPの危険性が低く，治療は早期に完結する．挙児希望がない症例，卵管破裂症例，保存手術の適応がない症例に選択される．
- 対側卵管が健常であれば術後妊娠予後はさほど劣らない．術後体外受精が必要になる症例では残存卵巣への血流が温存されるよう配慮する．

2 保存的手術療法（卵管切開術）の適応[1]

- 挙児希望がある
- 病巣の大きさが5 cm未満
- 血中hCG値 10,000 IU/L未満
- 初回卵管妊娠
- 胎児心拍のないもの
- 未破裂卵管

薬物療法（本邦では保険適用がない）

ⓐ 適応：①全身状態が安定，②病巣が4 cm以下，③胎児心拍を認めない，④血中hCG値 5,000 IU/L未満．

ⓑ 禁忌：①破裂例，②腹痛が24時間以上持続している例．

1 単回投与法

- メトトレキサート（MTX） 50 mg/m^2 筋注
- 投与4日後と7日後の血中hCG値を比較し上昇していれば再投与．
- MTXの副作用：骨髄抑制，肝機能障害，胃腸炎，口内炎，光線過敏症など．MTXによる細胞毒性は還元型葉酸製剤のホリナートカルシウム（ロイコボリン®）がMTXの濃度以上に細胞内に取り込まれることにより救援される．単回投与法では必要はない．
- 治療中は性交を控える．
- 治療中，卵管流産による腹痛を認めることがある．

2 複数回投与法

- MTX 1 mg/kg 筋注(隔日,第1,3,5,7日)
- ロイコボリン® 0.1 mg/kg 筋注(隔日,第2,4,6,8日)
- 血中 hCG 値が 48 時間で 15% 以上減少すれば途中で終了する.

保存治療後の管理

- 血中 hCG 値の上昇や残存絨毛の増殖に伴う卵管破裂などの危険性を考慮し,退院後も隔週通院させ,血中 hCG 値が陰性化するまで経過観察する.

表 B21-2 異所性妊娠の保存治療後の予後

治療法	症例数	成功率(%)	卵管疎通率(%)	術後妊娠率(%)	反復異所性妊娠率(%)
腹腔鏡下手術	1,626	93	76	57	13
MTX 複数回投与	338	93	75	58	7
MTX 単回投与	393	87	81	57	8

〔Pisarska MD, et al:Ectopic pregnancy. Lancet 351(9109):1115-1120, 1998 より〕

待機療法の適応

- ①全身状態が安定,②病巣が 3 cm 以下,③胎児心拍を認めない,④血中 hCG 値 1,000 IU/L 未満.
- 上記や,経過観察中に血中 hCG 値が減少する症例では,全身状態に変化がないことを前提に待機的に経過観察してもよい.成功率は 88% だが,hCG 値が低いほうが成功率は高い.

文献

1) 日本産科婦人科内視鏡学会(編):産婦人科内視鏡手術ガイドライン 2019 年版.pp67-72, 金原出版, 2019.

B22 不育症の診断と治療

不育症の定義と頻度

1 定義
- 2回以上の流死産の既往がある場合を不育症とする．なお，異所性妊娠や絨毛性疾患，生化学的妊娠は流産回数に算定しない．また，1回以上の妊娠10週以降の原因不明子宮内胎児死亡の既往がある場合，不育症に準じて検査を行う．

2 頻度
- 2回以上の流産既往は4.2%，3回以上の流産既往は0.88%と報告されている．

不育症の原因

1 母体の異常

表B22-1 母体の異常による不育症の分類

子宮の器質的異常	子宮形態異常 子宮筋腫(特に粘膜下筋腫) 頸管無力症(後期の流産に多い)
内分泌学的異常	卵巣機能不全(特に黄体機能不全) 甲状腺機能障害
免疫学的異常	抗リン脂質抗体症候群 膠原病(SLEなど)
その他	腎疾患(特に高血圧を伴うもの) 血液凝固亢進(後期の流産に多い)

2 染色体異常
- 夫か妻の染色体異常．

3 胎児の偶然的染色体分裂異常

不育症に対するスクリーニング検査

1 男女ともに行う検査
- 染色体検査

2 女性に対する検査
ⓐ 内分泌検査
- (free T_4, TSH)

ⓑ 抗リン脂質抗体
- 抗 CL $β_2$-GPI 複合体抗体, 抗 CL IgG 抗体, 抗 CL IgM 抗体, ループスアンチコアグラント

ⓒ 子宮形態検査
- 3D 超音波検査, ソノヒステログラフィー, 子宮卵管造影 (HSG)

3 その他
- 絨毛染色体検査

4 選択的検査
ⓐ 抗リン脂質抗体
- 抗 PE IgG 抗体, 抗 PE IgM 抗体, ホスファチジルセリン依存性抗プロトロンビン (PS/PT) 抗体

ⓑ 血栓性素因スクリーニング
- 第XII因子活性, プロテイン S 活性, プロテイン C 活性, AT Ⅲ

ⓒ 子宮形態検査
- 子宮鏡検査, MRI

ⓓ 自己抗体検査
- 抗 TPO 抗体, 抗核抗体

CL:カルジオリピン
PE:ホスファチジルエタノールアミン

不育症のリスク別頻度

表 B22-2 不育症のリスク因子ごとの頻度

リスク因子	頻度
子宮形態異常	7.9%
甲状腺機能異常	9.5%
甲状腺機能亢進症	(16.5%)
甲状腺機能低下症	(83.5%)
夫婦染色体構造異常	3.7%
均衡型相互転座	(80.0%)
Robertson 転座	(20.0%)
抗リン脂質抗体陽性	8.7%
第XII因子欠乏症	7.6%
プロテインS欠乏症	4.3%
リスク因子不明	65.2%

〔森田恵子,他:AMEDデータベースからみる日本の不育症の現状. Reproduct Immunol Biol 35(1): 16-23, 2020 より一部改変〕

不育症の治療方針

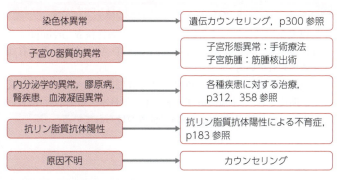

図 B22-1　不育症の原因別治療方針

流産回数別のカウンセリングの治療成績

表 B22-3 流産回数別のカウンセリングの治療成績

治療法	2回 治療成績(妊娠成功率)	2回 染色体異常を除いた妊娠成功率	3回 治療成績(妊娠成功率)	3回 染色体異常を除いた妊娠成功率
カウンセリング	75.9%	89.1%	68.8%	75.9%
リスクあり	54.5%	75.0% *	45.5%	55.6%
リスクなし※	81.4%*	92.1%**	81.0%	85.0%
無治療	39.6%	47.5%	54.8%	60.7%
リスクあり	16.7%	21.4%	40.0%	50.0%
リスクなし※	53.3%	61.5%	68.8%	68.8%

※不育症スクリーニング(子宮形態異常,甲状腺異常,染色体異常,抗リン脂質抗体陽性,第XII因子欠乏,プロテインS欠乏,プロテインC欠乏,抗PE抗体陽性)をしても何らかの異常を認めなかった症例.
＊1：$p<0.05$　＊2：$p<0.01$
既往流産回数が2回の場合,リスク因子の有無にかかわらずカウンセリングは妊娠予後を良好にする.
(齋藤 滋,他：本邦における不育症のリスク因子とその予後に関する研究,平成20-22年度厚生労働科学研究費補助金総合研究報告書より一部改変)

反復流産に対する着床前出生前診断(PGT-A)

- 反復流産症例に対して着床前胚染色体異数性検査(preimplantation genetic testing for aneuploidy；PGT-A)が流産回避に有効と考えられている.
- 生殖補助医療とPGT-Aの併用により妊娠率の上昇と流産率の低下が期待され,『生殖医療ガイドライン』(日本生殖医学会)において本法は推奨度B(推奨される)に位置づけられている.

B23 抗リン脂質抗体による不育症

抗リン脂質抗体

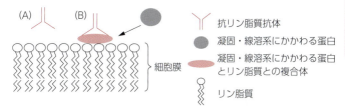

図 B23-1　抗リン脂質抗体の抗体反応

抗リン脂質抗体はリン脂質に直接反応するのではなく(A),凝固・線溶系に関わる蛋白β_2-グリコプロテイン I(β_2-GP I)とリン脂質との複合体に反応する(B).

抗リン脂質抗体による不育症,FGR 発症機序

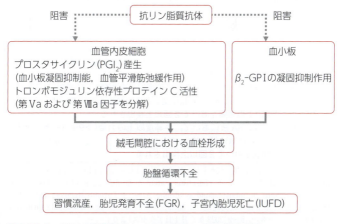

図 B23-2　抗リン脂質抗体による不育症,FGR 発症機序

抗リン脂質抗体症候群と流産・死産率

- 抗リン脂質抗体陽性患者における流産・死産率：73〜77%
- 習慣流産患者における抗リン脂質抗体の陽性率
  基礎疾患なし：10〜13%，SLE合併：70%

抗リン脂質抗体症候群の診断基準

表 B23-1 抗リン脂質抗体症候群の診断基準〔札幌クライテリア・シドニー改変（2006）〕

臨床基準の1項目以上が存在し，かつ検査基準のうち1項目以上が存在するとき，抗リン脂質抗体症候群（APS）とする

[臨床基準]
1. 血栓症：画像診断，あるいは組織学的に証明された明らかな血管壁の炎症を伴わない動静脈あるいは小血管の血栓症
- いかなる組織，臓器でもよい
- 過去の血栓症も診断方法が適切で明らかな他の原因がない場合は臨床所見に含めてよい
- 表層性の静脈血栓は含まない
2. 妊娠合併症
① 妊娠10週以降で，他に原因のない正常形態胎児の死亡，または
②（i）子癇，重症の妊娠高血圧腎症（子癇前症），または（ii）胎盤機能不全による妊娠34週以前の正常形態胎児の早産，または
③ 3回以上続けての，妊娠10週以前の流産（ただし，母体の解剖学的異常，内分泌学的異常，父母の染色体異常を除く）

[検査基準]
1. International Society on Thrombosis and Haemostasis のガイドラインに基づいた測定法で，ループスアンチコアグラントが12週間以上の間隔をおいて2回以上検出される
2. 標準化されたELISA法において，中等度以上の力価（>40 GPL or MPL，または>99パーセンタイル）のIgG型またはIgM型の抗カルジオリピン抗体が12週間以上の間隔をおいて2回以上検出される
3. 標準化されたELISA法において，中等度以上の力価（>99パーセンタイル）のIgG型またはIgM型の抗β_2-グリコプロテインI（β_2-GPI）抗体*が12週間以上の間隔をおいて2回以上検出される

*：本邦では抗β_2-GPI抗体の代わりに，抗カルジオリピン/β_2-GPI複合体抗体を用いる．
〔Miyakis S, et al：International consensus statement on an update of the classification criteria for definite antiphospholipid syndrome（APS）. J Thromb Haemost 4(2)：295-306, 2006, 厚生労働省：原発性抗リン脂質抗体症候群. https://www.mhlw.go.jp/content/10905000/000857648.pdf(2023年9月1日アクセス)より〕

抗リン脂質抗体陽性患者の治療

- アスピリンおよびヘパリンによる抗凝固療法が治療の主体である.
- アスピリン・ヘパリン併用療法の生産率は75～83%とされる.

1 アスピリン

ⓐ 作用機序

- トロンボキサン A_2(TXA_2)とプロスタサイクリン(PGI_2)はアラキドン酸からシクロオキシゲナーゼ(COX)の作用を介してそれぞれ血小板と血管内皮細胞で主に産生されるが,血小板と血管平滑筋に対して相反する作用をもっている.
- アスピリンはCOXの作用を阻止するが,アスピリンを少量投与すると有核細胞である血管内皮細胞ではCOXが再生され,無核細胞である血小板ではCOXが再生されないためTXA_2/PGI_2比が減少し,血液が固まりにくくなる.

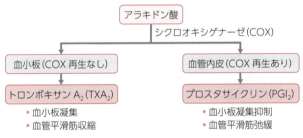

図 B23-3　アラキドン酸カスケード

ⓑ 投与法

①期間
- 妊娠前または妊娠後早期より開始し,妊娠36週まで.
- 予定帝王切開の場合には1週間前に中止(各医療施設の状況により判断する).
- 本邦では妊娠28週以後禁忌とされているためインフォームド・コンセントが必要.

②投与量：低用量(81～100 mg/日)

③半減期：15～20分

④胎盤通過性：あり
ⓒ 副作用
①母体
- 出血傾向，胃腸障害．

②胎児
- 添付文書には，出産予定日12週以内は禁忌とある．
- 動物実験で催奇形作用が，またヒトで妊娠末期に投与された患者とその新生児に出血異常が現れたとの報告あり，有益性投与．

2 ヘパリン

ⓐ 作用機序
- ヘパリンはアンチトロンビンⅢ(ATⅢ)との結合により，トロンビン，第Ⅸa，Ⅹa，Ⅺa，Ⅻa因子などの凝固因子を不活性化する．

ⓑ 投与法
①期間
- 妊娠後早期より開始し，妊娠36週または分娩前まで．

②投与量
- 血栓歴のない症例に対しては5,000〜12,000単位/日．血栓既往のある症例に対しては12,000〜20,000単位/日．24時間持続静脈内投与あるいは12時間ごとに皮下注(在宅自己注射が保険適用)．
- 産後の抗凝固療法についても考慮．

③検査：APTT，血小板数，肝腎機能など．
④半減期：静注後30〜60分
⑤胎盤通過性：なし

ⓒ 副作用
- 血小板を主体とした一次止血機構が維持されているため自然出血の可能性は少ない．ヘパリン起因性血小板減少症，低カルシウム血症による骨粗鬆症や持続投与時の注入チューブ部の感染に注意する．
- 投与開始から14日までに複数回，以降も1〜2か月ごとの血小板測定を行う．

B24 がん・生殖医療

- がん・生殖医療とは主に若年がん患者の妊孕性温存を目的とした生殖医療のことである．これから行われる治療によって性腺機能が低下することが予想され，かつ予後が良好と考えられる生殖世代の患者において実施が考慮される．

治療の概要

- 何よりもがん治療が最優先である．
- がん治療医は，治療によって妊孕性が損なわれる可能性について情報提供し，妊孕性温存の希望がある場合には早期にがん・生殖医療が実施可能な医療機関を紹介すべきである．
- 日本産科婦人科学会のホームページ上に，「医学的適応による未受精卵子，胚(受精卵)および卵巣組織の凍結・保存に関する登録施設」が公開されている．
- 妊孕性温存の可否や実施時期については，がん治療を担当する医師と妊孕性温存を担当する医師との間で十分検討する．
- 妊孕性温存は自費診療となるが，経済負担を軽減するための助成金制度が敷かれているため，これらについても十分に情報提供を行う．

女性

- 原則としてパートナーがいる場合は胚凍結保存，パートナーがいない場合は未受精卵子凍結が検討される．
- 卵巣組織凍結保存は未だ研究段階の位置づけだが，胚または未受精卵子凍結保存までの時間的猶予がない場合や思春期前など排卵誘発が困難な場合に考慮される．

男性

- 精子凍結保存が推奨される．
- 精子形成が開始していない思春期前の症例に対する妊孕性温存法は確立していない．

C

女性医学

C1 過多月経

1 定義
- 一般に月経量は20〜140 mLとされている．過多月経は通常140 mL以上の出血を伴う場合をいうが，正確な月経量の測定は困難であるので，貧血を引き起こしたり，日常生活に支障をきたすほど月経量が多い場合に治療の対象となる．
- 過長月経(月経持続日数8日以上)を伴うことが多い．

2 検査
- 表C1-1に示す検査により器質性，機能性または全身疾患に伴うものかを鑑別する．

表C1-1 過多月経の診断に必要な検査

検査	チェックポイント
問診	妊娠，血液疾患の可能性
内診	子宮の大きさ，圧痛
一般検血，止血検査，血液凝固検査	貧血，出血性素因
ホルモン測定	性ステロイドホルモン，甲状腺ホルモン 診断には表B1-1(p113)，表B1-3(p114)参照
基礎体温	排卵，妊娠の有無
子宮内膜組織診	悪性の疾患 出血性素因があるときは禁忌
超音波検査，子宮鏡検査	子宮の器質性疾患

3 治療

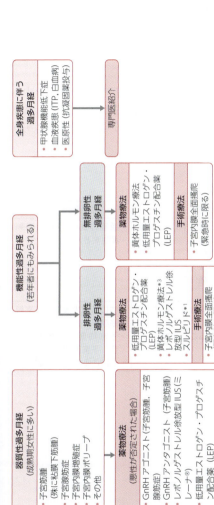

図 C1-1　過多月経の治療のフローチャート

*1：スルヒドリド［ドゲマチール®］錠（50 mg）3錠/日を投与すると薬剤性高プロラクチン血症となり無月経となる。ただし過多月経に対しては保険適用外であるため、胃・十二指腸潰瘍やうつ、統合失調症で服用する場合にこの機序を利用できる。また、副作用の錐体外路症状（振戦、舌のもつれ、言語障害）に注意する。
*2：子宮収縮。内膜増殖症の取り扱いの項参照。p32.
*3：月経5日目から26日目まで投与する方法と、月経15日目または16日目から26日目まで投与する方法がある。

C2 月経困難症

1 定義

- 月経困難症は，月経時の下腹部痛や腰痛などの骨盤の痛みを中心として，悪心・嘔吐，下痢，頭痛などの随伴症状のために，就労をはじめとした社会生活に支障があり，医学的治療を必要とするものをいう．
- 症状の原因はプロスタグランジン（PG）の作用による．

表 C2-1 月経困難症の分類

分類	症状の特徴	原因
機能性	・初経後，排卵周期が確立する頃から発症する ・排卵性月経のときが強い ・結婚や出産などで軽快することがある ・痛み以外に，多彩な随伴症状が出現することがある	・頸管の狭小，PGの過剰産生など
器質性	・初経後，時間を経て発症し，症状が増悪する傾向がある ・痛みが中心症状であることが多い	・特に子宮内膜症，子宮腺筋症が多い ・子宮筋腫，骨盤内癒着症，子宮形態異常などでも起こることがある

2 治療

- 機能性と器質性を正確に鑑別し，それに応じた適切な治療を行う．

表 C2-2　月経困難症の治療法

分類	治療法の選択	代表的な治療薬
機能性	1. PGが原因なので，非ステロイド性抗炎症薬が第1選択となる 2. 内膜が薄いとPG産生が少なくなるので排卵抑制薬も効果がある．避妊や月経異常の治療を併せて必要とする場合に投与する 3. 精神的因子が考えられる場合には，マイナートランキライザーを使用する ※軽微な子宮内膜炎の存在を念頭において，ホルモン療法も検討する	1. 非ステロイド性抗炎症薬 　1）メフェナム酸（ポンタール®） 　2）ジクロフェナクナトリウム（ボルタレン®） 　3）インドメタシン（インダシン®，インテバン®） 　4）ロキソプロフェンナトリウム（ロキソニン®） 2. ブチルスコポラミン（ブスコパン®） 3. 低用量エストロゲン・プロゲスチン配合薬（ルナベル®，ヤーズフレックス®，ジェミーナ®） 4. エストロゲン薬（ジュリナ®） 5. 黄体ホルモン薬 　1）ジエノゲスト（ディナゲスト®） 　2）レボノルゲストレル徐放型IUS（ミレーナ®） 6. 精神安定薬 　ジアゼパム（セルシン®）など
器質性	原因治療を優先する	それぞれの原因疾患の項を参照 ● 子宮内膜症，p205 ● 子宮腺筋症，p205 ● 子宮筋腫，p211

C3 月経前症候群

1 定義
- 月経前症候群(premenstrual syndrome；PMS)は月経前3日から10日間の，黄体期にみられる精神的，あるいは身体的症状で，月経発来とともに減弱あるいは消失するものをいう．
- 精神症状が主体で強い場合は，月経前不快気分障害(premenstrual dysphoric disorder；PMDD)とよぶ．

2 原因
- 黄体ホルモンの周期的な変化に伴うセロトニン，オピオイド，ノルアドレナリンなどの脳内神経伝達物質の分泌異常によるものと考えられている．

3 症状と診断
- 精神症状や胃腸症状が中心で，易疲労感，イライラ，情緒不安定，不安・緊張，多食・食欲亢進，浮腫などがある．表C3-1に，PMSとPMDDの診断基準を示す．

4 発生頻度
- 有経者の5〜40％と報告によりさまざまである．症状の程度は個人差が大きく，治療を要するのは2〜3％程度である．

5 治療
- 症状が多彩であるため，一般的治療法と薬物療法を併用する．

ⓐ 一般的治療法
- ①カウンセリングによる心理療法，②偏食を減らす食事療法，③エアロビクスなどの運動療法，を対象に応じて指導する．

ⓑ 薬物療法
- 症状の種類と程度により薬剤を選択する．低用量エストロゲン・プロゲスチン配合薬(LEP)は身体症状に対して用いられる．精神症状が強い場合には，選択的セロトニン再取り込み阻害薬〔SSRI(レクサプロ®，ジェイゾロフト®，ルボックス®，パキシル®)〕や抗不安薬(コンスタン®など)が選択される．SSRIは黄体期のみの少量投与で効果があるといわれている．
- 胃腸症状が強い場合には胃腸薬，浮腫がある場合には利尿薬が用

表 C3-1　PMS と PMDD の診断基準

月経前症候群(PMS) [*1]

① 過去3周期にわたって月経前5日間に以下の精神症状と身体症状がそれぞれ少なくとも1つある.
　精神症状：抑うつ，易怒性，イライラ，不安感，集中力低下，対人不適応，疲労感
　身体症状：乳房緊満感，腹部膨満感，頭痛，関節痛・筋肉痛，体重増加，四肢の腫脹・浮腫
② 症状は月経開始4日以内に消失し，月経周期12日目までみられない.
③ 薬剤，経口避妊薬やアルコールなどを飲まない状態で症状が存在する.
④ 以下のような社会的適応障害が1つ認められる.
　1) 学校生活，仕事がうまく行えない．2) 社会的に孤立している．3) 死んでしまいたくなる．

月経前不快気分障害(PMDD) [*2]

A. ほとんどの月経周期において，月経開始前最終週に少なくとも5つの症状が認められ，月経開始数日以内に**軽快し始め**，月経終了後の週には**最小限**になるか消失する.
B. 以下の症状のうち，1つまたはそれ以上が存在する.
　1) 著しい感情の不安定性　2) 著しい易刺激性，怒り，または対人関係の摩擦の増加
　3) 著しい抑うつ気分，絶望感，または自己批判的思考　4) 著しい不安，緊張，および/または"高ぶっている"とか"いらだっている"という感覚
C. さらに，以下の症状のうち1つ(またはそれ以上)が存在し，上記基準Bの症状と合わせると，症状は5つ以上になる.
　1) 通常の活動における興味の減退　2) 集中困難の自覚　3) 倦怠感，易疲労性，または気力の著しい欠如　4) 食欲の著しい変化，過食，または特定の食物への渇望　5) 過眠または不眠　6) 圧倒される，または制御不能という感じ　7) 他の身体症状，例えば乳房の圧痛または腫脹，関節痛または筋肉痛，"膨らんでいる"感覚，体重増加
注：基準A〜Cの症状は，先行する1年間のほとんどの月経周期で満たされていなければならない.
D. 症状は，臨床的に意味のある苦痛をもたらしたり，仕事，学校，通常の社会活動または他者との関係を妨げたりする.
E. この障害は，他の障害，例えばうつ病，パニック症，持続性抑うつ症，またはパーソナリティ症の単なる症状の増悪ではない(これらの障害はいずれも併存する可能性はあるが).
F. 基準Aは，2回以上の症状周期にわたり，前方視的に行われる毎日の評価により確認される(注：診断は，この確認に先立ち，暫定的に下されてもよい).
G. 症状は，物質や，他の医学的状態の生理学的作用によるものではない.

[*1]：American College of Obstetricians and Gynecologists：Premenstrual Syndrome. Guidelines for Women's Health Care. A Resource Manual. 4th. ed, pp607-613, 2014 より著者作成
[*2]：日本精神神経学会(日本語版用語監修)，髙橋三郎・大野　裕(監訳)：DSM-5-TR™ 精神疾患の診断・統計マニュアル．p190, 医学書院, 2023 より作成

いられる.

- 重症の場合はGnRHアゴニストやLEPの投与による排卵抑制も有効な場合がある.

C4 避妊法の選択

避妊法の種類と特徴

表 C4-1 避妊法の特徴と妊娠率

避妊法	特徴	パール指数*
コンドーム	・避妊とともに骨盤内炎症性疾患(PID)や性感染症(STD)の予防に有効 ・手軽であるが,避妊率は比較的低い	12〜15
基礎体温法・オギノ式	・手軽ではあるが,排卵時期の予測が難しく,失敗率が高い	14〜24
性交中絶法	・失敗率がきわめて高い	
殺精子剤	・ゼリー,発泡剤,フィルム,錠剤など多くの形態があるが,コンドームなどと併用しなければ十分な効果は発揮しにくい	
子宮内避妊器具(IUD)	・避妊効果は優れている ・一度装着すると長期間有効であるが,若年者や未婚女性には不適である ・PIDや月経過多の発生が多い	0.5〜2
経口避妊薬(ピル)	・避妊効果はきわめて優れている.しかし,毎日内服する必要があるのと,性ステロイドホルモンであるため,特有の副作用の発現の可能性がある	0〜0.5
卵管結紮法	・永久避妊法.効果は高いが不可逆的であり,再度の挙児を希望できないことを,十分同意してから施行する必要がある	0〜0.04

*:100人の女性が1年間に妊娠する数(避妊しない場合80〜200).

年齢別の避妊法の選択

1 若年女性・未婚女性
・経口避妊薬またはコンドーム

2 生殖年齢女性
1)産後2か月以内:コンドーム

2) 授乳中：IUD
3) 非授乳中：経口避妊薬または IUD

3 中高齢女性

- IUD または経口避妊薬，卵管結紮法

子宮内避妊器具（IUD）

1 装着時期

- 月経終了直後が適している．

2 交換時期

- 一般に 5 年ごとに器具を交換する．

3 副作用

- PID の発症率が上昇し，また月経量，期間などの異常が起こることがある．さらに下腹部痛の強い場合がある．重症の場合は抜去する．

4 銅付加 IUD（ノバ T®380）

- 銅は，子宮内膜の増殖抑制，プロゲステロン受容体の結合能の低下，精子通過性の阻止などの作用があり，銅付加 IUD は避妊効果が高い．
- 5 年ごとに交換する．

5 レボノルゲストレル放出子宮内システム（LNG-IUS，ミレーナ®）

- 子宮腔内に装着することにより，局所にレボノルゲストレルを持続的に放出するシステムである．経口避妊薬と同様の高い避妊効果（パール指数 0.11〜0.21）の IUD として長期間使用（5 年間）可能である．

経口避妊薬（ピル）

- 経口避妊薬（oral contraceptive；OC）を効果的かつ安全に使用するには，正しい症例の選択，適切な服薬指導，定期的な検査を行う必要がある．
- 詳細は，日本産科婦人科学会，日本女性医学学会が作成した『OC・LEP ガイドライン 2020 年度版』を参考にしていただきたい．

低用量経口避妊薬の種類

表 C4-2　低用量経口避妊薬の種類

型	商品名	発売会社	ホルモン含有量 エストロゲン (μg)	ホルモン含有量 プロゲストーゲン (mg)	内服日数
一相性	マーベロン®21・28 ファボワール®錠21・28	オルガノン 富士製薬	EE(30) 休薬またはプラセボ	DSG(0.15) 休薬またはプラセボ	21 7
二相性	シンフェーズ®T28	科研	EE(35) EE(35) プラセボ	NET(0.5) NET(1) プラセボ	12 9 7
三相性	アンジュ®21錠・28錠 トリキュラー®錠21・28 ラベルフィーユ® 21錠・28錠	あすか-武田 バイエル 富士製薬	EE(30) EE(40) EE(30) 休薬またはプラセボ	LNG(0.05) LNG(0.075) LNG(0.125) 休薬またはプラセボ	6 5 10 7

EE：エチニルエストラジオール，DSG：デソゲストレル，NET：ノルエチステロン，LNG：レボノルゲストレル
商品名のあとの「21」は実薬のみ(休薬7日間)，「28」は実薬21日間＋プラセボ7日間

経口避妊薬の選択について

- 経口避妊薬は，種類により，段階性，錠剤数などに違いがある．対象者の好みや状態に合わせて選択する．

表 C4-3　経口避妊薬の選択

段階性	一相性，二相性，三相性がある．一相性は同じ含量の錠剤を内服するので，錠剤の内服の間違いは少ない．一方，三相性の製剤は内服中のホルモン量がより生理的になっているので，総ホルモン量が減少し不正性器出血などの副作用の頻度が少ない
錠剤数	21錠型と28錠型がある．21錠型はプラセボがなく7日間の休薬がある．28錠型は休薬がない

経口避妊薬の投与対象の選択について

1 禁忌

- ①本剤の過敏症のある女性，②エストロゲン依存性腫瘍(乳癌，子宮内膜癌など)およびその疑い，③診断の確定していない異常性器出血，④血栓性静脈炎，肺塞栓症，脳血管障害，冠動脈疾

患，またはその既往，⑤35歳以上で1日15本以上の喫煙者，⑥前兆を伴う片頭痛，⑦肺高血圧症または(一部の)心臓弁膜症の患者，⑧血管病変を伴う糖尿病患者，⑨血栓性素因，⑩抗リン脂質抗体症候群，⑪大手術の前後(術前4週間，術後2週間)，産後4週間以内および長期安静患者，⑫重篤な肝障害のある患者，⑬肝腫瘍のある患者，⑭脂質代謝異常のある患者，⑮重症の高血圧，⑯耳硬化症，⑰妊娠中に黄疸，持続性瘙痒症または妊娠ヘルペスの既往，⑱妊娠中およびその疑いがある患者，⑲授乳婦，⑳思春期女性

2 慎重投与

- ①40歳以上，②子宮筋腫のある患者，③乳癌の既往，④乳癌の家族歴あるいは乳房に結節，⑤喫煙者，⑥肥満女性，⑦血栓症の家族歴，⑧前兆を伴わない片頭痛，⑨心臓弁膜症の患者，⑩軽度の高血圧(妊娠中の既往を含む)，⑪耐糖能低下，⑫ポルフィリン症，⑬心疾患またはその既往のある患者，⑭てんかん，⑮テタニー，⑯腎機能障害患者，⑰肝障害のある患者

3 特殊例の取り扱い

ⓐ 15歳以下

- 原則として，初経以降3回月経を確認したら投与してもよい．初経を確認した女児に対して経口避妊薬を投与しても，投与中止後の排卵周期には影響を及ぼさないとの報告がある．

ⓑ 妊娠12週未満の中絶例

- 中絶直後から開始して問題ない．

ⓒ 妊娠12週以降の中絶例および分娩後

- 血栓症の問題から1か月以上の間隔を空けて開始する．

ⓓ 40歳以上の場合

- 喫煙や血栓などのリスク因子を慎重に検討して選択する．

経口避妊薬の処方の実際と投与中の検査計画

1 使用方法

- 1か月，1シート(21錠またはプラセボ錠がある場合は28錠)を指示に従い1回1錠，1日1回内服(21錠の場合は休薬7日間)，これを周期的に繰り返す．

2 投与時の注意

- 投与開始前および3～12か月間隔で，一般検血，体重測定，血圧測定，性感染症検査，肝機能検査，出血・凝固系検査，悪性腫瘍

のスクリーニング(乳癌検診,子宮頸癌検診)などの検査を適宜行う.『低用量経口避妊薬の使用に関するガイドライン』を参考にして投与する.

経口避妊薬の副作用

1 循環器・心血管系と腫瘍に対するリスク

ⓐ 循環器・心血管系

表 C4-4 経口避妊薬の循環器・心血管系に対するリスク

疾患	相対危険率
静脈血栓塞栓症	2.4
虚血性心疾患	2.0
脳血管障害	2.0

- これらのリスクは年齢の上昇,および喫煙により増加し,特に死亡率は 35 歳以上のヘビースモーカーで高いと報告されているので,高年齢者や喫煙者への投与には注意を要し,禁忌例を除外する必要がある.

ⓑ 悪性腫瘍

表 C4-5 経口避妊薬の悪性腫瘍発生に対するリスク

腫瘍	発生頻度	相対危険率
乳癌	変化なしかやや増加	1.0〜1.2
子宮頸癌	変化なしかやや増加	1.0〜1.53
子宮内膜癌	減少	0.5〜1.0
卵巣癌	減少	0.6〜1.0

2 主な軽度の副作用

- 悪心・嘔吐(31.4%),頭痛・片頭痛(14.3%),乳房痛・乳房緊満(12.3%),下腹部痛(6.9%),下痢(4.0%),食欲亢進(1.9%),浮腫(1.9%),性欲低下(1.3%),体重増加(1.6%).

3 経口避妊薬の服用を中止すべき場合 [1,2]

- 片側または両側の下肢(特に膝の裏)の痛みと浮腫.持続性の頭痛(片頭痛)の出現.突然の激しい頭痛,胸痛,喀血.眼がかすむ,見えなくなる.黄疸の出現.全身の激しい瘙痒感.長期の悪心・嘔吐.

服用忘れ,不正性器出血や消退出血欠如に対する対処法

表 C4-6 経口避妊薬使用中の問題点と対処法

1. 服用忘れ	①次回の服用までに気づいた場合	すぐ忘れた分を内服
	②次回の服用時に気づいた場合	忘れた分を含めて2錠内服
	③連続して2回以上忘れた場合	服用を中止して他の避妊法を併用しながら消退出血を待ち,消退出血の5日目から再開するか,一時的に高用量経口避妊薬を使用する(特に階段型経口避妊薬の場合には避妊効果の低下に注意)
2. 不正性器出血	①点状出血	服用を継続
	②破綻出血	服用を中止し,5日目から新しい周期として再開する.3周期連続して起こる場合には他の経口避妊薬への変更を考える
3. 消退出血欠如	①服用忘れのない場合	服用を継続
	②服用忘れのある場合	妊娠の可能性について検査

服用終了後の月経の回復

- 一般的に,服用中止後3か月以内に自然月経が回復する.
- 月経回復がみられない場合(post-pill amenorrhea)は1~3%程度.そのうちの約20%で乳汁分泌を伴うと報告されており,場合によっては妊娠も考えられるので,服用中止後3か月以内に自然月経が回復しない場合には,妊娠反応や血中プロラクチンなどのホルモン測定といった諸検査を行う必要がある.

緊急避妊法

- 緊急避妊法とは,妊娠を望まない女性が避妊せずに行われた性交,避妊したものの避妊法が適切かつ十分でなかった性交,避妊具の不具合やレイプなどの場合に使用される.なお,緊急避妊法は特殊な治療であり健康保険の対象外である.

1 薬剤を用いる方法:LNG法

- レボノルゲストレル(ノルレボ®錠1.5 mg)1回1錠を72時間以内

- 妊娠阻止率は85％．副作用は，悪心23.1％，嘔吐5.6％．
- 数日後に産婦人科を受診させ，妊娠阻止の状態，その後の避妊指導を行うことが重要である．
- レイプの場合は，犯罪被害者等基本法により，性犯罪被害者に対しては医療費が補助される．

2 内服以外の方法：銅付加IUD法

- 銅付加IUD（ノバT®380）を性交後120時間以内に子宮内に挿入する方法．
- 1回のみの緊急避妊には高価であるが，挿入後にそのまま一般のIUDとして避妊に使える利点がある．
- IUDは妊娠の経験がない場合は子宮内への挿入が難しいので，妊娠経験がある場合が対象となる．
- 子宮や腟の感染症が疑われる場合には悪化させる可能性がある．
- 妊娠阻止率は性ホルモン薬に比較して高いといわれている．

文献
1) 日本産科婦人科学会，日本産婦人科医会（編集・監修）：産婦人科診療ガイドライン―婦人科外来編2023．日本産科婦人科学会，2023．
2) 日本産科婦人科学会，日本女性医学学会（編集・監修）：OC・LEPガイドライン2020年度版．日本産科婦人科学会，2021．

経口中絶薬

2023年1月，薬剤による人工妊娠中絶のための経口中絶薬であるメフィーゴパックが承認された．メフィーゴパックはミフェプリストンとミソプロストールの2種類の薬剤からなり，ミフェプリストンを服用させて妊娠を維持するために必要な黄体ホルモンを抑制し，続いてミソプロストールを内服させることで子宮収縮を促し，子宮内容物を排出させる．通常，妊娠8週までが適応である．入院可能な有床施設で使用し，胎嚢が排出されるまでは院内待機または入院が必須である．

C5 子宮内膜症

診断の進め方

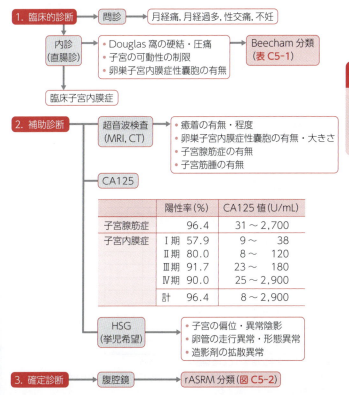

図 C5-1 子宮内膜症の診断手順

注 1. 不妊を主訴とする場合は，腹腔鏡による診断および治療が望ましい．
 2. 未婚や挙児希望のない場合は，臨床的診断のみで治療を開始することがある．
 3. 卵巣子宮内膜症性囊胞がある場合は，鑑別診断のため MRI，CT を行うことがある．

臨床進行期分類

表 C5-1 Beecham 分類

Ⅰ期	散在性の1〜2mmの内膜症小斑点を骨盤内にみる．開腹時にはじめて診断される
Ⅱ期	仙骨子宮靱帯，広靱帯，子宮頸部，卵巣が一緒に，あるいは別々に固着し，圧痛，硬結を生じ，軽度に腫大している
Ⅲ期	Ⅱ期と同じだが，少なくとも卵巣が正常の2倍以上に腫大している．仙骨子宮靱帯，直腸，付属器は癒合し一塊となっている．Douglas窩は消失している
Ⅳ期	広範囲に及び，骨盤内臓器は，内診では，はっきりと区別できない

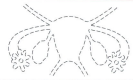

病巣		<1 cm	1〜3 cm	>3 cm	点数
腹膜	表在性	1	2	4	
	深在性	2	4	6	
卵巣 右	表在性	1	2	4	
	深在性	4	16	20	
卵巣 左	表在性	1	2	4	
	深在性	4	16	20	

癒着		<1/3	1/3〜2/3	>2/3	点数
卵巣 右	フィルム様	1	2	4	
	強固	4	8	16	
卵巣 左	フィルム様	1	2	4	
	強固	4	8	16	
卵管 右	フィルム様	1	2	4	
	強固	4*	8*	16	
卵管 左	フィルム様	1	2	4	
	強固	4*	8*	16	
Douglas窩閉塞	一部	4			
	完全	40			

点数合計
□1〜5；微症 STAGE Ⅰ (Minimal)
□6〜15；軽症 STAGE Ⅱ (Mild)
□16〜40；中等症 STAGE Ⅲ (Moderate)
□>41；重症 STAGE Ⅳ (Severe)

＊：卵管采が完全に閉塞している場合は16点とする．

- 表在性病巣をred(R)，white(W)，black(B)に分類し，これら病巣の占める割合を百分率(%)で記載する．
- 各病巣の総計は100%とする．　R( )%，W( )%，B( )%

図 C5-2　rASRM分類によるチェックリスト

〔Revised American Society for Reproductive Medicine classification of endometriosis. Fertil Steril 67(5)：817-821, 1996 より著者作成〕

子宮内膜症と子宮腺筋症の治療方針

1 子宮内膜症

ⓐ 疼痛

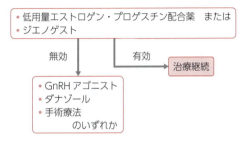

図 C5-3 疼痛を主訴とする子宮内膜症の治療方針

ⓑ 不妊
- 図 B15-1「子宮内膜症が疑われる不妊患者の治療方針」を参照, p159.

ⓒ 卵巣子宮内膜症性囊胞
- 囊胞は癌化することがあり, リスク因子を考慮して摘出を検討する. リスク因子には, 年齢(40歳以上), 囊胞径(特に10 cm以上), 囊胞の急速な増大, 壁在結節の存在, 内容液の輝度の低下などがある.
- 特に若年者に対しては, 内膜症改善のメリットと, 術後再発のために複数回手術が必要となった場合の卵巣機能低下〔生殖補助医療(ART)治療の際の low responder の増加〕のデメリットを考慮し, 手術時期を決定する.

2 子宮腺筋症
- 子宮腺筋症に対する治療は, ホルモン療法と手術療法に大別される.

ⓐ ホルモン療法
- 子宮内膜症に準じた治療を行う.
- ジエノゲストや LNG-IUS による不正性器出血に苦慮することがある.
- GnRH アゴニストを3~6回投与してからジエノゲストを開始すると不正性器出血の頻度を抑えることができる.

ⓑ 手術療法

- 子宮全摘術を行う.
- 妊孕能の温存が必要な場合には子宮腺筋症核出術(保険適用外)を考慮する.ただし,根治は困難であるうえ,術後再発率が高いほか,妊娠時の子宮破裂のリスクが5%程度あり,手術適応は慎重に検討する.

治療法

1 ホルモン療法

ⓐ 低用量エストロゲン・プロゲスチン配合薬(LEP)

- LEPを用いて,卵胞発育,排卵を抑制すると同時に,子宮内膜症組織に対し,増殖抑制,脱落膜化,萎縮を誘導する.
- 従来は21日間投与であったが,現在は77〜120日間の連続投与が可能とされている.
- 副作用に留意すれば,長期投与が可能である.

  処方例 下記のいずれかを用いる.
  1) ルナベル® 配合錠ULD　1回1錠　1日1回　21日間投与
  2) ヤーズフレックス® 配合錠　1回1錠　1日1回　120日間連続投与
  3) ジェミーナ® 配合錠　1回1錠　1日1回　77日間連続投与

ⓑ 黄体ホルモン薬

- ジエノゲストは第4世代のプロゲスチン薬であり,強いプロゲステロン作用をもつとともに,抗アンドロゲン作用を有する.GnRHアゴニストと同程度の治療効果がある.
- 高率(70〜80%)に不正性器出血を認める.多くは少量の出血であるが,子宮筋腫や子宮腺筋症を合併する場合,多量となることがあり注意を要する.長期投与が可能である.

  ディナゲスト®錠(1 mg)　1回1錠　1日2回　連続投与

ⓒ レボノルゲストレル放出子宮内システム(LNG-IUS,ミレーナ®)

- レボノルゲストレルを放出することにより避妊効果を高めた子宮内避妊器具である.子宮内膜は萎縮,菲薄化をきたし,月経困難症,骨盤痛の軽減と経血量の減少が期待できる.

ⓓ GnRH アゴニスト

- GnRHアゴニストは持続的に下垂体に作用し,ゴナドトロピンの分泌を抑制する結果,卵巣からのエストロゲンの分泌を低下させる.

- 副作用として，更年期症状や骨量減少を認めるため，保険適用期間は6か月である(表 C5-2)．術前や閉経逃げ込み療法，またはジエノゲストの不正性器出血対策などで使用される．
- アドバック療法の投与法はホルモン補充療法に準ずる．

表 C5-2　本邦で販売中の GnRH アゴニスト

一般名	商品名	製剤形態	投与法
ブセレリン	スプレキュア®	点鼻液	1回左右の鼻腔内に各1噴霧 (300 μg)　1日3回　連日
ナファレリン	ナサニール®	点鼻液	1回片側の鼻腔内に1噴霧 (200 μg)　1日2回　連日
リュープロレリン	リュープリン®	皮下注懸濁液	1回 1.88 mg または 3.75 mg 4週間に1回皮下注
ゴセレリン	ゾラデックス®	デポ	1回 1.8 mg　4週間に1回皮下注

e ダナゾール

- ダナゾールの作用機序は，主として排卵抑制とともに，子宮内膜症組織への直接的抗エストロゲン効果と考えられている．
- 副作用の肝障害，男性ホルモン作用を避けるため，保険適用期間は4か月である．

表 C5-3 ホルモン療法の比較

	主な作用	特徴	注意点	投与期間
LEP	排卵抑制	・経口避妊薬として長期の使用経験がある ・妊孕性に優れる ・長期投与可能	・稀に血栓塞栓症 ・消退出血に伴う疼痛症状が残ることがある	長期投与可能
黄体ホルモン薬	内膜様組織の脱落膜化および萎縮	・長期投与可能 ・GnRH アゴニストと同等の効果 ・使用中は無月経となる	・不正性器出血	長期投与可能
LNG-IUS	子宮内膜の萎縮	・子宮周囲に限定して作用する	・不正性器出血 ・骨盤内炎症 ・子宮穿孔・脱出	長期装用可能
GnRH アゴニスト	ゴナドトロピン産生の脱感作	・内膜症病巣が退縮 ・自他覚所見改善率:約80% ・使用中は無月経となる	・低エストロゲン症状(のぼせなど) ・骨密度低下	6か月
ダナゾール	視床下部-下垂体系の抑制	・GnRH アゴニストと同等の効果 ・使用中は無月経となる	・男性ホルモン作用(痤瘡など) ・肝機能異常 ・血栓症	4か月

2 手術療法

ⓐ 手術適応
- 悪性疾患が否定できない場合
- 嚢胞の癌化を回避したい
- 保存療法が奏効しない疼痛がある
- 不妊症の原因検索・治療

ⓑ 保存手術
- 子宮内膜症病巣切除術,癒着剝離術,卵巣嚢腫摘出術

ⓒ 準根治手術
- 子宮全摘術+子宮内膜症病巣切除術

ⓓ 根治手術
- 子宮全摘術+両側付属器摘出術+子宮内膜症病巣切除術

文献

1) 植木　實：実地臨床医のための子宮内膜症および子宮筋腫の診断と内科的治療・管理．メディカルレビュー社，1989．
2) 苛原　稔：子宮内膜症．産婦人科におけるホルモン療法の実際．p123，永井書店，1994．
3) 青野敏博：LH-RH agonist の構造と作用．臨婦産 43(7)：631-635，1989．
4) 日本産科婦人科学会(編)：子宮内膜症取扱い規約　第2部　診療編．第3版，金原出版，2021．

Side Memo　OC・LEP と血栓症

　OC・LEP 服用時の副作用として，稀であるが静脈血栓塞栓症(VTE)があり，時に重篤な状態となる．予防には，処方に際し，丁寧な問診を行うことが大切である．高齢(40歳以上)，喫煙者，肥満では注意が必要であり，禁忌症例はもちろん慎重投与例に相当しないかを確認する．服用者には VTE 発症の症候として ACHES〔A：abdominal pain(激しい腹痛)，C：chest pain(激しい胸痛)，H：headache(激しい頭痛)，E：eye/speech problems(見えにくいところがある，視野が狭い，舌のもつれ)，S：severe leg pain(ふくらはぎの痛み・むくみ，握ると赤い，赤くなっている)〕を説明しておき，これらがみられた場合，ただちに服用を中止し，医療機関を受診するように指導する．D ダイマーを測定し，カットオフ値以下であれば，VTE はほぼ否定できる．また VTE は内服開始3か月以内の発症が最も多いとされているため(4週間以上の休薬期間をおき，内服を再開した場合も同様)，この期間は1か月分ずつ処方し，診察を行う．

> **Side Memo** 稀少部位子宮内膜症

- 子宮内膜症が通常発生しうる子宮・卵巣・卵管・Douglas窩など骨盤腹膜以外の比較的稀な箇所に発生した子宮内膜症のことを指す．2018年に『稀少部位子宮内膜症診療ガイドライン』が発行された．
- 腸管(12%)が最多であり，他に膀胱・尿管，胸部，臍部がある．成因は異なるが帝王切開など子宮手術後の腹壁創部に発生することもある．
- 治療は通常の子宮内膜症と同様に，ホルモン療法と手術療法に大別されるが，原則としてホルモン療法が優先される．
- 手術は侵襲性が高く，術後のQOLに影響を及ぼすことも多い．適応は慎重に検討する．
- 手術適応は，①ホルモン療法が無効で，有症状の症例，②悪性疾患との鑑別が困難な症例，③尿管子宮内膜症(無症状のうちに尿路狭窄をきたし腎機能が廃絶する可能性があるため，他部位よりも手術療法を積極的に検討する)．
- 手術後に子宮内膜症が再燃する可能性があり，術後もホルモン療法を可能な限り継続する．
- 稀少部位子宮内膜症の悪性転化も稀にあるとされている．2016年の厚労省科学研究によるアンケート調査では2,786例中11例に悪性化を認めたとの報告がある[1]．

文献
1) 「難治性稀少部位子宮内膜症の集学的治療のための分類・診断・治療ガイドライン作成」研究班(編)：稀少部位子宮内膜症診療ガイドライン．診断と治療社，2018．

C6 子宮筋腫

子宮筋腫の治療方針

- 子宮筋腫に対する治療は，手術療法と薬物療法が主体である．子宮動脈塞栓術(uterine artery embolization；UAE)を行う場合もある．
- 症状の軽い症例では経過観察や対症療法を試みるが，各々の利点・欠点を十分説明し患者の意思を尊重し治療方針を決定する．

子宮筋腫に対する手術適応

1 閉経前，非妊娠時
- ①過多月経，貧血．②圧迫症状(頻尿，便秘，尿閉，尿管狭窄)．③不妊，習慣流産の原因と推測される．④急速に増大，悪性の疑い．⑤筋腫分娩．⑥変性，茎捻転(有茎性筋腫)などで疼痛を伴う．

2 妊娠中
- 茎捻転や変性による疼痛が対症療法で改善されない場合．

3 帝王切開時
- 摘出可能であるが，出血量の増加などを考慮して慎重に判断する．

偽閉経療法

- 無月経，低エストロゲン状態により貧血の改善，筋腫核の縮小，随伴症状の緩和を認める．効果は治療開始1〜2か月後に認められ，3〜4か月で最大となり以後持続する．治療中断すると数か月で筋腫核は治療前の大きさに戻る．
- 骨量減少のため6か月以上連続して投与できない．粘膜下筋腫は壊死による多量性器出血に注意する．

1 術前の投与
- ①術前に貧血が改善する．②子宮筋腫の縮小により切開創が小さくなる．腟式，腹腔鏡手術が可能になる場合があるほか，術中の出血や臓器損傷が減少し，輸血の頻度が減少する．

2 逃げ込み療法
- 閉経が近い場合，断続的に治療を続け，手術を回避することも可能．

表 C6-1　子宮筋腫に投与可能な GnRH アゴニスト/アンタゴニスト

薬剤		使用法
アゴニスト	リュープリン® 注射用（1.88 mg または 3.75 mg）	1 回 1.88 mg または 3.75 mg 4 週間に 1 回皮下注
アゴニスト	ナサニール® 点鼻液（0.2%）	1 回片側の鼻腔内に 1 噴霧（200 μg）　1 日 2 回　連日
アゴニスト	スプレキュア® 点鼻液（0.15%）	1 回左右の鼻腔内に各 1 噴霧（300 μg）　1 日 3 回　連日
アンタゴニスト	レルミナ® 錠（40 mg）	経口　1 回 1 錠　1 日 1 回

表 C6-2　子宮筋腫に対する GnRH アゴニストの効果

子宮および筋腫体積の縮小率（平均）	40〜60%
症例別　症状改善率・有効率（体積が 25% 以上減）	88〜94%・42〜54%

子宮動脈塞栓術（UAE）

- 子宮筋腫に対する治療は手術が原則であるが，手術を回避したいと望む患者が実施施設へ紹介を求める場合もあるため，適応，効果などを理解しておくことが必要である．

1 適応

- 治療が必要な子宮筋腫で患者が手術を「強く拒否」している症例．UAE 後の妊娠も報告されているが，挙児希望例は原則禁忌．

2 禁忌

- ①妊娠中，②急性骨盤内炎症，③骨盤内（子宮内）動静脈奇形，④造影剤アレルギー

3 概要

- 塞栓物質で一時的に子宮動脈またはその分枝の血流を遮断する．
- 虚血に陥った筋腫核は壊死，吸収されて縮小する．実施時間は 1〜2 時間，透視時間は約 10〜20 分で，多くの場合，術後 2 日目に退院可能．

4 効果

- 術後症状の改善率：85〜90%．筋腫体積の縮小率：44〜73%

5 問題点

- 術後の疼痛，壊死した子宮内膜や筋腫への感染，筋腫の壊死による性器出血，子宮内膜機能障害，内膜癒着，卵巣機能低下．
- 流産・帝王切開率・産褥出血のリスクの増加．
- 塞栓物質の適正使用に係る体制等の要件を満たす必要がある．

C7 月経異常を伴う「やせ」の管理

- 月経異常を伴う「やせ」は,"やせ願望"の若い女性が多くなり,近年増加している.
- 診断にあたってはまず,体重の変化や食欲の状態を十分問診し,「やせ」をきたす器質的な疾患を除外する必要がある.
- 体重減少のみの単純体重減少性無月経は,「やせ」の原因を除去し,体重を増加させることで改善する.
- 神経性やせ症(anorexia nervosa;AN, 神経性無食欲症)は,背景に精神疾患的な病因が存在するので,精神科や内科と連携しながら対応する必要がある.

体重の評価

- WHOの基準ではBMI* 18.5が正常の下限である.
- DMS-5-TRの神経性やせ症の基準[1]ではBMI 17以下を有意とする.
- 厚生労働省の「神経性食欲不振症の診断基準」[2]では標準体重の−20%以上を基本とし,標準体重は15歳以上では平田法(表C7-1)で判定する.

表C7-1 平田法

身長	160 cm以上	150〜160 cm	150 cm以下
標準体重(kg)	(身長cm−100)×0.9	(身長cm−150)×0.4+50	(身長cm−100)

単純体重減少性無月経と神経性やせ症の比較

- 鑑別のポイントを示す(表C7-2).

「やせ」に伴う月経異常の管理

- 体重を増加させることを目指し,標準体重の90%を目安とする.
- 無月経の症状があれば体重を勘案しながらホルモン療法を行い,

---

*:BMI(body mass index)=体重(kg)/身長(m)^2

消退出血を誘起する.
1) 標準体重の70%以下:低栄養状態の悪化や体力の低下を考え,ホルモン療法は行わない.
2) 標準体重の70〜85%:ホルモン療法が可能.
3) 標準体重の85%以上:ホルモン療法が可能.不妊患者では必要に応じて排卵誘発を図る.

表 C7-2 単純体重減少性無月経と神経性やせ症の比較

項目	単純体重減少性無月経	神経性やせ症
好発年齢	10〜20歳台の女性	思春期女子に好発(女子学生の0.3〜0.5%と近年増加している)
病因	①急激な体重減少が誘因の視床下部-下垂体-卵巣系の機能異常による無月経.②ダイエットやスポーツ,ストレスによるものが多い.	①基本的に体重や体格の認識に異常がある疾患だが,病因はいまだ不明である.②性格や親子関係,友人関係などの環境,ストレスなどが想定されている.
食行動の異常	なし	あり(不食,過食,隠れ食い)
やせの程度	標準体重の−15%以上	標準体重の−20%以上
病識	あり	乏しい(体型や体重への歪んだ認識がある)
疾患の特徴	急激な体重減少(3〜6か月で15〜20%以上の体重減少)が原因で心因的背景はない.	①内分泌的には第二度無月経を呈する.②低血圧,貧血,骨粗鬆症,肝機能異常,高度になれば低栄養症状が出現する.③自殺が多く,死亡率が6〜20%と高い.

文献
1) 日本精神神経学会(日本語版用語監修),髙橋三郎・大野 裕(監訳):DSM-5-TR™ 精神疾患の診断・統計マニュアル.pp370-376,医学書院,2023.
2) 厚生労働省特定疾患・神経性食欲不振症調査研究班:神経性食欲不振症の診断基準.1989.https://www.nanbyou.or.jp/wp-content/uploads/pdf2/072_l.pdf(2023年9月1日アクセス)

C8 女性アスリート診療の留意点

- スポーツをする女性が増加し，産婦人科領域で女性アスリートを診療する機会が増えている．女性アスリートに特有の異常として，三主徴とよばれる①月経異常，②骨量低下，③利用可能エネルギー不足，が重要である．
- 異常の発現は競技の種類により差があり，持久系や審美系で発生しやすい（表 C8-1，図 C8-1）．
- 月経困難症や月経前症候群（月経前緊張症，月経前不快気分障害）などの月経に伴う不快症状は，練習に対する意欲や試合でのパフォーマンス障害に結びつくため，適切な対応を指導する必要がある．

表 C8-1　女性アスリートの管理に関連する競技特性別の分類

項目	競技の種類
球技系	バスケットボール，バレーボール，サッカー，ハンドボール，ゴルフ，ソフトボール，ラグビー，テニス，ソフトテニス，卓球，バドミントン，ホッケー，ビーチバレー，セパタクロー，野球，スカッシュ
審美系	新体操，体操，エアロビクス，フィギュアスケート
格闘技系	レスリング，サンボ，柔道，フェンシング
持久系	中・長距離走，競歩，自転車（ロード），近代五種
瞬発系	短距離走，跳躍，投擲，ハードル，ウエイトリフティング，自転車（トラック，BMX，MTB），トランポリン，アーチェリー，クレー射撃，ライフル射撃，カーリング
冬季個人競技	ショートトラック，スピードスケート，スケルトン，ボブスレー，リュージュ，アルペン，エアリアル，クロスカントリー，ジャンプ，スキークロス，スキーハーフパイプ，スノーボード，バイアスロン，モーグル
水上競技	水泳，セーリング，ボート，ドラゴンボート，カヌー

〔日本産科婦人科学会女性ヘルスケア委員会女性アスリートのヘルスケア小委員会：女性アスリートを対象としたアンケート調査．https://www.jsog.or.jp/news/pdf/athlete_20150911.pdf（2023 年 9 月 1 日アクセス）より〕

図 C8-1 競技系列別での無月経と疲労骨折の頻度
〔日本産科婦人科学会女性ヘルスケア委員会女性アスリートのヘルスケア小委員会:女性アスリートを対象としたアンケート調査. https://www.jsog.or.jp/news/pdf/athlete_20150911.pdf(2023年9月1日アクセス)より〕
※スポーツをしていない女性

女性アスリートの異常への対応

1 月経異常

- 月経不順や無月経を訴えるアスリートは40%にのぼるといわれている. 原因としては, 過度のスポーツや意識的なダイエットによる体脂肪の減少, 精神的・身体的ストレスなどがある.
- 無月経を放置すると, 低エストロゲン状態になり骨量減少が起こる. また, 頻発月経や過多月経が起こる場合があり, その結果, 貧血になることがある.
- 無月経の場合, 原因を特定し原因に応じた治療を行う. 利用可能エネルギー不足が原因であれば, エネルギー摂取量を増やす. 多嚢胞性卵巣症候群(PCOS)の場合にはホルモン療法を考慮する. また高度貧血を伴う場合には造血剤投与を考慮する.

2 骨量低下

- 血中エストラジオール値が20 pg/mL以下はハイリスクと考え, 定期的に骨量測定を行う. 低骨量・骨粗鬆症の場合にはホルモン

補充療法を考慮する．しかし，ホルモン補充療法をしても短期間には骨量は増加しにくいので，予防が大切である．

3 利用可能エネルギー不足

- 利用可能エネルギー不足（表C8-2）による無月経の治療においては，食事によるエネルギー摂取の適正化を第一として，減少した体重を回復させ，正常に月経が発来していた体重に戻す．

表C8-2 利用可能エネルギー不足の目安

- 成人女性ではBMI 17.5以下
- 思春期女性では標準体重の85％以下
- 1か月の体重減少が10％以上

- 成人女性はBMI 18.5以上を，思春期女性は標準体重の90％を目指し，現在の食事から最低200～600 kcal/日エネルギー摂取量を増やすことを目標にする．
- 月経が回復しない場合や低骨量・骨粗鬆症を認める場合にはホルモン療法を考慮する．ホルモン療法施行の際には原則OC・LEPは使用せず，経皮エストロゲン薬を使用する．

4 月経関連症状に伴うコンディションの変化への対応

- 月経関連症状には45％のアスリートが悩んでおり，症状の程度としては高度5％，中等症8％，軽症32％である．特に持久系の競技者に多い．早めに治療を始めることが肝要である．

5 ドーピングへの留意

- サプリメントの摂取や治療薬内服の場合には，ドーピングに留意することが必要である．一般的な女性ホルモン薬は使用可能であるが，男性ホルモン薬や蛋白同化ホルモン薬は禁止されている．また，骨粗鬆症や子宮内膜症の治療薬の一部や一般市販薬にも禁止薬剤が含まれ，それらは毎年変更されている可能性がある．
- いずれにしても，（公財）日本アンチ・ドーピング機構のサイトで世界アンチ・ドーピング規定を確認することが重要である．

文献

1）日本産科婦人科学会（編）：若年女性のスポーツ障害の解析．日産婦誌 68(4) 付録, 2016.
2）日本産科婦人科学会/日本女性医学学会（編集・監修）：女性アスリートのヘルスケアに関する管理指針．日本産科婦人科学会, 2017.

C9 片頭痛

- 片頭痛は，発作性の一次性頭痛である．本邦の年間の有病率は8.4%であり，特に20〜40代の女性に多い．

診断

- 先行し随伴する一過性局所神経症状(前兆)を伴わない「前兆のない片頭痛」と伴う「前兆のある片頭痛」に主に分類される．

表 C9-1　前兆のない片頭痛の診断基準(ICHD-3)

A. B〜Dを満たす発作が5回以上ある
B. 頭痛発作の持続時間は4〜72時間(未治療もしくは治療が無効の場合)
C. 頭痛は以下の4つの特徴の少なくとも2項目を満たす
　①片側性
　②拍動性
　③中等度〜重度の頭痛
　④日常的な動作(歩行や階段昇降など)により頭痛が増悪する．あるいは頭痛のために日常的な動作を避ける
D. 頭痛発作中に少なくとも以下の1項目を満たす
　①悪心または嘔吐(あるいはその両方)
　②光過敏および音過敏
E. ほかに最適なICHD-3の診断がない

(国際頭痛分類．日本語版第3版，p3，医学書院，2018より著者作成)

表 C9-2　前兆のある片頭痛の診断基準(ICHD-3)

A. BおよびCを満たす発作が2回以上ある
B. 以下の完全可逆性前兆症状が1つ以上ある
　①視覚症状
　②感覚症状
　③言語症状
　④運動症状
　⑤脳幹症状
　⑥網膜症状
C. 以下の6つの特徴の少なくとも3項目を満たす
　①少なくとも1つの前兆症状は5分以上かけて徐々に進展する
　②2つ以上の前兆が引き続き生じる
　③それぞれの前兆症状は5〜60分持続する
　④少なくとも1つの前兆症状は片側性である
　⑤少なくとも1つの前兆症状は陽性症状である
　⑥前兆に伴って，あるいは前兆出現後60分以内に頭痛が発現する
D. ほかに最適なICHD-3の診断がない

(国際頭痛分類．日本語版第3版，p5，医学書院，2018より著者作成)

治療

表 C9-3 片頭痛の主な治療法

軽〜中等度
非ステロイド性抗炎症薬(NSAIDs)(＋制吐薬)
中〜重度または過去に NSAIDs の効果がなかった場合
トリプタン系薬(＋制吐薬)
ジタン系薬
妊娠中
アセトアミノフェン
トリプタン系薬(重度発作時にリスクとベネフィットを考慮して使用)
授乳中
NSAIDs
トリプタン系薬
予防薬
抗 CGRP(カルシトニン遺伝子関連ペプチド)抗体
抗 CGRP 受容体抗体
抗てんかん薬
カルシウム拮抗薬
その他
漢方薬(五苓散, 呉茱萸湯, 桂枝人参湯など)の頓用も選択肢の 1 つとされる

注意点
- 経口避妊薬(OC)は前兆のある片頭痛には禁忌である.
- ホルモン補充療法(HRT)は前兆のある片頭痛は慎重に投与を検討ないし条件付きで投与可能とされている.
- トリプタン系薬を使用しても効果が得られない場合や NSAIDs の使用過多で予防薬の使用を考慮すべき症例については, 神経内科や脳神経外科の頭痛専門医へコンサルトを行う.

文献

1) 日本神経学会, 日本頭痛学会, 日本神経治療学会(監修)：頭痛の診療ガイドライン 2021. 医学書院, 2021.

C10 更年期障害

更年期以降に認められる諸症状と出現時期

表 C10-1 更年期以降に認められる諸症状

①月経異常	希発月経，機能性出血
②自律神経失調	のぼせ，異常発汗，動悸，めまい
③精神神経症状	頭重感，不眠，不安，憂うつ，孤独感
④性器の萎縮	萎縮性腟炎，外陰部瘙痒症，性交障害，尿失禁
⑤心血管系疾患	動脈硬化，高血圧，冠動脈疾患，脳卒中
⑥骨粗鬆症	腰痛，脊椎後彎，大腿骨近位部骨折

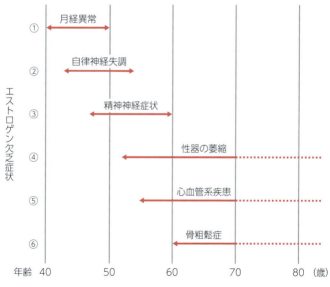

図 C10-1 更年期以降に認められる諸症状の出現時期

自覚症状による評価

- 自覚症状の程度を他覚的に評価する方法として,「日本人女性の更年期症状評価表」が用いられる.

表 C10-2　日本人女性の更年期症状評価表

症状	症状の程度		
	強	弱	無
1. 顔や上半身がほてる(熱くなる)			
2. 汗をかきやすい			
3. 夜なかなか寝付かれない			
4. 夜眠っても目を覚ましやすい			
5. 興奮しやすく,イライラすることが多い			
6. いつも不安感がある			
7. ささいなことが気になる			
8. くよくよし,憂うつなことが多い			
9. 無気力で,疲れやすい			
10. 眼が疲れる			
11. ものごとが覚えにくかったり,物忘れが多い			
12. めまいがある			
13. 胸がどきどきする			
14. 胸がしめつけられる			
15. 頭が重かったり,頭痛がよくする			
16. 肩や首が凝る			
17. 背中や腰が痛む			
18. 手足の節々(関節)の痛みがある			
19. 腰や手足が冷える			
20. 手足(指)がしびれる			
21. 最近音に敏感である			

〔日本産科婦人科学会生殖・内分泌委員会:「日本人用更年期・老年期スコアの確立とHRT副作用調査小委員会」報告―日本人女性の更年期症状評価法の作成―.日産婦誌 53(5):883-888, 2001 より〕

鑑別診断

- 更年期障害を診断するにあたって,まず器質的障害を除外する必要がある.特に抑うつ状態を鑑別するにはSDS(Self-rating Depression Scale)を利用するとよい.

表 C10-3 抑うつ状態像の症状とそれによるSDS項目・評価点

項目番号	抑うつ状態像因子	質問項目	ない,たまに	ときどき	かなりのあいだ	ほとんどいつも
1	憂うつ,抑うつ,悲哀	気が沈んで,憂うつだ	1	2	3	4
2	日内変動	朝方はいちばん気分がよい	4	3	2	1
3	啼泣	泣いたり,泣きたくなる	1	2	3	4
4	睡眠	夜よく眠れない	1	2	3	4
5	食欲	食欲はふつうだ	4	3	2	1
6	性欲	まだ性欲はある	4	3	2	1
7	体重減少	やせてきたことに気がつく	1	2	3	4
8	便秘	便秘している	1	2	3	4
9	心悸亢進	普段よりも動悸がする	1	2	3	4
10	疲労	何となく疲れる	1	2	3	4
11	混乱	気持ちはいつもさっぱりしている	4	3	2	1
12	精神運動性減退	いつもと変わりなく仕事をやれる	4	3	2	1
13	精神運動性興奮	落ち着かず,じっとしていられない	1	2	3	4
14	希望のなさ	将来に希望がある	4	3	2	1
15	焦燥	いつもよりいらいらする	1	2	3	4
16	不決断	たやすく決断できる	4	3	2	1
17	自己過小評価	役に立つ,働ける人間だと思う	4	3	2	1
18	空虚	生活はかなり充実している	4	3	2	1
19	自殺念慮	自分が死んだほうがほかの者は楽に暮らせると思う	1	2	3	4
20	不満足	日頃していることに満足している	4	3	2	1

(本検査の著作権は株式会社三京房に帰属します)

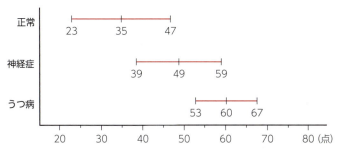

図 C10-2 SDS の 3 群粗点の平均値と標準偏差

更年期障害の治療

1 ホルモン補充療法(HRT)（血管運動神経症状に有効）
- 「ホルモン補充療法(HRT)」の項参照，次ページ．

2 精神神経症状に対する薬物療法
処方例 下記のいずれかを用いる．
1) レクサプロ® 錠(10 mg)
   1回1錠　1日1回から開始し，1回2錠　1日1回まで増量
2) パキシル® 錠(10 mg)
   1回1錠　1日1回から開始し，1回2錠　1日1回まで増量
3) ルボックス® 錠(25 mg)
   1回1錠　1日2回を初期投与量として，1回3錠　1日2回まで増量
4) ジェイゾロフト® 錠(25 mg)
   1回1錠　1日1回から開始し，1回4錠　1日1回まで増量
5) サインバルタ® カプセル(20 mg)
   1回1カプセル　1日1回から開始し，1回3カプセル　1日1回まで増量
6) ドグマチール® 錠(50 mg)　1回1錠　1日3回

3 漢方療法
- 「産婦人科で用いる漢方療法」の項参照，p285．

4 自律神経調整薬
　グランダキシン® 錠(50 mg)　1回1錠　1日3回

5 心理療法
- 薬物療法が奏効しない心因性更年期障害（約20％）に対し，簡易心理療法を行う．

C11 ホルモン補充療法（HRT）

適応

1 対症的投与
- 更年期症状が出現している場合
- 閉経前に両側卵巣摘出を行った場合
- 早発閉経の場合
- 骨粗鬆症

2 予防的投与
- 骨粗鬆症危険因子を有する女性（最大骨量の20％以上減少）

禁忌および慎重投与

1 禁忌症例
- 重度の活動性肝疾患
- 現在の乳癌とその既往
- 現在の子宮内膜癌，低悪性度子宮内膜間質肉腫
- 原因不明の不正性器出血
- 妊娠が疑われる場合
- 急性血栓性静脈炎または静脈血栓塞栓症とその既往
- 心筋梗塞および冠動脈に動脈硬化性病変の既往
- 脳卒中の既往

2 慎重投与ないしは条件付きで投与が可能な症例
- 子宮内膜癌の既往
- 卵巣癌の既往
- 肥満
- 60歳以上または閉経後10年以上の新規投与（通常量の結合型エストロゲンでは冠動脈疾患のリスクが高まる）
- 血栓症のリスクを有する場合
- 冠攣縮および微小血管狭心症の既往
- 慢性肝疾患
- 胆嚢炎および胆石症の既往

- 重症の高トリグリセライド血症
- コントロール不良な糖尿病
- コントロール不良な高血圧
- 子宮筋腫，子宮内膜症，子宮腺筋症の既往
- 片頭痛
- てんかん
- 急性ポルフィリン血症
- 全身性エリテマトーデス（SLE）

HRTの治療方針

- HRTの第一の適応は更年期障害であり，治療前および治療中のチェックを行い，必要最少量を必要最短期間行う．
- 閉経後骨粗鬆症に対しては，他にも骨折予防効果のある薬剤が存在することを伝える．
- 子宮のない女性に対しては，エストロゲン単独投与を用いる．
- 60歳以上の患者に新規にHRTを開始する際には，デメリットも大きいことを考慮する．
- HRTの投与期間は5年を目途にし，それ以降の継続については個人のメリット，デメリットを勘案する．

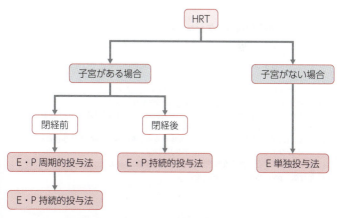

図C11-1 HRTの投与方法の選択
E：エストロゲン，P：プロゲスチン

HRT の投与スケジュール

1. エストロゲン単独療法
①持続的投与法

②間欠的投与法
21〜25日服用　5〜7日休薬

2. エストロゲン・黄体ホルモン併用療法
①周期的併用投与法
　1)間欠法
　21〜25日服用　5〜7日休薬

10〜12日

　2)持続法

12〜14日

②持続的併用投与法

図 C11-2　HRT の投与スケジュール

特徴 1. エストロゲン単独療法では，黄体ホルモンによる不安や抑うつなどの問題が回避できる．
2. エストロゲン・黄体ホルモン併用療法での周期的投与法では定期的な出血がみられる．
3. エストロゲン・黄体ホルモン併用療法での周期的投与法では，持続的投与法に比べて大脳血流量が増加し，脳機能に好影響を与える．
4. エストロゲン・黄体ホルモン併用療法での持続的投与は投与初期に不正性器出血がみられるが，継続することによって減少する．
　注 1. 経口および経皮エストロゲン・黄体ホルモン配合薬の周期的投与法については，十分なエビデンスがない(2016年9月現在)．
〔日本産科婦人科学会，日本女性医学学会(編集・監修)：ホルモン補充療法ガイドライン2017年度版．p83，2017 より一部改変〕

表 C11-1　HRT に使用するホルモン薬

	投与経路	商品名
エストロゲン薬		
結合型エストロゲン	経口	プレマリン® 錠
17β-エストラジオール	経口 経皮	ジュリナ® 錠 エストラーナ® テープ ル・エストロジェル® ディビゲル®
黄体ホルモン薬		
メドロキシプロゲステロン酢酸エステル	経口	プロベラ® 錠 ヒスロン® 錠
ジドロゲステロン	経口	デュファストン® 錠
プロゲステロン	経口	エフメノ® カプセル
エストロゲン・黄体ホルモン配合薬		
17β-エストラジオール・レボノルゲストレル	経口	ウェールナラ® 配合錠
17β-エストラジオール・酢酸ノルエチステロン	経皮	メノエイドコンビ® パッチ

〔日本産科婦人科学会，日本女性医学学会（編集・監修）：ホルモン補充療法ガイドライン 2017 年度版．pp77-78，2017 より著者作成〕

HRT 施行前・中・後の管理

表 C11-2　HRT 施行前・中・後の管理

	検査項目	内容	投与前	投与中	投与終了後
必須項目	問診	症状および副作用（出血や乳房痛）	●	●（毎回）	
	血圧, 身長, 体重		●	●（1〜2回/年）	
	血算, 肝機能, 脂質, 血糖	1. 全血算（CBC）, ALT, AST, LD, TC または LDL-C, TG, HDL-C, 血糖 2. Ca, P, ALP, CK, Cr はオプション検査	●	●（1〜2回/年）	
	婦人科学的診断	内診および経腟超音波検査, 子宮頸部細胞診, 子宮内膜細胞診[*1]	●（6か月以内の）	●（1年ごと）	●（1〜2年ごと）
	乳癌検診	触診および画像診断	●	●（1年ごと）	●（1〜2年ごと）
選択項目	骨量測定		●		
	心電図		●		
	腹囲		●		
	甲状腺機能検査		●		
	凝固系検査[*2]		●		
	E_2, FSH		●	●	
	心理テスト		●		

[*1]：HRT 施行前は, 原則的に子宮内膜細胞診（または組織診）を行う. 病理学的検索が不可能な場合には経腟超音波検査で子宮内膜厚を測定する.
閉経後症例で 5 mm 以上の場合は子宮内膜癌の疑いがあるので検査を行う.
HRT 中は子宮内膜厚を子宮内膜癌の予測には使用できない.

[*2]：血栓症を予測できる特異的なマーカーは現在のところない.

〔日本産科婦人科学会, 日本女性医学学会（編集・監修）：ホルモン補充療法ガイドライン 2017 年度版. pp89-91, 2017 より著者作成〕

HRT の管理法

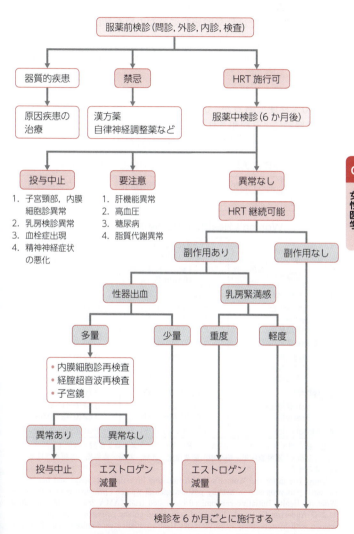

図 C11-3　HRT の管理法

副作用

1 性器出血

- 持続的投与法では投与開始して最初の数か月は約40〜50％に破綻出血がみられる．投与を持続すると，子宮内膜は萎縮して出血は減少するが，1年後でも約20％の症例で認められる．

2 乳房緊満感

- 乳房緊満感も比較的多い副作用である．投与開始から3か月以内は10％程度であるが，6か月経つと2〜3％程度まで減少する．投与継続により緩和されることが多い．

3 癌の発生（未施行群に対する相対危険率）

表C11-3　HRTの方法による子宮内膜癌の発生の相対危険率

	エストロゲン・プロゲスチン併用療法	エストロゲン単独療法
子宮内膜癌	0〜1	2〜7

表C11-4　Women's Health Initiativeの結果〔ハザード比（95％ CI）〕

発生した事象 \ 対象女性	CEE（0.625 mg）＋MPA（2.5 mg） 50〜79歳の閉経後女性 16,608名	CEE（0.625 mg） 50〜79歳の閉経後女性 10,739名
1. 心血管系疾患全体	1.22（1.09〜1.36）	1.12（1.01〜1.24）
冠動脈疾患	1.29（1.02〜1.63）	0.91（0.75〜1.12）
脳卒中	1.41（1.07〜1.85）	1.39（1.10〜1.77）
静脈血栓症	2.11（1.58〜2.82）	1.33（0.99〜1.79）
2. 癌全体	1.03（0.90〜1.17）	0.93（0.81〜1.07）
浸潤乳癌	1.26（1.00〜1.59）	0.77（0.59〜1.01）
結腸・直腸癌	0.63（0.43〜0.92）	1.08（0.75〜1.55）
子宮内膜癌	0.83（0.47〜1.47）	—
3. 骨折全体	0.76（0.69〜0.85）	0.70（0.63〜0.79）
大腿骨頸部骨折	0.66（0.45〜0.98）	0.61（0.41〜0.91）
脊椎骨折	0.66（0.44〜0.98）	0.62（0.42〜0.93）
4. Global index	1.15（1.03〜1.28）	1.01（0.91〜1.12）

CEE：結合型エストロゲン，MPA：メドロキシプロゲステロン酢酸エステル
Global index：冠動脈疾患，脳卒中，肺塞栓症，乳癌，結腸・直腸癌，骨折または他の原因による死亡

〔Writing Group for the Women's Health Initiative Investigators：Risks and benefits of estrogen plus progestin in healthy postmenopausal women：principal results from the Women's Health Initiative randomized controlled trial. JAMA 288（3）：321-333, 2002 および Anderson GL, et al：Effects of conjugated equine estrogen in postmenopausal women with hysterectomy：the Women's Health Initiative randomized controlled trial. JAMA 291（14）：1701-1712, 2004 より著者作成〕

C12 閉経後骨粗鬆症

- 骨粗鬆症は主として閉経後に発症し，年齢とともにその頻度は増加する．主訴は腰背部痛，脊椎の後彎が主であり，殊に同じ姿勢を長時間続けると痛みが強くなる．また脊椎圧迫骨折，大腿骨頸部骨折などの基礎疾患として重要である．
- 完全に治癒せしめることは不可能であるが，症状の軽減，骨粗鬆化の抑制を目的として治療を行う．

▶ 診断

1 X線検査

- 胸椎2方向(第8胸椎)，腰椎2方向(第3腰椎)．骨のX線透過性は亢進し，骨量の減少，骨皮質の菲薄化がみられる．圧迫骨折，魚椎変形に注意．

2 骨塩量(骨密度)の測定

表 C12-1　骨塩量測定法の特徴

方法	主な測定部位	計測時間	被曝線量
1. MD (microdensitometry)[*1]	第2中手骨	5〜10分	中等度
2. DXA (dual energy X-ray absorptiometry)[*2]	腰椎，大腿骨頸部，橈骨，全身骨，踵骨	5〜10分	少ない
3. QUS (quantitative ultrasound)[*3]	踵骨	1〜10分	なし

*1：簡便にX線を用いて撮れる方法としてMD法があるが，正確に測定できるのはDXA法である．
*2：二重エネルギーX線吸収測定法
*3：QUSはX線の管理が不要で，便利であるが精度に欠ける．

3 診断の流れと診断基準

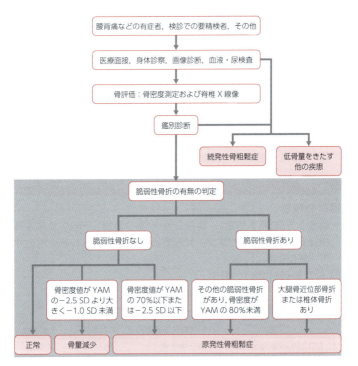

図 C12-1　骨粗鬆症診断の流れ

〔骨粗鬆症の予防と治療ガイドライン作成委員会（日本骨粗鬆症学会，日本骨代謝学会，骨粗鬆症財団）（編）：骨粗鬆症の予防と治療ガイドライン 2015 年版，p18，日本骨粗鬆症学会，他，2015．www.josteo.com/ja/guideline/doc/15_1.pdf（2023 年 9 月 1 日アクセス）より〕
■部分は次ページ表 C12-2 を参照．

表 C12-2 原発性骨粗鬆症の診断基準(2012年改訂版)

原発性骨粗鬆症の診断は,低骨量をきたす骨粗鬆症以外の疾患,または続発性骨粗鬆症の原因を認めないことを前提とし,下記の診断基準を適用して行う.

- Ⅰ.脆弱性骨折[*1]あり
    1. 椎体骨折[*2]または大腿骨近位部骨折あり
    2. その他の脆弱性骨折[*3]あり,骨密度[*4]がYAMの80%未満
- Ⅱ.脆弱性骨折[*1]なし
    骨密度[*4]がYAMの70%以下または−2.5 SD以下

YAM:若年成人平均値(腰椎では20〜44歳,大腿骨近位部では20〜29歳)
*1:軽微な外力によって発生した非外傷性骨折.軽微な外力とは,立った姿勢からの転倒か,それ以下の外力を指す.
*2:形態椎体骨折のうち,2/3は無症候性であることに留意するとともに,鑑別診断の観点からも脊椎X線像を確認することが望ましい.
*3:その他の脆弱性骨折:軽微な外力によって発生した非外傷性骨折で,骨折部位は肋骨,骨盤(恥骨,坐骨,仙骨を含む),上腕骨近位部,橈骨遠位端,下腿骨.
*4:骨密度(bone mineral density;BMD)は原則として腰椎または大腿骨近位部骨密度とする.また,複数部位で測定した場合にはより低い%またはSD値を採用することとする.腰椎においてはL1〜L4またはL2〜L4を基準値とする.ただし,高齢者において,脊椎変形などのために腰椎骨密度の測定が困難な場合には大腿骨近位部骨密度とする.大腿骨近位部骨密度には頸部またはtotal hip(total proximal femur)を用いる.これらの測定が困難な場合は橈骨,第二中手骨の骨密度とするが,この場合は%のみ使用する.

骨量減少(骨減少)[low bone mass(osteopenia)]:骨密度が−2.5 SDより大きく−1.0 SD未満の場合を骨量減少とする.

〔日本骨代謝学会,日本骨粗鬆症学会合同原発性骨粗鬆症診断基準改訂検討委員会:原発性骨粗鬆症の診断基準(2012年度改訂版). J Bone Miner Metab 31(3):247-257, 2013, Osteoporosis Jpn 21(1):9-21, 2013 より〕

治療

1 薬物治療開始基準

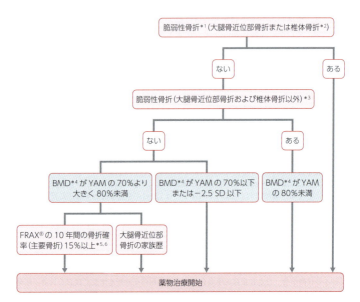

図 C12-2 原発性骨粗鬆症の薬物治療開始基準

* 1～4：前ページ表 C12-2 を参照.
* 5：75歳未満で適用する．また，50歳台を中心とする世代においては，より低いカットオフ値を用いた場合でも，現行の診断基準に基づいて薬物治療が推奨される集団を部分的にしかカバーしないなどの限界も明らかになっている．
* 6：この薬物治療開始基準は原発性骨粗鬆症に関するものであるため，FRAX® の項目のうち糖質コルチコイド，関節リウマチ，続発性骨粗鬆症にあてはまる者には適用されない．すなわち，これらの項目がすべて「なし」である症例に限って適用される．

〔骨粗鬆症の予防と治療ガイドライン作成委員会（日本骨粗鬆症学会，日本骨代謝学会，骨粗鬆症財団）（編）：骨粗鬆症の予防と治療ガイドライン 2015 年版．p63，日本骨粗鬆症学会，他，2015．www.josteo.com/ja/guideline/doc/15_1.pdf（2023 年 9 月 1 日アクセス）より〕

注：WHO の FRAX®（http://www.shef.ac.uk/FRAX/）では骨密度あるいは危険因子によって，個人の将来 10 年間の骨折発生確率（％）が算出できる．原発性骨粗鬆症の場合，危険因子として年齢，性，大腿骨頸部骨密度（測定できない場合 BMI），既存骨折，両親の大腿骨近位部骨折歴，喫煙，飲酒がある．

2 主な治療薬

- 患者それぞれの骨代謝の特徴から，薬剤を選択する必要がある．

表 C12-3 骨粗鬆症に対する主な治療薬

種類	一般名	商品名	投与量
1. カルシウム薬	L-アスパラギン酸カルシウム	アスパラ-CA	1.2 g/日
	リン酸水素カルシウム	リン酸水素カルシウム末	3 g/日
	乳酸カルシウム	乳酸カルシウム	2〜5 g/日
2. エストロゲン薬	経皮吸収エストラジオール	エストラーナ®	0.72 mg/隔日
	エストリオール	エストリール	2 mg/日
	経口エストラジオール	ジュリナ®	1 mg/日
3. エストロゲン・プロゲスチン配合薬	経口エストラジオール・プロゲスチン配合薬	ウェールナラ®	エストラジオール 1 mg/日 レボノルゲストレル 0.04 mg/日
4. 活性型ビタミンD_3薬	エルデカルシトール	エディロール®	0.75 μg/日
	アルファカルシドール	アルファロール® ワンアルファ®	0.75〜1.0 μg/日
	カルシトリオール	ロカルトロール®	0.5 μg/日
5. ビタミンK_2薬	メナテトレノン	グラケー®	45 mg/日
6. ビスホスホネート	エチドロネート	ダイドロネル®	200 mg/日 2週間 10〜12週間休薬
	アレンドロネート	フォサマック® ボナロン®	35 mg/週（週1回）
	リセドロネート	ベネット® アクトネル®	17.5 mg/週（週1回）, 75 mg/月（月1回）
	ミノドロネート	リカルボン® ボノテオ®	50 mg/月（月1回）
	ゾレドロネート	リクラスト®	5 mg/年（年1回）
7. 選択的エストロゲン受容体モジュレーター（SERM）	ラロキシフェン	エビスタ®	60 mg/日
	バゼドキシフェン	ビビアント®	20 mg/日
8. カルシトニン薬	エルカトニン	エルシトニン®	1回10単位週2回筋注
9. 副甲状腺ホルモン薬	テリパラチド（遺伝子組換え）	テリパラチド BS フォルテオ® 皮下注キット	20 μg/日（24か月まで） 20 μg/日（24か月まで）
	テリパラチド酢酸塩	テリボン® 皮下注用（56.5 μg）	56.5 μg/週（週1回）（24か月まで）
10. 抗RANKL抗体	デノスマブ	プラリア® 皮下注（60 mg）	60 mg/6か月（6か月に1回）
11. 抗スクレロスチン抗体	ロモソズマブ	イベニティ® 皮下注（105 mg）	210 mg/月 12か月間
12. イプリフラボン	イプリフラボン	イプリフラボン錠	600 mg/日

3 治療法の選択

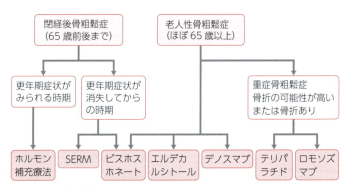

図 C12-3　治療法の選択

カルシウム薬,活性型ビタミンD_3薬,ビタミンK_2薬は,病態に応じて主治療薬に併用する

骨代謝マーカーとその基準値

表 C12-4　骨代謝マーカーの基準値

マーカー		基準値	対象
骨吸収マーカー	DPD	2.8〜7.6 nmol/mmol・Cr	(30〜44歳,女性)
	NTX(尿)	9.3〜54.3 nmolBCE/mmol・Cr	(30〜44歳,女性)
	NTX(血清)	7.5〜16.5 nmolBCE/L	(40〜44歳,女性)
	CTX(尿)	40.3〜301.4 μg/mmol・Cr	(30〜44歳,女性)
	TRACP-5b	120〜420 mU/dL	(20〜44歳,女性)
骨形成マーカー	BAP*	7.9〜29.0 U/L	(30〜44歳,女性)

骨代謝マーカーの基準値は,健常閉経前女性で確立された平均±1.96標準偏差(SD)の範囲とする.( )内は,データ収集された年齢の範囲を示す.基準値には施設間差があることに注意する.
BCE:bone collagen equivalent(骨コラーゲン相当量)
*:EIAキットを用いた測定
〔日本骨粗鬆学会 骨代謝マーカー検討委員会(編):骨粗鬆症診療における骨代謝マーカーの適正使用ガイド2018年版.p39,日本骨粗鬆症学会,2018より著者作成〕

> **Side Memo** 骨吸収抑制薬使用上の注意点

1 顎骨壊死

- ビスホスホネート製剤や抗RANKL抗体などの骨吸収抑制薬を用いる場合，顎骨壊死に注意が必要である．発症頻度は，注射用ビスホスホネート製剤（95件/10万人/年），経口ビスホスホネート製剤（0.7件/10万人），抗RANKL抗体では0.1％と報告されている．危険因子としては，悪性腫瘍，化学療法，血管新生阻害薬，コルチコステロイド治療，放射線療法，口腔内の不衛生，糖尿病，喫煙，飲酒，歯科処置の既往などが知られている．

ⓐ 骨吸収抑制薬投与に際して

- 歯科を受診した場合には，その服用を伝えるように指導することが必要である．
- 顎骨壊死の発生を防ぐ最善の方法は，口腔衛生をよく保つことと定期的な歯科検診である．
- 侵襲的な歯科処置は投与開始前にできる限り済ませておく．

ⓑ 骨吸収抑制薬投与中に抜歯などの侵襲的歯科処置が必要となった場合

- 骨吸収抑制薬の投与期間が3年以上のとき，あるいは3年未満であっても危険因子がある場合，患者の全身状態から骨吸収抑制薬を投与中止しても差し支えないのであれば，歯科処置前の少なくとも3か月間はその投与を中止し，処置部位の骨が治癒傾向を認めるまでは再開すべきではない．
- 骨吸収抑制薬の投与期間が3年未満で他に危険因子がない場合，必ずしも中止の必要はない．

2 非定型骨折

- 骨吸収抑制薬を長期使用している患者において，非外傷性または軽微な外力による大腿骨転子下，近位大腿骨骨幹部，近位尺骨骨幹部などの非定型骨折が発現したとの報告がある．これらの報告では，完全骨折が起こる数週間から数か月前に大腿部，鼠径部，前腕部などにおいて前駆痛が認められている報告もあることから，このような症状が認められた場合には，X線検査などを行い，適切な処置を行うこと．また，両側性の骨折が生じる可能性があることから，片側で非定型骨折が起こった場合には，反対側の部位の症状などを確認し，X線検査を行うなど，慎重に観察すること．

C13 女性の排尿障害

蓄尿・排尿の調節機序

- 尿の産生量は約 1 mL/分で,150〜200 mL で尿意を感じる.
- 通常の成人の 1 回排尿量は 200〜400 mL,最大尿意時の膀胱容量は 300〜500 mL である.
- 正常な下部尿路機能は蓄尿機能と排尿機能からなる.

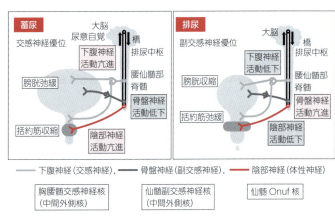

図 C13-1　蓄尿と排尿のメカニズム

神経因性膀胱

- 膀胱から大脳に至る神経経路の障害による下部尿路機能障害を指す.

1 脳幹部橋排尿中枢より上位の障害

- 大脳による抑制が障害されるため,頻尿や尿意切迫感,尿失禁が生じることが多い.

2 脳幹部-仙髄間の障害

- 脊髄損傷や腫瘍,変性疾患などで生じる.尿意がなくなり,排尿

反射により膀胱の不随意収縮が起こる．脳幹部排尿中枢からの信号が届かずに排尿筋-外尿道括約筋協調不全（detrusor sphincter dyssynergia；DSD）が生じ，残尿が増える．

3 排尿中枢より末梢の障害
- 糖尿病性神経障害や骨盤内手術後の神経損傷などにより生じ，尿意が低下し，排尿反射も障害されるため，低活動膀胱となる．

4 治療
a 排出障害に対しての治療
1) 尿道抵抗の減少：$α_1$ 受容体遮断薬
   エブランチル® カプセル（15 mg）　1回1〜2カプセル　1日2回
2) 排尿筋収縮力増強：コリン作動薬．下記のいずれかを用いる．
   1) ベサコリン® 散
   1日30〜50 mg（成分量として）を3〜4回に分服
   2) ウブレチド® 錠（5 mg）　1回1錠　1日1回
- コリン作動性クリーゼに注意，少量から開始する．
- 残尿が多い場合は間欠自己導尿．

b 蓄尿障害に対しての治療
- 「尿失禁」の項参照，「過活動膀胱」の項参照⇒ p241.

尿失禁

- 尿失禁は「不随意に尿が漏れる状態」であり，病的な尿失禁は「社会的，衛生的に問題となるような客観的な漏れを認める状態」と定義されている．健康な女性の10〜46％にみられる．

1 腹圧性尿失禁
- 咳，くしゃみ，走る，重い物を持つなど腹圧の加わる状況に限って尿が漏れる状態．加齢，分娩などによる尿道過活動と内因性尿道括約筋不全の2つの病態が関与．後者は放射線治療，手術などが原因となり失禁量も多い．

2 腹圧性尿失禁の診断
- 問診が重要
- 排尿日誌，QOL 評価（国際尿失禁スコア）
- 検尿，残尿測定，ストレステスト（蓄尿状態で砕石位にて咳や腹圧をかけて尿の漏出と程度を確認），尿流動態検査，鎖膀胱尿道造影
- パッドテスト：1時間の実際の尿失禁量を測定する検査

3 腹圧性尿失禁の治療
ⓐ 理学療法
1) 減量
- 体重減少は腹圧性尿失禁の改善に有効.

2) 骨盤底筋訓練
- 第1選択. 外尿道括約筋を含む骨盤底筋を鍛える.

3) 電気刺激
- 保険適用があるのは干渉低周波治療のみ.

ⓑ 薬物療法（β_2 アドレナリン受容体刺激薬）

スピロペント®錠（10 μg）
1回1〜2錠 1日2回 （唯一保険適用あり）

ⓒ 手術療法
1) 中部尿道スリング手術（TVT/TOT 手術）

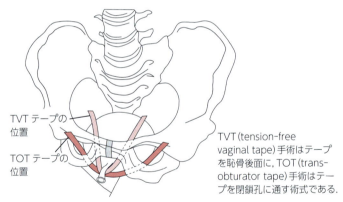

図 C13-2 中部尿道スリング手術：TVT 手術と TOT 手術

TVT（tension-free vaginal tape）手術はテープを恥骨後面に，TOT（trans-obturator tape）手術はテープを閉鎖孔に通す術式である.

- メッシュ状に編んだポリプロピレンテープを中部尿道後面に tension-free に設置し，腹圧負荷時に中部尿道に受動的屈曲が起こって尿道内圧が上昇することで尿禁制が得られる.
- ともに成功率は 90% 以上と良好であるが，内因性括約筋不全などの重症な尿失禁には，TVT のほうが成功率は高い. 術後の排尿困難や膀胱穿刺，出血は，TVT のほうが多い.

2) 恥骨後式膀胱頸部挙上術
- 経腹的あるいは腹腔鏡下で行う Burch 法.

3) 尿道周囲注入療法
- 本邦では，重症な内因性括約筋不全に対して，認可されている尿道周囲注入物がない．今後，脂肪や筋由来の自己幹細胞による注入療法の臨床利用が期待される．

4 切迫性尿失禁
- 「急に強い，我慢ができないような尿意が生じ，トイレに間に合わない」「水仕事をすると急に尿意が生じ，漏れてしまう」といった，蓄尿時に尿意切迫感を伴う不随意の排尿筋収縮によって生じる失禁．治療法は以下の「過活動膀胱」の項を参照．

5 混合性尿失禁
- 腹圧性尿失禁と切迫性尿失禁の両者を認める．女性の尿失禁の30％を占める．
- 治療は薬物療法と理学療法の併用．尿失禁手術は腹圧性が優位の場合は適応となるが，術後も切迫性尿失禁が残存する場合は，薬物療法の併用が必要となる．

過活動膀胱（overactive bladder；OAB）

- 尿意切迫感を必須とした症状症候群であり，通常，頻尿，夜間頻尿を伴い，切迫性尿失禁を伴う場合（OAB wet）と伴わない場合（OAB dry）がある．原因は神経因性の場合と非神経因性の場合がある．
- 尿意切迫感：急に起こる，抑えられないような強い尿意．
- 頻尿：昼間に8回以上，夜間に1回以上排尿がある場合．
- 切迫性尿失禁：尿意切迫感と同時または直後に尿が漏れること．
- 40歳以上の12.4％にみられる．診断は症状に基づいて行われ，特殊な検査を必要としない．OABSS（過活動膀胱症状質問票）や排尿日誌が有用．

■治療法

ⓐ 薬物療法
1) 抗コリン薬：下記のいずれかを用いる．
    1) ベシケア®錠，OD錠（5 mg） 1回1錠 1日1回
    2) トビエース®錠（4 mg） 1回1錠 1日1回
    3) ウリトス®錠またはステーブラ®，OD錠（0.1 mg） 1回1〜2

表 C13-1 OABSS（過活動膀胱症状質問票）

以下の症状がどれくらいの頻度でありましたか．この1週間のあなたの状態にもっとも近いものを，1つだけ選んで，点数の数字を○で囲んでください．

質問	症状	頻度	点数
1	朝起きたときから寝るときまでに何回くらい尿をしましたか	7回以下	0
		8～14回	1
		15回以上	2
2	夜寝てから朝起きるまでに何回くらい尿をするために起きましたか	0回	0
		1回	1
		2回	2
		3回以上	3
3	急に尿がしたくなり，我慢がむずかしいことがありましたか	なし	0
		週に1回より少ない	1
		週に1回以上	2
		1日に1回くらい	3
		1日2～4回	4
		1日5回以上	5
4	急に尿がしたくなり，我慢ができずに尿をもらすことがありましたか	なし	0
		週に1回より少ない	1
		週に1回以上	2
		1日に1回くらい	3
		1日2～4回	4
		1日5回以上	5
		合計点数	点

質問3が2点以上，かつ全体の合計点数が3点以上の場合はOABの疑いあり．
OABSS合計スコアが5点以下は軽症，6～11点は中等症，12点以上は重症と判定する．
〔日本排尿機能学会 過活動膀胱診療ガイドライン作成委員会（編）：過活動膀胱診療ガイドライン．第2版，p104，リッチヒルメディカル，2015より〕

 錠　1日2回
 4) バップフォー® 錠(10 mg)　1回1～2錠　1日1～2回
 5) ネオキシ® テープ(73.5 mg)　1回1枚　1日1回　貼付
2) $β_3$ アドレナリン受容体作動薬：下記のいずれかを用いる．
 1) ベタニス® 錠(25 mg)　1回1～2錠　1日1回
 2) ベオーバ® 錠(50 mg)　1回1錠　1日1回

ⓑ 行動療法
- 生活指導(体重減少),膀胱訓練,骨盤底筋訓練など.

間質性膀胱炎・膀胱痛症候群(interstitial cystitis/bladder pain syndrome；IC/BPS)

- 頻尿,尿意切迫感,膀胱不快感,膀胱部痛などの症状を呈する疾患で,膀胱に尿が貯留するに伴い不快感や疼痛が増強し,排尿により軽減することが多い.病因は不明.男女比1：5~6と女性に多い.

1 定義[1]
- 「膀胱に関連する慢性の骨盤部の疼痛,圧迫感または不快感があり,尿意亢進や頻尿などの下部尿路症状を伴い,混同しうる疾患がない状態」の総称とする.混同しうる疾患には,膀胱の感染症,新生物,結石,過活動膀胱などがある.ハンナ病変(Hunner lesions)があるものをハンナ型間質性膀胱炎または間質性膀胱炎(ハンナ型),それ以外を膀胱痛症候群とよぶ.

2 治療法

ⓐ 薬物療法
1)内服治療
- 痛みに対する治療:アセトアミノフェン,NSAIDs,オピオイド
- 三環系抗うつ薬

  トリプタノール® 錠(10 mg)　1回1錠　1日1回　眠前

- 神経障害性疼痛治療薬

  リリカ® カプセル(25 mg)
  1回1カプセル　1日1回　600 mgまで増量可

- ステロイド薬

2)膀胱内注入療法
- ジメチルスルホキシド(dimethyl sulfoxide；DMSO)やヘパリンの膀胱内注入.

ⓑ 麻酔下膀胱水圧拡張術
- 麻酔下で膀胱内に生理食塩水を80 cmH₂Oの高さから自然落下させ注入し,膀胱を拡張させる.排水後に粘膜の点状出血やハンナ病変がみられる.診断と治療をかねて行う.ハンナ病変の経尿道的焼灼や切除が疼痛の軽減に有効.50%程度の症例で改善がみられ,有効期間は6か月程度.

ⓒ 保存療法

- 膀胱訓練，食事療法(柑橘系果物やそのジュース，豆類やカフェインなどで症状が増悪する患者があり，その食品を摂らないように指導)，ストレスの緩和など．

文献
1) 日本間質性膀胱炎研究会/日本泌尿器科学会(編)：間質性膀胱炎・膀胱痛症候群診療ガイドライン．リッチヒルメディカル，2019．

C14 骨盤臓器脱

- 骨盤臓器脱（pelvic organ prolapse；POP）とは，骨盤内臓器がそれに接する腟を伴って腟内あるいは腟外に膨隆あるいは脱出する病態をいう．POP における診断には，pelvic organ prolapse quantification（POP-Q）法が優れており，POP-Q 法による部位・程度の評価と，下垂感，排尿障害，排便障害，性機能障害などの症状を評価することが重要である[1].

診断

■ POP-Q 法による POP の評価

表 C14-1　Stage 分類

Stage	定義
0	下垂なし：Aa, Ba, Ap, Bp がすべて−3 cm で，C または D と tvl の差が 2 cm 以内
I	最下垂部位が処女膜（または処女膜瘢痕）より 1 cm 奥まで達しない
II	最下垂部位が処女膜（または処女膜瘢痕）より±1 cm
III	最下垂部位が処女膜（または処女膜瘢痕）より+1 cm を超えて脱出するも [tvl−2 cm] を超えない
IV	最下垂部位が処女膜（または処女膜瘢痕）より [tvl−2 cm] を超えて脱出

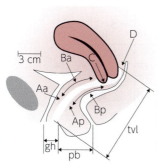

Aa：処女膜または処女膜瘢痕から 3 cm 近位の前腟壁中央部
Ba：Aa～C 間の部分で最も突出した部位
C：最も突出した子宮頸部
D：後腟円蓋部（腟尖部）
Ap：処女膜または処女膜瘢痕から 3 cm 近位の後腟壁
Bp：Ap～C 間の部分で最も突出した部位
gh：外尿道口中心から後方処女膜正中部までの長さ
pb：後方処女膜正中部から肛門中心部までの長さ
tvl：全腟管長

図 C14-1　計測部位の名称

anterior wall Aa	anterior wall Ba	cervix or cuff C
genital hiatus gh	perineal body pb	total vaginal length tvl
posterior wall Ap	posterior wall Bp	posterior fornix D

図 C14-2　各計測部位の記述法

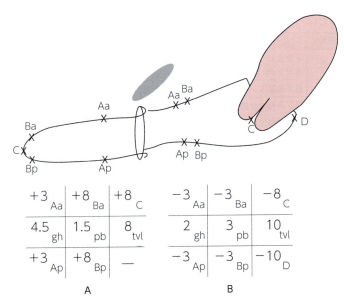

+3 Aa	+8 Ba	+8 C
4.5 gh	1.5 pb	8 tvl
+3 Ap	+8 Bp	—

A

−3 Aa	−3 Ba	−8 C
2 gh	3 pb	10 tvl
−3 Ap	−3 Bp	−10 D

B

図 C14-3　所見の表記例
A：子宮のない完全腟脱の症例
B：子宮がある正常な症例

治療法

- POPの治療は症状を有する患者に対して行う．治療法には骨盤底筋訓練指導，ペッサリー療法，手術療法がある．患者の状態や希望，POPの程度により治療法を選択する．有症状のPOP-Q Stage II以上に対してはペッサリー療法または手術療法を行う．

1 骨盤底筋訓練

- 有症状のPOP-Q Stage Iに対して勧められる．仰臥位，座位，立位などで腟と肛門を締める運動の指導をする．

2 ペッサリー療法

- 手術を避けたい症例，手術待機症例には有用である．ペッサリー装着後，最初の1年間は1〜3か月ごとに，その後は1〜6か月ごとに診察し，その効果や腟壁びらんなどの有害事象の有無を確認する．ペッサリーの自己着脱ができれば，腟炎などの合併症を減らし，性交も可能となる．

3 手術療法

- 手術療法には結合組織や筋膜などの縫合により修復するnative tissue repair（NTR）と，人工物であるメッシュを用いたメッシュ手術がある．患者の状態と希望に応じた手術を選択する．

1）NTR
- 腟式子宮全摘術
- 前後腟壁形成術
- 腟閉鎖術
- 仙骨子宮靱帯固定術，仙棘靱帯固定術
- Manchester術

2）メッシュ手術
- 仙骨腟固定術：laparoscopic sacrocolpopexy（LSC），robot-assisted sacrocolpopexy（RSC）
- 経腟メッシュ手術：tension-free vaginal mesh（TVM）

文献

1) Bump RC, et al：The standardization of terminology of female pelvic organ prolapse and pelvic floor dysfunction. Am J Obstet Gynecol 175(1)：10-17, 1996.
2) 日本産科婦人科学会，日本産婦人科医会（編集・監修）：産婦人科診療ガイドライン―婦人科外来編2023．日本産科婦人科学会，2023.

成人女性の肥満の判定とメタボリックシンドローム

肥満の判定と肥満症の診断基準

- body mass index (BMI):W/H^2〔W:体重(kg), H:身長(m)〕

1 肥満の判定

- 性別にかかわらず,BMI 25以上で「肥満」と判定する.さらにBMI 25以上30未満を1度,30以上35未満を2度,35以上40未満を3度,40以上を4度と分類する.なおWHOによる判定基準では,BMI 30以上で「obese(肥満)」となる.

2 肥満症の診断

- BMI 25以上で「肥満」と判定されたもののうち,肥満に起因ないし関連し,減量を要する健康障害を有する,あるいは健康障害を伴いやすいハイリスク肥満を肥満症と診断する.
- 以上,詳細については,日本肥満学会(編)『肥満症診療ガイドライン2022』,pp8〜17を参照のこと.

成人女性の標準体重

表 C15-1 日本人成人女性の標準体重

身長(cm)	標準体重(kg)	身長(cm)	標準体重(kg)	身長(cm)	標準体重(kg)
141	43.7	151	50.2	161	57.0
142	44.4	152	50.8	162	57.7
143	45.0	153	51.5	163	58.5
144	45.6	154	52.2	164	59.2
145	46.3	155	52.9	165	59.9
146	46.9	156	53.5	166	60.6
147	47.5	157	54.2	167	61.4
148	48.2	158	54.9	168	62.1
149	48.8	159	55.6	169	62.8
150	49.5	160	56.3	170	63.6
				171	64.3
				172	65.1
				173	65.8
				174	66.6
				175	67.4

標準体重(kg) = 身長(m)^2×22 の式より著者作成(BMI 22を標準として)

メタボリックシンドロームの定義と診断基準

1 定義

- メタボリックシンドロームとは,「内臓脂肪型肥満を基盤としたインスリン抵抗性および糖代謝異常,脂質代謝異常,高血圧を複数合併するマルチプルリスクファクター症候群で,動脈硬化になりやすい病態」である.

2 本邦における診断基準

表C15-2 メタボリックシンドロームの診断基準

内臓脂肪(腹腔内脂肪)蓄積　必須項目	
ウエスト周囲径	男性≧85 cm 女性≧90 cm
(内臓脂肪面積　男女とも≧100 cm² に相当)	

上記に加え以下のうち2項目以上	
高TG血症 　かつ/または 低HDL-C血症	≧150 mg/dL <40 mg/dL
高血圧　収縮期血圧 　かつ/または 低血圧　拡張期血圧	≧130 mmHg ≧85 mmHg
空腹時高血糖	≧110 mg/dL

注 1. CTスキャンなどで内臓脂肪量測定を行うことが望ましい.
  2. ウエスト周囲径は立位,軽呼気時,臍レベルで測定する.脂肪面積が著明で臍が下方に偏位している場合は,肋骨下縁と前上腸骨棘の中点で測定する.
  3. メタボリックシンドロームと診断された場合,糖負荷試験が勧められるが,診断には必要ない.
  4. 高TG血症,低HDL-C血症,高血圧,糖尿病に対する薬剤治療を受けている場合は,それぞれの項目に含める.
  5. 糖尿病,高コレステロール血症の存在は,メタボリックシンドロームの診断から除外されない.

〔メタボリックシンドローム診断基準検討委員会:メタボリックシンドロームの定義と診断基準.日内会誌94(4):794-809, 2005 より〕

文献

1) 日本肥満学会(編):肥満症診療ガイドライン2022. ライフサイエンス出版, 2022.

C16 脂質異常症

- 女性では，血中エストロゲン濃度の低下する閉経期を境に，脂質異常症患者が急増する．脂質異常症（特に高 LDL-C 血症）は，虚血性心疾患や脳血管障害などの動脈硬化性疾患の危険因子である．

診断

- 下記診断基準は薬物療法の開始基準を示しているものではない．

表 C16-1 脂質異常症診断基準

LDL コレステロール（LDL-C）	140 mg/dL 以上	高 LDL コレステロール血症
	120～139 mg/dL	境界域高 LDL コレステロール血症**
HDL コレステロール（HDL-C）	40 mg/dL 未満	低 HDL コレステロール血症
トリグリセライド（TG）	150 mg/dL 以上（空腹時採血*） 175 mg/dL 以上（随時採血*）	高トリグリセライド血症
non-HDL コレステロール（non-HDL-C）	170 mg/dL 以上	高 non-HDL コレステロール血症
	150～169 mg/dL	境界域高 non-HDL コレステロール血症**

* 基本的に 10 時間以上の絶食を「空腹時」とする．ただし水やお茶などカロリーのない水分の摂取は可とする．空腹時であることが確認できない場合を「随時」とする．
** スクリーニングで境界域高 LDL-C 血症，境界域高 non-HDL-C 血症を示した場合は，高リスク病態がないか検討し，治療の必要性を考慮する．

- LDL-C は Friedewald 式（TC－HDL-C－TG/5）で計算する（ただし空腹時採血の場合のみ）．または直接法で求める．
- TG が 400 mg/dL 以上や随時採血の場合は non-HDL-C（＝TC－HDL-C）か LDL-C 直接法を使用する．ただしスクリーニングで non-HDL-C を用いるときは，高 TG 血症を伴わない場合は LDL-C との差が＋30 mg/dL より小さくなる可能性を念頭においてリスクを評価する．
- TG の基準値は空腹時採血と随時採血により異なる．
- HDL-C は単独では薬物介入の対象とはならない．

（日本動脈硬化学会：動脈硬化性疾患予防ガイドライン 2022 年版，p22, 日本動脈硬化学会，2022）

治療

- 閉経前は生活習慣改善による非薬物療法が中心となる.
- 閉経後も生活習慣の改善が優先されるが,他の危険因子を十分勘案し,『動脈硬化性疾患予防ガイドライン2022年版』で設定されている管理目標値を参考に薬物療法を考慮する.

1 生活習慣の改善

表C16-2 動脈硬化性疾患予防のための生活習慣の改善すべき項目

禁煙	禁煙は必須.受動喫煙を防止.
体重管理	定期的に体重を測定する.BMI<25であれば適正体重を維持する.BMI≧25の場合は,摂取エネルギーを消費エネルギーより少なくし,体重減少を図る.
食事管理	適切なエネルギー量と,三大栄養素(たんぱく質,脂質,炭水化物)およびビタミン,ミネラルをバランスよく摂取する.飽和脂肪酸やコレステロールを過剰に摂取しない.トランス脂肪酸の摂取を控える.n-3系多価不飽和脂肪酸の摂取を増やす.食物繊維の摂取を増やす.減塩し,食塩摂取量は6g未満/日を目指す.
身体活動・運動	中等度*以上の有酸素運動を中心に,習慣的に行う(毎日合計30分以上を目標).日常生活のなかで,座位行動**を減らし,活動的な生活を送るように注意を促す.有酸素運動の他にレジスタンス運動や柔軟運動も実施することが望ましい.
飲酒	アルコールはエタノール換算で1日25g***以下にとどめる.休肝日を設ける.

* 中等度以上とは3METs以上の強度を意味する.METsは安静時代謝の何倍に相当するかを示す活動強度の単位.
** 座位行動とは座位および臥位におけるエネルギー消費量が1.5 METs以下のすべての覚醒行動.
*** およそ日本酒1合,ビール中瓶1本,焼酎半合,ウイスキー・ブランデーダブル1杯,ワイン2杯に相当する.

(日本動脈硬化学会:動脈硬化性疾患予防ガイドライン2022年版, p155, 日本動脈硬化学会, 2022)

2 薬物療法

- 生活習慣の改善を3〜6か月行った後,管理目標値に達しない場合に適応となる.高LDL-C血症にはHMG-CoA還元酵素阻害薬(スタチン),高TG血症にはフィブラート系薬を用いる.
- 副作用として横紋筋融解症,肝機能障害に注意する.
- 更年期症状を有する場合は禁忌症例でなければホルモン補充療法(HRT)も考慮される.

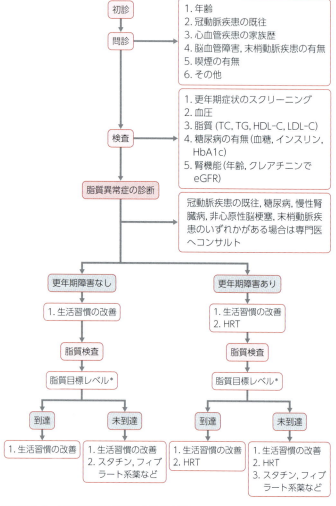

図 C16-1　閉経後脂質異常症の管理方法

＊：日本動脈硬化学会：動脈硬化性疾患予防ガイドライン 2017 年版．p16，日本動脈硬化学会，2017 参照．

〔日本女性医学学会（編）：女性の動脈硬化性疾患発症予防のための管理指針 2018 年度版．p33，診断と治療社，2018 より一部改変〕

C17 乳癌検診

- 視触診単独による乳癌検診は死亡率減少効果がないとされており、画像診断が必要である.
- マンモグラフィによる乳癌検診は40歳以上で死亡率減少効果が認められており、40歳以上の女性で2年に1回のマンモグラフィ検診が勧告されている(平成20年3月31日，厚生労働省健康局長，平成28年2月4日一部改正)(表C17-1).

表C17-1 対象年齢別乳癌検診の方法と間隔

	40〜49歳	50歳以上
方法	マンモグラフィ2方向撮影	マンモグラフィ1方向撮影
間隔	隔年	隔年

問診

- 未妊娠，未分娩の女性では乳癌発生率が高い．特に初回妊娠の年齢が高いほど，乳癌のリスクが増加すると報告されている(表C17-2).

表C17-2 乳癌発生リスク因子

要因	ハイリスク群	相対危険度
年齢	40歳以上	(記載なし)
婚姻状態	未婚	3.00
初産年齢	30歳以上(未産を含む)	1.65
閉経年齢	55歳以上	1.56
肥満	肥満指数1.2以上	1.40
良性乳腺疾患の既往	あり	2.72
乳癌の既往	あり	6.00
乳癌家族歴	あり	2.80

〔富永祐民, 他：乳癌のhigh risk groupとは. 乳癌の臨 3(2)：251-271, 1988より一部改変〕

視触診

1 乳房の触診法

ⓐ 実施時期と月経周期
- 月経前は乳腺が腫脹したり硬結を触れたりすることがあるので，卵胞期のほうが診察しやすい．

ⓑ 体位
- 上半身脱衣のうえ，坐位と仰臥位の両方で行うのが望ましいが，一般的には仰臥位で行うのが便利．触診側の背部に薄い枕を入れ両腕を挙上させると，乳房が均等に広がり触診しやすくなる．

ⓒ 触診方法
- 手指で乳房を軽く胸壁に向かって圧迫するようにする．乳腺を大きくつまむと，正常乳腺を腫瘤と誤りやすくなる．

2 視触診の所見

表 C17-3　視触診の所見

B：bloody nipple discharge（血性乳頭分泌）
R：retraction signs（Delle, dimpling）（陥凹）
E：edema（pig skin, peau d'orange）（浮腫）
A：axillary lymphadenopathy（腋窩リンパ節腫大）
S：scab（かさぶた，湿疹）
T：tumor（腫瘤）
S：skin lesion（ulcer, infiltration）（皮膚病変）

ⓐ 乳頭分泌
- 両側性，多孔性の漿液性～乳汁様分泌は良性の場合が多い．乳癌による乳頭分泌は血性であることが多く，片側性，単孔性であることが多い．

ⓑ 皮膚陥凹
- 乳房を持ち上げたり，腫瘤を拇指と示指でつまみ上げると，腫瘤直上の皮膚に陥凹ができる所見を dimpling sign（えくぼ症状）といい，乳癌を強く疑う所見である．さらに進行すると自然な状態でも陥凹をみることがあり，これを Delle とよぶ．

ⓒ 乳頭部にびらん，湿疹
- Paget 病が疑われる．

- 乳頭部びらんや血性乳頭分泌は非浸潤癌でみられることが多く，その他の所見は浸潤癌でみられることが多い．

3 代表的腫瘤の鑑別

表 C17-4　乳癌，乳腺症，線維腺腫の臨床的鑑別

所見		乳癌	乳腺症	線維腺腫
好発年齢		40〜60歳	30〜45歳	20〜35歳
乳頭分泌		時にあり(血性)	時にあり(乳汁様，漿液性)	なし
腫瘤	境界	比較的明瞭	不鮮明	鮮明
	表面	凹凸不平	だいたい平滑，顆粒状	平滑
	硬度	硬(固)	弾性硬〜軟	弾性硬
	形状	球形，不整形，さまざま	不整形	球形，卵形
	波動	なし	大囊胞ではあり	なし
	多発性	少ない	多い，また両側性	時にあり
	圧痛	稀	ある場合も(月経前)	なし
月経前腫脹		なし	あり	なし

〔泉雄　勝(編・著)：最新・乳癌の診断と治療．新訂第2版, p89, 永井書店, 1997 より〕

文献
1) 富永祐民, 他：乳癌の high risk group とは．乳癌の臨 3(2)：251-271, 1988.
2) 泉雄　勝(編・著)：最新・乳癌の診断と治療．新訂第2版, p89, 永井書店, 1997.

C18 乳癌検診の画像診断

- 厚生労働省の「がん予防重点健康教育及びがん検診実施のための指針」(以下,「がん検診指針」)では,40歳以上の女性へのマンモグラフィ検診が推奨され,対策型検診の基準となっている.これは死亡率減少効果が示されていることが理由である.また再現性,客観性に優れ,複数医師によるチェックや過去の画像との比較も可能である.しかし,若年者などに多い高濃度乳房では感度が低下することが知られ,米国では受検者への乳房構成の通知が義務化された(本邦では,対策型検診においては通知の義務化は時期尚早とされている).

- 乳房超音波検査は,乳房構成によらず早期癌の発見が可能であるが,死亡率減少効果を示す臨床研究がないため「がん検診指針」では推奨されていない.しかしその有用性から,任意型検診では広く行われており,また現在約30%の自治体において対策型検診として採用されている.欠点として,非浸潤癌の有力な所見である石灰化の検出が困難であること,乳房の辺縁部など,脂肪の中の小さな腫瘤を見逃しやすいことが挙げられる.

- 欧米では,閉経後乳癌が大半を占めるが,本邦では40代に1つのピークが認められる.そこで高濃度乳房の多い40代を対象に,乳房超音波検査併用の有効性を検討した比較試験(J-START)が行われた.その結果,マンモグラフィに乳房超音波検査を併用することにより癌発見率が1.5倍になることが示された[1].さらにそのサブ解析により,乳房超音波検査併用による有意な感度上昇は高濃度乳房のみならず非高濃度乳房でも認められることがわかった[2].

- 以上より,表C18-1に画像診断についての考え方をまとめる.

表 C18-1　乳癌検診の対象と方法

対象	検診方法	備考
40歳以上	マンモグラフィ単独	検診により死亡率減少効果あり(対策型検診)
	乳房超音波検査単独	メリット・デメリット*を説明し希望者に行う(任意型検診)
特に40代	マンモグラフィと乳房超音波検査併用	総合判定により感度，特異度は上昇
高濃度乳房	マンモグラフィと乳房超音波検査併用	総合判定により感度，特異度は上昇
40歳未満	単独なら乳房超音波検査	検診による死亡率減少効果不明，高濃度乳房が多い．メリット・デメリット*を説明し希望者に行う(任意型検診)

*：死亡率減少効果は証明されていない，石灰化の検出が困難など．

- 総合判定については p262 参照．

マンモグラフィ

1 標準撮影法

- 各乳房とも，①内外斜位方向撮影(mediolateral oblique；MLO)および②頭尾方向撮影(craniocaudal；CC)が行われ，左右で計4枚の写真で診断する．

2 読影とカテゴリー判定

- まずフィルムの評価を行い，読影不能な場合はその理由を記す．乳腺が高濃度の場合は検出率が落ちるため超音波検査も考慮する．所見があればそれを記載し，最終的にカテゴリー判定を行う．
- 得られた所見により，カテゴリー1(異常なし)，カテゴリー2(良性)，カテゴリー3(良性，しかし悪性を否定できない)，カテゴリー4(悪性の疑い)，カテゴリー5(悪性)に分類され，カテゴリー3以上の場合は超音波検査および細胞診あるいは組織診などが必要となる．

3 乳癌のマンモグラフィ所見

- 乳癌そのものの直接所見(腫瘤および石灰化)と乳癌による二次的間接所見(構築の乱れなど)がある．

ⓐ 腫瘤

- 形状，境界および辺縁，濃度を観察する．不整形，スピキュラを伴う，高濃度の腫瘤が乳癌に特徴的な所見である（図C18-1，図C18-2，表C18-2）[3]．

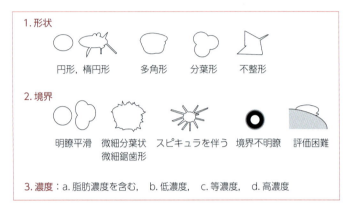

図C18-1 マンモグラフィの読み方（腫瘤）

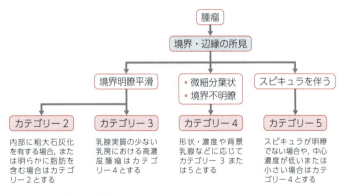

図C18-2 腫瘤の診断フローチャート

〔日本医学放射線学会，日本放射線技術学会（編）：マンモグラフィガイドライン，第4版，p76，医学書院，2021より一部改変〕

表 C18-2 腫瘤と局所的非対称性陰影（FAD）の評価

	局所的非対称性陰影（FAD）		腫瘤
	カテゴリー1	カテゴリー3	
同側の等量の乳腺と比較した濃度	低濃度から等濃度	等濃度から高濃度	高濃度
対側の同領域と比較した濃度	低濃度から等濃度	等濃度から高濃度	高濃度
濃度勾配	中心低濃度	均一	中心高濃度
内部構造	周囲乳腺の構造と同様	周囲乳腺と同様の構造をもつが，濃度が高い	脂肪濃度を含まずほぼ均一
境界	一部境界明瞭で，境界面は凹面を形成する	● 緩やかに脂肪濃度に移行 ● 一部境界明瞭で外部に向かって凸	腫瘤と認識できる辺縁を有する

注1. 数個の微細石灰化，わずかな構築の乱れ，管状影の増強，リンパ節の片側性，充実性の腫大などの所見を伴う場合には病変の存在がより疑われる．血管陰影などの正常構造は差し引いて読影する．

注2. 精査にて正常乳腺と判断されたFADは，それ以後のマンモグラフィで所見に変化がない場合はカテゴリー1あるいは2としてもよい．

FAD：focal asymmetric density

〔日本医学放射線学会，日本放射線技術学会（編）：マンモグラフィガイドライン．第4版，p76, 医学書院，2021より〕

ⓑ 石灰化

- 形態，分布を観察する．乳癌の壊死型石灰化は，多形性あるいは微細線状・分枝状の形態を示す．また分布が区域性あるいは線状の場合，乳管腺葉系に沿って進展する乳癌が推定される（図C18-3，図C18-4）[3]．

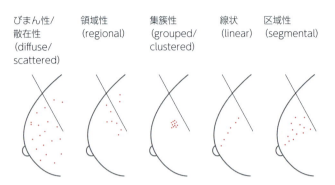

図 C18-3　石灰化の分布
〔日本医学放射線学会，日本放射線技術学会(編)：マンモグラフィガイドライン．第4版，p51，医学書院，2021より一部改変〕

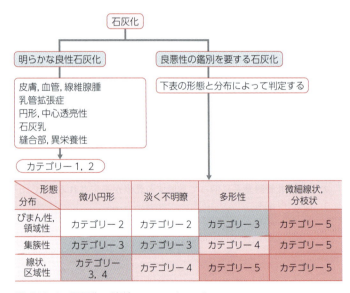

図 C18-4　石灰化の診断のフローチャート
〔日本医学放射線学会，日本放射線技術学会(編)：マンモグラフィガイドライン．第4版，p79，医学書院，2021より一部改変〕

ⓒ その他の所見

- ①乳腺組織の所見，②皮膚およびリンパ節の所見を観察する．特に非対称性陰影および構築の乱れは重要な所見である（表C18-3）．

表C18-3 その他の所見

乳腺組織	- 管状影/孤立性乳管拡張：癌が疑われる所見に伴っている場合に意味をもつ． - 非対称性乳房組織：通常は正常のバリエーションであるが，両側の被曝量などの撮影条件を比較して，病的なものと正常組織との鑑別の助けになる． - 非対称性陰影：従来のFADとは別に，区域性濃度上昇という用語が追加された．FADは表C18-2に沿ってカテゴリー判定する．区域性濃度上昇は，濃度上昇部位に一致した小腫瘤の集簇像や，他の部位と異なる乳腺構造を認めた場合は病変の存在を示唆する所見となる．カテゴリー3あるいは4と判定する． - 梁柱の肥厚：乳腺の浮腫の所見．炎症性乳癌や腋窩リンパ節転移などの所見があればカテゴリー4，5，単独所見の場合はカテゴリー3となる． - 構築の乱れ：正常の乳腺構造が歪んでいるもの．明らかな場合はカテゴリー4，疑われる場合はカテゴリー3とする．
皮膚	- 皮膚病変であることが明らかであればカテゴリー1あるいは2であるが，主として腫瘤や石灰化の付随所見として取り扱われることが多く，所見として独立したカテゴリー分類を行わないことが多い．
リンパ節	- 腋窩，乳房内リンパ節のいずれの場合も，脂肪を有する明らかにリンパ節といえるものはカテゴリー1としてよい． - 脂肪濃度を含まないリンパ節で腫大したものに限って，悪性を疑う．悪性を疑うリンパ節で，他に病変がない場合には，カテゴリー3となるが，腫瘤などの病変に付随する場合にはそれらの病変を考慮してカテゴリー3，4または5と判定する．

〔日本医学放射線学会，日本放射線技術学会（編）：マンモグラフィガイドライン．第4版，pp78-79，医学書院，2021より著者作成〕

超音波検査

- 腫瘤は，エコーパターンにより嚢胞性，混合性および充実性に分類し，腫瘤の要精検基準（図C18-5）に沿ってカテゴリー判定を行う[4]．

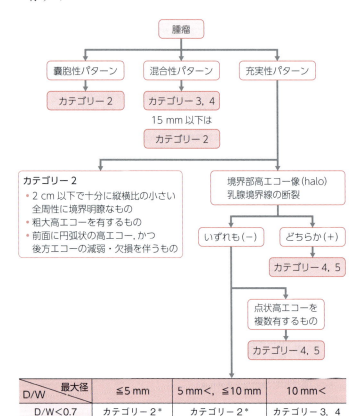

D/W \ 最大径	≦5 mm	5 mm<, ≦10 mm	10 mm<
D/W<0.7	カテゴリー2*	カテゴリー2*	カテゴリー3, 4
0.7≦D/W	カテゴリー2*	カテゴリー3, 4	カテゴリー3, 4

D/W；縦横比
＊：形状不整の場合，カテゴリー3以上にすることもある．

図 C18-5　腫瘤の要精検基準
〔日本乳腺甲状腺超音波医学会（編）：乳房超音波診断ガイドライン．改訂第4版，p124，2020，南江堂より許諾を得て改変し転載．〕

- 非腫瘍性病変で要精検となるのは，①局所性，区域性の，内部エコー（点状高エコー，充実性部分）を有する乳管拡張，②局所性，区域性の低エコー域（点状高エコーを認める場合はより悪性を考慮），および③構築の乱れ，である．

総合判定

- マンモグラフィと乳房超音波による併用検診では総合判定が必要である[5]．例えば，マンモグラフィで境界明瞭平滑な腫瘤は，充実型など圧排性発育をする乳癌の可能性があるため要精検（カテゴリー3）となるが，超音波検査で囊胞あるいは線維腺腫と診断できれば，総合判定で精検不要（カテゴリー2）とすることができる．またマンモグラフィではカテゴリー3とせざるをえないFADや構築の乱れも，部位が特定でき，超音波で所見がなければ精検不要（カテゴリー1あるいは2）とすることができる．
- 浸潤を示唆する腫瘤，石灰化および明らかな構築の乱れはマンモグラフィ所見を優先する．

文献

1) Ohuchi N, et al：Sensitivity and specificity of mammography and adjunctive ultrasonography to screen for breast cancer in the Japan Strategic Anti-cancer Randomized Trial（J-START）：a randomised controlled trial. Lancet 387(10016)：341-348, 2016.
2) Harada S, et al：Evaluation of adjunctive ultrasonography for breast cancer detection among women aged 40-49 years with varying breast density undergoing screening mammography. A secondary analysis of a randomized clinical trial. JAMA Netw Open 4(8)：e2121505, 2021.
3) 日本医学放射線学会，日本放射線技術学会（編）：マンモグラフィガイドライン．第4版，医学書院，2021．
4) 日本乳腺甲状腺超音波医学会（編）：乳房超音波診断ガイドライン．改訂第4版，南江堂，2020．
5) 日本乳癌検診学会総合判定委員会（編）：マンモグラフィと超音波検査の総合判定マニュアル．篠原出版新社，2015．

C19 尖圭コンジローマ

- 尖圭コンジローマは human papillomavirus(HPV)感染症で，性感染症(sexually transmitted disease；STD)の1つである．外陰，腟，子宮腟部以外にも肛門，肛門内，尿道口などに感染する．
- 感染部位，大きさ，広がりなどから適切な治療法を選択することが重要である．また，再発を繰り返すものが多いため，治療後の追跡が必要である．

診断

- 肉眼所見より診断可能であるが，病巣範囲を決定するには，腟内や子宮腟部では3％酢酸溶液，外陰部では5％酢酸溶液で処理後，拡大鏡で観察する．必要に応じ肛門鏡なども用いる．
- 診断不確実例，難治例，免疫不全症例や，病巣に色素沈着，硬結，潰瘍を認める場合には組織診断を行う．

治療

1 外科的治療

ⓐ 外科的切除，電気焼灼法
- 腰麻または局麻下に，コンジローマの基底部をえぐるように切除もしくは焼灼する．傷害深度が深く瘢痕形成の可能性がある．

ⓑ レーザー蒸散術
- 腰麻または局麻下に，CO_2レーザーもしくはホルミウムレーザーでコンジローマを蒸散する．酢酸加工にて確認ができる表層の病変にも用いることができる．疼痛は軽度．

ⓒ 凍結療法
- 綿棒に含ませた液体窒素で患部を凍結．1回の治療で凍結と融解を3～4回繰り返す．大きなコンジローマは凍結が困難．

2 薬物療法

ⓐ イミキモド(ベセルナ®クリーム)(5％)
- 外陰部：1日1回，隔日週3回，就寝前に塗布，6～10時間後石

鹸で洗浄，16週まで継続．
- 皮膚障害（紅斑，びらんなど）を高率に認めるが，多くは軽度である．投与間隔や塗布部位の洗浄の指導が重要である．
- 尿道，腟内，子宮頸部，直腸，肛門内には禁忌．
- 治癒までには比較的時間を要する．

ⓑ 80〜90％三塩化酢酸または二塩化酢酸
- 塗布直後に白変壊死をきたすため，過剰塗布の際はただちに洗浄．週1回．

ⓒ インターフェロン局所注射
- 保険適用外のため，特に難治性の場合のみに考慮する．

3 尖圭コンジローマの治療方針

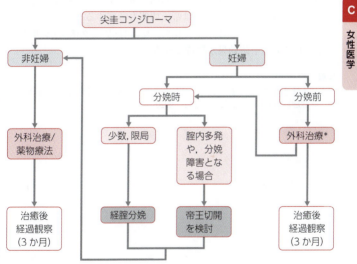

図 C19-1　尖圭コンジローマの治療方針
＊：外陰部の広汎な病変で，外科治療後の疼痛が強いと予想される例では，薬物療法も考慮する．

留意事項

- 酢酸処理し拡大鏡診にて治癒判定を行うが,約25%に再発を認めるため,最低3か月は経過観察が必要である.
- 他のSTDを合併していることがあるので,淋菌感染症,梅毒などの検索を考慮する.特にHIV感染者の尖圭コンジローマは多発し,難治例が多い.
- sexual partnerが罹患していることが多いので,partnerについても同時に診断,治療することが必要である.
- 分娩時の尖圭コンジローマは垂直感染(尖圭コンジローマ,多発性喉頭乳頭腫)を引き起こす可能性があるが,頻度が低いために帝王切開の適応とはならない.腟内に多発する例や経腟分娩に支障をきたすほど大きい例では帝王切開も考慮する.
- 4価HPVワクチン(ガーダシル®),9価HPVワクチン(シルガード®9)による予防効果が期待できる.

文献

1) 日本性感染症学会(編):尖圭コンジローマ.性感染症診断・治療ガイドライン2020.pp71-76,診断と治療社,2020.

C20 梅毒

- 梅毒トレポネーマ（*Treponema pallidum*；TP）の感染によって起こる性病で，顕性梅毒と潜伏梅毒とに分けられる．なお，無治療梅毒の一般経過を図 C20-1 に示す．

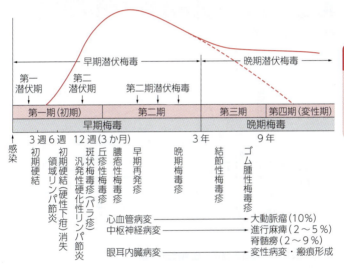

図 C20-1 無治療梅毒の症状および一般経過

梅毒血清反応（serologic test for syphilis；STS）

1 カルジオリピン・レシチンを抗原とする RPR（rapid plasma reagin）法

- 非特異的反応である．
- 感染機会後早期に陽性となる．
- 治療効果判定に有用．

2 *Treponema pallidum* を抗原とする方法

ⓐ TPHA (*Treponema pallidum* hemagglutination test)
- 特異的反応である.
- 感染機会後陽性化までに時間がかかる.
- 治療しても陰転化しにくい.

ⓑ FTA-ABS (fluorescent treponemal antibody absorption test)
- 特異性が高い.
- 感染機会後比較的早期に陽性化する.

診断と治療の進め方

1 血清反応と判断の仕方

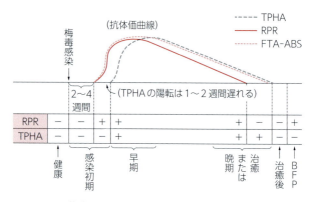

図 C20-2　梅毒の経過と血清検査の関係
BFP：生物学的偽陽性

- スクリーニングとして RPR, TPHA の測定を行う. どちらか, または両方が陽性であれば FTA-ABS の測定を行う. FTA-ABS が陽性であれば梅毒とする.
- FTA-ABS 陽性かつ RPR 陽性の場合は治療を要するので, RPR 定量(自動化法)を行う.

2 血清反応と治療の進め方
- 感染があったと判断された場合, 過去の治療歴を十分に確認したうえで, 陳旧性梅毒以外の症例には治療を行う.

表 C20-1 梅毒血清反応の結果とその意義

RPR	TPHA	FTA-ABS	反応の読みかた	今後の方針
−	−	−	非梅毒(未感染,完全治癒) 梅毒初期の血清反応陰性期	再検 再検
−	−	+	陳旧性梅毒 梅毒治療後 FTA の非特異反応	無治療ならば1周期 再検 再検
+	−	−	RPR の BFP 梅毒の初期	再検,BFP に関する検査 再検,家族歴,既往歴の再問診
+	−	+	早期梅毒 陳旧性梅毒	加療,再検 無治療ならば1周期
−	+	−	梅毒治療後 TPHA の非特異反応	再検 再検
−	+	+	先天梅毒 梅毒治療後 陳旧性梅毒	無治療ならば加療 再検 無治療ならば1周期
+	+	−	RPR の BFP TPHA の非特異反応	再検
+	+	+	梅毒 他のトレポネーマの感染	加療 他のトレポネーマ感染症の検査

- 治療は合成ペニシリンが第1選択薬となる.ペニシリンアレルギーの場合にはミノサイクリン,スピラマイシンを選択する.

3 代表的な治療薬(表 C20-2)

- 血清反応が陰性となるまで治療を続けるのではなく,必要な量の治療が行われれば終了とする.
- 最も有効な治療薬はペニシリン系薬である.マクロライド系薬,テトラサイクリン系薬はペニシリンアレルギーの場合に使用する.
- ステルイズ®(240万単位) 1回240万単位 単回投与は神経梅毒を除く梅毒が適応である.

4 治癒の判定

- 治癒判定には RPR(自動化法)を用いる.
- 4週ごとに RPR と梅毒トレポネーマ抗体の測定を行う.
- RPR 値が治療前値の概ね 1/2 に低減していれば治癒と判定.その際,梅毒トレポネーマ抗体の値が減少傾向であれば治癒をさらに支持する.

表 C20-2　梅毒の代表的な治療薬

第 1 選択薬（内服薬）

AMPC	サワシリン® 錠（250 mg）	1 回 2 錠　1 日 3 回　28 日間
	パセトシン® カプセル（250）	1 回 2 カプセル 1 日 3 回 28 日間
ABPC	ビクシリン® カプセル（250 mg）	1 回 2 カプセル 1 日 4 回 28 日間
PCG	バイシリン® G 顆粒（40 万単位）	1 回 40 万単位 1 日 3 回 28 日間

主に神経梅毒の治療に用いる

PCG	注射用ペニシリン G カリウム（20 万単位）	1 回 300 万〜400 万単位　1 日 6 回点滴　10〜14 日間

ペニシリン系にアレルギーがある場合

MINO	ミノマイシン® 錠（100 mg）	1 回 1 錠　1 日 2 回　28 日間
SPM	アセチルスピラマイシン錠（200）	1 回 1 錠　1 日 6 回　28 日間

- 可能な限り 1 年間はフォローする．
- RPR 値が低下を認めない場合は，HIV 感染や中枢神経梅毒の可能性を考慮し，専門家にコンサルトする．

妊娠期梅毒

- 妊娠初期スクリーニング検査を行う．9 割が潜伏梅毒である．
- アモキシシリンの治療開始とともに，胎児超音波検査で先天異常（胎児発育遅滞，肝脾腫，骨異常など）をチェックする．
- 治療効果判定は妊娠 28〜32 週と分娩時に RPR 法で行う．
- 胎児への感染成立や先天梅毒の診断は出生児血の FTA-ABS-IgM 抗体検査（保険適用外）が有用である．
- 早期梅毒で治療すれば先天梅毒は発生しないが，後期梅毒では治療開始の週数にかかわらず，約 30％の先天梅毒が発症する．

文献

1) 片庭義雄：梅毒の診断と治療．産婦治療 52(6)：648-652，1986．
2) 日本性感染症学会（編）：梅毒．性感染症診断・治療ガイドライン 2020．pp46-52, 診断と治療社，2020．
3) 日本性感染症学会：梅毒診療ガイド．2018．
4) 日本産科婦人科学会，日本産婦人科医会（編集・監修）：産婦人科診療ガイドライン—婦人科外来編 2023．日本産科婦人科学会，2023．
5) 日本産科婦人科学会，日本産婦人科医会（編集・監修）：産婦人科診療ガイドライン—産科編 2023．日本産科婦人科学会，2023．

C21 淋菌感染症

- 淋菌感染症は淋菌（*Neisseria gonorrhoeae*）によって起こり，主として性行為で感染するSTDの1つである．近年，多剤耐性化が進んでおり，ペニシリン，テトラサイクリン，ニューキノロン耐性株も80％を超えており，第3世代セフェム系薬についても，耐性株が30〜50％程度に達している．
- 淋菌は粘膜寄生性で尿道や子宮頸管に急性化膿性炎症を起こすが，性行動の多様化により，咽頭や直腸感染など性器外への感染が増加している（図C21-1）．

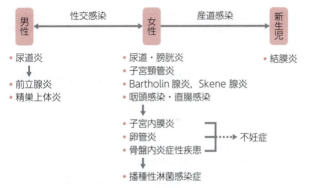

図C21-1 淋菌感染症の症状と感染経路

主な検査法

- 淋菌性尿道炎ではGram染色・鏡検法の有用性が高い．
- 子宮頸管粘液など常在菌の存在する検体では菌体の同定が困難であり，分離培養および核酸増幅検査法の有用性が高い．

1 分離培養

- 多剤耐性を示す淋菌が増加しており，分離培養および薬剤感受性試験を行うことが望ましい．

- New York City 培地または口腔常在菌を抑制するためのトリメトプリムを含んだ Modified Thayer Martin 培地を用いる．

2 核酸増幅検査法

- 検出率に優れるが，薬剤感受性が不明な点が問題となる．クラミジアとの同時検査が可能．

ⓐ PCR[*1]法（コバス®PCR スワブ検体採取セットⅡ）

- 咽頭や直腸の検体では他の *Neisseria* 属との交差反応が問題となる．

ⓑ SDA[*2]法（BD プローブテック™ ET CT/GC）
ⓒ TMA[*3]法（アプティマ™ COMBO 2）
ⓓ TRC[*4]法（TRCReady®CT/NG）

3 咽頭感染の検査

- 性器淋菌感染症患者の10～30％に咽頭感染が認められる．無症状であることもあり注意を要す．咽頭スワブもしくは口腔内うがい液を用いて検体を採取する．

治療

表 C21-1 淋菌感染症の治療

	尿道炎 子宮頸管炎	骨盤内炎症性疾患 （PID）	咽頭炎	新生児淋菌性 結膜炎
セフトリアキソン（CTRX）（ロセフィン®）	静注，1.0 g 単回投与	静注，1 回 1.0 g， 1日1～2回，1～7日間投与	静注， 1.0 g 単回投与	静注，50 mg/ kg，単回投与 （保険適用外）
スペクチノマイシン（SPCM）（トロビシン®）	筋注，2.0 g 単回投与	筋注，2.0 g 単回投与 3 日後に両殿部に 2 g ずつ計 4 g 追加投与		筋注，60 mg/ kg，単回投与

注1．アレルギーなどにより上記の第1選択薬が使用できない場合，アジスロマイシン（ジスロマック®）も使用可能である．
・PIDに対する処方例：アジスロマイシン 500 mg 静注 1日1回 1～2日を投与後，アジスロマイシン 250 mg 経口 1日1回へ切り替え計7日間投与する．

文献

1）日本性感染症学会（編）：淋菌感染症．性感染症診断・治療ガイドライン 2020．pp53-59, 診断と治療社，2020．

---

*1：polymerase chain reaction
*2：strand displacement amplification
*3：transcription mediated amplification
*4：transcription reverse-transcription concerted reaction

C22 クラミジア感染症

- *Chlamydia trachomatis*(以下,クラミジア)感染は,卵管性不妊症や経産道感染の原因として産婦人科感染症のなかでも重要度を増しており,子宮頸管炎,卵管炎,骨盤内炎症性疾患(PID),肝周囲炎(Fitz-Hugh-Curtis症候群)へと進展する.
- 妊婦では感染した産道を介し,新生児へと垂直感染する.
- 新生児の発症率は結膜炎で20〜40%(生後数日〜数週間で発症),肺炎で10〜20%(生後2週間〜6か月で発症)と報告されている.

検査法

- 菌体成分検査が陽性となれば確定診断となるが,卵管炎,骨盤腹膜炎では子宮頸管部のクラミジアは陰性化していることが多く,血清学的検査で感染の有無を推定せざるをえない.ただし,IgG抗体またはIgA抗体が陽性でも現在の感染か,感染の既往のみであるかは断定できない.

ⓐ 菌体成分検査:子宮頸管炎,尿道炎など

- クラミジア属は偏性細胞内寄生体であり,感染上皮細胞を綿棒などで十分に採取することが重要.

ⓑ 血清学的検査(抗体価測定法):卵管炎,骨盤腹膜炎など

- IgM抗体は感染直後(2, 3日後)に上昇し,速やかに消退する.新生児肺炎の原因検索に検査される.IgG抗体は約2週間後に,IgA抗体は4〜6週間後に陽性になる.IgG抗体・IgA抗体は治療後,クラミジア感染が終了しても1年以上陰性化しないことも多い(図C22-1).

表 C22-1 クラミジアの検査法

検査法		長所	短所
抗原検出法	直接塗抹法（Micro Trak法）	● 特異性が高い ● 簡便・迅速	● 蛍光顕微鏡が必要 ● 判定に熟練を要する
	免疫クロマト法（ラピッドエスピー®）	● 高感度 ● 判定が容易	● 他のクラミジア属との交差反応あり
遺伝子検出法	核酸増幅法（PCR法，SDA法，TMA法，TRC法）	● 特異性が高い ● 非常に高感度 ● 淋菌との同時測定可能	● 設備が必要 ● 汚染増幅による偽陽性の危険
抗体検出法	EIA法	● 検体（血清）の採取が容易	● 陽性結果が現在の感染所見と必ずしも一致しない

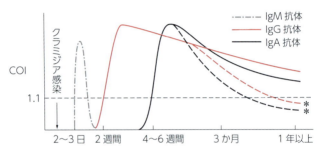

図 C22-1 クラミジア抗体価の推移の模式図

＊：抗体陰性化の場合
COI：cut off index

治療

1 治療対象

ⓐ 菌体成分（抗原・核酸）検査：陽性

ⓑ 血清学的検査

1）不妊症
- IgG抗体またはIgA抗体が陽性（卵管性不妊症と相関あり）．

2）既往のない症例
- IgG抗体またはIgA抗体が陽性．

3）既往治療例
- 再感染もあるので，症状，病歴により治療の必要性を決定する．

2 治療方法

- 治療の際は，sexual partner も同時に治療する．

表 C22-2　クラミジア感染症の治療薬

キノロン系：妊婦には禁忌	
レボフロキサシン（クラビット®）錠（500 mg）	1回1錠　1日1回　7日間
シタフロキサシン（グレースビット®）錠（50 mg）	1回2錠　1日2回　7日間
マクロライド系：妊婦には有益性投与	
アジスロマイシン（ジスロマック®）錠（250 mg）	1回4錠　1日1回　単回
クラリスロマイシン（クラリス®，クラリシッド®）錠（200 mg）	1回1錠　1日2回　7日間
テトラサイクリン系：妊婦には禁忌，子宮頸管炎には保険適用外	
ミノサイクリン（ミノマイシン®）錠（100 mg）	1回1錠　1日2回　7日間
ドキシサイクリン（ビブラマイシン®）錠（100 mg）	1回1錠　1日2回　7日間
重症例は入院管理のうえ，注射薬での治療を行う	
ミノサイクリン（ミノマイシン®）注	1回100 mg　1日2回　3～5日間
アジスロマイシン（ジスロマック®）注	1回500 mg　1日1回　1～2日間　その後，ジスロマック®錠（250 mg）1回1錠　1日1回　5～6日間内服

3 治療効果の確認

ⓐ 菌体成分検査

- 陰性化（核酸増幅法では高感度のために治癒過程でも偽陽性となることがあり，治療終了後約3週間で確認検査する）．

ⓑ 血清学的検査

- 抗体価が著明に低下するが必ずしも陰性化はしないため，治癒判定には適さない．

文献

1）日本性感染症学会：性器クラミジア感染症，性感染症診断・治療ガイドライン 2020．pp60-64，診断と治療社，2020．

C23 外陰部潰瘍

主な疾患と分類

表 C23-1　外陰部潰瘍の症状と特徴

診断	好発年齢	潰瘍の特徴				
		深さ	硬さ	数(個)	対称性	その他
Behçet 病	20〜40代	深	硬	数個	(−)	辺縁が鋭く深い
性器ヘルペス						
急性型	全年齢	浅	軟	多数	(+)	水疱を伴う
再発型	全年齢	浅	軟	少	(−)	
梅毒	全年齢	浅	硬	1〜多数	(−)	隆起性
外陰癌	高齢者	浅〜深	硬	1	(−)	

1 非感染性外陰部潰瘍

● Behçet 病

- 口腔粘膜の再発性アフタ性潰瘍，皮膚症状，眼症状，外陰部潰瘍の4つを主症状とする慢性再発性の全身性炎症性疾患．原因は不明．発病年齢は20〜40代に多く，30代前半にピークを示す．
- 外陰部潰瘍は有痛性の境界鮮明なアフタ性潰瘍で，女性では大小陰唇に好発する．外観は口腔アフタ性潰瘍に類似するが，口腔粘膜症状ほどの反復はなく，瘢痕を残すこともある．女性の場合は性周期に一致して増悪することがある．
- 類似疾患に急性外陰部潰瘍(Lipschütz 潰瘍)，薬剤性潰瘍がある．

2 感染性外陰部潰瘍

● 性器ヘルペス

- 単純ヘルペスウイルス(HSV)1型または2型によって起こるSTDで，外陰部潰瘍を形成する最も多い疾患の1つである．左右対称の浅い多発性の潰瘍(kissing ulcer)を形成し，再発を繰り返す．

ⓑ 梅毒(硬性下疳)

- 感染後10〜30日で感染部位の硬い丘疹が潰瘍化し(硬性下疳)，後に両側鼠径部のリンパ節が硬く腫脹する．いずれも，疼痛などの自覚症状がない．

3 腫瘍性外陰部潰瘍

- 外陰部にみられる悪性皮膚腫瘍には，頻度順に外陰部 Paget 病，Bowen 病，外陰癌，悪性黒色腫，転移性皮膚癌などがあるが稀である．

診断法

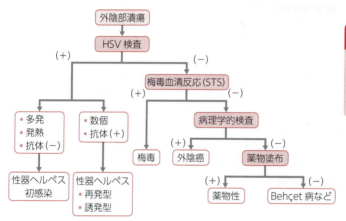

図 C23-1　外陰部潰瘍の検査手順

1 Behçet 病

- 特異的な検査法はない．主症状(口腔粘膜の再発性アフタ性潰瘍，皮膚症状，眼症状，外陰部潰瘍)と，関節炎などの副症状の有無で診断する．
- 皮膚の針反応，連鎖球菌ワクチンに対するプリックテストが陽性になることがある．赤沈，CRP，末梢白血球，補体の上昇など炎症反応を認める．HLA-B51 陽性(約 60%)．

● 病理組織学的検査

- 急性期の結節性紅斑様皮疹では中隔性脂肪組織炎で，浸潤細胞は多核白血球と単核球の浸潤による．

2 性器ヘルペス

- 病歴，臨床症状，局所所見に基づいて臨床診断を行う．ウイルス診断としては下記の検査がある．

ⓐ 免疫クロマト法（プライムチェック® HSV）

- 病変部を擦過して上皮細胞を採取し検査する．マウスモノクローナル抗体により HSV 抗原を検出する．外来にて 15 分程度で判定可能．

ⓑ 蛍光抗体法

- 塗抹標本を用いて蛍光標識マウスモノクローナル抗体により感染細胞を証明する．感度は 60〜70％程度と低い．

ⓒ 細胞学的診断法

- 病変の擦過標本を用い，Giemsa 染色（多核巨細胞），HE 染色（核内封入体），Papanicolaou 染色（ウイルス性巨細胞）で確認する．

ⓓ 血清抗体価測定法

- IgM 抗体，IgG 抗体を別々に測定することで，ある程度推測可能だが，初感染では発症後 7〜10 日しないと抗体の産生を認めず，病勢の最も強い急性期には診断できない．第 10 病日以後に IgM 抗体上昇を認めて初めて後方視的に診断がつく．
- 再発型・誘発型ではすでに IgG 抗体があるため，発症の前後で抗体価が変動せず，注意を要する．

ⓔ 核酸増幅法（PCR 法，LAMP 法）

- ウイルス DNA を検出する．感度・特異度とも高いが保険適用外．

ⓕ ウイルス分離法

- 培養細胞を要する．検体の採取法や条件，保存法などに注意が必要．最も確実だが時間と費用がかかり，保険適用外．

治療法

1 Behçet 病

- 外陰部潰瘍に対しては副腎皮質ステロイド軟膏の局所塗布が有効．病変局所を清潔に保つことを指導するのも重要である．

2 性器ヘルペス

ⓐ 軽症

処方例 下記のいずれかを用いる．
1) ゾビラックス®軟膏　1 日数回　塗布　5〜10 日間
2) アラセナ®-A 軟膏　1 日数回　塗布　5〜10 日間

ⓑ 軽～中等症：3剤とも妊婦に対しては有益性投与．

> **処方例** 下記のいずれかを用いる．

1) ゾビラックス®錠（200 mg）
   1回1錠　1日5回　5日間
2) バルトレックス®錠（500 mg）
   1回1錠　1日2回　5日間　初発では10日間まで投与可
3) ファムビル®錠（250 mg）
   1回1錠　1日3回　5日間

ⓒ 重症例

> ゾビラックス®点滴静注用（250 mg）
> 1回5 mg/kg　静注　8時間ごと　7日間　1時間以上かけて投与する

ⓓ 再発抑制

- 年間6回以上再発を繰り返す患者に対しては，QOL向上のためバルトレックス®錠（500 mg）　1回1錠　1日1回を1年間継続投与する．抑制療法中に再発した場合は1回1錠　1日2回（5日間まで）へ増量する．

ⓔ 早期短期

> ファムビル®錠（250 mg）　1回4錠　1日2回　1日間

- 再発の場合，発症してから1日以内に治療を開始しないと有意な効果が得られない．

❸ 外陰癌

- 「外陰癌の標準的治療法」の項参照，p50．

文献

1) 厚生労働省科学研究費補助金難治性疾患政策研究事業：ベーチェット病に関する調査研究．令和2（2020）年度研究報告書，2021．
2) 蝦名康彦，他：産婦人科領域のヘルペスウイルス感染症―性器ヘルペス．Mod Physician 36(12)：1289-1293, 2016．
3) 日本性感染症学会：性器ヘルペス．性感染症診断・治療ガイドライン2020．pp65-70, 診断と治療社，2020．
4) 日本性感染症学会：潰瘍性病変．性感染症診断・治療ガイドライン2020．pp16-18, 診断と治療社，2020．
5) 日本産科婦人科学会，日本産婦人科医会（編集・監修）：産婦人科診療ガイドライン―婦人科外来編2023．日本産科婦人科学会，2023．

C24 外陰部瘙痒症

診断

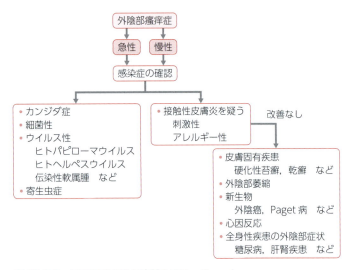

図 C24-1　外陰部瘙痒症の診断のフローチャート
〔日本産科婦人科学会,日本産婦人科医会(編集・監修):産婦人科診療ガイドライン―婦人科外来編2023. p231, 日本産科婦人科学会, 2023より一部改変〕

治療

- 感染症など原因が特定されたものは原因疾患の治療を行う．

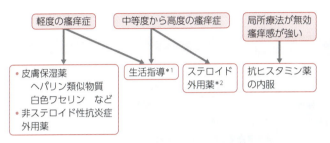

図 C24-2　原因が特定されない場合の外陰部瘙痒症の治療

*1：生活指導
- 石鹸やシャワートイレでの過度な洗浄・刺激性のある衛生用品の使用を避ける．
- 衣類や下着により蒸れない工夫をする．
- 温かい風呂や，湯たんぽなどによる熱刺激も悪化要因となりうることや，ステロイド薬や抗真菌薬軟膏を含め多くの軟膏も原因となりうることを考慮する．

*2：ステロイド外用薬
- 外陰部は最も吸収良好のため，very strong 以上の使用は注意を要する．
- 1日1～2回，1～2週間の使用を基本とし，1か月以内とする．

- 難治性で，皮膚所見がある場合は，皮膚生検や皮膚科医へコンサルトを行う．
- 心因性が疑われる場合は心療内科医へのコンサルトを行う．

C25 産婦人科でみる急性腹症

急性腹症の鑑別

表 C25-1 女性の急性腹症を起こす疾患

種類	疾患
産科疾患*	異所性妊娠,流産
婦人科疾患	卵巣嚢腫茎捻転,急性付属器炎,卵巣出血,子宮内膜症
他科疾患	急性虫垂炎,尿路結石,イレウス,胆道疾患など

＊：妊娠初期に限る．

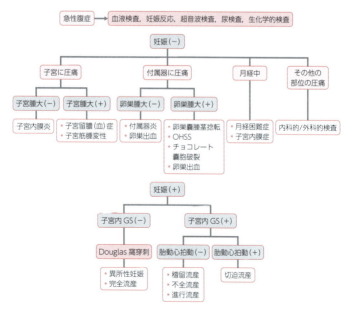

図 C25-1 女性の急性腹症の鑑別診断手順

異所性妊娠の鑑別診断

表 C25-2　異所性妊娠の鑑別診断のポイント

	異所性妊娠	卵巣嚢腫茎捻転	急性付属器炎	急性虫垂炎	腎・尿路結石
疼痛	・突発性下腹部激痛(破裂) ・片側性のことが多い ・肩への放散痛を認めることあり	・片側下腹部激痛または腰側腹痛(flank pain)	・下腹部痛	・心窩部痛→右下腹部痛 ・McBurney圧痛点	・発作性疝痛 ・外陰部への放散痛
既往	・無月経, 無月経後の出血	・卵巣嚢腫の存在を指摘 ・同様発作を反復	・流早産, 分娩, 子宮内処置, 子宮卵管造影後		・発作の前歴が多い
悪心・嘔吐	破裂後にはしばしばあり	ときどき	ときどき	通常認められる	ときどき
発熱	なし	なし	時にあり	あり	なし
内診	・片側性圧痛 ・子宮頸部を動かすことにより疼痛誘発	・片側性圧痛 ・付属器腫瘤境界明瞭	・両側性圧痛 ・子宮頸部を動かすことにより疼痛誘発	・腫瘤を触知しないことが多い ・直腸診にて右やや高い位置に圧痛あり	・特に異常なし
検査所見	・妊娠反応(+) ・Douglas窩穿刺にて非凝固性血液の吸引 ・超音波検査にて子宮外のGSの証明および腹腔内液体貯留像	・白血球数やや増加 ・超音波検査にて卵巣嚢腫の証明	・白血球数増加 ・CRP上昇 ・超音波検査にて卵管留膿症または留水症の所見	・白血球数増加 ・CRP上昇	・白血球数正常 ・肉眼的顕微鏡的血尿 ・点滴尿路造影法(DIP), 腹部単純X線写真などにて結石陰影

腹腔内出血量推定法

- 腹腔内出血を超音波で証明することは重要であるが，その分布状況により出血量を知ることができる．これにより，適切な輸液・輸血療法や開腹術の是非を決定することができる．

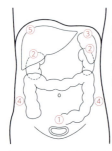

① 骨盤腔（膀胱上窩/Douglas窩）
② 肝腎境界面/脾腎境界面
③ 左横隔膜下腔
④ 傍結腸溝（左右）
⑤ 肝表面

推定出血量 (mL)	腹水所見（血性）							
	①	②	③	④	⑤腹水の厚み(mm)			
					5	10	15	20
150	+							
400	+	+						
600	+	+	+					
800	+	+	+	+				
1,000	+	+	+	+	+			
1,500	+	+	+	+		+		
2,000	+	+	+	+			+	
3,000	+	+	+	+				+

図 C25-2 腹腔内出血量推定法

体重50 kg，仰臥位を標準とする．
〔松本廣嗣，他：外傷 2．腹部（緊急手術適応決定のための画像診断）．外科 46(3)：270-274，1984 より著者作成〕

C26 産婦人科で用いる漢方療法

- 漢方療法は，本来は虚実など証に基づいて行われるが，本項は西洋医学的見地から作成したものであり，証に基づいた治療については成書を参考にしてほしい．

更年期障害の漢方療法

表 C26-1　更年期障害と漢方処方

主症状		副症状	処方
血管運動神経系	のぼせ	浮腫，冷え	当帰芍薬散
		精神不安	加味逍遙散
		冷えのぼせ	桂枝茯苓丸
		手足のほてり・唇が乾く	温経湯
	冷え	浮腫	当帰芍薬散
		精神不安	加味逍遙散
		冷えのぼせ	桂枝茯苓丸
		強い冷え，手足の冷え	当帰四逆加呉茱萸生姜湯
		下半身の冷え	牛車腎気丸
感覚器系	めまい	回転性めまい	半夏白朮天麻湯
		たちくらみ	苓桂朮甘湯
		冷え・浮腫	当帰芍薬散
精神神経系	不安	多愁訴で症状が変わりやすい	加味逍遙散
		のどのつまり	半夏厚朴湯
泌尿器系	頻尿	夜間頻尿	牛車腎気丸
	排尿痛	慢性膀胱炎	猪苓湯

(次ページへつづく)

表 C26-1 更年期障害と漢方処方 (つづき)

主症状		副症状	処方
運動器系	腰痛	しびれ	牛車腎気丸
		胃腸虚弱・冷え	桂枝加朮附湯
	肩こり	首の後ろから背中にかけてのこり	葛根湯
		葛根湯無効の慢性のこり	柴胡桂枝湯
	関節痛	胃腸虚弱・冷え	桂枝加朮附湯
		変形性膝関節症・肥満傾向	防已黄耆湯
その他	頭痛	片頭痛・冷え	呉茱萸湯
		筋緊張性頭痛	釣藤散
	疲労感	四肢の倦怠感	補中益気湯
		食欲不振・食後のもたれ	六君子湯

排卵障害の漢方療法

- 一般的には他の排卵誘発薬と併用される.

表 C26-2 排卵障害の種類と漢方処方

疾患			処方
視床下部-下垂体性排卵障害	無排卵周期症および第1度無月経	虚証	当帰芍薬散 温経湯
	クロミフェン無効の無排卵周期症および第1度無月経	実証	桂枝茯苓丸
多嚢胞性卵巣症候群			温経湯
高プロラクチン血症			芍薬甘草湯
高アンドロゲン血症			芍薬甘草湯
黄体機能不全		虚証	当帰芍薬散 温経湯
		実証	桂枝茯苓丸
体重異常	肥満 やせ (神経性食欲不振症)		防風通聖散 六君子湯

表 C26-3　漢方薬の主な作用機序と作用部位

漢方薬	作用機序	推定される作用部位
1. 温経湯	①視床下部-下垂体連続灌流システムにおいて温経湯が視床下部に作用し，LHRH の放出を介してゴナドトロピンの分泌を促進する	視床下部・下垂体
	②ラット下垂体前葉細胞においてゴナドトロピン分泌に促進的に働く	
2. 当帰芍薬散	①ラット下垂体前葉細胞においてゴナドトロピン分泌に促進的に働く	視床下部・下垂体
	②ブタ，ヒトの顆粒膜細胞培養実験においてプロゲステロンの分泌促進効果がみられる	卵巣
3. 芍薬甘草湯	①薬物誘導性高プロラクチン血症ラットにおいて下垂体のドパミン受容体に作用して血中プロラクチンを低下させる	視床下部・下垂体
	②ラットの卵巣に直接作用して，テストステロン分泌を低下させる	卵巣
4. 桂枝茯苓丸	①ブタ，ヒトの顆粒膜細胞培養実験においてプロゲステロンの分泌促進効果がみられる	卵巣

表 C26-4　漢方薬の臨床効果

1. 無排卵による不妊症例における当帰芍薬散の効果

月経異常の種類	症例別排卵率	妊娠率
無排卵周期症	73.7%（14/19）	20.0%（3/15）
第1度無月経	44.4%（4/9）	22.2%（2/9）
合計	64.3%（18/28）	20.8%（5/24）

2. クロミフェン単独療法無効症例におけるクロミフェン・温経湯併用療法の効果

症例別排卵率	周期別排卵率	妊娠率
57.1%（16/28）	45.9%（39/85）	21.4%（6/28）

3. 高テストステロン血症患者における芍薬甘草湯による排卵率および妊娠率

症例別排卵率	妊娠率
42.3%（33/78）	17.6%（12/68）

その他の漢方療法

表 C26-5 その他の漢方療法

	疾患	処方
消化器系	慢性胃炎	六君子湯
	逆流性食道炎	六君子湯
	術後イレウス	大建中湯
	過敏性腸症候群	桂枝加芍薬湯, 人参湯
	潰瘍性大腸炎	柴苓湯
	便秘	大黄甘草湯, 麻子仁丸
	痔	乙字湯, 桂枝茯苓丸
	慢性肝炎	小柴胡湯, 柴胡桂枝湯
運動器系	こむらがえり	芍薬甘草湯
	変形性膝関節症	防已黄耆湯
呼吸器系	咳嗽(空咳)	麦門冬湯
	気管支喘息	柴朴湯
	アレルギー性鼻炎	小青竜湯, 麻黄附子細辛湯
泌尿器系	慢性膀胱炎	猪苓湯
	頻尿	牛車腎気丸
その他	浮腫	柴苓湯, 五苓散
	肥満症	防風通聖散, 防已黄耆湯
	妊娠悪阻	小半夏加茯苓湯, 半夏厚朴湯
	貧血	十全大補湯, 人参養栄湯
	皮膚瘙痒症	当帰飲子
	全身倦怠感	補中益気湯, 十全大補湯, 人参養栄湯

西洋薬との併用療法

表 C26-6　西洋薬の副作用対策としての漢方薬の併用

対象	薬剤名	副作用	処方	主な作用	投与方法
悪性腫瘍	イリノテカン塩酸塩水和物	遅発性下痢	半夏瀉心湯	オウゴンに含まれるバイカレンがβ-グルクロニダーゼを阻害し小腸粘膜障害による下痢を予防する	1回2.5g 1日3回をイリノテカン塩酸塩投与3日前より3週間投与する
	パクリタキセル	関節痛・筋肉痛	芍薬甘草湯	シャクヤクに含まれるペオニフロリンが筋弛緩作用をもち、カンゾウに含まれるグリチルリチンが鎮痙作用を有する	1回2.5g 1日3回をパクリタキセル投与3日前より2週間投与する
		末梢神経障害(しびれ)	牛車腎気丸	ブシの作用により遊離された脊髄内のダイノルフィンがκオピオイド受容体を刺激し、下行性痛覚抑制系を活性化する	1回2.5g 1日3回をしびれ発生時より連続投与する。また、前コースにてしびれが発生した場合は次コース治療3日前より投与開始する
	シスプラチン、カルボプラチン、他	骨髄抑制	十全大補湯	IL-6, G-CSFなどのサイトカイン産生を促す	1回2.5g 1日3回を治療開始日より併用する
高プロラクチン血症	ブロモクリプチン、カベルゴリン	悪心・嘔吐	六君子湯	消化管運動改善作用(胃排出能改善作用・胃貯留能改善作用)と胃粘膜防御作用をもつ	1回2.5g 1日3回を治療開始日より併用する
子宮内膜症	GnRHアゴニスト(リュープロレリン酢酸塩・酢酸ナファレリン)	エストロゲン欠乏症	桂枝茯苓丸	ほてり、発汗、手足の冷え、頭痛などの改善	1回2.5g 1日3回を治療開始日より併用する
切迫早産	リトドリン塩酸塩	動悸	当帰芍薬散	センキュウ、トウキ、シャクヤクによる鎮静作用、中枢抑制作用	1回2.5g 1日3回を治療開始日より併用する

証の鑑別

表 C26-7　慢性症における虚実の臨床的鑑別

	実証	虚証
体型	筋肉質，闘士型 固太り	やせ型，下垂体質 "水太り"
活動性	積極的，疲れにくい	消極的，疲れやすい
心身の状態	余裕あり	余裕なし
栄養状態	良好	不良
皮膚	光沢・つやがある 緊張がよい	さめ肌，乾燥傾向 緊張が不良
筋肉	弾力的で緊張がよい 発達良好	弾力性がない 発達不良で薄い
腹部	弾力的 筋肉が厚い 心窩部拍水音なし 胸脇苦満が現れやすい	軟弱または硬直性 筋肉が薄い 心窩部拍水音あり (胃下垂で胃液貯留) 大動脈拍動触知
消化吸収能	食事速く，大食傾向 一食抜いても平気 冷飲食可 便秘不快	食事遅く，食が細い 空腹時脱力感 冷たい食物で腹痛下痢 便秘平気 軟便下痢傾向，兎糞
体温調節能	夏ばてしない 冬に強い	夏ばてする 冬の寒さに弱い 四肢末梢冷える
声	力強い	弱々しい
その他	寝汗(－)	寝汗(＋) 食後の倦怠感・眠気 口乾
薬物への反応	マオウ・ダイオウが有効 ニンジン・カンキョウでのぼせ	マオウ・ダイオウで副作用 ニンジン・カンキョウが有効

C27 産婦人科領域で注意すべき薬物相互作用

表 C27-1 産婦人科で頻用される薬剤の相互作用

薬剤		併用薬剤	相互作用	対策
子宮収縮抑制薬	イソクスプリン塩酸塩	β刺激薬	イソクスプリン塩酸塩の作用が増強される	投与しないことが望ましい
		β遮断薬	イソクスプリン塩酸塩の作用が減弱される	投与しないことが望ましい
	リトドリン塩酸塩	β刺激薬	リトドリン塩酸塩の作用が増強される	投与しないことが望ましい
		β遮断薬	リトドリン塩酸塩の作用が減弱される	投与しないことが望ましい
		カリウム減少性利尿薬	カリウム減少を増強する可能性がある	慎重に投与する
		副腎皮質ホルモン	毛細血管透過性の亢進,毛細血管圧の上昇などにより肺水腫をきたすことがある	慎重に投与する
		硫酸マグネシウム水和物	CK上昇,呼吸抑制,循環器関連の副作用(胸痛,心筋虚血)が現れることがある	慎重に投与する
鉄剤	フマル酸第一鉄 クエン酸第一鉄ナトリウム	テトラサイクリン系抗菌薬 セフジニル,ニューキノロン系抗菌薬	鉄イオンとキレートを形成し,相互の吸収を阻害する	鉄剤の服用を併用薬服用前3時間あるいは服用後2時間へずらす
		甲状腺ホルモン製剤	難溶性の複合体を形成し,相互に吸収を阻害する	
		制酸薬	消化管のpHの上昇により鉄の吸収が減少する	
ホルモン薬	ブセレリン酢酸塩(点鼻薬)	他の鼻腔噴霧薬	同時に使用すると効果が減弱する可能性がある	少し時間をずらす
	ダナゾール	ワルファリンカリウム	ダナゾールがATⅢやプロテインCを増加し,出血の危険性を高める	ワルファリンカリウムの濃度および出血に注意する
		カルバマゼピン	ダナゾールがカルバマゼピンの代謝を阻害し,その濃度が増加し中毒症状(めまい,吐き気など)をきたす	十分な管理が必要である

(次ページへつづく)

表 C27-1 産婦人科で頻用される薬剤の相互作用(つづき)

薬剤		併用薬剤	相互作用	対策
抗菌薬	ニューキノロン系抗菌薬	非ステロイド性抗炎症薬(フェニル酢酸系またはプロピオン酸系)	ニューキノロン系抗菌薬の中枢興奮作用がフェニル酢酸系やプロピオン酸系の活性産物であるビフェニル酢酸で増感される	併用は避けるフェニル酢酸系やプロピオン酸系以外のものを用いる(図 C27-1 参照)
		制酸薬	アルミニウムやマグネシウムとキレートを形成し,作用が減弱する	アルミニウムやマグネシウムを含まない制酸薬へ変更する
		ワルファリンカリウム	ワルファリンカリウムの作用を増強し,プロトロンビン時間延長が認められたとの報告がある	併用に注意する
	マクロライド系抗菌薬	ピモジド	QT 延長,心室性不整脈(torsades de pointes を含む)などの心血管系副作用が報告されている	併用禁忌
		エルゴタミン含有製剤	血管攣縮などの重篤な副作用を起こすおそれがある	併用禁忌
		アスナプレビル	アスナプレビルの血中濃度が上昇し,肝臓に関連した副作用が発現,重症化するおそれがある	併用禁忌
		ロミタピドメシル酸塩	ロミタピドメシル酸塩の血中濃度が著しく上昇するおそれがある	併用禁忌
		スボレキサント	スボレキサントの作用が著しく増強するおそれがある	併用禁忌
カルシウム薬	乳酸カルシウム	テトラサイクリン系抗菌薬	テトラサイクリン系抗菌薬の吸収阻害をきたす	併用しない
ビタミン薬	ビタミンK	ワルファリンカリウム	ワルファリンカリウムの作用が減弱される	併用しない
脂質降下薬	HMG-CoA 還元酵素阻害薬	フィブラート系薬	急激な腎機能低下を伴っ横紋筋融解症が現れやすい	原則併用禁忌
		アゾール系抗真菌薬マクロライド系抗菌薬	HMG-CoA 還元酵素阻害薬の代謝が阻害されることにより,横紋筋融解症が現れやすい	筋肉痛・脱力感などの発現,CK 上昇,腎機能の悪化を認めた場合はただちに投与を中止するシンバスタチンはアゾール系抗真菌薬と併用禁忌

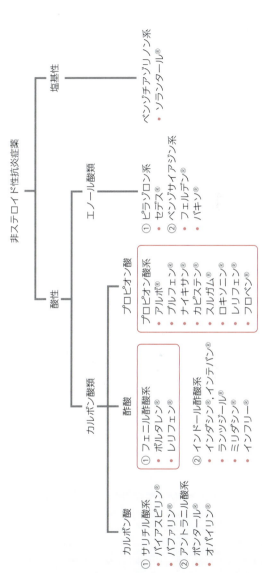

図 C27-1 非ステロイド性抗炎症薬とニューキノロン系抗菌薬の相互作用
□ に分類される非ステロイド性抗炎症薬とニューキノロン系抗菌薬との併用は避ける.

D

周産期

D1 プレコンセプションケア

プレコンセプションケアとは

- 狭義の定義では妊娠前のヘルスケア(将来の妊娠を考え,女性やカップルが自分たちの生活や健康に向き合うこと)である.そのために,適切な時期に適切な知識・情報を女性やカップルに提供する必要がある.
- 広義では生殖年齢にあるすべての女性が生活習慣や健康問題を考えること,そして次世代への影響も考えることにより,女性のみならず家族や将来の子どもの長期的な健康を目指すことである.
- 近年の周産期医療の進歩により妊産婦死亡率や新生児・乳児死亡率は劇的に改善したにもかかわらず,先天異常,未熟性,母体合併症による新生児死亡率は減少していないことから,それらを解決するには妊娠前から対応する必要があるとの考えが1990年代から欧米で広まってきた.
- この概念は,2006年に米国で,2012年にWHOで提唱されるようになった.本邦でも2018年に成育基本法(略称)が制定され,成育にかかわる医療の基本的考え方となった.
- これから妊娠を希望する女性のみならず,男女を問わず中高生からの包括的な教育や啓発活動を積極的に進めるべきである.

プレコンセプションケアの具体例

- 留意すべき知識や提供すべき情報の具体的な項目を以下に示す.実際の情報提供においては,本書内の該当する項目を参照してほしい.

1 生活習慣

- 禁煙(受動喫煙にも配慮).アルコールを控えること
- 適正体重の維持($18.5 < BMI < 25$) ⇒ p248
- 150分/週の中等度以上の強さの運動の奨励
- メンタルヘルス(ストレスを溜め込まない)

2 食事と栄養

- バランスのよい食事の指導
- 葉酸の摂取(妊娠1か月以上前から妊娠3か月までの間に1日 0.4 mg の葉酸を摂取することによって神経管閉鎖障害の約70%の予防効果がある)

3 感染症対策

- 一般感染症対策(インフルエンザ,風疹,肝炎,HTLV-1,サイトメガロ,トキソプラズマなど)⇒ p320
- 性感染症対策(梅毒,淋菌,HIV,性器ヘルペスなど)⇒ p267, 271, 273, 325
- ワクチン接種の促進(風疹,麻疹,COVID-19,インフルエンザなど)⇒ p341

4 自身の病気

- 生活習慣病や女性に多い病気のチェック(高血圧,糖尿病,甲状腺疾患,膠原病,腎疾患など)⇒ p312, 352, 358, 362, 364
- 月経関連疾患(月経異常,月経困難症,月経前症候群,子宮内膜症など)⇒ p190, 192, 194, 203
- その他の婦人科疾患(子宮筋腫,卵巣嚢腫など)⇒ p211, 343
- 持病の知識(妊娠への影響,妊娠による病状の変化や薬の必要性など)⇒ p362
- 癌のチェック(若年に多い子宮頸癌・乳癌などの検診法や治療法など)⇒ p20, 26, 253
- 歯のケア(歯科検診の重要性など)

5 家族の病気を知る

- 遺伝疾患など⇒ p300

6 妊娠関連

- 計画的な妊娠
- 妊娠中の生活(栄養摂取や体重コントロールなど)
- 不妊症(妊娠に適した年齢,治療法の選択,がん・生殖など)⇒ p152, 167, 170, 187
- 避妊法(計画的避妊法,緊急避妊法など)⇒ p196
- 産後うつへの対処(精神疾患,特定妊婦など)⇒ p474
- 薬剤と妊娠・授乳⇒ p467

D2 分娩予定日，妊娠週数の診断法

- 分娩予定日，妊娠週数の正確な診断は，胎児管理のうえでも非常に重要である．分娩予定日は，胚移植日もしくは排卵日から決定する．しかしながら自然妊娠では，排卵日の特定が困難なことが多く，その場合最終月経から計算する．最終月経から計算された妊娠週数は，不正確となりやすいため，CRL（胎児頭殿長）での確認が不可欠である．
- CRL による推定妊娠週数とずれがある場合には CRL による妊娠週数に修正する．そのためには妊娠 8～10 週（CRL が 14～41 mm の時期）に超音波スクリーニングを行うことが望ましい．

1 最終月経からの診断

- 最終月経の開始日に 280 日を加えた日を分娩予定日（妊娠 40 週 0 日）とする．ただし，月経周期が不整であったり，流産・分娩後などで無月経のまま妊娠した症例には不適当である．

2 基礎体温（BBT）からの診断

- 排卵日と考えられる日を妊娠 2 週 0 日とし，266 日を加えた日を分娩予定日とする．

3 超音波計測値からの診断

- 表 D2-1 の項目〔CRL，BPD（児頭大横径）〕を計測し，基準値表（「胎児・新生児の発育」の項参照，p478）より妊娠週数を推定する．妊娠 8～10 週の CRL 計測値が最も誤差が小さいので，これを用いる．11 週以降では BPD を用いる．
- 妊娠 20 週以降では胎児の個体差が大きくなるので，妊娠週数の診断には不適当である．
- 双胎妊娠の場合，大きい児を基準にして分娩予定日を決める．

表 D2-1 超音波による妊娠週数診断のための計測項目

計測項目	CRL（胎児頭殿長）	BPD（児頭大横径）
検査時期	8～10 週	11～20 週
誤差	±4 日	±7～10 日

検査時期は妊娠週数の推定に最も適当な時期とした．

4 不妊治療による妊娠の場合

- hCG投与日(排卵誘発日)の翌日を2週0日とする.
- 生殖補助医療(ART)新鮮胚移植による妊娠では採卵日を2週0日とする.
- ART凍結胚移植による妊娠では,胚移植日を基準にして分娩予定日を決定する.4細胞期胚を移植した場合では胚移植日の2日前,8細胞期胚なら3日前,胚盤胞なら5日前を妊娠2週0日とする.

5 妊娠反応陽性時期からの推定

- 高感度のキット(20 IU/L)では妊娠3週後半より陽性化するものがある.
- 200 IU/Lキット陽性のときには少なくとも妊娠4週以上になっていると診断できるが,陰性であるからといってこれ以前とは限らない(流産,異所性妊娠例など).

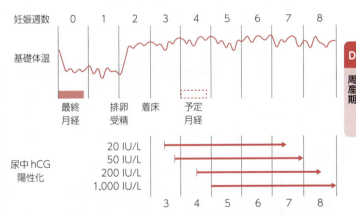

図 D2-1 hCG測定キットの感度と,正常妊娠経過中の陽性化の時期の目安

D3 遺伝相談

- 産科における遺伝相談は,結婚後あるいは妊娠後受診する症例や以前の分娩歴に異常のあるものが圧倒的に多く,健康な児をもちたいという夫婦の相談が多いのが特徴である.
- 妊娠中のさまざまな技術を用いた検査法,あるいは治療法が開発されており,それらの知識を踏まえて説明することが重要である.

近親婚

- 遺伝相談に来られる近親婚としては,いとこ結婚が多い.異常の起こる頻度を表 D3-1 に示す.過度の不安を与えることのないように配慮し,的確な情報を提供する.

表 D3-1 近親婚から患児の生まれる危険率(%)

	一般の頻度	いとこ結婚	またいとこ結婚
先天形態異常 (外表・内臓)	1.25	2.08(1.7倍)	1.38(1.1倍)
死産・新生児死亡	0.87	1.17(1.4倍)	1.01(1.2倍)
乳児死亡	0.60	0.85(1.4倍)	0.73(1.2倍)
潜性遺伝性疾患に 共通した危険率	0.04の疾患では 0.0004の疾患では	0.05(1.3倍) 0.0016(4.0倍)	
先天性感音性高度難聴	0.8	6.24(7.8倍)	
色素性乾皮症	0.4	4.2(10.5倍)	
先天性魚鱗癬	0.01	0.64(63.5倍)	
先天性1色型色覚	0.1	1.79(17.9倍)	

( )内は非近親婚での危険率を1とした場合の倍率.

染色体異常

- 出生した児の3〜5%に何らかの先天性の疾患が認められるが,染色体疾患がその1/4を占める(図 D3-1).

1 常染色体異常

- Down症候群(21トリソミー), 18トリソミー, 13トリソミーの3疾患で染色体疾患の約70%を占める(図D3-2). 21, 18, 13トリソミーは卵子形成における染色体の不分離によって起こることが多いため, 母体の年齢とともに増加する(表D3-2).

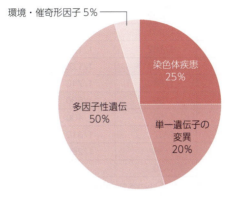

図 D3-1 先天性疾患の原因内訳
〔Nussbaum R, et al：Thompson & Thompson Genetics in Medicine. 7th ed, Elsevier, 2007 より〕

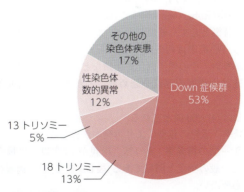

図 D3-2 染色体疾患の内訳
〔Wellesley D, et al：Rare chromosome abnormalities, prevalence and prenatal diagnosis rates from population-based congenital anomaly registers in Europe. Eur J Hum Genet 20(5)：521-526, 2012 より〕

表 D3-2 母体年齢と出生児の染色体異常罹患率との関係

母体年齢	Down 症候群	18 トリソミー	13 トリソミー
20	1/1,441	1/10,000	1/14,300
25	1/1,383	1/8,300	1/12,500
30	1/959	1/7,200	1/11,100
35	1/338	1/3,600	1/5,300
36	1/259	1/2,700	1/4,000
37	1/201	1/2,000	1/3,100
38	1/162	1/1,500	1/2,400
39	1/113	1/1,000	1/1,800
40	1/84	1/740	1/1,400
41	1/69	1/530	1/1,200
42	1/52	1/400	1/970
43	1/37	1/310	1/840
44	1/38	1/250	1/750
45	1/30		

(McKinlay Gardner RJ, et al:Chromosome Abnormalities and Genetic Counseling. 4th ed, Oxford University Press, 2011 より)

ⓐ Down 症候群(21 トリソミー)

- 頻度は全出生児の約 1/800 である.約 95％がトリソミー型,約 4％が転座型(Robertson 転座)である.
- 一般的な特徴として,筋緊張低下,特徴的顔貌,低身長などが挙げられる.心疾患は約 50％に認められ,心室中隔欠損,心房中隔欠損が多い.その他,消化管閉鎖などの合併症が認められる.
- 精神発達は中程度の遅れを認めることが多いが,個人差が大きい.
- 平均寿命は 50～60 歳とされる.
- 同胞再発率:患児の核型により再発率が異なる.

①トリソミー型の再発率:約 1％,母親が 40 歳以上の場合は年齢に応じた一般の頻度と同様である(表 D3-2 参照).両親の染色体検査は必要ない.

②転座型の再発率:約 50％が均衡型転座保因者の親から伝わったもので,残りの 50％は新生のものである.鑑別のためには両親の染色体検査が必要であるが,実施に際しては十分な遺伝カウ

ンセリングが必須である.
- 新生の場合,再発率は1%以下とされる.一方で両親が均衡型転座保因者であった場合,母が転座保因者の場合約10〜15%,父が転座保因者の場合約2〜5%の再発率となる.
- 稀ではあるが21番同士の転座であるrob(21q21q)の場合は再発率が100%となる.

ⓑ 18トリソミー
- 頻度は出生児の約1/7,500である.約80〜90%がトリソミー型,約5〜20%が転座型で,モザイク型も認められる.成長障害と高度の精神発達遅滞を認めることが多い.
- 筋緊張の亢進を認め,心疾患もほとんどの症例で認められる.胎児死亡となることも多い.一般的に約90%が生後1年以内に死亡するとされるが,長期生存例も存在する.

ⓒ 13トリソミー
- 頻度は出生児の約1/12,000である.約80%がトリソミー型,約20%が転座型である.成長障害と重度の精神発達遅滞を認める.典型的には全前脳胞症,口唇口蓋裂などの顔面形態異常が認められる.
- 約半分が1か月以内,約90%は1年以内に死亡するとされる.

2 性染色体異常
- Turner症候群やKlinefelter症候群などの性染色体異常症は一般に正常な両親から生まれ,患者は不妊である場合が多いため,親から子へ遺伝することは少ない.

ⓐ Turner症候群
- 頻度は出生女児の約1/2,500である.約半数が45,Xであり,残りはモザイク型が占める.
- 低身長,性腺機能不全(無月経),翼状頸,心臓形態異常などを認めることが多い.胎児期にはcystic hygromaやNT(nuchal translucency)の増大が診断の契機となることもある.
- 同胞再発は非常に稀とされる.

ⓑ Klinefelter症候群
- 頻度は出生男児の約1/1,000〜1/500とされる.表現型はほぼ正常〜軽症であることが多く,不妊(無精子症)ではじめてみつかることも多い.
- 同胞再発は稀とされる.

3 常染色体転座保因者

- 一般的に両親のどちらかが常染色体転座保因者(均衡型)である場合で,児に非均衡型の染色体異常を認める頻度は,母親が保因者の場合約10%,父が保因者の場合約5%である.ただし,転座の切断点により頻度は変わるので注意する.残りの正常表現型のうち,半分は正常核型,半分は均衡型転座である.

常染色体顕性遺伝

- 両親のいずれかが患者である場合,子どもの再発危険率は男女差なく50%,実際には,浸透率,致死効果,表現度の差などで分離比が乱される.
1)浸透率:遺伝子を受け継いでいるもののうち遺伝子の形質を実際に示す人の割合.
2)致死効果:疾患が原因で死亡すること.妊娠初期の流産では疾患を遺伝していたかどうかがわからない.
3)表現度:同じ遺伝型でも現れる症状が必ずしも一定でないこと.

表 D3-3　主な疾患の浸透率の例

疾患	浸透率
神経線維腫症1型	ほぼ完全
Peutz-Jeghers症候群	高い
結節性硬化症	時に低い
多発性骨端異形成症	完全
Treacher Collins症候群	完全
Waardenburg症候群	低い

常染色体潜性遺伝

- 患者の両親は外見上正常な保因者同士であることが多い.
- 患者の同胞は,健常者:保因者:患者=1:2:1の割合となるため,罹患していない場合に,保因者である確率は2/3となる.

X連鎖潜性遺伝

- 基本的に男性のみに発症し,女性は保因者となる.
- 血友病などでは出生前検査を行うことがある.

1 父親が正常で，母親が保因者の場合
- 男児の 1/2 は発症，1/2 は正常．
- 女児の 1/2 は保因者，1/2 は正常．

2 父親が患者で，母親が正常の場合
- 男児はすべて正常．
- 女児はすべて保因者．

3 父親が正常で，母親が患者の場合
- 男児はすべて発症．
- 女児はすべて保因者．

多因子性遺伝

- 1対の遺伝子の組み合わせで形質の発現が決定されるのではなく，多数の遺伝子が関与し，また環境要因との複雑な相互作用によって形質の発現が決定される．
- 表 D3-4 に挙げた疾患では，患者の家系には一般集団よりはるかに高い頻度で患者が存在する．
- 以前の分娩に異常のある場合の次回妊娠についての相談はこれらの疾患のことが多い．

表 D3-4　多因子性遺伝の経験的危険率（%）

疾患	一般頻度	患児の同胞	患者の子ども
先天性心疾患	0.6		
1人患児がある場合		1.7〜3.4	4.5
2人患児がある場合		5.5〜8.0	
心室中隔欠損	0.1	0.5〜1.7	2.2〜4.5
心房中隔欠損	0.06	1.1〜1.2	2.3
Fallot 四徴症	0.06	1.0〜2.7	3.8
大血管転位	0.06	1.3	
肺動脈狭窄	0.06	2.1〜3.7	
大動脈狭窄	0.06	0.4〜2.6	
中枢神経系異常			
統合失調症	0.85〜1.5	7〜15	7〜17
双極性障害	0.3〜0.5	10〜15	10〜15
てんかん	0.3	4	6〜10
無脳症	0.06	2.0	
脊椎披裂	0.1	5.1	
四肢異常			
股関節脱臼 　（自然肢位により減少）	0.1	5.0 [*1]	12 [*2]
内反足	0.1	3.0 [*3]	
多指(趾)症	0.1	1.0	
合指(趾)症	0.05	ごく一部を除き多発性なし	
性器異常			
尿道下裂	男児の 0.3	兄弟 9.6	
消化管異常			
幽門狭窄	0.01〜0.02	2.0〜5.0	
Hirschsprung 病	0.02 [*4]	3.6	
口唇裂, 口唇口蓋裂	0.1	4.0	4.0
口蓋裂	0.04	2.0	6.0

*1：男児で 1, 女児で 11
*2：男児で 6, 女児で 17
*3：男児で 4, 女児で 2
*4：男 5：女 1

文献

1) 大倉興司（編）：医師のための臨床遺伝学. 日本醫事新報社, 1984.
2) 坂元正一, 他（編）：産婦人科と遺伝. 図説臨床産婦人科講座 38. メジカルビュー社, 1981.
3) 坂元正一, 他（編）：奇形. 産婦人科 Mook 25. 金原出版, 1983.

D4 胎児染色体検査の適応と診断

- 出生前診断を行う際には，検査前後の遺伝カウンセリングが重要である．
- 胎児染色体検査には，診断が確定する確定検査と確率を推定する非確定検査の2種類がある（表D4-1）．
- 確定検査は侵襲的検査となり流産などのリスクが伴う．

適応

- 夫婦のいずれかが，染色体異常の保因者（Robertson転座など，「遺伝相談」の項参照，p300）
- 染色体異常症に罹患した児を妊娠，分娩した既往を有する（表D3-4参照，前ページ）
- 高齢妊娠（分娩時35歳以上，表D3-2参照，p302）
- 胎児が染色体疾患に罹患している可能性の上昇を指摘された場合（超音波検査や母体血清マーカーなどにて）

検査の種類

1 確定検査

- 羊水検査と絨毛検査があるが，本邦では羊水検査が行われることが多い．ともに超音波下に穿刺を行う．侵襲的検査であるため流産・胎児死亡，破水，感染や母体障害（腸管や血管などの損傷）が起こりうる．
- 一般的にG分染法が行われるが，出生後の末梢血リンパ球を用いた場合とは異なり，低頻度モザイクや微細な染色体の変化（微細な欠失や挿入など）は検出されないことがある．また稀に細胞培養がうまくいかず分析不能となることがある．
- 検査の提出に際しては，胎児の超音波所見などの情報や検査目的を十分記載することが正確な染色体分析につながる．
- FISH法は13, 18, 21番およびX，Y染色体の数的異常について迅速に（1週間以内に）知ることができるためG分染法と併用されることが多いが，最終診断はG分染法の結果をもって行う．

表 D4-1　胎児染色体検査の確定検査と非確定検査の比較

	確定検査		非確定検査		
	羊水検査	絨毛検査	NIPT	クアトロ検査	NT
至適施行時期[*1]	15〜18週	11〜14週	10〜15週	15〜17週	11〜13週
対象疾患	染色体疾患全般	染色体疾患全般	● Down症候群 ● 18トリソミー ● 13トリソミー	● Down症候群 ● 18トリソミー ● 開放性神経管閉鎖障害	● 主にDown症候群 ● 18トリソミー ● 13トリソミー ● Turner症候群 ● 心疾患など
感度	約100%	約100%	99.1%[*2]	約80%	約70%[*3]
特異度	約100%	約100%	99.9%	約90〜95%	95%[*3]
検査に要する日数	約14日	約14日	約14日	約7〜10日	—
問題点	流産：約0.3%	● 流産：約1% ● 胎盤限局性モザイクの検出	胎盤限局性モザイクの検出など	偽陽性が多い	● 偽陽性が多い ● 多様な疾患が含まれる

[*1]：妊娠22週以前の確定診断を想定したときの至適施行時期である．
[*2]：Down症候群（モザイクを除く）に対して．
[*3]：Fetal Medicine Foundationの基準値を用いて行った場合．

ⓐ 羊水検査

- 妊娠15〜16週以降に経腹的に行う．流産・胎児死亡が約0.3〜0.4%で起こる．22〜25GのPTC針（徳島大学では25G臍帯穿刺用針を使用）を用いて超音波下に施行する．
- 母体細胞の混入を防ぐため最初の1〜2 mLの羊水は捨てて，その後約20 mLを採取する．なるべく経胎盤穿刺は避ける．採取した羊水は滅菌容器に入れ速やかに検査に提出する．
- やむを得ずすぐに提出できない場合は4℃で保存する．1〜2日程度の保存は問題ないとされる．

ⓑ 絨毛検査

- 妊娠11〜14週に行われる．経腹法と経腟法があるが，経腹的に行われることが多い．流産が約1%で起こる．
- 約1%に染色体モザイクが検出され，羊水検査による胎児染色体の確認が必要となる．染色体モザイクのほとんどは染色体異常が

絨毛組織や胎盤に限局した胎盤限局性モザイク(confined placental mosaicism)であり,胎児の染色体は正常である.

❸ 羊水検査・絨毛検査の注意点
1) 感染予防のため抗菌薬を2～3日投与する.
2) RhD陰性妊婦では感作予防のため,検査後に抗D免疫グロブリンを投与する.これは保険適用の対象とはならない.
3) アスピリンは1週間前,ヘパリンは前日には中止しておく.
4) 母体の感染症(HBV, HCV, HIV, HTLV-1など)が稀に(1%以下)児に伝播することがあるため,事前に説明をしておく.

2 非確定検査

- 疾患の確率を推定する検査である.確定には羊水検査などの確定検査が必須である.非侵襲的であり検査による流産などのリスクはないが,検査の限界について十分理解して行う必要がある.

❶ NIPT(non-invasive prenatal genetic testing:母体血を用いた無侵襲的出生前遺伝学的検査)

- 妊娠10～15週に行われることが多い.母体血中のcell-free DNAを測定し,21トリソミー(Down症候群),18トリソミー,13トリソミーの確率を推定する.母体血中のcell-free DNAの約10～15%が胎児由来(厳密には胎盤由来)のDNAである.
- 21トリソミーに対する感度は99.1%,特異度は99.9%とされ精度が非常に高い.陰性的中率も99.9%を超える.ただし陽性的中率は35歳で約80%,40歳で約95%にとどまるため,陽性の場合は確定検査が必要である.
- 採血した血液は専用容器に入れ速やかに提出する.十分な遺伝カウンセリングを行ったのちに検査を施行する.

❷ 母体血清マーカー:クアトロ検査

- 妊娠15～17週に行われる.21トリソミー,18トリソミー,開放性神経管閉鎖障害の確率を推定する.AFP, hCG, unconjugated E_3, inhibin Aの4つを測定し,妊娠週数・年齢・体重などを加味して確率が計算される.
- 21トリソミーに対する感度は約80%,特異度は約90～95%であり,NIPTと比較すると精度はかなり劣る.偽陽性率が5%程度と高いため,陽性的中率は低い.
- 採血した血液は血清を分離して,専用容器に血清を入れ速やかに提出する.遅くとも1～2日以内には提出する.

ⓒ 超音波検査：NT（nuchal translucency；胎児頸部浮腫）

- NT とは妊娠初期に胎児の頸部の皮下にみられる透亮像のことである．NT の増大がみられた場合，胎児の染色体異常の頻度が高くなる．

1) NT の増大を判断するには，まず正確な測定が必要である[1]．
- 測定時期：妊娠 11 週 0 日〜13 週 6 日（CRL；45〜84 mm）．
- 適切な胎児矢状断を描出し，頭部と胸部のみが映るぐらいに十分拡大する．
- 胎児が自然な体位（過伸展や過度に屈曲していない）．
- 計測キャリパーの位置が適切．
- 皮膚と羊膜を鑑別できている．
- 数回計測し最大値を使う．

2) NT は CRL の増加につれ増大するため，95 パーセンタイル値は 2.1 mm から 2.7 mm に増加する．一方 99 パーセンタイル値は CRL に関係なく 3.5 mm である．
- 本邦では NT 増大のカットオフ値として 3.0 mm を採用している施設が多い．

3) 染色体異常の頻度は NT の厚さと関連している（表 D4-2，図 D4-1）．

4) 染色体検査が正常でも子宮内胎児死亡（IUFD）や先天異常（心疾患が多い）の頻度が高くなる（表 D4-2）．

5) NT は 2nd trimester になると消失するが，囊胞性ヒグローマ（cystic hygroma）や胎児水腫に移行するものがある．

6) NT 検査の存在を積極的に妊婦に知らせる義務はないが，NT の増大が認められた場合には慎重に対応する（遺伝カウンセリング，羊水染色体検査，詳細な超音波検査など）．

文献
1) 日本産科婦人科学会，日本産婦人科医会（編集・監修）：産婦人科診療ガイドライン―産科編 2023．p92．日本産科婦人科学会，2023．
2) Souka AP, et al：Increased nuchal translucency with normal karyotype. Am J Obstet Gynecol 192(4)：1005-1021, 2005.

表 D4-2 NT の厚さと児の予後との関係

NT	染色体異常	染色体正常 IUFD	染色体正常 胎児異常	無病生存
<95 パーセンタイル	0.2%	1.3%	1.6%	97%
95〜99 パーセンタイル	3.7%	1.3%	2.5%	93%
3.5〜4.4 mm	21.1%	2.7%	10.0%	70%
4.5〜5.4 mm	33.3%	3.4%	18.5%	50%
5.5〜6.4 mm	50.5%	10.1%	24.2%	30%
6.5 mm<	64.5%	19.0%	46.2%	15%

注1. 文献 1, 2 より著者作成.
　2. この表は複数の論文をレビューしたものであるため合計が 100%にならない.

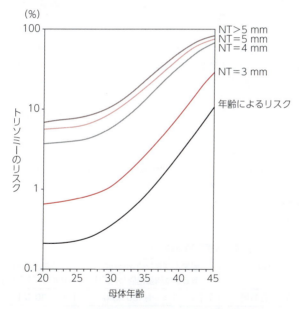

図 D4-1　NT の厚さと母体年齢による児のトリソミーのリスク
〔Pandya YY：Chromosomal defects and outcome in 1015 fetuses with increased nuchal translucency. Ultrasound Obstet Gynecol 5(1)：15-19, 1995 より〕

D5 合併症における妊娠許容基準

- 合併症患者では，妊娠許容基準を満たした状態で妊娠するようにする．
- 基準を満たさない状態で妊娠した場合は，妊娠許容基準を参考に合併症の主治医，本人，家族と相談し妊娠継続について慎重に判断する．

糖尿病患者の妊娠許容基準

- 児の形態異常発生は，妊娠初期における母体高血糖と関連が深いので，妊娠前における血糖値のコントロールが必要である．
- 高度の血管病変あるいは腎機能低下の存在は妊娠により母体の病変を著しく悪化させる．

1 血糖のコントロール
- 妊娠前 HbA1c(NGSP) が 6.5% 未満を目標とすることが推奨される．

2 糖尿病網膜症
- 前増殖期以降まで進行している場合，緩徐に血糖コントロールを行って，網膜症が安定してから妊娠を許可する．

3 糖尿病性腎症
- 第1期(腎症前期)または第2期(早期腎症期)までである(表D5-1)．

表 D5-1 糖尿病性腎症病期分類(2014)

病期	尿アルブミン値(mg/gCr) あるいは尿蛋白値(g/gCr)	GFR(eGFR) (mL/分/1.73 m^2)
第1期(腎症前期)	正常アルブミン尿(30未満)	30以上
第2期(早期腎症期)	微量アルブミン尿(30〜299)	30以上
第3期(顕性腎症期)	顕性アルブミン尿(300以上) あるいは持続性蛋白尿(0.5以上)	30以上
第4期(腎不全期)	問わない	30未満
第5期(透析療法期)	透析療法中	

〔糖尿病性腎症合同委員会：糖尿病性腎症病期分類 2014 の策定(糖尿病性腎症病期分類改訂)について．日腎会誌 56(5)：550, 2014 より〕

慢性腎臓病(CKD)患者の妊娠許容基準

- CKDにおける明確な妊娠許容基準はないが，GFR区分(表D5-2)のG1であっても妊娠合併症(腎機能の悪化，妊娠高血圧症など)のリスクが高く，G3以上の腎機能障害があると妊娠により腎機能低下，透析導入の可能性が高くなる．

表D5-2 GFR区分によるCKD重症度分類

GFR区分		GFR(mL/分/1.73 m^2)
G1	正常または高値	≧90
G2	正常または軽度低下	60〜89
G3a	軽度〜中等度低下	45〜59
G3b	中等度〜高度低下	30〜44
G4	高度低下	15〜29
G5	末期腎不全	<15

心疾患患者の妊娠許容基準

- 心機能がNYHA分類Ⅰ〜Ⅱ度では妊娠が許容されることが多いが，Ⅰ〜Ⅱ度でも0.4％程度の母体死亡があるので心エコーなどで総合的に判断する(表D5-3)．
- 表D5-4に妊娠を避けるもしくは厳重な注意を要する疾患を記した．

表D5-3 New York Heart Association(NYHA)の心機能分類

Ⅰ度	心疾患があるが，身体活動で何ら自覚症を起こさないもの
Ⅱ度	心疾患があり，安静時には自覚症はないが，通常の労作で疲労，心悸亢進，呼吸困難，狭心症発作を起こすもの
Ⅲ度	心疾患があり，安静時には自覚症はないが，通常の労作以下で上記の症状を起こすもの
Ⅳ度	心疾患があり，症状なしには身体活動を行うことができず，身体労作は症状を悪化させる

(Diseases of the Heart and Blood Vessels: Nomenclature and Criteria for Diagnosis. 6th ed, p112-115, J & A Churchill, 1964 より)

表 D5-4 妊娠の際に厳重な注意を要する，あるいは，妊娠を避けることが強く望まれる心疾患

- 肺高血圧症（Eisenmenger 症候群）
- 流出路狭窄（大動脈弁高度狭窄平均圧＞40～50 mmHg）
- 心不全（NYHA 心機能分類Ⅲ～Ⅳ度，LVEF＜35～40％）
- Marfan 症候群（上行大動脈拡張期径＞40 mm）
- 機械弁
- チアノーゼ性心疾患（SpO$_2$＜85％）

〔日本循環器学会，日本産科婦人科学会：心疾患患者の妊娠・出産の適応，管理に関するガイドライン（2018 年改訂版）．https://www.j-circ.or.jp/cms/wp-content/uploads/2020/02/JCS2018_akagi_ikeda.pdf（2023 年 9 月 1 日閲覧）より〕
LVEF：左室駆出率，SpO$_2$：動脈血酸素飽和度

全身性エリテマトーデス（SLE）患者の妊娠許容基準

- 妊娠中使用可能な薬剤で疾患がコントロールされており，一定期間（一定の見解はないが 6 か月以上），プレドニゾロン（PSL）15 mg/日（PSL 0.3 mg/kg/日）以下の量で，SLE が寛解持続状態であることが推奨される．
- ループス腎炎を有する場合は①非活動性であること，②尿蛋白が 0.5 g/日以下であること，③ GFR 60 mL/分/1.73 m^2 以上であること，④妊娠中使用可能な薬剤で腎炎が安定していることのすべてを満たす場合に許容できる．

関節リウマチ（RA）・若年性特発性関節炎（JIA）患者の妊娠許容基準

- 妊娠中使用可能な薬で疾患がコントロールされており，総合的活動性指標（composite measure. SDAI, CDAI, DAS28）で寛解状態であるか，少なくとも低疾患活動性であることが望ましい．
- メトトレキサート（MTX）は流産率の上昇と催奇形性の点から 1 か月以上の休薬期間が必要である．

混合性結合組織病（MCTD）患者の妊娠許容基準

- MCTD における明確な妊娠許容基準はないが，SLE 合併妊娠の項に示した基準に準じて判定してよいと考えられている．
- ただし，MCTD の場合は心エコー検査や肺拡散能検査などを実施し，呼吸不全，肺高血圧，心不全などの有無に特に注意を要する．

再生不良性貧血患者の妊娠許容基準

- 妊娠中に増悪することが多く，妊娠の許容は原則として寛解例と軽症例（stage 1）に限られる（表 D5-5）．

表 D5-5　再生不良性貧血の重症度基準

stage 1	軽症	下記以外で輸血を必要としない
stage 2 a b	中等症	以下の2項目以上を満たし， 赤血球輸血を必要としない 赤血球輸血を必要とするが，その頻度は毎月2単位未満 ● 網赤血球　　　　　　　　　　　　　　　60,000/μL 未満 ● 好中球　　　　　　　　　　　　　　　　 1,000/μL 未満 ● 血小板　　　　　　　　　　　　　　　　50,000/μL 未満
stage 3	やや重症	以下の2項目以上を満たし，毎月2単位以上の赤血球輸血を必要とする ● 網赤血球　　　　　　　　　　　　　　　60,000/μL 未満 ● 好中球　　　　　　　　　　　　　　　　 1,000/μL 未満 ● 血小板　　　　　　　　　　　　　　　　50,000/μL 未満
stage 4	重症	以下の2項目以上を満たす ● 網赤血球　　　　　　　　　　　　　　　40,000/μL 未満 ● 好中球　　　　　　　　　　　　　　　　　 500/μL 未満 ● 血小板　　　　　　　　　　　　　　　　20,000/μL 未満
stage 5	最重症	好中球200/μL 未満に加えて，以下の1項目以上を満たす ● 網赤血球　　　　　　　　　　　　　　　20,000/μL 未満 ● 血小板　　　　　　　　　　　　　　　　20,000/μL 未満

〔中尾眞二，他：再生不良性貧血診療の参照ガイド　令和1年改訂版．厚生労働科学研究費補助金　特発性造血器障害に関する調査研究班，pp3-4. http://zoketsushogaihan.umin.jp/file/2020/02.pdf（2023年9月1日アクセス）より〕

特発性血小板減少性紫斑病（ITP）患者の妊娠許容基準

1. 妊娠に必要な血小板数の基準は特に定められていないが，治療に抵抗性を示し，血小板数20,000〜30,000/μL 以下で出血症状のコントロールが難しい，もしくは合併症（糖尿病，高血圧症，脂質異常症，腎疾患，膠原病など）がある場合は妊娠許容に対し慎重な対応が望ましい．
2. 妊娠前に，以下のことを行っておくのが望ましい．
- *H. pylori* 感染が確認されている場合，除菌療法を行う．
- 副腎皮質ステロイド薬に抵抗性で血小板数が20,000〜30,000/μL 以下の場合，あるいは副腎皮質ステロイド薬による副作用が強いときには，妊娠前に脾臓摘出術を勧める．

D6 妊婦と放射線被曝

放射線被曝が胎児に及ぼす影響

1 確率的影響と非確率的影響

ⓐ 確率的影響：放射線被曝によって人体に異常が発生する確率が一次関数的に高くなる場合をいう．どんなに少ない線量でも起こると考える．

ⓑ 非確率的影響：ある一定の線量(閾値)を被曝すると確実に人体に異常が発生する場合をいう．逆に閾値未満では影響は出ない．

2 放射線被曝が胎児に及ぼす影響

- 以下の5つが考えられ，被曝した時期と線量に依存する．
  ①流産，②催奇形，③精神運動発達遅滞，④胎児発育不全(FGR)，⑤晩発障害(出生後の発癌および遺伝障害)．

被曝時期による影響

1 着床前期(受精～受精後9日)

- 最も放射線の感受性が高い時期．
- 流産(非確率的影響，閾値50 mSv)．
- 生存した胚にはその後，FGRや胎児形態異常は起こらない．

2 器官形成期(受精後2～7週)

- 特に受精後23～27日が最も影響を受けやすい．
- 胎児形態異常，一時的なFGR(非確率的影響，閾値50 mSv)．
- 小頭症(受精後4～7週，確率的影響，発生率は約0.05%/mSv)．

3 胎児期(受精後8週以後)

- 胎児死亡，胎児形態異常発生の可能性は低い．
- 恒久的なFGR(非確率的影響，閾値120 mSv)．
- 精神運動発達遅滞(受精後8～25週，特に8～15週で顕著．確率的影響か非確率的影響かは不明．非確率的影響の場合，閾値は120～200 mSvと考えられる．確率的影響の場合，発生率は約0.04%/mSv)．
- 小頭症(受精後8～11週，確率的影響，発生率は約0.9%/mSv)．

4 全妊娠期間を通じて，特に受精後 12 週まで

- 晩発障害（発癌，確率的影響，発生率はすべての癌では約 0.002%/mSv，白血病では約 0.001%/mSv）．

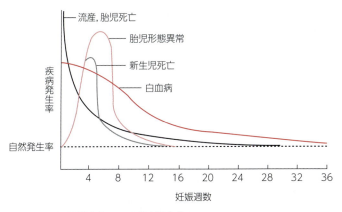

図 D6-1 放射線被曝による疾病発生率

患者への説明

- 放射線被曝を受けない場合でも外表の形態異常に限れば自然の胎児形態異常発生率は約 1〜2% である．
- 母体は自然の放射線や宇宙線などの影響で約 2.4 mSv/年被曝するため，胎児は在胎期間に約 1 mSv 自然被曝するが，これは胸部 X 線写真を約 1,500 枚撮影する量に相当する．ただし，晩発障害のリスクを避けるために全妊娠期間を通じて 5 mSv 以上（あるいは 0.5 mSv/月）被曝をさせないことを念頭におく．
- Hamer-Jacobsen のガイドラインでは，"もし妊娠 6 週までに X 線被曝した場合，被曝線量が 10 mSv 未満なら妊娠継続．10 mSv 以上 100 mSv 未満なら他に障害発生因子がないかぎり妊娠継続．100 mSv 以上なら妊娠中絶" と述べている[1]．
- 非確率的影響の現れる閾値は 50 mSv 以上である．表 D6-1 に各種放射線検査による胎児被曝量を示すが，通常の検査ではまず 50 mSv を超えることはない．

表 D6-1　X 線検査の種類と胎児被曝線量

検査方法	平均胎児被曝線量（mGy）	最大胎児被曝線量（mGy）
単純 X 線		
頭部	0.01 以下	0.01 以下
胸部	0.01 以下	0.01 以下
腹部	1.4	4.2
腰椎	1.7	10
骨盤部	1.1	4
排泄性尿路造影	1.7	10
消化管造影 X 線		
上部消化管	1.1	5.8
下部消化管	6.8	24
CT		
頭部	0.005 以下	0.005 以下
胸部	0.06	0.96
腹部	8.0	49
腰椎	2.4	8.6
骨盤部	25	79

〔ICRP：Pregnancy and medical radiation. Publication 84, Ann ICRP 30(1) (Committee report), 2000 より改変〕

文献

1) Hammer-Jacobsen E：Therapeutic abortion on account of x-ray examination during pregnancy. Dan Med Bull 6(4)：113-122, 1959.

> **Side Memo** 妊娠中のMRI

妊娠中に母体合併症や胎児の画像評価目的にMRIを行うことがある．MRIでは被曝を考慮する必要はないが，磁場や造影剤の影響については留意が必要である．

1 高磁場の影響
3T（テスラ）以下であれば胎児への有害性を示す報告はない．
ただし，未知の高磁場の影響も考慮すると，器官形成期以降（妊娠14週以降）に1.5Tでの検査が望ましい．

2 造影剤の使用
妊娠中にガドリニウム製剤を用いた造影MRIを行った場合，死産や新生児死亡，出生後の皮膚症状の発生率が上昇するとの報告があるため，妊娠中のMRIでは基本的に造影剤は使用しない．

---

1) SPR (The Society for Pediatric Radiology) : Fetal MRI-general information. https://www.southcarolinablues.com/web/public/brands/medicalpolicy/external-policies/fetal-mri/（2023年9月1日アクセス）
2) Santis MD, et al : Gadolinium periconceptional exposure : pregnancy and neonatal outcome. Acta Obstet Gynecol Scand 86(1) : 99-101, 2007.

D7 妊娠と感染症

- 妊娠中に感染症に罹患した場合，以下の問題がある．

1 母体に及ぼす影響

- 妊婦は免疫能の低下，循環動態の変化などがあり，難治化，重症化しやすい．特にウイルス肝炎，インフルエンザ，COVID-19，A群β溶血性連鎖球菌(GAS)などは注意を要する．また間接的に胎児に影響を及ぼし，流産，早産の原因となることがある．

2 催奇形性

- 明らかに先天異常の頻度が増加するのは風疹のみである．サイトメガロウイルス感染症，ヘルペスおよび水痘帯状疱疹は主な先天異常の形が一定であるが，その発生率はきわめて低い．

表 D7-1 母体の感染と胎児・新生児への影響

感染症	SFD	胎児・新生児への影響
風疹	＋	心血管形態異常，肝脾腫，難聴，白内障，紫斑
トキソプラズマ	＋	水頭症，小頭症，びまん性頭蓋内石灰化，眼病変，肝脾腫
梅毒	＋	胎児水腫，肝脾腫，鼻炎，皮膚症状
サイトメガロ	＋	小頭症，脳室拡大，脳室周囲石灰化，腹水，肝脾腫，難聴，紫斑
ヘルペス	＋	水頭症，小頭症，肝脾腫，皮膚症状，眼病変
水痘	＋	骨格異常，皮膚瘢痕，神経症状，眼病変
パルボ	＋	胎児貧血，胎児水腫，心不全，紫斑，肝脾腫
ムンプス	－	なし(心内膜弾性線維症と関連の可能性あり)
HIV	－	重度の鵞口瘡
麻疹	－	──
コクサッキーB	－	心筋炎

SFD：small for dates infant
(Remington JS, et al：Infectious Diseases of the Fetus and Newborn Infant. 7th ed, pp4-9, Saunders, 2010 より引用，一部改変)

3 母子感染の感染経路

- **a 経胎盤感染**：風疹, サイトメガロ, 水痘帯状疱疹, ヘルペス, トキソプラズマ, 梅毒, パルボ, HIV, 麻疹, ムンプス, コクサッキーB
- **b 産道感染**：サイトメガロ, ヘルペス, B型肝炎, (C型肝炎), HIV, B群溶血性連鎖球菌(GBS), クラミジア
- **c 経母乳感染**：HTLV-1, サイトメガロ, HIV

風疹ウイルス

- 妊娠初期に妊婦が風疹に感染した場合, 明らかに先天異常が増加する. その異常は先天性風疹症候群(CRS)とよばれている.

1 CRSの発生頻度と異常の種類

- 妊娠中の感染時期によって異常の発生頻度, 種類に差がある.

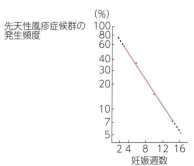

図 D7-1　風疹感染時期と先天性風疹症候群の発生頻度
〔Rendle-Short J：Material Rubella；the practical management of a case. Lancet 22；2(7356)：373-376, 1964 より〕

表 D7-2　妊娠中における風疹の感染時期と先天異常の種類(%)

先天異常	感染時期				
	第1月	第2月	第3月	第4月	第5月以降
白(緑)内障	50	30	7	0	0
紫斑病	23	41	9	5	0
心疾患	57	58	21	5	6
聴力障害	83	72	67	49	0*
神経系障害	57	59	24	26	0*

＊：ただし5か月以降でも聴力障害, 神経系障害の報告あり.
〔Cooper LZ, et al：Transient arthritis after rubella vaccination. Am J Dis Child 118(2)：218-225, 1969 より改変〕

2 風疹の診断

- 臨床症状(発熱，発疹，リンパ節腫脹，カタル症状)に加え，血中抗体を測定する．主に赤血球凝集抑制法(HI)が用いられるが，診断にはペア血清(病初期・回復期の血清)を同時に測定する必要がある．1回のみの採血の場合には風疹に対するIgG，IgM抗体を測定する．
- 感染症法で5類の全数報告疾患のため，診断した医師は7日以内に保健所に届ける．

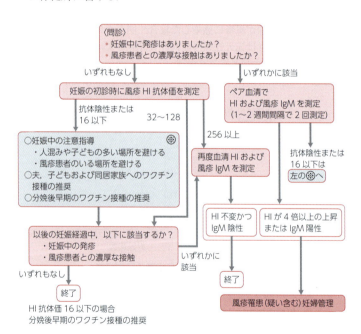

図 D7-2 風疹 HI 抗体価と判断の目安 1

(厚生労働科学研究費補助金 新興・再興感染症研究事業分担研究班:風疹流行にともなう母児感染の予防対策構築に関する研究―風疹流行および先天性風疹症候群の発生抑制に関する緊急提言. p12, 2004 より一部改変)

表 D7-3　風疹 HI 抗体価と判断の目安 2

HI 抗体価	妊娠前の注意事項	妊娠中の注意事項
8 倍未満	● 風疹に対する免疫がない ● 妊娠前のワクチン接種が推奨される ● パートナーや同居家族のワクチン接種を検討する	● 人ごみや子どもの多い場所を避け風疹罹患予防に努める ● パートナーや同居家族のワクチン接種を検討する ● 妊娠終了後のワクチン接種が推奨される
8 倍・16 倍	● 風疹に対する免疫はあるが,感染予防には不十分 ● 妊娠前のワクチン接種が推奨される ● パートナーや同居家族のワクチン接種を検討する	
32 倍〜128 倍	● 風疹に対する免疫がある	
256 倍以上	● 風疹に対する免疫がある ● 最近の感染の可能性があり,必要に応じ専門医の診察を検討する	● 風疹感染の可能性があり,症状や周囲の風疹流行状況によっては精査が必要となる

表 D7-4　風疹抗体のクラスによる判断の目安

抗体	推定される感染時期
IgM のみ陽性	1 か月以内の感染
IgM・IgG ともに陽性	1〜4 か月以内の感染
IgG のみ陽性	4〜5 か月以上前の感染

〔秋山和夫, 他：風疹患者血清中の特異 IgM 抗体の消長とその意義. 臨とウイルス 10(4)：349-352, 1982 より著者作成〕

3 風疹ウイルス遺伝子診断

- 最近では, RT-PCR による風疹ウイルス遺伝子診断が可能になり, 胎盤絨毛, 羊水, 臍帯血中の風疹ウイルス遺伝子を検出することにより胎児感染が起こったかどうかを診断する方法もある. しかし風疹がかなり疑わしい症例に限られている（風疹 IgM ＞ 5.0）.

サイトメガロウイルス(CMV)

- 日本における妊婦のCMVの抗体保有率は，70％程度に低下している．そのため，今後先天性CMV感染症が増えていく可能性がある．しかし，CMV感染症は妊娠中に感染したとしても妊娠中の感染かどうか診断が困難なこと，胎児への確立された治療法がないことによりルーチンのスクリーニングは推奨されない．
- 胎内感染による症候性の感染は全出生あたり0.1％であるが，妊娠中の初感染の場合は胎児感染のリスクが高く，胎児への影響も重篤となりやすい．また再感染でも胎児の感染を起こしうる．
- 妊婦への主要感染ルートは年長児から母親(妊婦)への感染であり，妊娠中の感染予防策について説明を行う．
- 胎児の感染が疑われる場合は出生後に児の尿PCR検査を行い，専門医によるフォローを依頼する．

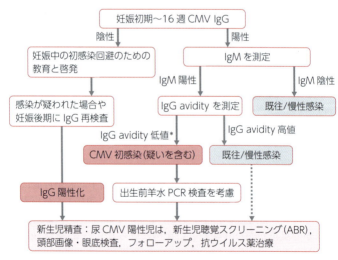

図 D7-3　サイトメガロウイルスの妊婦抗体スクリーニング法
＊：IgG avidity 低値：≦35～45％(測定系による)
(AMED母子感染に対する母子保健体制構築と医療開発技術のための研究班：サイトメガロウイルス妊娠管理マニュアル．第2版，p8，2018．サイトメガロウイルス，トキソプラズマ等の母子感染の予防と診療に関する研究班ホームページ　http://cmvtoxo.umin.jp．最終アクセス日：2023年9月1日より一部改変)

表 D7-5　サイトメガロウイルス感染予防のための妊婦教育

サイトメガロウイルスを含んでいる可能性のある小児の唾液や尿との接触を妊娠中はなるべく避けるように説明する.
- 以下の行為の後には，頻回に石けんと水で15～20秒間は手洗いをしましょう.
  ・おむつ交換
  ・子どもへの給餌　子どものハナやヨダレを拭く
  ・子どものおもちゃを触る
- 子どもと食べ物，飲み物，食器を共有しない.
- おしゃぶりを口にしない.
- 歯ブラシを共有しない.
- 子どもとキスをするときは，唾液接触を避ける.
- 玩具，カウンターや唾液・尿と触れそうな場所を清潔に保つ.

(AMED 母子感染に対する母子保健体制構築と医療開発技術のための研究班：サイトメガロウイルス妊娠管理マニュアル．第2版，p7，2018．サイトメガロウイルス，トキソプラズマ等の母子感染の予防と診療に関する研究班ホームページ　http://cmvtoxo.umin.jp．最終アクセス日：2023年9月1日より)

単純ヘルペスウイルス（HSV）

- 妊娠時には性器ヘルペスが問題となる．HSVの初感染は無症候性感染が多く，ほとんどは潜伏しているHSVの再活性化に伴う再発である．HSVの胎内感染は稀である．それに対し産道感染は比較的多い．
- 新生児ヘルペスを発症した場合，全身的になり，6～7割は死の転帰をとる．
- 胎内感染や水平感染などのため帝王切開でも感染を100%予防することはできない．

表 D7-6　性器ヘルペスの初感染と再発の鑑別点

	症状	病期	血清抗体	
			発症時	回復期
初感染	強い	長い（3～4週以上）	(－)	(＋)
再発	軽い	短い（1週前後）	(＋)	(＋)

表 D7-7　性器ヘルペス合併妊娠の管理方式

1. 治療　抗ウイルス薬投与
   欧米では妊娠36週から分娩まで予防内服が行われている
2. 分娩方法
   Ⅰ. 分娩時症状あり→帝王切開
   Ⅱ. 分娩時症状なし
      a) 初感染 ─┬─ 発症より1か月以内→帝王切開
                └─ 発症より1か月以上→経腟分娩
      b) 再発　 ─┬─ 発症より1週間以内→帝王切開
                └─ 発症より1週間以上→経腟分娩

〔荒木　勤, 他：性器ヘルペス症合併妊娠. 産婦の実際 36(13)：2054-2057, 1987 より著者作成〕

水痘帯状疱疹ウイルス（VZV）

- VZVの胎内感染により先天異常（先天性水痘症候群）が起こることはきわめて稀である．それに対し，分娩直前に妊婦が水痘に罹患した場合，20～40%に新生児水痘が発症する．特に分娩前4日以内の水痘の場合は重篤である．

1 出産前後の母親の水痘発症と児への影響

表 D7-8　水痘発症日と転帰

水痘発症日		転帰（例数）			
母親	児	死亡	生存	計	死亡率
出産前	出生後				
5～21日前	0～4日後	0	27	27	0%
4日前～2日後	5～10日後	7	16	23	30.4%

〔DeNicola LK, et al：Congenital and neonatal varicella. J Pediatr 94(1)：175-176, 1979 より〕

2 周産期水痘の取り扱い

a 母体
1) 安静
2) アシクロビルの投与
3) 二次感染の予防：手洗い，マスク使用の励行，他の妊婦や新生児への接触の回避
4) 子宮収縮抑制薬の投与（分娩を発疹発現日より5日間遅らせる）
   ＊水痘患者と濃厚接触した場合は静注用グロブリン製剤の投与を

検討(ロットによって抗VZV抗体価の高いものがある：献血ヴェノグロブリン®IH，献血ベニロン®-I)

❺ 新生児
1) 母親からの隔離(7日間)
2) 直接授乳は禁止
3) 静注用グロブリン製剤の投与
4) 発症すれば抗ウイルス薬の投与

■ ヒトT細胞白血病ウイルス(HTLV-1)

- HTLV-1の感染経路としては，母子感染，性行為感染，輸血による感染の3経路が知られている．
- 大多数は母乳を介した母子感染であり，性行為感染は全キャリアの約20％である．
- 長期母乳を選択した場合のHTLV-1の母子感染率は約20％であり，母乳栄養を避けることで母子感染を減少させることが可能である．
- ただし完全人工栄養児であっても約3％の母子感染が成立することから，経胎盤感染や産道感染の可能性が示唆されるが，明らかな感染経路は不明である．

1 妊婦のスクリーニング検査と確認検査

- 遅くとも妊娠30週までにスクリーニング検査を実施する．
- 陽性であっても，その結果のみでキャリアと判定してはならない．ラインブロット(LIA)法による確認検査を行う．結果が判定保留の場合にはHTLV-1核酸検出(PCR)法を実施する．

Side Memo　凍結後解凍母乳

母乳を−20℃以下の家庭用冷凍庫で24時間以上冷凍後に解凍してから与える方法で，T細胞が冷凍により破壊されることが感染予防効果をもたらすと考えられている．搾乳，凍結，解凍の手間がかかるとともに，冷凍庫の種類によってはウイルス死滅効果が得られない場合があるなど，母子感染予防効果のエビデンスは現時点では不十分である．

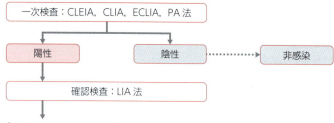

図 D7-4　HTLV-1 のスクリーニング検査
(AMED 新興・再興感染症に対する革新的医薬品等開発推進研究事業「HTLV-1 の疫学研究及び総合対策に資する研究」班：HTLV-1 感染の診断指針. 第2版, p8, 2019 より)

2 妊婦への説明

表 D7-9　HTLV-1 感染妊婦への説明のポイント

1. 検査結果の説明については本人へ慎重に行い，家族やパートナーへの説明は本人の意思に従う．
2. HTLV-1 感染：発症の主なものとして成人 T 細胞白血病（ATL）がある．ATL の生涯発症率は全キャリアの約 5％で，40 歳以前に発症することはほとんどないが，白血病のなかでも著しく予後不良の疾患である．
3. キャリアの意味：ウイルス感染している人のことをキャリアとよぶ．HTLV-1 に感染するとウイルスは一生身体のなかにとどまった状態になる．
4. 感染経路：母子感染，性行為，輸血が知られている．輸血はスクリーニングが行われており，実質的に考慮せずともよい．
5. 母子感染：主な経路は母乳による感染であり，母乳を与えなければ母子感染を減らすことができる．ただし人工哺乳児においても他の経路による感染が約 3％はある．また，ウイルスは胎児に形態異常などの悪影響を及ぼさず，妊娠自体にもなんら影響しない．
6. 母乳分泌抑制の方法：カベルゴリン（カバサール®）1 mg 単回の服用．

3 母乳哺育の中止
- 母子感染の主な経路が母乳によること，さらに，ATL を発症するのは幼少時における感染者のみである点を強調し，完全人工栄養を勧め，母乳の分泌を抑制する．

4 児の取り扱い
- 児は 3 歳頃に HTLV-1 抗体の有無を検査することを勧める．

パルボウイルス B19

- パルボウイルス B19 は伝染性紅斑の病原体であり，一度感染すると終生免疫となる．
- 妊婦の抗体保有率は 20 歳台で 26%，30 歳台で 44% であるため過半数の妊婦に感受性がある．
- 妊婦が感染した場合には胎児水腫が問題となるが，現在のところ胎児形態異常の発生率が高くなるという証拠はない．

1 胎児水腫の発症機序
- 母体により経胎盤的にウイルスが侵入すると胎児の赤芽球系前駆細胞に感染・増殖し，これを破壊する．その結果，高度の貧血を引き起こし胎児水腫が発症する．
- 特に妊娠 16〜24 週の間は赤血球産生の盛んな時期であるため，この時期の感染は胎児にとって最も危険である．

2 パルボウイルス B19 感染妊婦の転帰

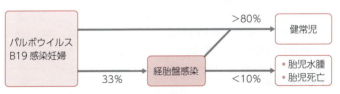

図 D7-5　パルボウイルス B19 母体感染と児の転帰
〔八重樫伸生，他：パルボウイルス感染と胎児異常．産婦の実際 42(5)：695-699, 1993 より著者作成〕

3 伝染性紅斑に罹患あるいは曝露した妊婦の管理方針
- 母体血中抗パルボウイルス B19 IgG 抗体と IgM 抗体を測定する.

表 D7-10　パルボウイルス B19 の血中抗体と管理方針

IgG	IgM	管理方針
陽性	陰性	・すでに終生免疫を獲得している
陽性あるいは陰性	陽性	・感染している. 超音波検査により胎児水腫の早期発見に努める ・胎児水腫をきたした場合には胎児臍帯血採取による胎児貧血の確認, 胎児輸血も考慮する ・赤芽球系前駆細胞の障害は一時的(1～2 週間)なものであり, その時期を過ぎれば造血能の回復が期待できる
陰性	陰性	・感染の既往がないか, あるいは最近の感染である ・再検査する

C 型肝炎ウイルス(HCV)

- 全妊娠のうち HCV 抗体陽性率は, 1～2% である.

1 妊婦の検査と管理指導
1) HCV 抗体陽性の妊婦に対して
①肝機能検査と HCV-RNA 検査を行う. HCV-RNA が陽性の場合, 妊娠後期に HCV-RNA 定量検査を行う.
② HIV 抗体検査も行うことが望ましい.
③母子感染に関する説明を十分行い不安を取り除く必要がある.
④原則として, 生活制限は必要ない.
⑤肝臓専門医に紹介受診を勧める.
⑥医療機関内感染に留意する.

2 母子感染
a 母子感染率
- 妊婦が HCV-RNA 陽性の場合, 約 10% である.

表 D7-11　HCV-RNA 陽性妊婦の分娩様式別にみた母子感染率

	帝王切開分娩児	経腟分娩児	
母体 HCV-RNA 陽性	1/21（4.8%）	9/51（17.6%）	$p=0.2624$
母体 HCV-RNA 高値	0/12（0.0%）	8/20（40.0%）	$p=0.0135$

HCV-RNA 量高値群：2.5×10^6 コピー/mL（リアルタイム PCR 法で約 6.4 LogIU/mL）以上
〔大戸　斉，他：C 型肝炎ウイルス等の母子感染防止に関する研究　平成 17 年度～19 年度総合研究報告書，p14, p130, 2008 より改変．日本産科婦人科学会，日本産婦人科医会（編集・監修）：産婦人科診療ガイドライン―産科編 2020．p312, 日本産科婦人科学会，2020 より〕

ⓑ 母子感染に関する要因

1) HCV-RNA 陰性の妊婦からの母子感染が報告された例はない．妊娠中に HCV-RNA 量の変動があるため，妊娠後期に再検査が望ましい．
2) リスク因子
① HIV の重複感染（感染率は 3～4 倍）
② 血中 HCV-RNA 量の高値（10^6 コピー/mL 以上とする報告が多い）
3) 分娩様式
- HCV キャリア妊婦に対して選択的帝王切開を行っても母子感染率は低下せず，母子感染予防目的の帝王切開の必要はない（表 D7-11）．
- ただし，HCV-RNA 量高値群のキャリア妊婦の分娩様式については，妊婦・家族の意思を尊重する．

4) 母乳栄養でも感染率は上昇しない．
5) 妊婦の輸血歴，肝疾患歴，肝機能，妊娠中の異常は，母子感染率と関係がない．

❸ 出生児の検査と管理指導

● HCV 抗体陽性妊婦からの出生児

1) 母乳は原則として禁止しない．
2) 生後 3～4 か月に，AST，ALT，HCV-RNA を検査する．臍帯血や生後 1 か月での HCV-RNA の結果はその後の経過を必ずしも反映しない．
3) 小児科専門医を受診するよう指導する．

新型コロナウイルス

- 新型コロナウイルス感染症(COVID-19)は coronavirus disease 2019(2019年に発生した新型コロナウイルス感染症)の略である．2019年末に発見されて以降，急速に全世界へ感染が拡大した．
- UpToDate®，日本産科婦人科学会，日本産婦人科感染症学会などの最新情報を参考にすること．

1) 症状
- 感冒様症状を認めるが，無症状の場合も多い．大半は数週間以内に回復するが，一部，肺炎や心筋炎など重症化をきたす．妊婦は非妊婦と比較して重症化しやすいとされ，35歳以上，肥満，高血圧，糖尿病などは重症化のリスク因子である．

2) 母子感染率
- 2〜4%で胎児感染は稀である．児が感染した場合も大きな問題はない．

3) 周産期予後
- 妊婦が感染した場合，早産リスクは高くなるが，胎児異常・流産・死産のリスクは高くない．

4) 治療
- 通常の成人に準ずるが，モルヌピラビル(ラゲブリオ®)やエンシトレルビル(ゾコーバ®)は妊婦には禁忌となっている．

5) 分娩様式
- 産科適応に準ずる．ただし重症例や感染予防の観点で経腟分娩が困難な場合は帝王切開も可．

6) 授乳
- 可．ただし感染予防策が必要．

7) 予防
- 基本的な感染予防策，妊婦や同居人のワクチン接種(p341)を推奨．

劇症型 A 群連鎖球菌感染症（GAS/STSS）

- A 群β溶血性連鎖球菌（*Streptococcus pyogenes*：group A *Streptococcus*；GAS）は上気道炎の起炎菌の 1 つだが，劇症型感染（streptococcal toxic shock syndrome；STSS）の場合，病態進行はきわめて急速で診察時にはショックや播種性血管内凝固（DIC）をきたしていることが多く，24 時間以内に多臓器不全が完成する．通称「人食いバクテリア」．
- 妊産婦が感染すると，容易に子宮筋層炎や敗血症性ショックをきたし，死亡率は 40〜60％で妊産婦の感染症の最多の死因である．感染部位で炎症性サイトカインの分泌を誘発し，著しい子宮収縮を起こすため急速な分娩や胎児死亡の原因ともなる．
- 発熱や感冒様症状から STSS を疑うことが重要で，GAS 迅速抗原検査や血液培養（可能なら塗抹検査で迅速診断）を行う．診断を待たずに抗菌薬投与を早期に開始すること（表 D7-12）が重要であり，敗血症を疑う（表 D7-13）ときには集中治療管理を考慮すべきであり，必要であれば高次施設への搬送を行う．
- 感染症法で 5 類の全数報告疾患のため，診断した医師は 7 日以内に保健所に届ける．

表 D7-12 妊婦用に修正した Centor criteria とその解釈

C	Cough absent	咳がないこと
E	Exudate	滲出性扁桃炎
N	Nodes	圧痛を伴う前頸部リンパ節腫脹
T	Temperature	38℃以上の発熱
OR	young OR old modifier	15 歳未満または妊婦＝+1 点，45 歳以上は-1 点（ただし妊娠中は-1 点としない）

上記の項目をそれぞれ 1 点としてカウントする．
0〜1 点：溶連菌感染症の可能性は低い（10％未満）．→抗菌薬は処方しない．
2〜3 点：溶連菌迅速抗原検査を行って判断する．（2 点：15％，3 点：32％）
4〜5 点：40％以上の可能性があるので，速やかな抗菌薬の投与を考慮する．
（妊産婦死亡症例検討評価委員会，日本産婦人科医会：母体安全への提言 2019．p44，2020 より）

表D7-13 quick SOFA(qSOFAスコア)

- 意識変容
- 呼吸数≧22回/分
- 収縮期血圧≦100 mmHg

感染症あるいは感染症を疑う病態で,quick SOFA(qSOFA)スコアの3項目中2項目以上が存在する場合に敗血症を疑う.
〔日本版敗血症診療ガイドライン2020特別委員会(編):日本版敗血症診療ガイドライン2020. 日集中医誌28(Suppl), pS 24, 2021/日救急医会誌32(S1), pS 24, 2021〕

- 治療は,アンピシリン(ABPC)1回2g 1日6回+クリンダマイシン(CLDM)1回600〜900 mg 1日3回投与(ペニシリンアレルギーの場合はダプトマイシン1回6 mg/kg 1日1回投与)
- DICの場合は抗DIC療法も行う.

*梅毒,HBV,GBSはそれぞれp267,次ページ,p393を参照.

文献
1) AMED母子感染に対する母子保健体制構築と医療開発技術のための研究班:サイトメガロウイルス妊娠管理マニュアル. 第2版,2018.
2) AMED HTLV-1の疫学研究及び総合対策に資する研究班:HTLV-1感染の診断指針. 第2版,2019.
3) C型肝炎母子感染小児の診療ガイドライン.
https://www.jspghan.org/pdf/20200609_hcv_guideline_draft.pdf
4) patient education:COVID-19 and pregnancy(The Basics).
https://www.uptodate.com/contents/covid-19-and-pregnancy-the-basics
5) 早田英二郎:母体救急:劇症型A群溶連菌(Group A Streptococcus:GAS)感染症. 分娩と麻103:56-61, 2021.
6) 日本産婦人科医会妊産婦死亡症例検討評価委員会:母体安全への提言2019〜2021.

D8 HBs抗原陽性妊婦の取り扱い

- HBウイルスキャリアは肝炎, 肝癌, 肝硬変を発症する可能性があり, そのほとんどは乳幼児期の感染によるものである. その点で母子感染の予防が重要である.
- HBs抗原が陽性(+)の場合, 現在HBウイルスに感染している状態であり, さらにHBe抗原・抗体について検索する必要がある.

HBs/HBe抗原および抗体の解釈

表 D8-1 HBs抗原・抗体とHBe抗原・抗体の組み合わせとその感染性

HBs抗原	HBs抗体	HBe抗原	HBe抗体	感染性
−	−	−	−	HBウイルスの感染なし
−	+	−	+〜−	既往のHBウイルス感染
+	−	−	+	現在のHBウイルス感染, 感染性低い
+	−	−	−	現在のHBウイルス感染, 感染性中等度
+	−	+	−	現在のHBウイルス感染, 感染性高い

母子感染

1 感染性

- 妊婦がキャリアであっても, 児がすべてキャリアになるわけではない. 妊婦がHBe抗原陽性キャリアの場合, 母子感染予防策をとらなければ児の80〜90%がキャリアになる. 一方, HBe抗原が陰性(−)の場合, 通常キャリアにならないが, 急性肝炎など一過性感染を10%に認める(図 D8-1).

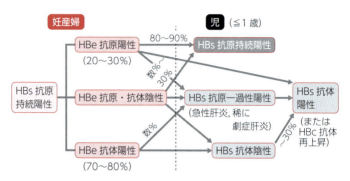

図 D8-1　HBe 抗原・抗体と児への感染

注．HBe 抗原・抗体の測定法により異なる．
(ウイルス性肝疾患の母子感染防止に関する研究．平成5年度厚生省心身障害研究，1994 より著者作成)

2 母子感染予防

- HBs 抗原陽性の母親から出生した児に対して，以下のスケジュールで感染予防処置と検査を行う．
1) 出生直後(生後 12 時間以内を目安)
    - 乾燥 HB グロブリン(200 単位/1 mL)筋肉注射(2 か所に分けて)（図 D8-2）
    - B 型肝炎ワクチン(0.25 mL)皮下注射

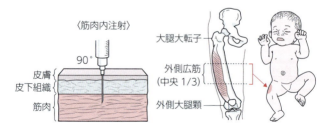

図 D8-2　新生児への筋肉注射方法

大腿前外側部の外側広筋の中央 1/3 に接種する．新生児の筋注に用いる標準的な針は，長さ 16 mm, 25 ゲージである．注射直前の吸引は不要で，注射部位を揉む必要はない．診療録と母子健康手帳に実施年月日・製品名・製造番号(ロット番号)を記録する．
＊：殿部は筋肉の容積が小さく，また坐骨神経損傷の可能性があるため，適切部位ではない．
〔日本小児科学会予防接種・感染症対策委員会：小児に対するワクチンの筋肉内接種法について．改訂第 2 版，p2, p4, 日本小児科学会，2022. https://www.jpeds.or.jp/uploads/files/20220125_kinchu.pdf(2023 年 9 月 1 日アクセス)より一部改変〕

2）生後1か月：B型肝炎ワクチン（0.25 mL）皮下注射
3）生後6か月：B型肝炎ワクチン（0.25 mL）皮下注射
4）生後9～12か月：HBs抗原・HBs抗体検査を行い，図D8-3のように対応

HBs抗原	HBs抗体	対応
陰性	≧10 mIU/mL	予防処置終了（予防成功と判断）
陰性	<10 mIU/mL	B型肝炎ワクチン追加接種*
陽性		専門医紹介

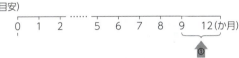

図 D8-3 B型肝炎母子感染防止対策のプロトコール（保険適用）

＊：標準的なB型肝炎ワクチン追加接種の方法
B型肝炎ワクチン（0.25 mL）皮下注射（計3回）
（接種時期例：HBs抗原陰性かつHBs抗体が10 mIU/mL未満であることを説明した際，さらに1か月後，6か月後）
追加接種終了後（1～2か月後）にHBs抗原・HBs抗体検査を行い，HBs抗原陰性でHBs抗体が10 mIU/mL未満の場合と，HBs抗原陽性の場合は，専門医に紹介する．

文献

1）ウイルス性肝疾患の母子感染防止に関する研究．平成5年厚生省心身障害研究，1994.
2）B型肝炎母子感染予防法の変更について．平成26年3月17日付け健感発0317第3号・雇児母発0317第3号厚生労働省健康局結核感染症課長・雇用均等・児童家庭局母子保健課長連名通知，2014.
3）日本小児科学会予防接種・感染症対策委員会：小児に対するワクチンの筋肉内接種法について．改訂第2版，日本小児科学会，2022.

D9 HIV感染症の診断と感染妊婦の取り扱い

HIV感染症の診断

- 母子感染予防の徹底と治療法の進歩によりHIV母子感染は1%以下と格段に減少しており，母体の長期生存も可能である．感染が疑われる妊婦に対しては確認検査を行い，診断に至った場合はHIV感染について丁寧に説明のうえ，必要な母子感染予防策をすべて行う．

表D9-1 HIV母子感染予防対策

1. HIV検査（妊娠初期）
2. 妊娠中の抗HIV療法〔多剤併用療法（cART）〕
3. 帝王切開による分娩
4. 児への抗HIV療法〔ジドブジン（AZT）投与〕
5. 止乳（人工栄養）

1 HIV検査（図D9-1）

1) 検査の施行に関するインフォームド・コンセントを得る．
2) スクリーニング検査〔酵素抗体法（ELISA）・粒子凝集法（PA）〕で陽性または保留の場合，確認検査〔ウエスタンブロット（WB）法とPCR法の同時検査〕を行う．

- スクリーニング検査では偽陽性が0.1～0.3%程度発生する（本邦妊婦の陽性的中率は3～5%である）．
- 告知は本人のみに行い，確認検査をするまでは感染しているかどうかはわからないこと，ほとんどの妊婦が確認検査で感染していないことが確認されていることを明確に伝えたうえで，確認検査を行う．

3) HIV感染と診断した場合は，5類感染症のため7日以内に感染者の居住地の保健所へ報告する．

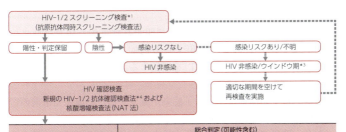

図 D9-1　HIV 感染症診断のフローチャート

＊1：スクリーニング検査(抗原抗体同時スクリーニング検査)は，感度が高く，特異性が優れている検査試薬を使用する．
＊2：HIV 感染者として扱う．HIV-2 NAT は保険収載されていないため，HIV-1 と HIV-2 の確定診断については，国立感染症研究所または地方衛生研究所などに相談する．
＊3：感染リスク(不特定多数との性交渉，海外での輸血，注射器・注射針の共用による薬物注射，医療現場における針刺し事故など)はあるが，スクリーニング検査が陰性の場合は，適切な期間を空けて，再度，スクリーニング検査から検査を行う．明らかな感染のリスクがある場合や急性感染を疑う症状がある場合には，抗原抗体同時検査法によるスクリーニング検査に加え HIV-1 NAT 法による検査の追加も考慮する必要がある(ただし，現時点ではスクリーニング検査陰性者に対する HIV-1 NAT 検査の保険適用がない)．
＊4：HIV-1/2 抗体確認検査法は HIV-1 の検査において，感度 99.3％，特異度 98.5％と，WB 法(感度 98.6％，特異度 81.5％)よりも優れているが，偽反応は存在する．
＊5：後日，適切な時期に HIV-1/2 抗体確認検査法で陽性を確認する．
＊6：抗体確認検査法より確定した HIV-1 感染者において HIV-1 NAT 法で「陰性」の場合は，治療中の患者または低ウイルス感染の可能性が高い．
＊7：IC 法によるスクリーニング検査が陽性で HIV-1 NAT 陰性の 10 例中 2 例で HIV-1/2 抗体確認検査において HIV-1 判定保留との報告がある．
＊8：2 週間後以降の再検査において，スクリーニング検査が陰性であるか，再度 HIV-1/2 抗体確認検査が陰性/保留であれば，初回のスクリーニング検査は偽陽性であり，「非感染(感染はない)」と判定する．

〔松下修三，他：診療における HIV-1/2 感染症の診断ガイドライン 2020 版(日本エイズ学会・日本臨床検査医学会標準推奨法)．pp3-4，https://jaids.jp/wpsystem/wp-content/uploads/2021/01/guideline2020.pdf(2023 年 9 月 1 日アクセス)より一部改変〕

❷ 妊娠中の抗 HIV 療法(cART)
- 妊娠第 1 期も含め, HIV 感染が判明すれば可能な限り早期に抗 HIV 薬を組み合わせて服用する多剤併用療法(combination antiretroviral therapy；cART)を開始する.

❸ 帝王切開による分娩
- 選択的帝王切開術により母子感染が減少するため陣痛発来前の帝王切開を推奨する.
- なお, 欧米では経腟分娩を行う場合もあり, 血中ウイルス量や施設条件によっては検討しうる.

❹ 児への抗 HIV 療法
- 新生児に出生後 6 週間のジドブジン(AZT)シロップ(内服困難な場合は AZT 注射薬)投与を行う.
- AZT シロップ・注射薬は本邦未承認薬であるため, 厚生労働省エイズ治療薬研究班から入手する.

❺ 止乳(人工栄養)
- 母乳中には多量の HIV が含まれるため, 母乳を与えることで児に感染が及ぶ危険性がきわめて高いことを両親に説明し, 止乳・人工栄養を行う.

文献
1) 喜多恒和, 他：HIV 母子感染予防対策マニュアル. 第 9 版, 令和 3 年度厚生労働科学研究費補助金エイズ対策政策研究事業, 2022.
2) HIV 感染症「治療の手引き」. 第 26 版, 日本エイズ学会 HIV 感染症治療委員会, 2022.

D10 妊婦と予防接種

- 妊娠している者に対する予防接種は，予防接種実施規則により一般に禁忌となっている．しかし感染症の流行期における予防接種，先天性風疹症候群予防のための風疹ワクチン接種，海外旅行時の予防接種などでは，その可否が問題となる．
- また，妊娠していることに気づかないで予防接種を受けた場合の胎児への影響も問題となる．

表 D10-1 妊婦への予防接種の可否

生ワクチン			
	ウイルスワクチン	麻疹	×
		風疹	×
		ポリオ	×
		ムンプス（おたふくかぜ）	×
		水痘	×
		黄熱	×
	細菌ワクチン	BCG	△
不活化ワクチン			
	トキソイド	ジフテリア	△
		破傷風	○
	ウイルスワクチン	狂犬病	△
		インフルエンザ	○
		日本脳炎	○
		B 型肝炎	○
	細菌ワクチン	百日咳	△
		コレラ	△
		ワイル病	△
mRNA ワクチン			
	ウイルスワクチン	COVID-19	○
ウイルスベクターワクチン			
	ウイルスワクチン	COVID-19	○

○必要な状況ならば勧められる．△母体にとって必要・有利な状況なら可．×不可．

生ワクチン

- 弱毒化したとはいえ，生きた病原体を接種するため妊娠中の接種は禁忌である．また，予防接種後2か月間の避妊を行わせる必要がある．
- もし，誤って妊娠中に接種しても催奇形性はきわめて低いと考えられる．
- BCGは，妊娠中使用しても胎児に対する障害はないと考えられるため，感染の危険が高いときは接種できる．

不活化ワクチン

- 死菌およびトキソイドを使用するため，病原体による感染は起こさないが，異種蛋白として，母体に発熱やショックなどアレルギー症状を起こす可能性がある．
- ヒトでの催奇形性は，報告がみられない．

1 破傷風ワクチン

- 胎児に免疫抗体が移行し，致命率の高い新生児破傷風を予防しうる．このため破傷風発生頻度の高い地域では妊婦の予防接種は推奨される．

2 インフルエンザワクチン（季節性および新型）

- 本邦生産の新型インフルエンザワクチンは従来の季節性インフルエンザワクチンと同様の方法でつくられている．
- 季節性インフルエンザワクチンでは流産・胎児形態異常の危険が高くなるという報告はなく，妊娠全期間を通じて接種可能である．

mRNAワクチン・ウイルスベクターワクチン

COVID-19ワクチン

- mRNAワクチンは，現時点では胎児や乳児への悪影響は認められておらず，妊娠全期間を通じて接種可能である．妊娠後期のワクチン接種は，胎児，新生児への抗体移行が報告されている．
- ウイルスベクターワクチンに関しては，胎児，乳児への安全性についての報告はまだない．
- 妊婦はCOVID-19に罹患した際，重症化リスクがあることから予防接種を受けておくことの意義は大きい．

D11 卵巣腫瘍合併妊娠

- 卵巣腫瘍合併妊娠は，全妊娠の5〜6％程度であり，そのうち，悪性または境界悪性であるものは1〜3％である．
- 妊娠初期の卵巣腫大には，hCG刺激によるルテイン囊胞などの機能性囊胞が多く含まれ，これらは経過観察で消失する．

表 D11-1　妊娠黄体囊胞と卵巣囊腫の鑑別点

	黄体囊胞	卵巣囊腫
大きさ（最大径）	8 cm以下が多い	8 cm以上のこともある
遅くとも妊娠14週までの経過	縮小傾向	不変〜増大
発生側	通常片側性	両側のこともある
壁の性状	薄い，隔壁（−）	やや厚い

検査

- MRIは妊娠14週以降に行うのが望ましい．造影MRIは行わない．またCTは被曝の問題があるため，撮影時期や医学的必要性を考慮して行う必要がある（画像評価については「妊婦と放射線被曝」の項参照．p316）．
- 腫瘍マーカーについては，妊娠中の値の変化を考慮して判定する．

管理

- 腫瘍の種類によって方針は異なる．良性と考えられる場合，妊娠中は保存的に経過観察されることが多い．しかし，腫瘍が大きい場合や茎捻転・腫瘍破裂などが生じた場合は手術を行う．妊娠12〜16週に行うことが望ましい．
- 悪性が疑われる場合は病状に応じて手術を検討する．

表 D11-2 卵巣腫瘍合併妊娠の管理

診断	妊娠中の基本方針	注意事項
皮様嚢腫，嚢胞腺腫	非妊娠時の手術適応に準じる	・経過観察の場合，破裂や分娩時障害の可能性がある
卵巣子宮内膜症性嚢胞	経過観察	・腫瘍破裂や膿瘍形成による急性腹症の可能性がある ・腫瘍内腔の脱落膜化に伴う結節像のため悪性腫瘍との鑑別が困難となる
境界悪性・悪性（疑い症例を含む）	手術	・病状や妊孕性温存の希望などに応じ，妊娠終了や化学療法なども検討が必要

手術方法

- 開腹手術と腹腔鏡下手術で産科合併症頻度に差はないという報告が増えている．そのため，良性と考えられる場合は非妊娠時と同様に腹腔鏡下手術が選択されることが多いが，週数や腫瘍の種類，大きさなど条件に応じた検討が必要である．

文献

1) 久高 亘：妊娠合併卵巣腫瘍(良性腫瘍)の管理および治療について．産と婦 86(3)：327-331, 2019.
2) 日本産科婦人科学会，日本産婦人科医会(編集・監修)：産婦人科診療ガイドライン―産科編2023．日本産科婦人科学会，2023.
3) 日本産科婦人科内視鏡学会(編)：産婦人科内視鏡手術ガイドライン2019年版．金原出版，2019.

D12 流産の超音波による診断

診断

- 経腟超音波では胎囊(gestational sac ; GS)は妊娠5週，胎児心拍動(fetal heart movement ; FHM)は妊娠6週で，経腹超音波ではGSは妊娠6週，FHMは妊娠7週で全例陽性となる．
- 性器出血があり，GSが子宮内に確認できない場合，安易に不全流産や進行流産と診断することは，異所性妊娠の見逃しにつながる．またART後妊娠を中心に，正所異所同時妊娠の可能性もあるため，注意が必要である．

表D12-1 FHMの陽性率

妊娠週数	経腟陽性率
5週	50%
6週	90%
7週	100%

流産の所見

表D12-2 流産の診断と疑い所見

流産の診断所見	流産の疑い所見
・CRL≧7 mmでFHM(−) ・GS平均直径*≧25 mmで胎芽がない ・GS確認[卵黄囊(−)]から2週間後もFHM(−) ・GS確認[卵黄囊(+)]から11日後もFHM(−)	・CRL<7 mmでFHM(−) ・GS平均直径* 16〜24 mmで胎芽がない ・GS確認[卵黄囊(−)]から7〜13日後もFHM(−) ・GS確認[卵黄囊(+)]から7〜10日後もFHM(−) ・最終月経から6週間経過しても胎芽がみえない ・卵黄囊の拡大(>7 mm) ・GSと胎芽(CRL)のサイズ差が5 mm未満

＊：GS平均直径：矢状断・横断・冠状断の平均径

biochemical pregnancy（生化学的妊娠）

- hCG が検出されても，超音波検査により GS などの妊娠に特有な所見が確認されず，その後正常な妊娠経過をとらない場合をよぶ．通常は妊娠の回数に含めない．

管理

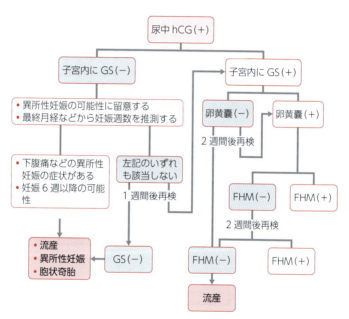

図 D12-1　流産の超音波学的管理

D13 妊娠時期別の超音波検査

- 妊娠中の超音波検査は，初期(13週以下)，中期前半(16～20週)，中期後半(24～28週)，後期(32週以降)に少なくとも各1回は行う．胎児の超音波検査に際しては，事前に同意を得るのが望ましい．

妊娠初期(～妊娠13週)

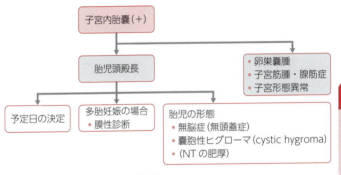

図 D13-1　妊娠初期の超音波検査

妊娠中期(妊娠16～30週)

- 妊娠中期の超音波検査は，初期の超音波検査では発見しえない胎児異常や，経腟超音波による頸管長短縮や胎盤の位置異常などの検出を目的としている．
- 徳島大学では特に妊娠16～20週と28週前後でスクリーニングを施行し，図 D13-2 のようなチェック表を使用している．

妊娠後期(妊娠32週～)

- 妊娠後期の超音波検査の目的は，胎児異常の発見，胎児発育不全(FGR)，羊水量の異常の診断，胎盤の位置異常の診断などがある．

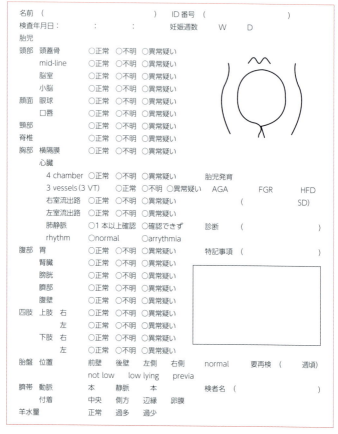

図 D13-2 妊娠中期の超音波検査のチェック表

文献

1) Nicolaides KH：The 11-13^{+6} weeks scan. Fetal Medicine Foundation, 2004.

D14 頸管縫縮術

頸管縫縮術の適応

- 頸管無力症(cervical incompetence)は外出血や子宮収縮などの切迫流早産徴候を自覚しないにもかかわらず子宮口が開大し，胎胞が形成されてくる状態をいう．診断は既往妊娠分娩歴に基づいてなされることが多く，予防的頸管縫縮術が施行されている．
- 頸管長短縮や内子宮口開大など，現妊娠中に頸管無力症を示唆する所見を有する症例に対しては治療的頸管縫縮術が施行されている．

予防的頸管縫縮術

1 徳島大学における予防的頸管縫縮術の実際

ⓐ 適応
- 頸管無力症による流・早産既往症例
- 子宮形態異常，円錐切除術や頸管裂傷などにより子宮頸管が著しく欠如している症例
- 三胎以上の多胎

ⓑ 適応外
- 絨毛膜羊膜炎
- 前期破水
- 致死性胎児異常，子宮内胎児死亡
- 持続する性器出血

ⓒ 施行時期
- 妊娠12週以後の早い時期

ⓓ 術式
- Shirodkar法もしくはMcDonald法

ⓔ 術前確認事項
- 超音波検査による妊娠週数，胎児異常の有無
- 感染徴候の有無

2 予防的頸管縫縮術の有用性について

- 一定の見解は得られておらず，既往妊娠分娩経過を参考にし，適応を検討する．

表 D14-1　早産危険因子を有する症例に対する予防的頸管縫縮術の有用性について

	未施行群	施行群	相対危険度（95%信頼区間）
分娩週数34週未満	23.8%	18.3%	0.77（0.66～0.89）
新生児死亡率	3.5%	3.0%	0.85（0.53～1.39）

予防的頸管縫縮術は妊娠34週未満の早産率に有意な低下を認めたが，新生児死亡率には有意な改善はみられなかった．
〔Alfirevic Z, et al：Cervical stitch（cerclage）for preventing preterm birth in singleton pregnancy. Cochrane Database Syst Rev 6(6)：CD008991, 2017 より〕

治療的頸管縫縮術

1 徳島大学における治療的頸管縫縮術の実際

ⓐ 適応
- 妊娠24週未満かつ頸管長短縮（約15 mm未満）

ⓑ 適応外
- 前期破水
- 絨毛膜羊膜炎
- 持続する性器出血
- 頻回の子宮収縮

ⓒ 術式
- McDonald法

ⓓ 術前確認事項
- 感染徴候，性器出血，子宮収縮の有無

2 治療的頸管縫縮術の有用性について

- 頸管無力症による流早産の既往があり，妊娠24週未満で子宮頸管が短縮した例（<25 mm）に対しては，有効性が示されている．
- 一方で，流早産の既往がない場合の縫縮術については議論がある．

表 D14-2　頸管長短縮症例に対する治療的頸管縫縮術の有用性について

	未施行群	施行群	相対危険度 (95% 信頼区間)
分娩週数 35 週未満	41.3%	28.4%	0.7（0.55〜0.89）
周産期死亡率・新生児罹患率	24.8%	15.6%	0.64（0.45〜0.91）

前児を自然早産し，今回 24 週未満で頸管長 25 mm 未満となった場合に縫縮した群と縫縮しなかった群を比較検討したもの．
〔Berghella V, et al：Cerclage for short cervix on ultrasonography in women with singleton gestations and previous preterm birth：a meta-analysis. Obstet Gynecol 117(3)：663-671, 2011 より〕

頸管縫縮術の合併症

- 頸管縫縮術による術後合併症は前期破水，絨毛膜羊膜炎，分娩時頸管裂傷が挙げられ，発生頻度は 1〜10% と報告されている．
- 予防的頸管縫縮術に比べ，治療的頸管縫縮術では前期破水や絨毛膜羊膜炎の発症が高率である．

表 D14-3　頸管縫縮術の合併症

	前期破水	絨毛膜羊膜炎
予防的頸管縫縮症例	0.8〜18%	1〜6.2%
治療的頸管縫縮症例 　頸管長短縮あるいは内子宮口開大症例 　頸管開大あるいは胎胞突出症例	 3〜65.2% 0〜51%	 30〜35% 9〜37%

〔ACOG practice bulletin—Management of preterm labor. No.43, May, 2003. Int J Gynaecol Obstet 82(1)：127-135, 2003 より〕

文献

1）Alfirevic Z, et al：Cervical stitch（cerclage）for preventing preterm birth in singleton pregnancy. Cochrane Database Syst Rev 6(6)：CD008991, 2017.
2）Berghella V, et al：Cerclage for short cervix on ultrasonography in women with singleton gestations and previous preterm birth：a meta-analysis. Obstet Gynecol 117(3)：663-671, 2011.
3）ACOG practice bulletin—Management of preterm labor. No.43, May, 2003. Int J Gynaecol Obstet 82(1)：127-135, 2003.

D15 妊娠中の糖代謝異常の診断と管理

スクリーニング

1 対象
- 日本人は糖尿病，妊娠糖尿病(gestational diabetes mellitus；GDM)の頻度が高いので，妊娠前に糖尿病と診断された妊婦を除外した全妊婦に対して行う．

2 方法
- 妊娠初期と妊娠中期の2段階で評価を行う．

ⓐ 妊娠初期(妊娠10～13週)
- 随時血糖測定を行う．
- 血糖値(95 mg/dL もしくは)100 mg/dL 以上を陽性とし，75 g経口ブドウ糖負荷試験(OGTT)を行う．
- 血糖値200 mg/dL 以上の場合は，明らかな糖尿病もしくは糖尿病合併妊娠の可能性があるため，まずは空腹時血糖とHbA1cを確認し，明らかな糖尿病の診断に至らなかった場合は75 g OGTTを追加で行う．
- 陽性の場合，妊娠前からの糖尿病の可能性が高い．

ⓑ 妊娠中期(妊娠24～28週)
- 50 gグルコースチャレンジテスト(GCT)を行う．
- 血糖値140 mg/dL 以上を陽性とし，75 g OGTTを行う．
- 以下の場合は上記測定値が陽性でなくても75 g OGTTを施行することが望ましい．
1) GDMの既往歴
2) 非妊時肥満(BMI≧25)
3) 妊娠中強度の尿糖もしくは2回以上尿糖陽性
4) 胎児推定体重が+1.5 SD以上
5) 羊水過多症
- 妊娠27～31週に耐糖能異常を示す妊婦が最も多い．

50 gグルコースチャレンジテスト（GCT）

- 妊娠24〜28週にすべての妊婦を対象にして50 gグルコース負荷を行い（絶食の必要なし），1時間血糖値が140 mg/dL以上のものを陽性者とするスクリーニング検査である．
- 陽性者は診断のため，75 g OGTTを追加する．

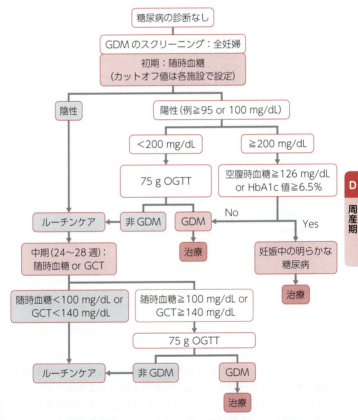

図 D15-1　糖代謝異常のスクリーニングの流れ
〔杉山　隆：妊娠中の糖代謝異常スクリーニング法は？　日本糖尿病・妊娠学会（編）：妊婦の糖代謝異常診療・管理マニュアル，第3版，p69，メジカルビュー社，2021より一部改変〕

妊娠中の糖代謝異常の診断基準

- GDM は,「妊娠中にはじめて発見または発症した糖尿病に至っていない糖代謝異常」と定義され, 妊娠中の明らかな糖尿病, 糖尿病合併妊娠は含めない.

表 D15-1 妊婦の糖代謝異常の診断基準

1) 妊娠糖尿病 gestational diabetes mellitus (GDM)

75 g OGTT において次の基準の 1 点以上を満たした場合に診断する.
① 空腹時血糖値≧92 mg/dL (5.1 mmol/L)
② 1 時間値≧180 mg/dL (10.0 mmol/L)
③ 2 時間値≧153 mg/dL (8.5 mmol/L)

2) 妊娠中の明らかな糖尿病 (overt diabetes in pregnancy) (注1)

以下のいずれかを満たした場合に診断する.
① 空腹時血糖値≧126 mg/dL
② HbA1c 値≧6.5%

* : 随時血糖値≧200 mg/dL あるいは 75 g OGTT で 2 時間値≧200 mg/dL の場合は, 妊娠中の明らかな糖尿病の存在を念頭におき, ①または②の基準を満たすかどうか確認する (注2).

3) 糖尿病合併妊娠 (pregestational diabetes mellitus)

① 妊娠前にすでに診断されている糖尿病
② 確実な糖尿病網膜症があるもの

注1 妊娠中の明らかな糖尿病には, 妊娠前に見逃されていた糖尿病と, 妊娠中の糖代謝の変化の影響を受けた糖代謝異常, および妊娠中に発症した 1 型糖尿病が含まれる. いずれも分娩後は診断の再確認が必要である.

注2 妊娠中, 特に妊娠後期は妊娠による生理的なインスリン抵抗性の増大を反映して糖負荷後血糖値は非妊時よりも高値を示す. そのため, 随時血糖値や 75 g OGTT 負荷後血糖値は非妊時の糖尿病診断基準をそのまま当てはめることはできない.
これらは妊娠中の基準であり, 出産後は改めて非妊娠時の「糖尿病の診断基準」に基づき再評価することが必要である.

〔日本糖尿病学会 (編・著): 糖尿病治療ガイド 2022-2023. p105, 文光堂, 2022 より一部改変〕

- なお「high risk GDM」は診断基準から削除されたが, 本病名が保険診療の血糖自己測定 (SMBG) の適用病名として採用されているため, 今後の保険診療における SMBG 適用拡大までの当面,「high risk GDM」という表記は保険病名として引き続き使用する.

妊娠前の管理

「合併症における妊娠許容基準」の項参照, p312.

注意すべき母体合併症

1) 流産・早産：妊娠初期の HbA1c（NGSP）が7.4%以上となると発生頻度が高まる．
2) 妊娠高血圧症候群：微小血管障害が強い場合，合併率が増加する．
3) 糖尿病性ケトアシドーシス：悪阻やβ_2刺激薬，インスリン使用なども誘因となる．母体・胎児死亡率ともに高率であり注意が必要．
4) 糖尿病網膜症：妊娠中に増殖性網膜症に移行した場合は網膜光凝固を行うかどうかを慎重に対応する．
5) 糖尿病性腎症：高血圧に対しては，アンジオテンシン変換酵素阻害薬（ACE-I），利尿薬は使用しない．

注意すべき胎児・新生児合併症

1) 胎児構築異常（図 D15-2）：妊娠初期の HbA1c（NGSP）が6.5%以上となると発生率が高率となる．

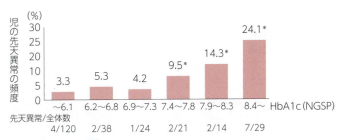

図 D15-2　妊娠初期の HbA1c 別にみた児の先天異常の頻度（1995～2008年）

妊娠初期，特に器官形成期の血糖コントロールが悪いほど先天異常の出現率が高くなる．
＊：p＜0.001 vs. HbA1c 7.3 以下の群
〔末原節代，他：当センターにおける糖代謝異常妊婦の頻度と先天異常に関する検討．糖尿病と妊娠 10：104-108, 2010．荒田尚子：妊娠前の目標血糖値はどれくらいにすればよいのですか？　日本糖尿病・妊娠学会（編）：妊婦の糖代謝異常　診療・管理マニュアル．第3版，p35，メジカルビュー社，2021より〕

2) 巨大児：難産，胎児機能不全，新生児低血糖が発生しやすい．
3) 胎児発育不全：糖尿病合併妊娠の微小血管障害が子宮胎盤血流障害を引き起こした場合．

4) 新生児低血糖
5) 羊水過多
6) その他：子宮内胎児死亡，新生児低カルシウム血症，多血症，高ビリルビン血症

糖代謝異常妊婦の治療

- 糖尿病の治療は，血糖コントロールが最も重要である．特に妊娠中は，非妊時に比べてより厳密な血糖コントロールが重要である．治療はまず食事療法を行うが，コントロール不良の場合は，インスリン療法を行う．
- 通常，経口血糖降下薬は使用しない．妊娠前に経口血糖降下薬を使用していた場合は，インスリン療法に切り替えておく．

1 血糖自己測定（SMBG）

- 1日7回（各食事30分前，各食後2時間，就寝前）が望ましい．
- 血糖コントロールが良好に保たれている場合は回数を少なくしてもよい．

2 血糖コントロール目標

1) 空腹時血糖　　　　　　　100 mg/dL 以下
2) 食後1時間血糖　　　　　140 mg/dL 以下
3) 食後2時間血糖　　　　　120 mg/dL 以下
4) HbA1c　　　　　　　　　6.2%（NGSP）以下
5) グリコアルブミン　　　　15.7% 以下

妊娠中の食事療法（1日必要エネルギー）

- 基本摂取エネルギー量：標準体重［身長$(m)^2 \times 22$］$\times 30$ kcal/日

1 妊娠前 BMI[*1] が 25 未満の場合

- 基本摂取エネルギー量＋付加エネルギー量

表 D15-2　付加エネルギー量（妊娠前 BMI＜25）

	妊娠初期	妊娠中期	妊娠後期
時期によって付加量を変更	50 kcal/日	250 kcal/日	450 kcal/日
時期にかかわらず付加	200 kcal/日		

上段または下段の値を付加する．

[*1]：BMI(body mass index)：体重$(kg)/[身長(m)]^2$

2 妊娠前 BMI が 25 以上の場合

- 妊娠全期間：基本摂取エネルギー量のみ（付加エネルギーなし）

インスリン療法

- 食事療法や分割食で血糖コントロール不十分の場合に導入を検討する．
- GDM では早朝空腹時血糖値より食後高血糖が問題になることが多く，速効型もしくは超速効型インスリンを使用する．
- リトドリン塩酸塩の使用や肥満などの場合で早朝空腹時血糖値が高い場合は中間型もしくは持効型溶解インスリンの併用を開始する．
- インスリン導入の場合は低血糖に注意して 2〜4 単位から開始する．
- 速効型であれば，食事の 30 分前の注射が必要であったが，超速効型の場合は，食事直前の注射でよく，妊婦のコンプライアンスが高い．

分娩後の管理

- GDM と診断された場合は産後 6〜12 週に 75 g OGTT を行い，糖尿病でないことを確認する．

表 D15-3　75 g OGTT による糖尿病の判定基準

		静脈血漿グルコース濃度（mg/dL）
糖尿病型	空腹時 and/or 2 時間値	≧126 ≧200
正常型	空腹時 and 2 時間値	<110 <140
境界型	糖尿病型にも正常型にも属さないもの	

〔日本糖尿病学会（編・著）：糖尿病治療ガイド 2022-2023．p24，文光堂，2022 より一部改変〕

文献
1) 日本糖尿病・妊娠学会（編）：妊婦の糖代謝異常 診療・管理マニュアル．第 3 版，メジカルビュー社，2021．

D16 膠原病合併妊娠

膠原病患者の妊娠許容基準

「合併症における妊娠許容基準」の項参照，p314.

膠原病の疫学

表 D16-1　膠原病の疫学

	頻度 (対10万人)	男女比 (男性 1)	発症年齢 (歳)
全身性エリテマトーデス(SLE)	7～9	11	15～40
混合性結合組織病(MCTD)	3	12	15～60
強皮症(SSc)	0.3	4～7	35～55
多発性筋炎(PM)および皮膚筋炎(DM)	6	1.5～2	30～60
関節リウマチ(RA)	300	2～3	20～50

妊娠と膠原病

表 D16-2　妊娠と膠原病の相互関係

	妊娠が膠原病に与える影響	膠原病が妊娠に与える影響
SLE	分娩後増悪	流産，胎内死亡，FGR 増加
MCTD	増悪	流産，胎内死亡，FGR 増加
SSc	影響なし	流産，胎内死亡，FGR 増加
PM および DM	分娩後増悪	流産，胎内死亡，FGR 増加
RA	妊娠中軽快，分娩後増悪	影響少ない(FGR 増加など)

表 D16-3　膠原病合併妊娠の予後因子

SLE	腎障害，中枢神経障害，肺高血圧，心筋障害，肺拡散障害
MCTD	肺高血圧，肺拡散障害
SSc	腎障害，肺高血圧，肺拡散障害，消化管機能異常
PM および DM	悪性腫瘍の合併，感染の合併，肺拡散障害，呼吸筋の麻痺
RA	肺拡散障害，腎障害

検査項目

表 D16-4　膠原病合併妊娠時の検査項目

炎症	CRP，補体，血中免疫複合体など
自己抗体	抗 dsDNA 抗体，抗 Sm 抗体（SLE） 抗 SS-A 抗体（児の房室ブロックの原因となる） 抗 Scl-70 抗体（SSc） 抗 U1-RNP 抗体（MCTD） 抗カルジオリピン抗体（FGR，IUFD の原因となる）
血液一般検査	白血球数，赤血球数，Hb，血小板
凝固機能	APTT（ループスアンチコアグラント）
腎機能	クレアチニンクリアランス，BUN，クレアチニン，尿酸など
心機能	心エコー（肺高血圧），ECG（右心負荷）など
肺機能	肺機能検査，血液ガス，胸部 X 線写真など
胎児の評価	FGR に注意

SLE

1 妊娠・分娩に与える影響

- 流産率，死産率，早産率，FGR，胎児機能不全，PROM，妊娠高血圧症候群の増加がある．
- 特に抗リン脂質抗体症候群を合併している場合，流早産率が高率である．

2 新生児に対する影響

- 低出生体重児，早産児の増加，新生児ループスの出現などがある．

● **新生児ループス**（neonatal lupus erythematosus；NLE）

1) **皮膚病変**：顔面から頸部にかけての紅斑
2) **血液所見**：貧血，白血球減少，血小板減少
3) **心病変**：完全・不完全房室ブロックなど

- 1)～3)の症状がどれか 1 つ以上認められる場合，新生児ループスと診断する．
- 新生児ループスの原因は抗 SS-A 抗体である．皮膚病変，血液所見は，移行抗体であるため 8～9 か月で消失するが，完全房室ブロックは恒久的に認められる．

3 妊娠中の管理

ⓐ 抗リン脂質抗体および抗 SS-A，SS-B 抗体の検査
- 妊娠前より必要である．妊娠前に検査が未施行の場合は，できるだけ早期に測定する．

ⓑ SLE の活動性
- 定期的に確認する（表 D16-5）．

表 D16-5　SLE 疾患活動性指数 (systemic lupus erythematosus disease activity index；SLEDAI)

臓器系	所見	点数	臓器系	所見	点数
中枢神経系	痙攣発作	8	皮膚	新たな紅斑	2
	精神症状	8		脱毛	2
	器質性脳症候群	8		粘膜潰瘍	2
	視力障害（眼底異常所見）	8	漿膜炎	胸膜炎	2
	脳神経障害	8		心膜炎	2
	ループス頭痛	8	検査所見	低補体血症	2
	脳血管障害（新たな出現）	8		抗 DNA 抗体高値	2
血管炎	潰瘍，壊死など	8		血小板減少（<100,000/μL）	1
筋関節炎	関節炎（多発性）	4		白血球減少（<3,000/μL）	1
	筋炎	4			
腎	尿円柱	4	全身症状	発熱（>38℃）	1
	赤血球尿（>5RBC/HPF）	4			
	蛋白尿（>0.5 g/日）	4			
	白血球尿（>5WBC/HPF）	4			

注：合計点 3 点以上で軽度ないし中等度の疾患活動性あり，12 点以上であれば高度の疾患活動性あり．

ⓒ 胎児 well-being
- 適宜チェックを行う．

ⓓ 胎児の先天性心ブロック
- 抗 SS-A 抗体陽性の場合は約 1% に胎児の先天性心ブロックが発症することがある．
- 主に妊娠 18〜24 週に出現するといわれており，ハイリスク症例〔前子が先天性心ブロックを発症，抗 SS-A 抗体価 120 U/mL（ELIZA 法）以上〕は，胎児心エコー検査を注意して行う必要がある．

ⓔ 薬物療法
1）鎮痛薬
- 関節痛などに使用する．原則としてアセトアミノフェンを用いる．

2) プレドニゾロン(PSL)

- 妊娠初期には 15 mg/日以下の投与が望ましい．それ以降は 60 mg/日までの投与は可能である．
- ヒトにおいては，PSL による催奇形性，胎児死亡の報告は非常に稀である．胎児の副腎抑制もいわれているが，最近の報告はない．しかし，口唇口蓋裂の発症頻度は 2～3 倍上昇するという報告もある．

3) 免疫抑制薬，抗 TNFα 抗体製剤

- メトトレキサート，ミコフェノール酸モフェチルは胎児形態異常との関連があるため妊娠前に一定期間の休薬または他の薬への変更が推奨される．
- サラゾスルファピリジン，メルカプトプリン，抗 TNFα 抗体製剤は胎児形態異常との関連はないといわれている．
- 妊娠中に抗 TNFα 抗体製剤を投与した場合，児の生ワクチン接種は出生後 6 か月までは控える．

f 抗リン脂質抗体

- 陽性の場合には「抗リン脂質抗体による不育症」の項参照，p183．

4 分娩時の管理

- ステロイド治療例では副腎不全状態とストレス(出産，帝王切開)に応じたステロイドカバーを考慮する．

5 産褥・授乳期の管理

a 産褥期

- SLE の急性増悪予防のためステロイド投与量を一時的に増量する必要がある．

b ステロイド投与中の授乳

- パルス療法中(PSL 30 mg/日以上)以外は問題がないという報告が多い．

c 母乳中の抗 SS-A 抗体

- 母乳中に抗 SS-A 抗体が分泌されるという報告はあるが，新生児の健康上のリスクの上昇は認めないとされている．

D17 気管支喘息合併妊娠

気管支喘息と妊娠

- 気管支喘息とは，PaO_2↓，$PaCO_2$↑となる状態.
- 妊娠中は呼吸性アルカローシスの状態となり，呼吸困難が生じやすい．PaO_2が60 mmHg以下になると胎児に影響が出るといわれる.

ⓐ 妊娠に合併する頻度
- 2〜13%

ⓑ 妊娠が喘息に与える影響
- 症状改善：不変：悪化＝1：1：1
- 喘息コントロールの悪化は妊娠中期〜後期(24〜36週)に多く，以降は症状の改善があり，分娩時の悪化は稀とされる.

ⓒ 胎児に対する影響
- コントロール不良例で流早産，FGR，周産期死亡などが増加する.

一般的治療

処方例 1)〜3)のいずれかを用いる．発作時には4), 5)のいずれかを追加して用いる.

吸入ステロイド薬
1)パルミコート® (100 μg)タービュヘイラー® 1回1〜4吸入 1日2回
吸入ステロイド+$β_2$刺激薬
2)アドエア® 250ディスカス® 1回1吸入 1日2回
3)シムビコート® タービュヘイラー®(30吸入・60吸入)
  1回1吸入 1日2回
短時間作用型 $β_2$ 刺激薬
4)サルタノール® インヘラー(100 μg) 1回2吸入 頓用
気管支拡張薬
5)メプチンエアー®(10 μg) 1回2吸入 頓用

重積発作時の治療

1) 酸素投与：PaO_2 を 70～80 mmHg 以上に保つ．
2) 短時間作用型 β_2 刺激薬〔サルタノール®インヘラー(100 μg)〕を 2～4 パフ，もしくはネブライザーで吸入．20～60 分おきに繰り返す．
3) ヒドロコルチゾン〔ソル・コーテフ®注射用(100 mg)〕をまず 200～300 mg 静注．その後 4 時間おきに 100 mg 追加静注．
4) 反応性が乏しいときは早めの気管内挿管・人工呼吸器管理を考慮する．

- $pH<7.35$，$PaCO_2≧28～32$ mmHg，あるいは $PaO_2<70$ mmHg で挿管管理を考慮．

禁忌

- ジノプロスト(プロスタグランジン $F_{2\alpha}$．プロスタルモン®・F 注射液)

慎重投与

- ジノプロストン(プロスタグランジン E_2 錠)
- ジノプロストン腟内留置用製剤(プロウペス®腟用剤)
- ゲメプロスト(プレグランディン®腟坐剤)の禁忌・慎重投与には，気管支喘息が含まれていない．

D18 甲状腺機能異常合併妊娠

妊娠中の甲状腺関連ホルモンの生理的変化

1) サイロキシン(T_4)・トリヨードサイロニン(T_3)：非妊娠時の正常上限まで上昇〔thyroxine binding globulin(TBG)の増加による〕．
2) free T_4・free T_3：妊娠初期にやや上昇する．
3) サイロトロピン(TSH)：妊娠初期にやや減少するが中期，後期は非妊時と差はない．

妊娠一過性甲状腺機能亢進症(gestational transient hyperthyroidism；GTH)

- 妊娠初期(8〜13週)に起こる一過性甲状腺機能亢進状態．
- この時期に急上昇するhCGによる甲状腺細胞刺激によると思われ，特に重症妊娠悪阻に合併することが多い．妊娠20週頃に自然寛解し，治療を必要としない．

甲状腺機能亢進症(Basedow病)合併妊娠

1 合併頻度
- 約1/500妊娠．

2 原因
- 主に，甲状腺濾胞細胞上のTSH受容体に対する自己抗体(TRAb)の作用．

3 妊娠が甲状腺機能亢進に及ぼす影響
- 妊娠初期に悪化し，中・後期に軽快し，産褥期に再び悪化する傾向がある．

4 甲状腺機能亢進症が妊娠に及ぼす影響
- 胎児形態異常，流早産，死産，妊娠高血圧症候群，胎児発育不全などの発症率の上昇(コントロール不良例)．

5 妊娠中に行うべき甲状腺機能検査[*1]
- free T_4，free T_3，TSH，TSH受容体抗体(TRAb)，甲状腺刺激

抗体(TSAb),抗マイクロゾーム抗体(MCHA)・抗サイログロブリン抗体(TgAb).

6 治療:抗甲状腺薬

- チアマゾール(MMI)は妊娠初期の内服で先天異常との関連が指摘されており,プロピルチオウラシル(PTU)に変更することが望ましい.

1) プロピルチオウラシル(PTU)

> チウラジール®錠(50 mg)またはプロパジール®錠(50 mg)
> 1回2錠 1日3回で開始(維持量1回1錠 1日1回)

※肝障害の副作用の頻度が高い.また ANCA 関連血管炎を引き起こす可能性もあることに留意する.

2) チアマゾール(MMI)

> メルカゾール®錠(5 mg)
> 1回3錠 1日2回で開始(維持量1回1錠 1日1回)

※妊娠初期(12週頃まで)の治療で MMI を使用すると頭皮欠損症,後鼻孔閉鎖症,食道閉鎖症,気管食道瘻,臍帯ヘルニアなどの胎児形態異常との関連が示唆されている.

7 投与上の注意

- 妊娠前から,可能な限り MMI から PTU に変更して管理する(MMI 10 mg と PTU 150 mg が同程度).MMI 内服中に妊娠が判明した場合,妊娠9週6日までであれば MMI を速やかに中止し,患者の状態に応じて休薬または PTU などへの変更を考慮する.
- 効果発現まで2~4週間かかる.
- ホルモン値(特に free T_4,TSH)を観察しながら漸減する.
- 妊娠20週以降は胎児甲状腺が機能し始めるため胎盤移行した抗甲状腺薬が胎児の甲状腺機能をより強く抑制し,出生児に一過性甲状腺機能低下症状が出現することがある.そのため,母体甲状腺機能を正常上限付近にコントロールする薬量とする.
- 母体が手術やアイソトープ治療などを行っている場合は,母体の甲状腺機能が落ち着いていても,胎盤移行した TSAb によって,胎児甲状腺機能亢進症が起こることがある.そのため抗体値が高

---

*1:妊娠中は TBG の増加により生物活性をもたない結合型の T_4・T_3 が増加するので,甲状腺機能評価の指標としては不適.

値である場合は，胎児の観察を行い，抗甲状腺薬治療を考慮する必要がある．
- 母乳移行性はPTUがMMIの1/10である．しかし，現時点では母体への投与量がMMI 10 mg/日以下，PTU 300 mg/日以下であれば，児の甲状腺機能への影響を考える必要がない．

8 新生児甲状腺機能亢進症

- 頻脈・発汗・易刺激性・多呼吸の症状が出現した場合，ただちに治療開始する．
- また母体から移行していた抗甲状腺薬は数日で代謝されるが，TSAbは低下するのに時間がかかるため，数日後に新生児Basedow病を発症するリスクがあることに留意する．

甲状腺クリーゼ

- 甲状腺中毒症の原因となる未治療，ないしコントロール不良の甲状腺基礎疾患が存在し，これに何らかの強いストレス(分娩，手術，感染など)が加わったときに，甲状腺ホルモン作用過剰に対する生体の代償機構の破綻により複数臓器が機能不全に陥った結果，生命の危機に直面した緊急治療を要する病態．

1 症状

- 発熱，頻脈，中枢神経症状(不穏，せん妄，精神異常など)，消化器症状，心不全症状など．

2 診断

- 上記の症状から甲状腺クリーゼを疑うことが重要である．症状に加え，甲状腺中毒症の存在(free T_3 および free T_4 の少なくともいずれか一方が高値)により診断される．

3 治療

1) 全身管理：呼吸管理・鎮静，十分な補液，解熱，原因の検索などを行う．
2) 抗甲状腺薬の投与
    PTU 初回投与 500～1,000 mg その後，4時間ごとに250 mg
    MMI 60～80 mg/日
3) ヨウ素(ヨウ化カリウム飽和液)
    5滴(0.25 mLまたは250 mg) 経口で6時間ごと
4) 副腎皮質ホルモン(ヒドロコルチゾン)
    初回投与300 mg静注 その後，8時間ごとに100 mg

5) β_2遮断薬（プロプラノロール塩酸塩）
　4時間ごとに60〜80 mg
- これらの治療法に反応不良の場合は血漿除去/交換，あるいは緊急甲状腺切除術などが行われている（詳細は『甲状腺クリーゼ診療ガイドライン2017』を参照）．

甲状腺機能低下症・橋本病合併妊娠

1 甲状腺機能低下症の合併頻度
- 600人に1人．

2 原因
- 甲状腺機能亢進症に対する手術，放射性ヨード投与などの医原性のものと，橋本病などの自己免疫疾患がある．

3 甲状腺機能低下症が妊娠に及ぼす影響
- 流早産，死産，妊娠高血圧症候群，常位胎盤早期剥離，産後出血，胎児発育不全などの発症率の上昇（コントロール不良例）．

4 妊娠中に行うべき甲状腺機能検査
- free T_4，free T_3，TSH，TSH受容体抗体（TRAb）（ただし甲状腺機能低下症で出現するTRAbは抑制型TSH受容体抗体：TSBAbである），甲状腺刺激抗体（TSAb），抗マイクロゾーム抗体（MCHA），抗サイログロブリン抗体（TgAb），甲状腺ペルオキシダーゼ抗体（TPOAb）

5 治療：T_4製剤
　チラーヂン® S錠（25 μg）　1回1〜2錠　1日1回で開始漸増し，2〜3週で1回4〜8錠　1日1回の維持量とする

6 投与上の注意
- 非妊娠時と比較して必要量は30〜50％程度増加するといわれているためTSH 2.5 μIU/mL未満になるように調整する．
- またレボチロキシンナトリウムの内服は空腹時がよいとされ，妊娠中によく内服する鉄剤との飲み合わせが悪い（吸収遅延が起こる）ため4時間以上空けてから内服するように勧める．

7 新生児甲状腺機能低下症
- 母体が甲状腺機能低下症でかつTRAb（TSBAb）高値の場合，新生児甲状腺機能低下症を発症することがあり，出生直後からの治療が必要となる場合がある．

> **Side Memo** 出産後甲状腺機能異常症

1 定義
分娩を契機として起こる種々の甲状腺機能異常の総称.

2 頻度
- 産後女性の5〜6%で甲状腺原発の甲状腺機能異常症が発症している.
- 産後の育児疲れと症状がオーバーラップする場合が多く,従来「産後の肥立ちが悪い」「育児ノイローゼ」「産後うつ」などといわれてきた症例のなかに本症が含まれている可能性が高い.

3 症状
- 疲労感,心悸亢進

4 検査
- free T_3・free T_4・TSH,抗マイクロゾーム抗体(MCHA),抗サイログロブリン抗体(TgAb)

5 治療
- 機能異常が一過性で症状が軽い場合は無治療.
- しかし約0.3%に永続性の甲状腺機能亢進症または低下症をきたすため注意が必要である.

文献
1) 光田信明,他:甲状腺疾患合併妊産婦の取り扱い方.産婦治療73(1):40-45,1996.

D19 血液型不適合妊娠

Rh(D)血液型不適合妊娠

1 母体の感作

- D(-)の妊婦にD(+)の胎児血が侵入すると母体は感作され，血中に抗D抗体が産生される．この母体感作は一般に妊娠を重ねるほど，その頻度は高くなる．

表 D19-1　D(+)妊娠回数と初感作率

D(+)の胎児を妊娠した回数	初感作率(感作数/妊娠数)
1回	0.1%（1/771）
2回	11%（45/407）
3回	11%（18/161）
4回以上	15%（7/47）

〔Freda VJ：The Rh problem in obstetrics and a new concept of its management using amniocentesis and spectrophotometric scanning of amniotic fluid. Am J Obstet Gynecol 92(3)：341-374, 1965 より〕

2 妊娠中の管理法

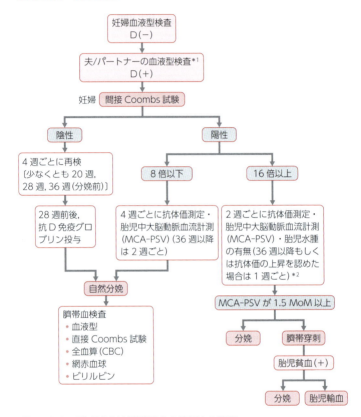

図 D19-1　Rh(D)血液型不適合の妊娠中の管理
*1：夫/パートナーがD(-)であれば胎児もD(-)と考えられるが，夫/パートナーが胎児の父親でないこともあるため注意する．
*2：抗体価，超音波所見および妊娠週数を考慮して総合的に判断する．著変がない場合も37〜38週での分娩を考慮する．

3 胎児中大脳動脈ドプラ血流計測

- 胎児中大脳動脈最高血流速度(middle cerebral artery peak systolic velocity；MCA-PSV)は胎児貧血により上昇する(表 D19-2)．
- 貧血による心拍出量の増加や血液粘稠度の増加が原因とされている．

表 D19-2 MCA-PSV (cm/sec)

週	Mean	1.5 MoM	1.55 MoM
18	23.2	34.8	36.0
19	24.3	36.5	37.7
20	25.5	38.2	39.5
21	26.7	40.0	41.3
22	27.9	41.9	43.3
23	29.3	43.9	45.4
24	30.7	46.0	47.5
25	32.1	48.2	49.8
26	33.6	50.4	52.1
27	35.2	52.8	54.6
28	36.9	55.4	57.2
29	38.7	58.0	59.9
30	40.5	60.7	62.8
31	42.4	63.6	65.7
32	44.4	66.6	68.9
33	46.5	69.8	72.1
34	48.7	73.1	75.6
35	51.1	76.6	79.1
36	53.5	80.2	82.9
37	56.0	84.0	86.8
38	58.7	88.0	91.0
39	61.5	92.2	95.3
40	64.4	96.6	99.8

1.5 MoM：中等度貧血のカットオフ値，1.55 MoM：高度貧血のカットオフ値
MoM＝multiples of the median（中央値からの倍数）
〔Mari G, et al：Noninvasive diagnosis by Doppler ultrasonography of fetal anemia due to maternal red-cell alloimmunization. N Engl J Med 342(1)：9-14, 2000 より〕

- 感度は75～100％，偽陽性は12％程度あり，特に妊娠後期(34～35週)で偽陽性となりやすい．
- またFGRでもMCA-PSVが上昇することがあるため注意を要する．
- MCA-PSVの測定は，超音波ビームと中大脳動脈との角度が0°になるようにして，中大脳動脈の起始部で測定する．

4 臍帯穿刺・胎児輸血

- 臍帯穿刺は，超音波ガイド下に臍帯を穿刺する侵襲的検査である．MCA-PSV が 1.5 MoM 以上の場合に考慮される（図 D19-1 参照）．
- 穿刺により臍帯からの出血が遷延することがあり，胎児死亡が 1～2％で起こる．十分な説明および準備のもと慎重に行う．
- 貧血の判定には表 D19-3 を参考とする．
- 胎児輸血はヘマトクリットが 20～30％以下の場合に考慮される．

表 D19-3　臍帯血 Hb 値（g/dL）

妊娠週数	MoM				
	1.16	1.00（中央値）	0.84	0.65	0.55
18	12.3	10.6	8.9	6.9	5.8
20	12.9	11.1	9.3	7.2	6.1
22	13.4	11.6	9.7	7.5	6.4
24	13.9	12.0	10.1	7.8	6.6
26	14.3	12.3	10.3	8.0	6.8
28	14.6	12.6	10.6	8.2	6.9
30	14.8	12.8	10.8	8.3	7.1
32	15.2	13.1	10.9	8.5	7.2
34	15.4	13.3	11.2	8.6	7.3
36	15.6	13.5	11.3	8.7	7.4
38	15.8	13.6	11.4	8.9	7.5
40	16.0	13.8	11.6	9.0	7.6

〔Mari G, et al：Noninvasive diagnosis by Doppler ultrasonography of fetal anemia due to maternal red-cell alloimmunization. N Engl J Med 342(1)：9-14, 2000 より〕

5 出生児の取り扱い

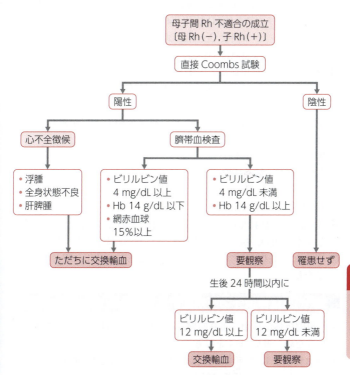

図 D19-2　Rh(D)血液型不適合妊娠の出生児の取り扱い

6 抗Dヒト免疫グロブリン(抗Dグロブリン)の予防投与

ⓐ 分娩後下記の条件を満たす場合〔1)かつ2)〕，早期に(72時間以内)本剤1バイアル(抗D抗体250μgに相当)を褥婦に筋注する．
1) 母体はD(−)かつ間接Coombs試験(−)*1
2) 臍帯血もしくは児血はD(+)

ⓑ 分娩以外でも胎児血が流入することがあるので，以下の場合で，上記1)の条件を満たす場合，抗Dヒト免疫グロブリンを投与する．

- 自然流産・人工妊娠中絶*2(7週以降まで児の生存が確認できた場合)
- 異所性妊娠(7週以降)
- 羊水穿刺*2・絨毛採取*2
- 外回転術
- 腹部打撲

ⓒ Weak DはD抗原の反応が非常に弱いものであるが，D(+)として取り扱い，抗Dヒト免疫グロブリンは投与しない*3．

ⓓ 抗Dヒト免疫グロブリンは血液製剤であり，使用に際しては同意を得る．

Rh(D)抗体以外の不規則抗体による血液型不適合妊娠

- 不規則抗体の種類により胎児・新生児の溶血性疾患のリスクは異なるため，表D19-4 を参考に判断する．
- 溶血性疾患に関与する抗体の場合，抗体価(IgG)を測定し，Rh(D)血液型不適合妊娠に準じて管理する(図D19-1，p370)．
- 前回妊娠で溶血性疾患を起こした場合や一部の抗体(抗K抗体や抗M抗体など)では，抗体価と児の状態が相関しないことがあり，MCA-PSVなどを用いて慎重に管理する．

---

*1：妊娠中に抗Dヒト免疫グロブリンが投与された場合，間接Coombs試験(抗D抗体)が弱陽性(+)となることがある．通常は4倍以下であり，陰性(−)として投与する．
*2：抗Dヒト免疫グロブリンは保険給付の対象とはならない．
*3：輸血に際しては，Weak Dはドナーの場合はD抗原陽性，輸血を受ける場合はD抗原陰性として扱う．

表 D19-4 胎児・新生児溶血性疾患(HDFN)の原因となる抗 D 抗体以外の不規則抗体

抗原-抗体系	文献 i)より		文献 ii)より	
	抗原	関与の程度※	重症度	管理
Rh	D	重要	severe	fetal assessment
	E	可能性高い	mild to severe	fetal assessment
	G(D+C に混在)	可能性高い	—	—
	C	可能性低い	mild to severe	fetal assessment
	c	可能性低い	—	—
	Cw	可能性低い	—	—
	e	可能性低い	—	—
Kell	K	重要	mild to severe	fetal assessment
	Ku	重要	—	—
	k	重要	mild	routine obstetric care
	Js^b	重要	mild	routine obstetric care
	Kp^a	可能性高い	mild	routine obstetric care
	Kp^b	可能性高い	mild	routine obstetric care
	Js^a	可能性高い	mild	routine obstetric care
Diego	Di^b	重要	mild to severe	fetal assessment
	Di^a	可能性高い	mild to severe	fetal assessment
MNS	U	重要	mild to severe	fetal assessment
	M	可能性高い	mild to severe	fetal assessment
	S	可能性低い	mild to severe	fetal assessment
	s	可能性低い	mild to severe	fetal assessment
	N	関与しない	mild	routine obstetric care
Duffy	Fy^a	重要	mild to severe	fetal assessment
	Fy^b	可能性低い	not a cause of HDFN	—
Kidd	Jk^a	重要	mild to severe	fetal assessment
	Jk^b	可能性低い	mild	routine obstetric care
Jr	Jr^a	可能性高い	mild	routine obstetric care
P	PP$_1$P^k	重要	mild to severe	fetal assessment
	P$_1$	関与しない	—	—
Lewis	Le^a, Le^b	関与しない	not a cause of HDFN	
Lutheran	Lu^a, Lu^b	関与しない	mild	routine obstetric care

(次ページへつづく)

表 D19-4 胎児・新生児溶血性疾患(HDFN)の原因となる抗 D 抗体以外の不規則抗体(つづき)

抗原-抗体系	文献 i)より		文献 ii)より	
	抗原	関与の程度※	重症度	管理
Xg	Xg^a	関与しない	mild	routine obstetric care
JMH	JMH	関与しない	—	—
Kanno	Kanno	関与しない	—	—
HLA 抗体	Bg^a, Bg^b, Bg2	関与しない	—	—

※関与の程度:重要>可能性高い>可能性低い>関与しない

i) 大戸 斉:新生児溶血性疾患と母児免疫. 前田平生,他(編著):輸血学. 改訂第 4 版,中外医学社,pp597-613,2018
ii) ACOG Practice Bulletin No. 192. Management of alloimmunization during pregnancy. Obstet Gynecol 131(3):e82-e90, 2018(PMID:29470342)
〔日本産科婦人科学会,日本産科婦人科医会(編集・監修):産婦人科診療ガイドライン—産科編 2023. 日本産科婦人科学会,p40,2023 より一部改変〕

文献

1) Freda VJ:The Rh problem in obstetrics and a new concept of its management using amniocentesis and spectrophotometric scanning of amniotic fluid. Am J Obstet Gynecol 92(3):341-374, 1965.
2) Mari G, et al:Noninvasive diagnosis by Doppler ultrasonography of fetal anemia due to maternal red-cell alloimmunization. N Eng J Med 342(1):9-14, 2000.
3) Liley AW:Liquor amnil analysis in the management of the pregnancy complicated by resus sensitization. Am J Obstet Gynecol 82(6):1359-1370, 1961.

D20 切迫早産の治療方針

切迫早産の定義

- 妊娠22週0日から妊娠36週6日までの妊娠中に，規則的な子宮収縮が認められ，かつ子宮頸管の開大度・展退度に進行が認められる場合，あるいは初回の診察で子宮頸管の開大度が2cm以上となっているなど，早産となる危険性が高いと考えられる状態.

治療の概要

- 子宮収縮や性器出血は，常位胎盤早期剥離の初期症状である可能性があるので，まずは胎児心拍陣痛図で異常がないことを確認する.
- 安静および子宮収縮抑制薬の投与を行うのが一般的であるが，常にその必要性を検討し有害事象に注意しながら，漫然と行わない

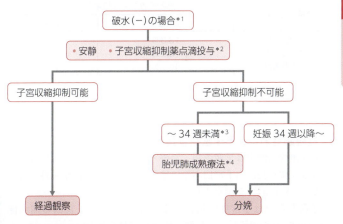

図 D20-1　切迫早産の治療方針

*1：破水（＋）の場合は図 D22-1 参照，p389.
*2：子宮収縮抑制薬点滴はリトドリン塩酸塩（ウテメリン®）ならびに硫酸マグネシウム（マグセント®）を使用する，p380.
*3：32週未満では児の脳保護を目的に硫酸マグネシウムを投与することがある.
*4：胎児肺成熟療法には，ベタメタゾン（リンデロン®）を使用する，p383.

ようにする.欧米では,安静および子宮収縮抑制薬の妊娠延長効果は限定的とされ,また母体への副作用が懸念されることから長期投与は推奨されていない.
- 一方で,近年早い時期の早産児だけでなく,late preterm 児の問題も指摘されており,切迫早産の加療をいつまで行うかは議論がある.

早産予知マーカー

1 頸管・腟分泌物中の癌胎児性フィブロネクチン

- 癌胎児性フィブロネクチン(oncofetal fibronectin)は胎児由来の糖蛋白であり,胎児血や卵膜,羊水中などに存在する細胞外マトリックス蛋白である.頸管炎・絨毛膜羊膜炎や卵膜の破綻により頸管・腟分泌物中に流出するため,早産危険因子を有する症例における早産マーカーとして,あるいは切迫早産の診断に有用である.
- 陰性例では2週間以内に分娩になる可能性は低く,不必要な早産管理を避けるうえでも有用であるとされる.

表 D20-1 癌胎児性フィブロネクチンと早産率

分娩までの期間	癌胎児性フィブロネクチン	
	陽性	陰性
7日以内	13.3%	0.5%
14日以内	16.7%	0.8%
37週未満	44.7%	15.5%

妊娠 24〜28 週での測定.
〔Colombo DF, et al : Cervical length and preterm labor. Clin Obstet Gynecol 43(4): 735-745, 2000 より〕

2 経腟超音波による子宮頸管長測定

- 子宮頸管長測定は早産予知,治療・入院の必要性の判断に有用である.頸管長は内子宮口あるいは子宮腔側の閉鎖部から外子宮口まで(残存頸管)を測定する.
- 努責あるいは子宮底圧迫による頸管の変化(内子宮口の開大像 funneling)や頸管長の短縮像を観察しておくとよい.
1) 観察条件:①膀胱が空虚,②プローブの先端で子宮頸部を圧迫しない,③子宮体部の収縮がない.
2) 早産を予測する所見:①頸管長の短縮像,②内子宮口の開大像(funneling).

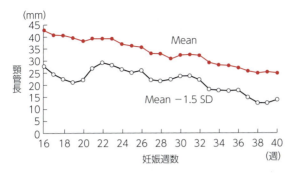

図 D20-2　妊娠中の子宮頸管長

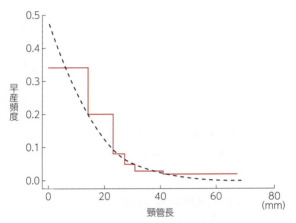

図 D20-3　妊娠24週での子宮頸管長と早産率（妊娠35週未満分娩）

〔Iams JD, et al：The length of the cervix and the risk of spontaneous premature delivery. N Engl J Med 334(9)：567-572, 1996 より〕

表 D20-2　早産既往症例における再発率（妊娠35週未満分娩）

頸管長(mm)	癌胎児性フィブロネクチン	
	陽性	陰性
<25	65%	25%
26〜35	45%	21.4%
>35	25%	7%

妊娠24週での頸管長・癌胎児性フィブロネクチン評価．

子宮収縮抑制薬

- 投与に際しては有害事象，特に母体の副作用に注意が必要である．
- 漫然とした投与にならないように，必要に応じて減量や中止を検討する．
- 子宮収縮抑制薬投与中もしくは投与終了後早期に分娩に至った場合，新生児に低血糖や高カリウム血症などが起こりやすく注意が必要である．

1 リトドリン塩酸塩（ウテメリン®）

1. ウテメリン®注1A（リトドリン塩酸塩として50 mg/5 mL）を5%グルコース液または10%マルトース液500 mLに希釈．
2. リトドリン塩酸塩50 μg/分から点滴静注を開始．
3. 子宮収縮抑制効果および母体心拍数などを観察しながら投与量を適宜増減．
4. 有効投与量は50〜150 μg/分．なお，投与量は200 μg/分を超えないように注意．
5. 肺水腫の予防のため，総輸液量が1,000 mL/日を超えないように注意する．
6. 本邦ではリトドリン塩酸塩を長期投与することが多いが，欧米ではリトドリン塩酸塩の投与に際しては，48時間以内の投与に限ることが指導されている．

表 D20-3 **リトドリン塩酸塩の投与量目安**（ウテメリン®注1Aを500 mLで希釈した場合）

投与量（μg/分）	溶液量（mL/時間）
50	30
100	60
150	90
200	120

ⓐ 禁忌
- 特になし．

ⓑ 副作用と対処法
1) 汎血球減少，顆粒球減少（顆粒球数≦1,500/μL）：多くは2週間程度の経静脈投与で減少しはじめ，約3週間以降に発症する．

早期発見のため定期的に(1～2週に1回)血算を行う．
- 対処法
①投薬をただちに中止する(投与中止により，1週間以内に回復することが多い)．
②発熱や感染を伴う場合は抗菌薬を投与する．
③G-CSF製剤の有用性も示唆されている．
2) 肺水腫：電解質輸液の使用，輸液の過剰使用，ステロイドや硫酸マグネシウムの併用，多胎，妊娠高血圧症候群・心疾患合併時に発生しやすい．このような背景を有する患者に長期投与を行う場合は注意を要する．
- 予防法
①総輸液量を1,000 mL/日以内に制限する．
②輸液中の塩分量を制限する．
③母体心拍数を120/分以下で維持する．
- 対処法
①投薬をただちに中止する．
②起座位に保ち，酸素投与を行う．
③利尿薬により水分排泄を促進する．
④心疾患合併例には心不全に対する治療を行う．
3) 横紋筋融解症：筋緊張性ジストロフィーなどの筋疾患またはその既往がある症例では発症しやすい．筋障害(筋肉痛，四肢脱力感，腫脹，しびれ)およびミオグロビンによる赤褐色尿などを呈する．慢性腎不全例や透析例，筋緊張性ジストロフィーなどの筋疾患またはその既往歴のある患者，硫酸マグネシウム併用患者などに血中CKとクレアチニン検査を定期的に行う．
- 対処法
①投薬をただちに中止する．
②輸液で尿量と細胞外液の増加を図る．
③炭酸水素ナトリウム(重曹)などで尿のアルカリ化を図る．
④急性腎不全に至った場合には血液透析を行う．
4) その他の母体への副作用：肝機能障害・頻脈・一過性高血糖・低カリウム血症
- 頻脈に対して当帰芍薬散の投与を考慮する．
5) 胎児への影響：不整脈・心筋肥大

6）新生児への影響：
- 低血糖（症状の有無にかかわらず新生児の血糖値を適切にモニタリングし，異常が認められた場合には，適切な処置を行う）
- 高カリウム血症（特に硫酸マグネシウムを併用した場合に起こりやすい．併用の際は，症状の有無にかかわらず新生児の心電図または血清カリウム値をモニタリングし，異常が認められた場合には，適切な処置を行う）
- 新生児腸蠕動低下など

2 硫酸マグネシウム（マグセント®）

- 第1選択とはせず，副作用などによりリトドリン塩酸塩の投与が制限される場合，またはリトドリン塩酸塩で収縮が抑制されない場合に使用する．

1. マグセント®注シリンジ（4 g/40 mL）を20～30分以上かけて静注（loading），以後10～20 mL（1～2 g）/時で持続静注．リトドリン塩酸塩との併用時はloadingせず10～20 mL/時で持続静注．
2. バイタルサイン（呼吸数など）・膝蓋腱反射・尿量をチェック，血中濃度を定期的（週に2回程度）に測定し投与量を増減する．
3. 子宮収縮抑制に有効な血中濃度は4～7.5 mg/dL．
4. 妊娠32週未満では，児の脳保護を目的に硫酸マグネシウムを投与することがある．

- 投与は48時間を原則とし，継続して投与する場合は，治療上の有益性が危険性を上回ると判断される場合に限って投与することとし，漫然とした投与は行わない．

ⓐ 禁忌
- 重症筋無力症，心ブロックの既往，低張性脱水症．

ⓑ 副作用と対処法
1）母体への副作用
- 潮紅，悪心・嘔吐，頭痛，眼瞼下垂，筋緊張低下などを認め，マグネシウム中毒（表D20-4）では呼吸抑制・停止，心停止，腸管麻痺に至ることもある．
- 呼吸障害が認められる場合，グルコン酸カルシウム8.5％液（カルチコール®）10 mLを3分以上かけて静注する．
- 出産にあたって新生児に対する気管挿管を含む必要十分な蘇生を実施できる体制など，新生児および母体を含めた適切な周産期管理が可能な体制を確保する．

表 D20-4　血中マグネシウム濃度と成人の中毒症状の相関

血中マグネシウム濃度	中毒症状
4〜7.5 mg/dL	治療域
8.4〜12 mg/dL	膝蓋腱反射消失
12〜14.4 mg/dL	呼吸抑制
14.4 mg/dL 以上	呼吸抑制・停止，不整脈（房室ブロック，伝導障害）

2) 新生児への影響
- 高マグネシウム血症により呼吸障害，筋緊張低下，腸管麻痺などを起こす．
- 高カリウム血症は特にリトドリン塩酸塩を併用した場合に起こしやすい．併用の際は，症状の有無にかかわらず新生児の心電図または血清カリウム値をモニタリングし，異常が認められた場合には，適切な処置を行う．
- 長期投与（7日以上）では，低カルシウム血症や骨減少症のリスクがある．

抗菌薬投与

- 徳島大学では前期破水や明らかな子宮内感染を認めない切迫早産に対し，抗菌薬投与は行っていない．
- ただし，陣痛抑制困難であり，GBS スクリーニング未施行例には新生児感染予防のため抗菌薬投与を行っている．

胎児肺成熟療法

- 胎児肺成熟を目的としたステロイド投与は呼吸窮迫症候群（RDS）および脳室内出血の発症を減少させ，児の罹患率や死亡率を有意に下げる．
- 妊娠22週以降34週未満の早産が1週間以内に予想される場合に使用する．

リンデロン®　1回12 mg　24時間ごと2回筋注

a 子宮収縮抑制薬併用について
- 子宮収縮抑制薬との併用により，母体に肺水腫を引き起こす可能性が報告されている．また重症妊娠高血圧症候群，子宮内感染が認められる症例では危険性が高く，使用を控える．

ⓑ 使用上の注意

1) ステロイドによる一時的な耐糖能異常を認めるが,影響は投与後2〜3日といわれる.
2) ステロイド長期使用により児の神経発育を抑制するという報告もあり,1コースのみとする.
3) RDS予防における,ステロイド投与から出産までの最適期間は投与開始後24時間以上7日間以内である.

> **Side Memo** 早産予防に対する黄体ホルモン療法
>
> 早産のハイリスク症例に対して,黄体ホルモンの早産予防効果が数多く報告されたのを受け,米国産婦人科学会(ACOG)では,早産既往症例や頸管長短縮症例(多胎妊娠は除く)に予防的な黄体ホルモン投与を推奨している.早産既往症例には妊娠16週からの注射もしくは腟剤の投与,子宮収縮や性器出血のない無症候性の頸管長短縮症例(妊娠18〜24週のときに頸管長が20 mm以下)には腟剤投与を推奨している.なお子宮収縮,頸管開大,性器出血を認めるいわゆる狭義の切迫早産に対しての効果は不明である.
>
> 黄体ホルモン薬には注射剤と腟剤があり,本邦では注射剤(ヒドロキシプロゲステロンカプロン酸エステル:プロゲデポー®)のみが使用可能であったが,2022年1月に販売中止となり,早産予防としての黄体ホルモン投与は行われなくなった.

D21 前置胎盤

定義

- 胎盤が内子宮口に及ぶものを前置胎盤とよび，全分娩の0.5〜1.0％に認められる．内子宮口を覆う程度によって，全前置胎盤，部分前置胎盤，辺縁前置胎盤に分類される．現在，診断および分類には経腟超音波が用いられる．分類にかかわらず前置胎盤として一括して取り扱うことが多い．
- 分類上，前置胎盤には含まれないが，前置胎盤と類似した問題点をもつものに，低置胎盤がある．

リスク因子

- 病因は解明されていないが，リスク因子として下記が挙げられる．

表 D21-1　前置胎盤のリスク因子

子宮内膜の異常	胎盤面積の拡大
高齢妊娠（35歳以上） 帝王切開の既往（2〜5倍） 喫煙（2倍） 多産 子宮内膜搔爬の既往 子宮筋腫合併 子宮筋腫核出後	多胎妊娠 胎盤の形態異常（分葉胎盤など）

診断

- 妊娠中期の経腟超音波検査にて，前置胎盤が疑われる場合は，慎重に経過観察を行い，最終的な診断は，妊娠30週以降に行う．
- 妊娠経過とともに，子宮下部は伸展するため，内子宮口と胎盤との位置関係が変化する（placental migration）ことがあり，妊娠早期に前置胎盤と診断されても，最終的には前置胎盤ではなくなることも多い．

表 D21-2　経腟超音波による分類（日本産科婦人科学会）

全前置胎盤	組織学的内子宮口を覆う胎盤の辺縁から同子宮口までの最短距離が2cm以上
部分前置胎盤	同距離が2cm未満
辺縁前置胎盤	同距離がほぼ0の状態
低置胎盤	組織学的内子宮口とそれに最も近い胎盤辺縁との距離が2cm以内

管理

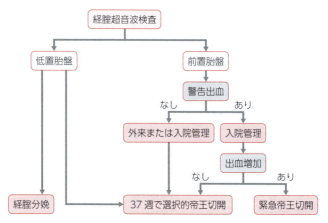

図 D21-1　前置胎盤の管理

- 前置胎盤・低置胎盤ともに分娩時の大量出血が予測されるため、自己血または同種血輸血の準備を行っておく（自己血輸血に関しては、「自己血輸血」の項参照、p86）．
- 分娩後の出血がコントロール困難な場合は、子宮腔内タンポナーデ（Bakri®バルーンなど）、動脈塞栓術、子宮摘出を考慮する．

癒着胎盤の合併

- 前置胎盤の5〜10％に癒着胎盤が合併するため、注意が必要である．
- 特に帝王切開既往の場合は、癒着胎盤を起こしやすい．

- MRI・超音波検査所見なども参考にはなるが，癒着胎盤を確実に術前診断する方法は現在のところない．
- 帝王切開既往患者が前置胎盤を合併した場合は，癒着胎盤の存在を想定して管理・分娩を行うことが大切である．

表D21-3 前置胎盤患者における癒着胎盤の合併

帝王切開の回数	合併率(%)
0	1.9
1	15.6
2	23.5
3	29.4
4	33.3
5	50.0

〔Usta IM, et al：Placenta previa-accreta：risk factors and complications. Am J Obstet Gynecol 193（3 Pt 2）：1045-1049, 2005 より〕

前置癒着胎盤を示唆する超音波所見[1]

1) 胎盤付着部位の sonolucent zone の欠如
2) 胎盤内の拡張した絨毛間腔（placental lacunae）
3) 子宮筋層の菲薄化，または途絶
4) 膀胱への子宮突出像（abnormal uterine bulging）
5) 拡張した絨毛間腔の激しい血流（lacunar pattern, flow void）

前置癒着胎盤における帝王切開

- 徳島大学では緊急手術を避けるため 34～36 週に帝王切開を行っている．
- ハイブリッド手術室にてまず尿管ステントを留置し，次に総腸骨動脈バルーンカテーテルを留置する．
- 超音波ガイド下に胎盤をできるだけ避け，子宮底部横切開にて児を娩出する．その後子宮摘出に移る．
- なお穿通胎盤など，より重症例では，二期的な子宮摘出も行っている．その場合，帝王切開直後に内腸骨動脈塞栓術を行う．一期的手術に比較し子宮摘出はかなり容易となるが，待機中に胎盤の剥離が起こり緊急手術が必要となることがある．

前置血管

- 卵膜を走行する胎児血管(卵膜血管)が，内子宮口上もしくはその近傍を走行するものである．破水などで卵膜血管が破綻すると，急激に胎児死亡に至るおそれがあるため，破水や陣痛が起こる前に帝王切開を行うことが重要である．
1) 前置胎盤や低置胎盤に合併することが多いため，胎盤の位置異常がある場合は特に注意する．
2) 胎盤の位置異常が改善しても，前置血管は改善しないことがある．
3) カラードプラを用いた経腟超音波で，内子宮口付近を走行する卵膜血管の存在を確認して診断する．

文献
1) 板倉敦夫：癒着胎盤(異常分娩の管理と処置)．日産婦誌 61(3)：62-66, 2009.

D22 Preterm PROM（34週未満）

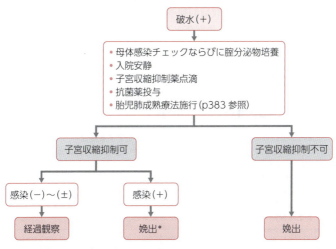

図 D22-1　Preterm PROM の管理
＊：感染（＋）の場合の娩出時期は各施設の新生児管理能力により異なる．

破水の診断

- 肉眼的観察により羊水流出・貯留の有無を確認．
- 尿漏れ，帯下，精液などについての鑑別が必要．
- 肉眼的に明らかな羊水流出・貯留を認めない場合は次を行う．

ⓐ pH 測定
1) Bromothymol blue（BTB）法：黄→青（pH 6.2〜7.8）
2) Nitrazine 法：黄→青（pH 4.5〜7.5）

ⓑ 羊歯状結晶証明法

ⓒ insulin-like growth factor binding protein-1（IGFBP-1）（チェック PROM）

- 胎盤基底脱落膜や胎児肝で産生され，妊娠期間を通じて羊水中に高濃度に存在し，母体血清との濃度差が大きいことから，血液混入

による影響を受けにくく，偽陽性が少ない．しかし偽陰性率が比較的高い（感受性 75.0%，特異性 97.0%）．

Preterm PROM の管理

- 前期破水の管理は破水した週数や感染の有無によって異なるが，①入院安静，②子宮収縮抑制薬の投与（「切迫早産の治療方針」の項参照，p380），③感染評価と対策，④胎児肺成熟の評価と促進（「切迫早産の治療方針」の項参照，p383），⑤児娩出時期の決定と分娩方式の 5 項目が課題となる．

1 臨床的絨毛膜羊膜炎の評価

表 D22-1　臨床的絨毛膜羊膜炎の診断

子宮内感染以外の感染巣を認めず，以下の所見を呈する場合
1）母体発熱（38℃以上）があり，以下の 4 項目中 1 つ以上を認める
　1. 母体頻脈（100/分以上）
　2. 子宮圧痛
　3. 腟分泌物，羊水の悪臭
　4. 母体血中白血球数の上昇（15,000/μL 以上）
2）または発熱がなくても他の 4 項目がある場合

〔Lencki SG, et al：Maternal and umbilical cord serum interleukin levels in preterm labor with clinical chorioamnionitis. Am J Obstet Gynecol 170(5Pt1)：1345-1351, 1994 より〕

表 D22-2　経腹的羊水穿刺による絨毛膜羊膜炎の診断

1. 細菌培養
2. Gram 染色
3. 白血球数
4. 糖濃度（≦20 mg/dL）
5. 顆粒球エラスターゼ
6. サイトカイン：IL-1β，IL-6，IL-8 など

2 予防的抗菌薬投与について
- PROM では抗菌薬を投与する．アンピシリンとエリスロマイシンの併用が選択されることが多い．
- 徳島大学ではアンピシリン〔ビクシリン® 注射用（1 g）　1回 1 g　1日2回〕点滴投与とエリスロマイシン〔エリスロシン® 錠（200 mg）　1回1錠　1日4回〕内服を5日間行っている．

3 病理学的絨毛膜羊膜炎の評価
- 破水症例における絨毛膜炎は病理学的検索により妊娠16週より急激に増加し24〜26週頃がピークとなり以後漸減する[1]．

4 胎児肺成熟の評価と促進
- p383 参照．

5 児娩出時期の決定と分娩方式

a 娩出時期
- 妊娠週数，子宮内感染，胎児機能不全，子宮収縮抑制困難などにより娩出時期を決定する．

b 分娩方式
- 妊娠週数，胎児機能不全，子宮内感染の有無や程度，胎位などを総合的に判断し，決定する．
- 頭位の場合，分娩様式による予後の差はないとの報告もあり，経腟分娩が選択されることが多い．
- 非頭位の場合，原則として帝王切開を行う．
- 児が生育限界に満たない場合は，十分なインフォームド・コンセントを得たうえで分娩方式を決定する．

6 胎盤および臍帯の病理学的検査
- 炎症の有無や程度を病理学的検査にて確認しておくことは，分娩時の胎児の状況を知るうえで重要である（図 D22-2）．

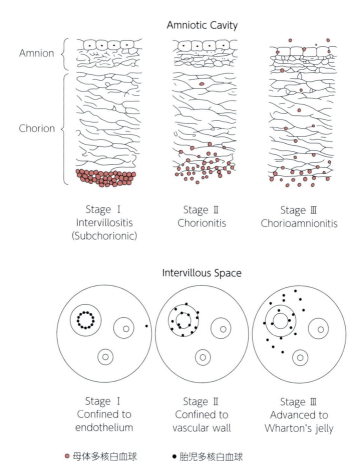

- 🔴 母体多核白血球　　● 胎児多核白血球

図 D22-2　絨毛膜羊膜炎・臍帯炎のステージ分類

中山が Blanc 分類を改変.
(中山雅弘：目でみる胎盤病理. p20, 医学書院, 2002 より)

文献
1) 中山雅弘：絨毛膜羊膜炎の胎盤病理検査. 周産期医 23(増刊)：172-178, 1993.

D23 B群溶血性連鎖球菌（GBS）感染症

- 本邦での妊婦のGBS（group B-hemolytic *Streptococcus*, *Streptococcus agalactiae*[*1]）保菌率は15〜30％とされており，児への伝播率は43％と報告されている．
- また新生児GBS感染症の発症率は出生1,000人に0.04〜0.5人とされており，産道感染を受けた児の約1％以下しか実際には発症しないことになる．
- しかしその感染症は重篤であり，分娩時の産道感染あるいは羊水感染により，生後1週間以内（多くは日齢1〜2）に呼吸障害，その後急激に悪化し，敗血症ショック状態となる．
- 抗菌薬にも反応しないことが多く，数時間で死に至ることもあり，現在の致死率は4.5〜17.2％と報告されている．

スクリーニング方法

- すべての妊婦を対象とする．
- 妊娠35週から37週までにスクリーニングを施行する．
- 同一あるいは異なるスワブを用い，腟下部（入口部）を擦過，続いて肛門部（括約筋を越えて）の2か所より採取する[*2]．子宮頸部からの培養は推奨されず，また腟鏡を用いた採取は行わない．

分娩時の予防的抗菌薬投与の実際

1 対象

1) 今回妊娠時，GBSスクリーニング陽性（陣痛発来・前期破水を認めない予定帝王切開施行例は不要）
2) 新生児GBS感染症児出産既往

[*1]：細菌培養検査結果にはGBSを*Streptococcus agalactiae*と表記していることもあるので注意を要す．
[*2]：室温あるいは冷蔵で4日間はGBSの生育性は保たれる．

3) 今回妊娠時,尿あるいは腟培養(何らかの理由で実施した場合)で GBS 陽性[*3]
4) 今回妊娠時,GBS の有無が不明

2 投与方法

- 分娩時の新生児感染予防には,母体に抗菌薬を投与してから分娩まで少なくとも 4 時間は経過していることが望ましく,薬剤の投与は分娩進行時よりできるだけ早期に開始する.
- スクリーニング陽性妊婦(保菌者)に対する妊娠中の抗菌薬投与は新生児 GBS 感染の予防に成果をあげることができなかった.これは治療しても,容易に再感染が起こるため,分娩時の保菌率をコントロールすることができなかったためである.

表 D23-1 分娩時の予防的抗菌薬投与

推奨法
アンピシリン(ビクシリン®) 2 g 点滴静注,以後分娩まで 4 時間ごとに 1 g 点滴静注
ペニシリンアレルギー
①アナフィラキシーのハイリスクでない場合
セファゾリン(セファメジン® α) 2 g 点滴静注,以後分娩まで 8 時間ごとに 1 g 点滴静注
②アナフィラキシーのハイリスクかつ GBS がクリンダマイシンやエリスロマイシンに感受性がある場合*
クリンダマイシン(ダラシン® S) 900 mg 点滴静注,以後分娩まで 8 時間ごとに 900 mg 点滴静注 または エリスロマイシン(エリスロシン®) 500 mg 点滴静注,以後分娩まで 6 時間ごとに 500 mg 点滴静注
上記抗菌薬アレルギーまたは耐性時
バンコマイシン塩酸塩(塩酸バンコマイシン) 1 g 点滴静注,以後分娩まで 12 時間ごとに 1 g 点滴静注

*:アナフィラキシーの危険性が高い妊婦には GBS 培養検査時にクリンダマイシンとエリスロマイシンの感受性検査を行う.

[*3]:徳島大学では妊娠中に偶然腟培養で GBS 陽性と診断された場合,以降も保菌の可能性が高いこと,新生児 GBS 感染症が分娩前スクリーニング陰性例でも発症していること,などから,GBS 保菌妊婦として対応している.

母体が抗菌薬投与を受けた新生児の管理

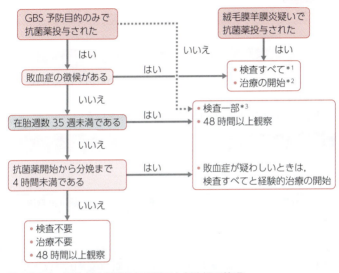

図 D23-1 母体が抗菌薬投与を受けた新生児の管理
*1：全血算（CBC），白血球分類，血液培養，胸部X線撮影．
*2：GBS以外の新生児敗血症起炎菌に有効な抗菌薬投与．
　　検査結果，臨床症状から疑わしくない場合は治療は48時間まででよい．
*3：CBC，白血球分類，血液培養．

文献

1）鈴木俊治：B群溶血性連鎖球菌．周産期医 50(8)：1508-1509, 2020.

D24 胎児発育不全(FGR)

定義

- 明確な定義はないが，胎児の発育が何らかの原因で障害され，在胎週数に見合った発育をしていない場合をいう．
- 通常，胎児推定体重が−1.5 SD 以下のときをいう．

FGR の分類とその特徴

表 D24-1　FGR の分類

分類	symmetrical FGR	asymmetrical FGR
別の呼称	Ⅰ型 fetal hypoplasia	Ⅱ型 fetal malnutrition
頻度	10〜30%	70〜90%
身体的特徴	頭部・体幹ともに symmetric に発育障害	頭部の発育は正常だが体幹の発育が障害
原因	①子宮内感染 ②染色体異常 ③胎児形態異常 ④放射線被曝 ⑤薬物摂取 ⑥遺伝的な小柄	①多胎 ②胎盤・臍帯の異常 ③母体合併疾患
発現時期	妊娠 20 週以前	妊娠 28 週以降
診断	low growth profile 頭囲/腹囲比は正常	late flattening(図 D24-1) 頭囲/腹囲比>Mean＋1 SD
胎児形態異常の頻度	高い(33%)	低い(3%)

(Elliot KM：Intrauterine growth retardation. In Fernando A：High risk pregnancy and delivery. Mosby, 1984 より)

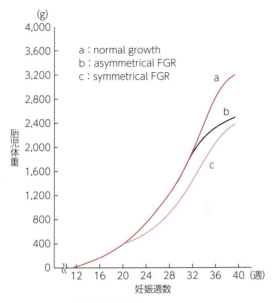

図 D24-1　胎児体重発育曲線

FGRの管理方法

1 well-being の評価（1回/週）

NST	reactive
BPS	10点[*1]
胎児推定体重	−2.0 SD以上かつ発育良好
羊水量	正常範囲
血流計測[*2]	正常範囲 （臍帯動脈・中大脳動脈・静脈管）

*1：表 D27-2 参照，p409.
*2：「パルスドプラ法による胎児評価」参照，p412

2 厳重注意（2回/週）が必要とされる所見

NST	non-reactive
BPS	8点[*1]
胎児推定体重	−2.0〜−2.5 SD もしくは発育度の低下
羊水量	減少
血流計測[*2]	臍帯動脈拡張期血流の低下（RI や PI 上昇） 中大脳動脈拡張期血流の増加（RI や PI 低下）

[*1]：表 D27-2 参照，p409.
[*2]：「パルスドプラ法による胎児評価」参照，p412

3 妊娠中断が考慮される所見

NST	胎児機能不全所見
BPS	4〜6 点以下[*1]
胎児推定体重	−2.5 SD 未満
羊水量	過少（AFI＜5 cm）
血流計測[*2]	臍帯動脈拡張期血流の途絶・逆流，静脈管血 流拡張末期途絶・逆流

[*1]：表 D27-2 参照，p409.
[*2]：「パルスドプラ法による胎児評価」参照，p412
AFI：amniotic fluid index（羊水インデックス）

- 分娩の決定は妊娠週数や推定体重なども考慮し総合的に判断する．

治療

- FGR に対する胎内治療としていまだ確立したものはない．原因の精査・除去，基礎疾患の治療を行う．

文献

1）金岡　毅：IUGR の診断．産婦治療 50(6)：678-687，1985.
2）Elliot KM：Intrauterine growth retardation. In Fernando A：High risk pregnancy and delivery. Mosby, 1984.
3）Campbell S, et al：Ultrasound measurement of the fetal head to abdomen circumference ratio in the assessment of growth retardation. Br J Obstet Gynaecol 84(3)：165-174, 1977.

D25 多胎妊娠

- 多胎妊娠は単胎妊娠に比べ母児ともに種々の産科的異常を高率に合併するため，高次施設での管理が望ましい．
- 胚移植数の制限（p171 参照）により生殖補助医療（ART）による多胎は減少傾向であるが，排卵誘発法による多胎発生が近年課題となっている．出産年齢の高齢化もあり，その周産期管理は重要な問題となっている．

疫学

1 頻度（全分娩数に対する%）*

- 双胎：0.6〜1.2
- 三胎：0.01〜0.02
- 四胎：0.0005〜0.001

2 分娩週数，早産率

表 D25-1　多胎妊娠における分娩週数と早産率[1]

	平均分娩週数（週）	早産率（%）
双胎	35.1	42.2
三胎	32.7	85.0
四胎	28.7	88.9

3 周産期異常の特徴

- 単胎妊娠に比較して胎児のみならず，母体のリスクが高い．
- 切迫早産，妊娠糖尿病，妊娠高血圧症候群，HELLP 症候群，急性脂肪肝，子癇，胎児発育不全（FGR）などのリスクが高い．
- 妊娠高血圧症候群を先行もしくは合併しない HELLP 症候群が多い．
- 双胎妊娠の周産期死亡率は 37〜38 週が最も低く，その後増加する．

＊：自然発生の多胎出現頻度は公式として下記のように示されている（Hellin の公式改訂）．
　n胎の頻度（東洋人）：$1/100^{n-1}$
　しかし現在は不妊治療による多胎が増加しており，上記公式は必ずしも当てはまらない．

表 D25-2 双胎妊娠と周産期異常発生率

	単胎	双胎
妊娠高血圧症候群	6%	13%
母体貧血	10〜20%	40%
妊娠糖尿病	2〜3%	3〜6%
FGR	8〜10%	14〜25%
周産期死亡（出生1,000対）	1.21	7.96

多胎妊娠管理方針

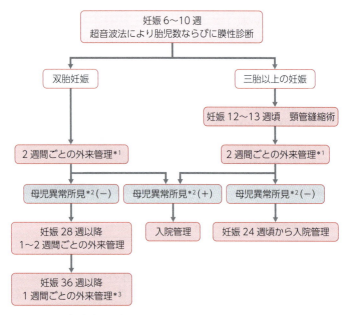

図 D25-1　多胎管理の方針

*1：一絨毛膜双胎・三胎では双胎間輸血症候群などの早期発見のために妊娠16週以降，1週間ごとの管理を行うことが勧められる．

*2：母児異常所見とは，①妊娠高血圧症候群およびその関連疾患，②切迫流早産徴候，③FGR，④胎児間の羊水量の差が出現，など．

*3：妊娠高血圧症候群やHELLP症候群の早期診断のため，妊娠36週頃に全血算（CBC），肝・腎機能，尿酸，凝固系（ATⅢなど）を検査する．

分娩様式

1 双胎

- 分娩週数や母体ならびに胎児の状態により異なるが，これらに問題ない場合，両児の胎位が大きな問題となる．
- 経腟分娩を行う場合，表D25-3に示すように緊急帝王切開となることも多く十分に緊急の事態に備えることが必要である．施設の医療体制などから総合的に検討する．

● 徳島大学における経腟分娩の対象（第1児-第2児）
- 頭位-頭位
- 頭位-非頭位：妊娠37週以降かつ第2児が2,300g以上．
- ただし，妊婦や家族と相談し，帝王切開を選択することも多い．

表D25-3 双胎分娩における経腟分娩成功率

	経腟分娩試行例	経腟分娩成功率	緊急帝王切開率（第2児のみ帝王切開）
頭位-頭位	144	79.2%	20.8%（3.5%）
頭位-非頭位	58	70.7%	29.3%（6.9%）
計	202	76.7%	23.3%（4.4%）

〔加地 剛，他：ハイリスク分娩における難産因子の評価（双胎経腟分娩）．産と婦 70(7)：921-926, 2003 より著者作成〕

2 三胎以上
- 帝王切開．

一絨毛膜の多胎特有の異常と対策

- 一絨毛膜の多胎では胎盤の血管吻合により特有の病態を生じるため，より厳重な管理が必要とされる．

1 双胎間輸血症候群（TTTS）

- 一絨毛膜双胎の5～10%に起こる．診断は超音波検査にて羊水過多（最大深度8cm以上）と羊水過少（最大深度2cm以下）が同時に存在することにより行う．児の体重差やヘモグロビン（Hb）差は診断に用いない．
- 重症度分類にはQuinteroのstage分類が用いられる．

表 D25-4 Quintero の stage 分類

stage	供血児	受血児
I	羊水過少のみ	羊水過多のみ
II	膀胱がみえない	
III	重大なドプラ異常 ・臍帯動脈拡張期途絶/逆流[*1] ・静脈管の途絶/逆流，臍帯静脈の波動[*2]	
IV	胎児水腫	
V	子宮内胎児死亡（IUFD）	

[*1]：臍帯動脈の拡張期途絶・逆流は供血児に多い．
[*2]：静脈管の途絶・逆流や臍帯静脈の波動は受血児に多い．

- 急激な変化を起こすことがある．高次施設での厳重な管理が必要である．

ⓐ 妊娠 26 週未満

1）胎児鏡下胎盤吻合血管レーザー凝固術（FLP）

- 本邦での成績は生存率 80％，流産率 5％，神経学的後遺症 5％前後である．
- 合併症として流早産・破水，肺水腫，常位胎盤早期剝離，Mirror 症候群などがある．

表 D25-5 FLP の適応と要約（Japan Fetoscopy Group）

適応	・TTTS である（一絨毛膜二羊膜双胎，羊水過多≧8 cm かつ羊水過少≦2 cm） ・妊娠 16 週以上，妊娠 26 週未満である（ただし 26 週以上 28 週未満で羊水過多≧10 cm の場合は含む） ・stage I～IV である
要約	・未破水である ・羊膜穿破・羊膜剝離がない ・明らかな切迫流早産徴候がない（頸管長 20 mm 以上を原則とする） ・母体が手術に耐えられる（重篤な合併症がない） ・母体感染症がない（HBV・HCV 感染がないことが原則，HIV は禁忌）

2）羊水除去

- 主に FLP の適応と要約を満たさない場合に行われる．
- 羊水除去により羊膜穿破や羊膜剝離が起こると FLP が施行不可能になってしまうので安易に行わない．

ⓑ 妊娠 26 週以降

- FLP（羊水過多≧10 cm の場合），羊水除去もしくは娩出
- 受血児は心機能〔心胸郭断面積比（CTAR），房室弁逆流（TR，MR），駆出率（EF），下大静脈前負荷指数（PLI），静脈管血流など〕を評価し胎児水腫に至る前に娩出することが重要である．
- 供血児はノンストレステスト（NST）や臍帯動脈血流などを用いた well-being の評価と尿量に注意する．

2 selective IUGR（双胎一児発育不全）

- 一絨毛膜双胎において，一児が FGR であるものを selective IUGR とよび，一絨毛膜双胎の 11～14％ に発生する．両児の胎盤占有面積の不均衡がその主要因とされ，占有面積が小さいほうの胎盤に支配されている胎児が発育不全を呈すると考えられている．
- 発育不全児の胎児死亡や新生児死亡のリスクだけではなく，一児が胎児死亡となった場合に胎盤吻合血管を介し生存児から死亡児に急激な血液の移動（acute feto-fetal hemorrhage）が起こり，生存児にも死亡や神経学的後遺症の発症の危険性が高い．

1) 診断基準：以下のいずれかを満たす．
- 小さいほうの胎児の推定体重が－1.5 SD 以下
- 両児間の推定体重差が 25％ 以上

2) 病型分類：臍帯動脈血流波形によりさらに 3 つに病型分類される．
- Type Ⅰ：拡張期血流が正常（順行性）
- Type Ⅱ：拡張期血流が常に途絶や逆流
- Type Ⅲ：拡張期血流が周期的に変動し，順行性・途絶・逆流を間欠的に認める

図 D25-2 Type Ⅲ の臍帯動脈血流波形

3）周産期予後：TypeⅡおよびⅢでは子宮内胎児死亡（IUFD）や神経学的後遺症の危険性が高いため，入院管理を考慮する．娩出時期に関しては確立されたものはない．特に羊水過少を伴うものは予後不良であるが，近年 FLP にて予後改善の可能性の報告がされている．

3 胎内一児死亡

- 生存児にも約50％の確率で死亡や神経学的後遺症を起こす．
- 生存児の血液が死亡児へ急激に移動することによる循環不全が主な原因と考えられている．
- 死亡前後より急激な血流移動は起こっており，死亡判明後の早期娩出により予後が改善するかどうかは議論がある．

● 徳島大学における胎内一児死亡の管理

- 現在，徳島大学では児の成熟度により以下のように管理している．

1）児が未熟な場合は児の貧血と well-being に注意しながら待機的管理を続ける．
2）待機的管理を行う場合，稀ではあるが母体に DIC を起こすことがあるためフィブリノゲンや FDP など凝固系を定期的に検査する．
3）児が成熟している場合は早期娩出を行う．

文献
1）周産期委員会報告：多胎妊娠調査(1990〜1992年)．日産婦誌 47(6)：593-603, 1995.
2）Ishii K, et al：Perinatal outcome of monochorionic twins with selective intrauterine growth restriction and different types of umbilical artery Doppler under expectant management. Fetal Diagn Ther 26(3)：157-161, 2009.
3）村越 毅（編）：多胎妊娠 妊娠・分娩・新生児管理のすべて．メジカルビュー社, 2015.

D26 ノンストレステスト(NST)

適応

- ハイリスク妊娠：糖尿病合併妊娠，妊娠高血圧症候群，高血圧合併妊娠，過期妊娠，血液型不適合妊娠，死産歴のあるもの，胎動の少ないもの，胎児発育不全(FGR)例など．

手技

- 静かな部屋で気を散らすことのない状態で行い，血圧測定は5～10分ごとに行う．
- 体位は上半身を高くしたセミファウラー位か側臥位とする．
- ドプラで児心音が最も強く，歯切れのよい音で聞こえる場所に外測用胎児心拍数トランスデューサーを装着する．
- 子宮底の中央の平らな部分に，外測用子宮収縮トランスデューサーを装着する．
- 送り速度は3 cm/分とし，20分以上モニターする．
- チェック項目は，胎児心拍数基線(FHR baseline)，基線細変動(FHR baseline variability)，一過性頻脈(acceleration)，一過性徐脈(deceleration)，胎動の有無，子宮収縮の有無である．

妊娠週数の関係

表 D26-1 妊娠週数による reactive/non-reactive の比率の変動

妊娠週数	reactive	non-reactive	その他	計
23～29	60(26.3%)	143(62.7%)	25(11.0%)	228
30～31	88(60.7%)	48(33.1%)	9(6.2%)	145
32～40	862(91.5%)	73(7.7%)	7(0.7%)	942

(島田信宏：写真でみる周産期の母児管理．第3版，p185，南山堂，1989 より)

- 妊娠31週以前では正常例でも胎児の中枢の未熟性のために non-reactive pattern を示すことがある．

診断(判定基準)と処置

表 D26-2　NST の診断(判定基準)

判定	所見
reactive	一過性頻脈が 20 分間に 2 回以上(触診または音響による胎児刺激により,みられたものを含む)
non-reactive	一過性頻脈の消失
胎児機能不全の疑い	・持続性頻脈 ・軽度一過性徐脈 ・持続的な基線細変動の減少 ・sinusoidal pattern
胎児機能不全	・高度徐脈の持続 ・繰り返す遅発一過性徐脈 ・繰り返す高度変動一過性徐脈 ・基線細変動の消失

注:NST の判定は分娩中の基準(「分娩中の胎児機能不全への対応」の項参照,p425)に準じるが,分娩時と異なり子宮収縮がないことが多く,一過性頻脈はみられないことが多い.超音波やコントラクション・ストレステスト(CST)を用いて妊娠週数などを考慮して総合的に判断する.

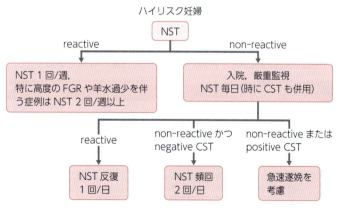

図 D26-1　NST の診断(判定基準)と処置
CST:コントラクション・ストレステスト(contraction stress test)

```
                          NST・CST 記録
カルテ番号                    氏名

妊娠週数      週     日

記録時間      年    月    日    時    分~    時    分

所見
  1. FHR baseline              bpm（110～160 bpm）
  2. FHR baseline variability  bpm（≧6 bpm）
  3. acceleration              回/ 分
                               （≧15 bpm，≧15 秒
                                32 週未満：≧10 bpm，≧10 秒）
  4. deceleration       持続時間    秒，最低心拍数    bpm
  □なし
  □early
  □late
  □variable
  □prolonged
  5. sinusoidal pattern  □なし・□あり


判定
  NST：□reactive・□non-reactive・□unsatisfactory
  CST：□negative・□positive


コメント

判定医
```

図 D26-2　NST・CST 管理表

D27 fetal biophysical profile による胎児評価法

fetal biophysical profile とは

- 胎児 well-being をノンストレステスト(NST)と超音波断層法を用いて判断しようとするものである．①胎児呼吸様運動，②胎動，③胎児筋緊張，④NST，⑤羊水量の5項目で評価する．胎児血流計測とともに胎児 well-being の評価として広く用いられている(表 D27-1，図 D27-1，表 D27-2)．

1) 胎児 well-being のスクリーニングとして，NST と羊水量の2項目だけを用いる modified BPS(biophysical profile score)が用いられる．
2) 胎児状態の悪化に伴い，一過性頻脈，呼吸様運動，胎動，筋緊張の順に消失するとされる(表 D27-3，図 D27-2)．
3) 一過性頻脈以外の項目は，胎児状態が悪化し分娩を要する当日もしくは前日に消失することが多く，児の状態の予測には使いにくい(図 D27-2)．

判定法

- 各項目を観察して点数を合計する．超音波診断法の観察時間は最大30分まで．

表 D27-1 fetal biophysical profile 判定表

点数 項目	0	2
①呼吸様運動(連続して30秒以上)	なし	≧1回
②胎動(連続運動は1回と数える)	≦2回	≧3回
③胎児筋緊張*	なし	≧1回
④NST：一過性頻脈 (15 bpm 以上，15秒以上)	≦1回/20分	≧2回/20分
⑤羊水量(羊水ポケット)	<2 cm	≧2 cm

＊：弱い伸展と部分屈曲か伸展運動のみの場合は，点数0とする．

呼吸様運動		・胸壁，横隔膜の上下運動
体幹の運動 (胎動)		・体幹の回転 ・体幹の上下運動 ・四肢の動き
筋緊張状態		・手掌の開閉 ・四肢の屈曲(活発な)

図 D27-1　胎児状態のみかた

表 D27-2　BPS(biophysical profile score)と診療指針

10点：特別な処置をせずに1週間後に再検する．1型糖尿病，過期妊娠の場合は週に2回検査を行う．

8点：10点の場合と取り扱いは同様であるが，羊水過少の場合には分娩とする．

6点：24時間以内に再検し，羊水過少があるか，6点以下が続けば分娩とする．

4点：妊娠36週以降で頸管が成熟していれば分娩とする．36週未満で羊水L/S比が2.0以下の場合には24時間以内に再検し，羊水過少があるか，6点以下が続けば分娩とする．

0～2点：検査時間を2時間まで延長し，4点以下が続く場合には，妊娠週数によらず分娩とする．

BPSだけでなく妊娠週数，胎児発育不全(FGR)の有無，胎児の血流所見など総合的に判断することが重要である．

表 D27-3 fetal biophysical profile の項目別の周産期死亡率

胎児筋緊張(−)	42.8%
non-reactive NST	19.0%
胎動(−)	13.8%
羊水過少(2 cm 未満)	11.4%
胎児呼吸様運動(−)	6.1%

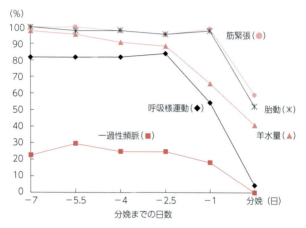

図 D27-2 胎児機能不全により児の娩出に至るまでの各指標が正常である割合

〔Baschat AA, et al：The sequence of changes in Doppler and biophysical parameters as severe fetal growth restriction worsens. Ultrasound Obstet Gynecol 18(6)：571-577, 2001 より〕

fetal biophysical profile による胎児管理プロトコル

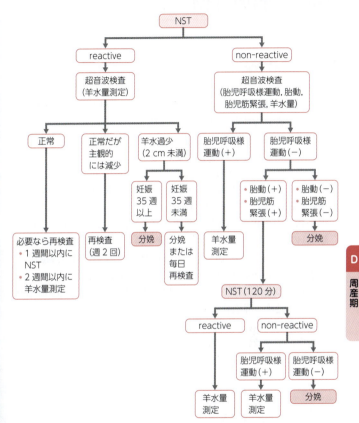

図 D27-3 fetal biophysical profile による胎児管理プロトコル

注 1. 変動性徐脈とともに羊水過少（<2cm）を認めるときには分娩．
 2. 変動性徐脈を認めるが羊水量が正常なときには 120 分の NST または 24 時間以内に NST で再検．

〔Vintzileos AM, et al：The use and misuse of the fetal biophysical profile. Am J Obstet Gynecol 156(3)：527-533, 1987 より〕

D28 パルスドプラ法による胎児評価

パルスドプラ法

- パルスドプラ(pulsed-wave Doppler)法は，胎児胎盤血流をリアルタイムに評価できる方法であり，主に臍帯動脈・中大脳動脈・静脈管および母体の子宮動脈血流が用いられる．
- ドプラ法は角度依存性であるため，正確な血流測定には超音波の入射角と血流のなす角度をできるだけ小さくする．
- 動脈血流波形の定量的な指標としては，resistance index(RI)とpulsatility index(PI)が主に使われている．RIやPIが高いほど血管抵抗が高いことを意味する．
- 児の状態の悪化により胎児血流の再分配が起こる．脳や心臓(冠動脈)の血流が増える一方で，腎臓や腸などの血流が減る．脳の血流が増えることをbrain sparing effectとよび，中大脳動脈の拡張期血流の増加(RI・PIの低下)として観察できる．
- 胎児状態の悪化に伴い，中大脳動脈RI・PIの低下，臍帯動脈血流の途絶・逆流，静脈管血流の途絶・逆流の順に出現するとされる．
- 妊娠初期のドプラ法の使用は最低限とし，thermal index(TI)<1で行う．ドプラ法は熱的作用が強く，胎児への影響が否定できないためである．

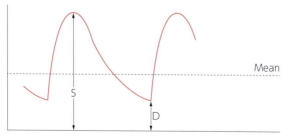

図 D28-1　血流速度波形分析法
S：収縮期最高血流速度，D：拡張末期血流速度，Mean：平均血流速度
$RI = (S-D)/S$，$PI = (S-D)/Mean$

妊娠中後期のパルスドプラ法

	臍帯動脈 (UA)	中大脳動脈 (MCA)	静脈管 (DV)
波形の撮りかたのポイント	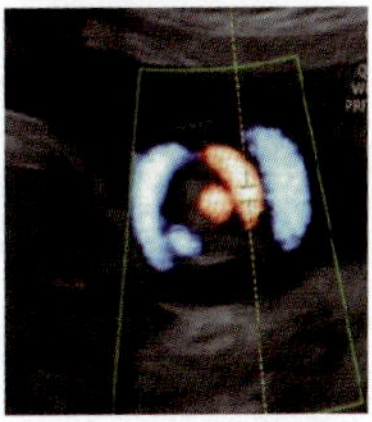 フリーループ(臍帯の胎盤付着部および胎児臍部の双方から離れた部位)で測定	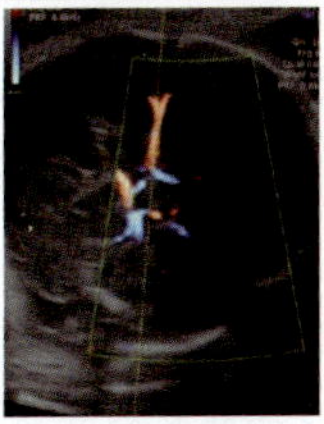 中大脳動脈の起始部で測定	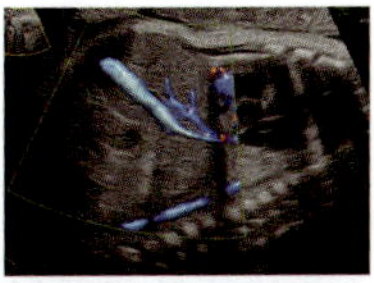 矢状断もしくは横断像で臍静脈から分岐したところで測定
正常波形	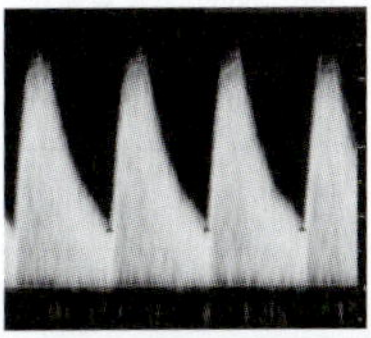	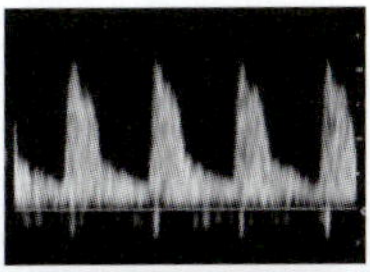	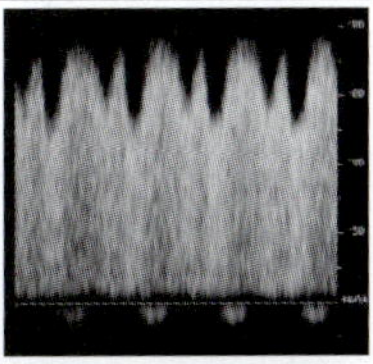
異常波形	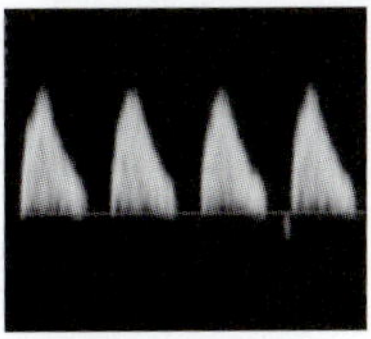 拡張期血流途絶 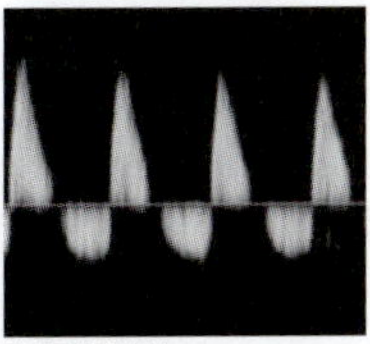 拡張期逆流	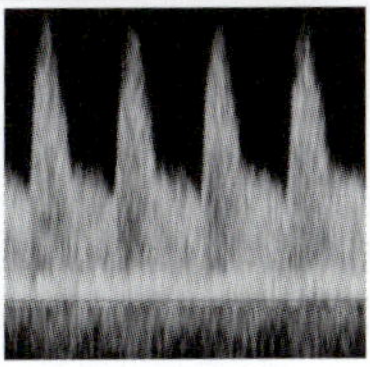 拡張期血流増加	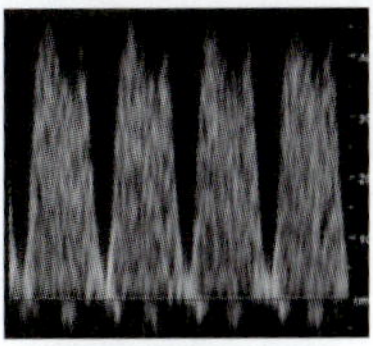 拡張期血流途絶 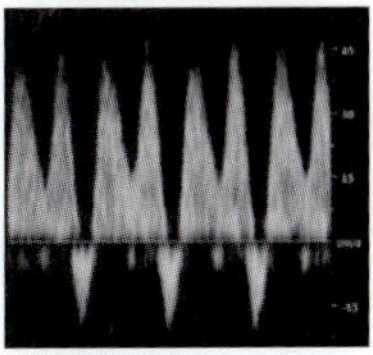 拡張期逆流

図 D28-2　パルスドプラ法の各動脈波形の撮りかたと正常および異常波形

cerebroplacental ratio (CPR)
= 中大脳動脈 PI/臍帯動脈 PI，もしくは，中大脳動脈 RI/臍帯動脈 RI.
臍帯動脈や中大脳動脈の PI や RI を個別でみるよりも，児の予後をより高感度で反映するとされる．一般的に 1 以上を正常とする．

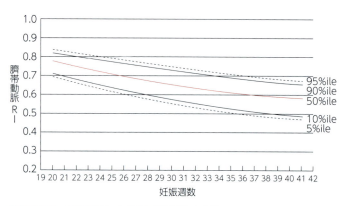

図 D28-3 妊娠週数による臍帯動脈 RI の変化
〔日本超音波医学会 平成 14・15 年度 用語・診断基準委員会:「超音波胎児計測の標準化と日本人の基準値」の公示について. 超音波医 30(3):415-438, 2003 より改変〕

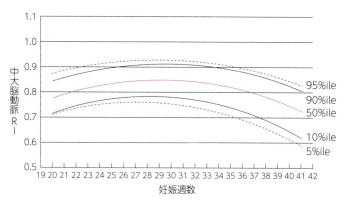

図 D28-4 妊娠週数による胎児中大脳動脈 RI の変化
〔日本超音波医学会 平成 14・15 年度 用語・診断基準委員会:「超音波胎児計測の標準化と日本人の基準値」の公示について. 超音波医 30(3):415-438, 2003 より改変〕

パルスドプラ法からみたハイリスク妊娠の管理

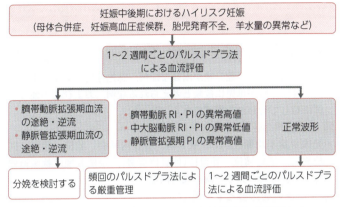

図 D28-5　パルスドプラ法からみたハイリスク妊娠の管理
パルスドプラ法単独ではなく，NST，BPS などとの総合評価が望ましい．

D29 急速遂娩（帝王切開）術の適応

帝王切開術の適応

- 帝王切開術は，経腟分娩が困難な症例，急速遂娩を必要とする症例，経腟分娩が母児に危険と考えられる症例，およびその他の症例に対して行われる術式である．

1 経腟分娩が困難な場合
- 児頭骨盤不均衡（CPD），狭骨盤，骨盤内腫瘍，胎位・胎勢・回旋異常，遷延横位，骨盤位（伸展位姿勢），遷延分娩，軟産道強靱，吸引分娩・鉗子分娩不成功例など．

2 急速遂娩を必要とする場合
- **ⓐ 母体側異常**：子宮切迫破裂，常位胎盤早期剝離，子癇，母体重症疾患（イレウス，炎症性疾患），過強陣痛など．
- **ⓑ 胎児側異常**：胎児機能不全，臍帯下垂・脱出，胎児感染など．

3 経腟分娩が母児に危険と考えられる場合
- 妊娠高血圧症候群，前置胎盤，既往帝王切開，既往子宮手術（子宮筋腫手術後），重症母体合併症（心・肺・肝・腎疾患），性器ヘルペス，子宮頸癌，先天性子宮形態異常，骨盤位（足位）など．

4 その他（社会的適応）
- 長期不妊後の妊娠，異常産科歴の既往など．

帝王切開術の要約

1) 母体が麻酔・手術に耐えうること．
2) 胎児が生存し，将来母体外生活が可能であると推定される（ただし，母体救命のときは児の生死とは無関係に施行する）．

帝王切開術のリスク

1 術中・術後の合併症
- 出血
- 麻酔（脊椎麻酔ショック，誤嚥性肺炎）
- 感染

- 血栓(深部静脈血栓症,肺塞栓症)
- 術後イレウス
- 臓器損傷(膀胱・尿管)
- 縫合不全

2 新生児
- 肺胞液吸収排出不全
- 胎児肺サーファクタント合成障害
- 麻酔の影響(静脈麻酔移行,低血圧)
- 新生児一過性多呼吸(TTN):TTN患者の23%が帝王切開

3 次回妊娠・分娩に対して
- 反復帝王切開
- 子宮破裂:帝王切開後試験分娩(TOLAC)の0.5〜2.4%
- 前置胎盤,癒着胎盤

4 帝王切開瘢痕症候群
- 子宮切開創部が陥凹性瘢痕となり,不正性器出血や過長月経を呈する疾患で,続発性不妊症の原因になりうる.

Side Memo 無痛分娩

本邦における無痛分娩実施数は全分娩数に対し2020年は8.6%であった.安全な無痛分娩の提供体制構築のため,2017年に「無痛分娩の安全な提供体制の構築に関する提言」が示され,2019年には無痛分娩関係学会・団体連絡協議会(JALA)が発足した(https://www.jalasite.org).

安全な無痛分娩のためには,以下に留意する必要がある.
1) 診療上の責任や各医療者の役割が明確である.
2) 無痛分娩を担当する医療スタッフの技術的水準が担保されている.
3) 必要な設備,医療機器などが整備されている.
4) 担当する医療スタッフが認識を共有したうえでチームとして対応できる.
5) 無痛分娩に関する十分な説明が妊産婦に対して行われる.

合併症やその対処方法について十分に熟知し,準備しておく.また,陣痛発来前にインフォームド・コンセントを得ておくことが望ましい.

D30 骨盤位分娩の取り扱い

骨盤位分娩について

1) 骨盤位分娩は全分娩の約 3～5％にみられる.
2) 骨盤位分娩は頭位分娩に比して合併症の発症率が高く,周産期死亡率が 3.5～5.5 倍に達する.
3) 骨盤位分娩の帝王切開率は上昇傾向にある.
4) ACOG(米国産婦人科学会)では Hannah らの報告(表 D30-1)を受け予定帝王切開を推奨している.しかしながら骨盤位娩出術に習熟し,かつ条件を満たした場合は,経腟分娩も選択可能とされている.本邦のガイドラインも同様である.

骨盤位における経腟分娩の条件

1) 正期産,推定児体重が 2,000～3,800 g の単胎.
2) 単殿位.
3) 児頭骨盤不均衡(CPD)がない.
4) 先進部付近より下方に臍帯が存在しない.
5) 児頭が反屈位でない.
6) 胎児心拍数図に異常所見がみられない.
7) 緊急帝王切開術に対応できる.
8) 骨盤位娩出術に習熟した医師の立ち会いが常に可能.
9) 妊婦から文書による同意が得られている.

骨盤位の CPD の判定法

- 最短前後径と児頭大横径の差が少なくとも 1 cm 以上,最短前後径 11 cm 以上,闊部前後径 11.5 cm 以上,峡前後径 10.5 cm 以上,入口横径 11.5 cm 以上,坐骨棘間径 10 cm 以上あれば経腟分娩可能.

骨盤位における周産期死亡率および新生児罹患率

表 D30-1　骨盤位における周産期死亡率および新生児罹患率

	予定帝王切開 (n=1,039)	経腟分娩試行 (n=1,039)	相対リスク (95% CI)	p
帝王切開率	90.4%	43.3%		
周産期死亡率	0.3%	1.3%	0.23 (0.07〜0.81)	0.01
新生児罹患率*	1.4%	3.8%	0.36 (0.19〜0.65)	0.0003
周産期死亡＋ 新生児罹患率*	1.6%	5.0%	0.33 (0.19〜0.65)	<0.0001

＊：分娩外傷，痙攣，意識障害，筋緊張低下
〔Hannah ME, et al：Planned caesarean section versus planned vaginal birth for breech presentation at term：a randomised multicentre trial. Lancet 356(9239)：1375-1383, 2000 より〕

骨盤位の管理方針

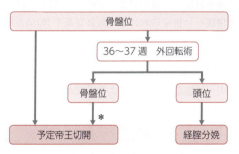

図 D30-1　徳島大学での管理方針
＊：徳島大学では骨盤位経腟分娩は行っていない．

文献
1）日本産婦人科医会：日産婦医会研修ノート No. 68. p82, 2003.
2）日本産科婦人科学会，日本産婦人科医会（編集・監修）：産婦人科診療ガイドライン—産科編 2023．日本産科婦人科学会，2023.

D31 分娩誘発法（頸管熟化法を含む）

分娩誘発の適応

1 産科学的適応
1) 過期妊娠（41週以上：ただし妊娠初期の超音波検査などにより分娩予定日が確定していること）
2) 妊娠高血圧症候群（「妊娠高血圧症候群の管理と娩出時期の決定」の項参照，p431）
3) 子癇（「子癇の治療法：ECLAMPSIA法」の項参照，p439）
4) 前期破水（胎児の肺成熟が確認された症例）
5) 胎児機能不全（「fetal biophysical profileによる胎児評価法」の項参照，p408）
6) 胎児発育不全（「胎児発育不全（FGR）」の項参照，p396）
7) 血液型不適合妊娠（「血液型不適合妊娠」の項参照，p369）
8) 母体の合併症（「合併症における妊娠許容基準」の項参照，p312）

2 社会的適応
- 分娩対応可能な医療者数の確保や無痛分娩をする場合
- 他科（小児外科，脳神経外科など）との集学的治療が必要な症例
- 居住地や夫・家族などの都合により妊婦が強く希望する場合
- 死産の既往など，妊婦が待機的管理に不安を抱いている場合

分娩誘発の要約

- 母児ともに経腟分娩に耐えられること
- 子宮収縮，頸管熟化を確認していること
- 児頭骨盤不均衡がないこと
- 子宮収縮薬の禁忌でないこと
- 臍帯下垂や横位などの産科学的異常のないこと
- 妊婦の同意を得ていること
- 帝王切開が可能な施設で行うこと

徳島大学での分娩誘発のプロトコール

図 D31-1　徳島大学での分娩誘発プロトコール
＊1：5〜7点に関しては，一定の見解は得られていない．
＊2：児頭が骨盤内に陥入し，頸管が拡大していれば人工破膜してもよい
　　（ただし，臍帯脱出や感染率上昇の危険があるので慎重に行う）．

頸管の成熟度判定法と熟化法

1 頸管成熟度の判定法

表 D31-1　Bishop score

因子＼点数	0	1	2	3
頸管開大度(cm)	0	1〜2	3〜4	5〜6
展退度(%)	0〜30	40〜50	60〜70	80〜
児頭の位置	−3	−2	−1〜0	+1
硬度	硬	中	軟	—
子宮口の位置	後	中	前	—

2 頸管熟化法

1) 器械的方法：誘発前日に頸管内に挿入する．感染予防のための抗菌薬を投与する必要がある．破水していると使用できない．
- ダイラパン®S
- ラミケンアール®（3 mm，5 mm）

2) 子宮頸管熟化薬（ジノプロストン：PGE_2）：プロウペス® 腟用剤（10 mg）
- 37週以降の妊婦に分娩誘発を行う場合に1回のみ使用できる．頸管熟化作用に加えて子宮収縮作用がある．破水していても使用可能である．

表 D31-2　プロウペス® の使用上の注意（添付文書一部改訂）

禁忌	・すでに分娩開始している ・子宮筋層の切開を伴う手術歴（帝王切開，筋腫核出術など）または子宮破裂の既往歴のある患者 ・胎児機能不全 ・前置胎盤 ・常位胎盤早期剥離 ・児頭骨盤不均衡または胎位異常 ・医学的適応での帝王切開が必要 ・オキシトシン，ジノプロスト（$PGF_{2\alpha}$）またはジノプロストン〔PGE_2（経口剤）〕を投与中 ・吸湿性頸管拡張材またはメトロイリンテルを実施中もしくはプラステロン硫酸エステルナトリウムを投与中 ・本剤の成分に対して過敏症の既往歴
注意すべき妊婦	・前期破水 ・過強陣痛の既往歴 ・緑内障またはその既往歴 ・喘息またはその既往歴 ・多胎妊娠 ・正期産を4回以上経験している
適応患者	妊娠37週以降の子宮頸管熟化不全の妊婦
投与前	20分以上前から分娩監視装置を用いた連続モニタリングを開始し，投与の適否の最終確認
投与中	・投与開始直後は横になった状態で少なくとも30分間安静 ・分娩監視装置を用いて連続モニタリングを行う ・バイタルサイン（血圧，脈拍）を定期的に測定する． ・腟内から脱出した場合は再挿入はしない

（次ページへつづく）

表 D31-2 プロウペス® の使用上の注意(添付文書より)(つづき)

除去基準	● 投与開始後 12 時間経過した場合 ● 下記のいずれかに該当する場合 　・30 分間にわたり規則的で明らかな痛みを伴う 3 分間隔の子宮収縮 　・新たな破水 　・人工破膜を行うとき 　・過強陣痛やその徴候の発現 　・胎児機能不全やその徴候の発現 　・悪心,嘔吐,低血圧などの全身性の副作用
投与終了後	プロウペス® 除去後にオキシトシンまたはプロスタグランジン製剤あるいは吸湿性頸管拡張材,メトロイリンテルまたはプラステロン硫酸エステルナトリウムを使用する場合は,少なくとも 1 時間以上間隔をあけ,十分な分娩監視を行い,慎重に使用すること
副作用	● 重大な副作用:過強陣痛やそれに伴う胎児機能不全,子宮破裂,頸管裂傷,羊水塞栓など. ● その他の主な副作用:発熱,血圧上昇,悪心,過敏症,低血圧

分娩誘発における子宮収縮薬の投与法

- 分娩監視装置を用いて連続的にモニタリングし,過強陣痛や胎児心拍異常に注意をする必要がある.なおいずれの薬も同時併用はしないこと.
1) オキシトシン
2) プロスタグランジン $F_{2\alpha}$ ($PGF_{2\alpha}$)
3) プロスタグランジン E_2 (PGE_2)
- PGE_2 を 1 時間ごとに 1 錠ずつ投与(6 回まで).その間 2~3 分ごとの陣痛が発現すれば,以降の投与は中止する.
- 調節性に欠けるので過強陣痛に注意.頸管熟化作用をもつ.
- 添付文書上の慎重投与は緑内障と喘息などがある.
- 添付文書上の副作用は悪心・嘔吐,頭痛,発熱などがある.

表 D31-3　オキシトシン/PGF$_{2\alpha}$の投与法

		オキシトシン	プロスタグランジン F$_{2\alpha}$(PGF$_{2\alpha}$)
薬剤		アトニン®-O（5 U/A）	プロスタルモン®・F（1,000, 2,000 μg/A）
投与		オキシトシン5Uを5%グルコース液500 mLに希釈し，輸液ポンプにて点滴静注する	PGF$_{2\alpha}$ 3,000 μgを5%グルコース液500 mLに希釈し，輸液ポンプにて点滴静注する
注入速度	開始時	1〜2 mU/分（6〜12 mL/時）	0.5〜2.0 μg/分（5.0〜20 mL/時）
	増量法	有効陣痛が得られるまで30〜40分ごとに1〜2 mU/分（6〜12 mL/時）ずつ増量	有効陣痛が得られるまで30分ごとに1.5〜3.0 μg/分（15〜30 mL/時）ずつ増量
	至適量	5〜15 mU/分（30〜90 mL/時；分娩第2期）	6〜15 μg/分（60〜150 mL/時）
	安全限界	20 mU/分（120 mL/時）に上げても有効陣痛に至らないときは中止する	25 μg/分（250 mL/時）以下
注意点	慎重投与	産科学的異常に注意する	緑内障，喘息，心疾患など
	副作用	過強陣痛，ショック，血圧の上昇または下降，水中毒（急性浮腫，ショックなど），低ナトリウム血症，後産期出血などに注意する	過強陣痛，嘔吐，下痢，血圧の上昇または下降，頻脈，喘鳴など

- 過強陣痛の定義は下記のようになっており，分娩誘発する場合は過強陣痛の発生を未然に防ぐようにする．

表 D31-4　過強陣痛の定義

内子宮口の開大	4〜6 cm	7〜8 cm	9 cm〜　　分娩第2期 9〜10 cm　分娩第2期
子宮内圧	70 mmHg 以上	80 mmHg 以上	55 mmHg 以上
陣痛周期	1分30秒以内	1分以内	1分以内
陣痛持続時間	2分以上	2分以上	1分30秒以上

D32 分娩中の胎児機能不全への対応

胎児機能不全

1 定義
妊娠中あるいは分娩中に胎児の状態を評価する臨床検査において"正常でない所見"が存在し，胎児の健康に問題がある，あるいは将来問題が生じるかもしれないと判断された場合．

2 原因
1) 臍帯・胎盤異常（胎盤早期剝離，臍帯下垂，臍帯卵膜付着，臍帯強度巻絡・過捻転）
2) 子宮収縮異常（過強陣痛，子宮内圧の亢進）
3) 母体の仰臥位低血圧症候群，潜在性胎盤機能不全，硬膜外麻酔
4) 胎児発育不全（FGR）では予備能が乏しいため，特に異常出現の頻度が高く，AFD（appropriate for date）の約 6.5 倍である．胎児心拍陣痛図（CTG）の異常所見のなかでは，変動一過性徐脈（variable deceleration）が最も出現頻度が高く，特に前期破水（PROM）症例では高頻度となる．

3 診断
- CTG の異常所見のすべてがアシドーシスを意味し急速遂娩を必要とするわけでなく，一過性の変化であることも多い．
- 安心できない所見は，下記のとおりである．
1) 遷延一過性徐脈（prolonged deceleration）
2) 変動一過性徐脈（variable deceleration）
3) 遅発一過性徐脈（late deceleration）
4) 基線細変動の消失（loss of baseline variability）
- 1)～3) のいずれかと 4) が組み合わさった場合には，急速遂娩の施行もしくは厳重に観察〔ただし 4) は胎児の睡眠状態，母体への薬剤投与（アトロピン硫酸塩，麻酔薬）などでも起こりうる〕．
- 妊娠週数や FGR の有無などの背景因子や異常所見が出現する前の所見を考慮することが重要．

対応

- 下記 1)〜5)の処置を行いながら内診や超音波検査を行い,臍帯下垂(脱出)や胎盤早期剥離などの特別な原因がないことを確認し,急速遂娩の必要性を判断する.
- 対応の決定に際しては,CTG の所見だけでなく,母児の背景因子(妊娠週数,胎児異常,母体合併症,感染など)を考慮することが重要である.
- 施設の体制(緊急帝王切開の準備に要する時間や新生児蘇生の体制など)も考慮する必要がある.

1) 酸素投与:マスク 10〜15 L/分
2) 体位変換(側臥位):下大静脈や大動脈の圧迫解除,臍帯圧迫の解除
3) 子宮収縮の抑制:陣痛促進薬の減量または中止,場合により子宮収縮抑制薬の投与〔リトドリン塩酸塩 1A(50 mg)を 5%グルコース液 500 mL に希釈したものを 30 mL/時で投与〕
4) 輸液負荷:乳酸加リンゲル液 500 mL/20 分
5) 子宮内温生理食塩水の注入

1 急速遂娩術

- 吸引分娩と鉗子分娩がある(表 D32-1).
- 吸引分娩ではクリステル圧出法の併用が有用なことがある.
- これらで娩出できなければ,躊躇なく帝王切開術を選ぶ.

表 D32-1 吸引分娩と鉗子分娩

	吸引分娩*	鉗子分娩
牽引力	劣る	確実である,児頭回旋可能
手技	比較的単純で容易	熟練を要する
児の合併症	頭血腫,帽状腱膜下出血	顔面損傷,頭蓋内出血
軟産道損傷	比較的小さい	大きいことあり
禁忌	児頭骨盤不均衡(CPD),低出生体重児,回旋異常に伴いカップが大泉門や顔面にかかる場合	CPD,低出生体重児,児頭の回旋が不明な場合

*:総牽引時間が 20 分を超えるか,吸引回数が 5 回を超える場合は鉗子分娩あるいは帝王切開に切り替える.

2 胎児心拍数波形の分類に基づく分娩時胎児管理の指針

- 表D32-2～D32-6を用いて心拍数波形を5段階に分類(表D32-7)する．その分類に応じて表D32-8から対応と処置を決定する．
- 一過性徐脈の定義および軽度と高度の分類は表D32-9，D32-10を用いる．レベル3，4では適宜，経腟分娩続行の可否を判断することが重要であり，その判断はCTGの経時的変化や異常の持続時間，分娩進行度およびその速度から行う．

表D32-2　基線細変動正常例

一過性徐脈 心拍数基線	なし	早発	変動		遅発		遷延	
			軽度	高度	軽度	高度	軽度	高度
正常脈	1	2	2	3	3	3	3	4
頻脈	2	2	3	3	3	4	3	4
徐脈	3	3	3	4	4	4	4	4
徐脈(＜80)	4	4						

〔日本産科婦人科学会，日本産婦人科医会(編集・監修)：産婦人科診療ガイドライン—産科編 2023．p234，日本産科婦人科学会，2023 より〕

表D32-3　基線細変動減少例

一過性徐脈 心拍数基線	なし	早発	変動		遅発		遷延	
			軽度	高度	軽度	高度	軽度	高度
正常脈	2	3	3	4	3*	4	4	5
頻脈	3	3	4	4	4	5	4	5
徐脈	4	4	4	5	5	5	5	5
徐脈(＜80)	5	5		5	5	5		

3*：正常脈＋軽度遅発一過性徐脈：健常胎児においても比較的頻繁に認められるので「3」とする．ただし，背景に胎児発育不全や胎盤異常などがある場合は「4」とする．

〔日本産科婦人科学会，日本産婦人科医会(編集・監修)：産婦人科診療ガイドライン—産科編 2023．p234，日本産科婦人科学会，2023 より〕

表 D32-4 基線細変動消失例*

一過性徐脈	なし	早発	変動		遅発		遷延	
			軽度	高度	軽度	高度	軽度	高度
心拍数基線にかかわらず	4	5	5	5	5	5	5	5

*:薬剤投与や胎児異常など特別な誘因がある場合は個別に判断する.
*:心拍数基線が徐脈(高度を含む)の場合は一過性徐脈のない症例も「5」と判定する.
〔日本産科婦人科学会,日本産婦人科医会(編集・監修):産婦人科診療ガイドライン―産科編 2023. p235, 日本産科婦人科学会, 2023 より〕

表 D32-5 基線細変動増加例*

一過性徐脈	なし	早発	変動		遅発		遷延	
			軽度	高度	軽度	高度	軽度	高度
心拍数基線にかかわらず	2		3	3	3	4	3	4

*:心拍数基線が明らかに徐脈と判定される症例では,表 D32-2 の徐脈(高度を含む)に準じる.
〔日本産科婦人科学会,日本産婦人科医会(編集・監修):産婦人科診療ガイドライン―産科編 2023. p235, 日本産科婦人科学会, 2023 より〕

表 D32-6 サイナソイダルパターン

一過性徐脈	なし	早発	変動		遅発		遷延	
			軽度	高度	軽度	高度	軽度	高度
心拍数基線にかかわらず	4	4	4	4	5	5	5	5

〔日本産科婦人科学会,日本産婦人科医会(編集・監修):産婦人科診療ガイドライン―産科編 2023. p235, 日本産科婦人科学会, 2023 より〕

表 D32-7 胎児心拍数波形のレベル分類

レベル表記	日本語表記	英語表記
レベル 1	正常波形	normal pattern
レベル 2	亜正常波形	benign variant pattern
レベル 3	異常波形(軽度)	mild variant pattern
レベル 4	異常波形(中等度)	moderate variant pattern
レベル 5	異常波形(高度)	severe variant pattern

〔日本産科婦人科学会,日本産婦人科医会(編集・監修):産婦人科診療ガイドライン―産科編 2023. p234, 日本産科婦人科学会, 2023 より〕

表 D32-8　胎児心拍数波形分類に基づく医師の対応と処置
（主に 32 週以降症例に関して）

波形レベル	対応と処置
1	A（経過観察）
2	A（経過観察）または B（監視の強化，保存的処置の施行および原因検索）
3	B（監視の強化，保存的処置の施行および原因検索）または C（保存的処置の施行および原因検索，急速遂娩の準備）
4	C（保存的処置の施行および原因検索，急速遂娩の準備）または D（急速遂娩の実行，新生児蘇生の準備）
5	D（急速遂娩の実行，新生児蘇生の準備）

〈保存的処置の内容〉一般的処置：体位変換，酸素投与，輸液，陣痛促進薬注入速度の調節・停止など．場合による処置：人工羊水注入，刺激による一過性頻脈の誘発，子宮収縮抑制薬の投与など．

注）出典より医師の対応と処置を抜粋．
〔日本産科婦人科学会，日本産婦人科医会（編集・監修）：産婦人科診療ガイドライン―産科編 2023．p236，日本産科婦人科学会，2023 より一部改変〕

表 D32-9　一過性頻脈と一過性徐脈の定義

- 一過性頻脈：15 bpm 以上の急激な心拍数の増加で，15 秒以上 2 分未満継続するもの．なお，32 週未満では心拍数増加が 10 bpm 以上，持続が 10 秒以上のもの．
- 一過性徐脈
  ・早発一過性徐脈（early deceleration）
  　子宮収縮に伴って心拍数が緩やかに減少し，緩やかに回復する波形で，一過性徐脈の最下点が子宮収縮の最強点と概ね一致しているもの
  ・遅発一過性徐脈（late deceleration）
  　子宮収縮に伴って心拍数が緩やかに減少し，緩やかに回復する波形で，一過性徐脈の最下点が子宮収縮の最強点より遅れているもの．多くの場合，一過性徐脈の開始・最下点・回復がおのおの子宮収縮の開始・最強点・終了より遅れる
  ・変動一過性徐脈（variable deceleration）
  　15 bpm 以上の心拍数減少が急速に起こり，開始から回復まで 15 秒以上 2 分未満の波形をいう．子宮収縮に伴って発生する場合は一定の形をとらず，下降度，持続時間は変動することが多い
  ・遷延一過性徐脈（prolonged deceleration）
  　15 bpm 以上の心拍数減少が 2 分以上 10 分未満続いたもの

なお，心拍数の減少が急速か緩やかであるかは肉眼的に区別する．その判断が困難なときに限り，心拍数減少の開始から最下点に至るまでの時間を参考とし，30 秒未満の場合を急速，30 秒以上の場合を緩やかと判定する．

表 D32-10　一過性徐脈の軽度と高度についての細分類

以下を高度の基準とし，それ以外を軽度とする

- 遅発一過性徐脈：基線から最下点までの心拍数低下が 15 bpm 以上
- 変動一過性徐脈：最下点が 70 bpm 未満で持続時間が 30 秒以上，または最下点が 70 bpm 以上 80 bpm 未満で持続時間が 60 秒以上
- 遷延一過性徐脈：最下点が 80 bpm 未満

〔日本産科婦人科学会，日本産婦人科医会（編集・監修）：産婦人科診療ガイドライン―産科編 2023．p235，日本産科婦人科学会，2023 より一部改変〕

文献

1) 日本産科婦人科学会，日本産婦人科医会（編集・監修）：産婦人科診療ガイドライン―産科編 2023．日本産科婦人科学会，2023．

D33 妊娠高血圧症候群の管理と娩出時期の決定

妊娠高血圧症候群の定義・分類(2018)

1 定義
- 妊娠時に高血圧を認めた場合,妊娠高血圧症候群(hypertensive disorders of pregnancy;HDP)とする.

2 病型分類

a 妊娠高血圧腎症(preeclampsia;PE)
①妊娠20週以降に初めて高血圧を発症し,かつ,蛋白尿を伴うもので,分娩12週までに正常に復する場合.

②妊娠20週以降に初めて発症した高血圧に,蛋白尿を認めなくても以下のいずれかを認める場合で,分娩12週までに正常に復する場合.

　ⅰ)基礎疾患のない肝機能障害〔肝酵素上昇(ALTもしくはAST>40 IU/L),治療に反応せず他の診断がつかない重度の持続する右季肋部もしくは心窩部痛〕

　ⅱ)進行性の腎障害(Cr>1.0 mg/dL,他の腎疾患は否定)

　ⅲ)脳卒中,神経障害(間代性痙攣,子癇,視野障害,一次性頭痛を除く頭痛など)

　ⅳ)血液凝固障害〔HDPに伴う血小板減少(<150,000/μL),DIC,溶血〕

③妊娠20週以降に初めて発症した高血圧に,蛋白尿を認めなくても子宮胎盤機能不全〔胎児発育不全(FGR)[*1],臍帯動脈血流波形異常[*2],死産[*3]〕を伴う場合.

[*1]:FGRの定義は,日本超音波医学会の分類「超音波胎児計測の標準化と日本人の基準値」に従い胎児推定体重が-1.5 SD以下となる場合とする.染色体異常のない,もしくは,先天異常(malformation)症候群のないものとする.

[*2]:臍帯動脈血流波形異常は,臍帯動脈血管抵抗の異常高値や血流途絶あるいは逆流を認める場合とする.

[*3]:死産は,染色体異常のない,もしくは,先天異常症候群のない死産の場合とする.

❺ 妊娠高血圧（gestational hypertension；GH）

妊娠 20 週以降に初めて高血圧を発症し，分娩 12 週までに正常に復する場合で，かつ妊娠高血圧腎症の定義に当てはまらないもの．

❻ 加重型妊娠高血圧腎症（superimposed preeclampsia；SPE）

①高血圧が妊娠前あるいは妊娠 20 週までに存在し，妊娠 20 週以降に蛋白尿，もしくは基礎疾患のない肝腎機能障害，脳卒中，神経障害，血液凝固障害のいずれかを伴う場合．

②高血圧と蛋白尿が妊娠前あるいは妊娠 20 週までに存在し，妊娠 20 週以降にいずれかまたは両症状が増悪する場合．

③蛋白尿のみを呈する腎疾患が妊娠前あるいは妊娠 20 週までに存在し，妊娠 20 週以降に高血圧が発症する場合．

④高血圧が妊娠前あるいは妊娠 20 週までに存在し，妊娠 20 週以降に子宮胎盤機能不全を伴う場合．

❼ 高血圧合併妊娠（chronic hypertension；CH）

- 高血圧が妊娠前あるいは妊娠 20 週までに存在し，加重型妊娠高血圧腎症を発症していない場合．

❸ 妊娠高血圧症候群における高血圧と蛋白尿の診断基準

❺ 収縮期血圧 140 mmHg 以上，または，拡張期血圧が 90 mmHg 以上の場合を高血圧と診断する．

- 血圧測定法：

①5 分以上の安静後，上腕に巻いたカフが心臓の高さにあることを確認し，座位で 1〜2 分間隔にて 2 回血圧を測定し，その平均値をとる．2 回目の測定値が 5 mmHg 以上変化する場合は，安定するまで数回測定する．測定の 30 分以内にはカフェイン摂取や喫煙を禁止する．

②初回の測定時には左右の上腕で測定し，10 mmHg 以上異なる場合には高いほうを採用する．

③測定機器は水銀血圧計と同程度の精度を有する自動血圧計とする．

❻ 次のいずれかに該当する場合を蛋白尿と診断する．

①24 時間尿でエスバッハ法などによって 300 mg/日以上の蛋白尿が検出された場合．

②随時尿で蛋白/クレアチニン（P/C）比が 0.3 mg/mg・Cr 以上である場合．

ⓒ 24時間蓄尿や随時尿でのP/C比測定のいずれも実施できない場合には，2回以上の随時尿を用いたペーパーテストで2回以上連続して尿蛋白1＋以上陽性が検出された場合を蛋白尿と診断することを許容する．

4 症候による亜分類

ⓐ 重症について

- 次のいずれかに該当するものを重症と規定する．なお，軽症という用語はハイリスクでないHDPと誤解されるため，原則用いない．
① 妊娠高血圧，妊娠高血圧腎症，加重型妊娠高血圧腎症，高血圧合併妊娠において，血圧が次のいずれかに該当する場合．
  ・収縮期血圧 160 mmHg 以上の場合
  ・拡張期血圧 110 mmHg 以上の場合
② 妊娠高血圧腎症，加重型妊娠高血圧腎症において，母体の臓器障害または子宮胎盤機能不全を認める場合．
- 蛋白尿の多寡による重症分類は行わない．

ⓑ 発症時期による病型分類

- 妊娠34週未満に発症するものは，早発型（early onset type；EO）
- 妊娠34週以降に発症するものは，遅発型（late onset type；LO）

5 付記

ⓐ 妊娠蛋白尿
妊娠20週以降に初めて蛋白尿が指摘され，分娩後12週までに消失した場合をいうが，病型分類には含めない．

ⓑ 高血圧の診断
白衣・仮面高血圧など，診察室での血圧は本来の血圧を反映していないことがある．特に，高血圧合併妊娠などでは，家庭血圧測定あるいは自由行動下血圧測定を行い，白衣・仮面高血圧の診断およびその他の偶発合併症の鑑別診断を行う．

ⓒ 関連疾患

① 子癇（eclampsia）
妊娠20週以降に初めて痙攣発作を起こし，てんかんや二次性痙攣が否定されるものをいう．痙攣発作の起こった時期によって，妊娠子癇，分娩子癇，産褥子癇と称する．子癇は大脳皮質での可逆的な血管原性浮腫による痙攣発作と考えられているが，後頭葉や脳幹などにも浮腫をきたし，各種の中枢神経障害を呈することがある．

② HDPに関連する中枢神経障害

皮質盲，可逆性白質脳症（posterior reversible encephalopathy syndrome；PRES），高血圧に伴う脳出血および脳血管攣縮などが含まれる．

③ HELLP症候群

妊娠中，分娩時，産褥時に溶血所見（LD高値），肝機能障害（AST高値），血小板数減少を同時に伴い，他の偶発合併症によるものではないものをいう．いずれかの症候のみを認める場合は，HELLP症候群とは記載しない．

HELLP症候群の診断はSibaiの診断基準に従うものとする（p437参照）．

④ 肺水腫

HDPでは血管内皮機能障害から血管透過性を亢進させ，しばしば浮腫をきたす．重症例では，浮腫のみでなく肺水腫を呈する．

⑤ 周産期心筋症

心疾患の既往のなかった女性が，妊娠・産褥期に突然心不全を発症し，重症例では死亡に至る疾患である．HDPは重要なリスク因子となる．

重症妊娠高血圧症候群の管理方針

- 重症妊娠高血圧症候群では，入院加療が必要で，安静，食事療法を行いながら，表D33-1に示した検査を施行する．
- 症状や検査値の推移をみながら，適切な薬物療法を行い，母児ともに安全な時期を選んで分娩を終了させるよう努める．もし，表D33-2に示したような危険徴候がみられた場合は，分娩誘発ないしは帝王切開を行い，妊娠を早期に終了させる．

表D33-1 妊娠高血圧症候群に対する検査

毎日	血圧，尿量，体重，NST（必要であれば）
週に1〜2回	尿蛋白定量，超音波検査（胎児発育，羊水量，BPS，超音波ドプラ，母体腹水の有無など），全血算（Ht, 血小板），血漿総蛋白，アルブミン，肝機能（AST, ALT, LD, TBなど），尿酸，電解質，BUN, Cr, Ccr, 凝固系（ATⅢ，FDPなど）
適宜	胸部X線，パルスオキシメーター，血液ガス

症状に応じ回数を増減する．

表 D33-2　妊娠高血圧症候群における妊娠終了の適応指針

母体所見

- 降圧治療に抵抗する重症高血圧
- 胸水・腹水，肺水腫
- 心不全（周産期心筋症など）
- 他に原因のない進行性の肝機能障害，持続する上腹部痛
- 進行性の血小板減少（100,000/μL 未満）*
- 進行性の凝固異常，溶血
- 進行性の腎機能障害（GFR 50 mL/分以下，血中 Cr 1.5 mg/dL 以上，乏尿 400 mL 以下など）*
- 常位胎盤早期剥離
- HELLP 症候群，急性妊娠脂肪肝
- 高度で難治性の頭痛，脳卒中，運動障害，感覚障害，視野障害（皮質盲，漿液性網膜剥離など）
- 子癇

胎児所見

- 胎児機能不全
- 臍帯動脈血流異常を伴う重症胎児発育不全

〔日本妊娠高血圧学会（編）：妊娠高血圧症候群の診療指針 2021．p79，メジカルビュー社，2021 より一部改変〕

*：徳島大学における基準値を（　）内に付記した．妊娠 37 週以降では，上記所見にこだわらず早期娩出を考慮する．

治療

1 安静

- ベッド上で臥床とする．腎ならびに子宮血流量が増加し，母児にとって効果がある．また，浮腫も軽減する．

2 食事療法

- 軽度の塩分制限食とする．極端な塩分制限は循環血液量の減少，子宮胎盤血流量を低下させるため，危険である．最近では，1日 7〜8 g が適当とされている．

3 浮腫対策

- 浮腫に対しては安静と食事療法を行う．フロセミド（ラシックス®）は肺水腫やうっ血性心不全合併例を除き，投与しない．

4 蛋白尿対策

- 蛋白尿を減少させる有効な薬はない．

5 高血圧対策

- 血圧が 160/110 mmHg を超える場合は降圧薬の投与が必要である．急激な血圧低下は胎児にとって危険であるため，目標血圧を 140〜150/90〜100 mmHg とする．
- 状態によっては 140/90 mmHg を超える場合でも降圧薬を考慮する．また分娩後は 140/90 mmHg を超える場合は降圧薬を使用する．

表 D33-3　降圧薬の投与法

一般名	商品名	投与法
メチルドパ水和物	アルドメット®錠 (250 mg)	1 回 1 錠　1 日 1〜3 回から開始，1 日 2,000 mg まで漸増
ヒドララジン塩酸塩	アプレゾリン®錠 (10 mg)	1 回 1 錠　1 日 3〜4 回から開始，1 日 200 mg まで漸増
ラベタロール塩酸塩	トランデート®錠 (50 mg)	1 回 1 錠　1 日 3 回から開始，1 日 450 mg まで漸増
ニフェジピン	アダラート®CR 錠 (20 mg)	1 回 1 錠　1 日 1 回

- メチルドパ水和物(アルドメット®)とヒドララジン塩酸塩(アプレゾリン®)が第 1 選択とされるが，その他にラベタロール塩酸塩やニフェジピンが使用可能である．
- ラベタロール塩酸塩(トランデート®：α, β 遮断薬)は諸外国では比較的よく用いられている．糖尿病性ケトアシドーシス，代謝性アシドーシス，高度の徐脈およびうっ血性心不全を伴う症例は禁忌．血圧が低下しても子宮胎盤血流量は減少させないが，胎児発育を遅延させるという報告がある．
- ニフェジピン(アダラート®：Ca 拮抗薬)は高血圧合併妊娠や分娩後に用いられることが多いが，妊娠 20 週以降は使用可能である(妊娠 20 週未満は禁忌)．過度の血圧低下には注意が必要で，マグネシウム薬と併用する際は，降圧作用が強く出ることがあるので慎重に行う．

6 子癇切迫状態の対策

- 血圧 180/110 mmHg 以上を持続したり，子癇発作の前駆症状(頭痛，眼華閃発，心窩部痛，嘔吐，腱反射亢進など)がみられる場合．

ⓐ 子癇予防
- 安静を保持し，部屋を暗くする．
- 刺激を避ける．
- 硫酸マグネシウム 4 g を 20 分以上かけて静脈内投与する．以後 1〜2 g/時で維持する（腎機能が正常な場合）．血中濃度に注意する．

ⓑ 血圧のコントロール
- 下記の①または②にて血圧を 150〜160/100〜110 mmHg まで緩徐に下げる．急激な血圧低下は胎児に危険である．

①生理食塩水 100 mL にヒドララジン塩酸塩（アプレゾリン®注射用）40 mg を入れ 20 μg/分（3 mL/時）で開始し，20〜80 μg/分（3〜12 mL/時）で維持する．

②ニカルジピン塩酸塩（ペルジピン®注射液）を 0.5〜1.0 mL/時から開始し 0.5〜2.0 mL/時で維持する．単独では投与せず必ず生理食塩水などの側管から投与する．

- 硫酸マグネシウムと併用する場合，降圧作用が強く出ることがあり注意する．

妊娠高血圧症候群関連疾患

1 HELLP 症候群

- hemolysis（溶血），elevated liver enzyme（肝酵素上昇），low platelets（血小板減少）の三徴がみられる症候群で，HDP に合併することが多い．一方，HDP に合併しないものが約 10％あり，特に多胎妊娠ではその頻度が高いとされる．
- 初発症状として心窩部痛・右季肋部痛や悪心・嘔吐が重要で，重症になると DIC や肝不全となるため早期発見・早期対応が重要である．
- 治療の基本は妊娠の終了であるが，抗 DIC 治療や硫酸マグネシウム投与が併用される．

● Sibai の診断基準 [1]
1）溶血：LD＞600 IU/L，間接ビリルビン＞1.2 mg/dL，破砕赤血球
2）肝酵素上昇：AST＞70 IU/L，ALT＞70 IU/L
3）血小板減少：血小板＜100,000/μL
 これらを総合的に判断する．

2 急性妊娠脂肪肝

- 肝細胞内の脂肪蓄積を特徴とし、妊娠後期に発症し急激に肝不全に至る重篤な疾患である。現在でも死亡率は7〜18%とされる。
- HDPや多胎妊娠に合併することが多い。
- 初発症状としては悪心・嘔吐や右季肋部痛、倦怠感がみられ、進行すると黄疸、肝不全、低血糖、腎不全に至る。
- 治療の基本は妊娠の終了である。抗DIC治療などが併用される。
- 確定診断には肝生検が必要であるが、リスクを伴うのであまり実施されない。臨床所見や血液学所見から総合的に判断する。

1) 血液学所見
   - 肝機能異常(AST, ALT, ALP, ビリルビンの上昇)
   - 凝固異常(APTT, PTの延長、フィブリノゲンの低下、ATⅢの低下)
   - 腎機能異常(BUN, Cr, 尿酸の上昇)
   - 白血球増加、血小板減少
   - 低血糖

2) HELLP症候群との鑑別は難しいことも多いが、凝固異常(PT, APTTの延長、フィブリノゲンの低下)、腎機能異常および低血糖が参考になる。また血小板減少はHELLP症候群より軽度であることが多い。

3) 超音波検査なども併用し他の肝疾患を除外しておく。

表 D33-4 HELLP症候群と急性妊娠脂肪肝の鑑別

	HELLP症候群	急性妊娠脂肪肝
経産	経産婦に多い	初産婦に多い
HDPの合併	90%	50%
発症	妊娠中期〜後期	妊娠後期
血小板減少	中等度〜高度	軽度
凝固異常	軽度〜中等度	中等度〜高度
腎機能異常	軽度〜中等度	中等度〜高度
低血糖	稀	多い

文献

1) Sibai BM, et al：Maternal morbidity and mortality in 442 pregnancies with hemolysis, elevated liver enzymes, and low plates. Am J Obstet Gynecol 169(4)：1000-1006, 1993.
2) 日本妊娠高血圧学会(編)：妊娠高血圧症候群の診療指針 2021. メジカルビュー社, 2021.

D34 子癇の治療法：ECLAMPSIA法

- 子癇治療の要点は①可及的に痙攣を抑制し，②CT（可能ならMRI）にて脳出血などを除外する．その後，③強力な全身管理を行いつつ，④妊娠の終了を行うこと，である．

緊急処置：ECLAMPSIA法（徳島大学方式）

表 D34-1　ECLAMPSIA法の実際

E：Emergency call	応援を呼びながら，下記の処置を行う
C：CERCINE®（セルシン®注5 mg）（ジアゼパム）	初回5～10 mgを静注（筋注），効果がなければさらに10 mg静注
L：Look for the cause	CT/MRIや血液検査にて原因検索（脳出血などを鑑別）
A：Airway	気道確保，吐物誤嚥に注意
M：MAGNESOL®（静注用マグネゾール®20 mL）（硫酸マグネシウム）	1回40 mL（硫酸マグネシウム水和物として4 g）を20分以上かけて静注し，10 mL/時で維持
P：PHENOBAL®（フェノバール®注100 mg）（フェノバルビタール）	1回1Aを皮下注もしくは筋注．通常，子癇で必要とすることは稀
S：Supply oxygen	酸素投与（酸素マスク4～6L/分）
I：Intensive care	可能ならばICUに収容，管理する
A：Antihypertensive therapy（降圧療法）（ペルジピン®注10 mg）（ニカルジピン塩酸塩）	0.5～1.0 mL/時から開始し0.5～2.0 mL/時で維持

- 可能ならばICUに入室のうえ，呼吸循環，胎児モニタリングを行う．肺水腫，心不全，腎不全，DICなど多臓器不全の発症に注意する．

子癇に使用される薬剤

1 痙攣の抑制

ⓐ 硫酸マグネシウム（静注用マグネゾール® 20 mL）
- 「子癇切迫状態の対策」の項を参照，p436．
- 子癇の再発予防として重要．

ⓑ ジアゼパム（セルシン® 注 5 mg）
- 初回 5〜10 mg を 2 分以上かけて静注（筋注）．
- 呼吸抑制や新生児の筋緊張低下，嗜眠に注意する．

ⓒ フェノバルビタール（フェノバール® 注 100 mg）
- ⓐ，ⓑで無効な場合に考慮する．1 回 1 A（100 mg）を皮下注もしくは筋注．

2 血圧のコントロール

- 「子癇切迫状態の対策」の項を参照，p436．

D35 産科危機的出血の診断と対応

産科異常出血・産科危機的出血の定義と原因

- 産科異常出血は出血の時期により以下のように分類される.
1) 分娩前（流早産, 外傷, 前置胎盤, 常位胎盤早期剝離など）
2) 分娩時（軟産道裂傷, 子宮収縮不全, 子宮内反症など）
3) 分娩後（子宮動静脈瘤, retained products of conception など）
- 出血量として経腟分娩 1,000 mL, 帝王切開術 2,000 mL を超える, またはショック指数（shock index；SI, 心拍数/収縮期血圧）が 1 以上となった場合, 分娩時異常出血と判断する.
- 適切な対応を行ったにもかかわらず, 出血が持続し, バイタルサインの異常, SI が 1.5 以上, 産科 DIC スコアが 8 点以上, フィブリノゲン 150 mg/dL 未満となれば産科危機的出血と判断する.

産科 DIC について

- 播種性血管内凝固（disseminated intravascular coagulation；DIC）の診断で重要なことは, 基礎疾患（表 D35-1）を覚えておき, 基礎疾患をもつ患者を管理していく際に, 臨床症状の出現に注意しながら経時的に諸検査を行い, その発生を常にチェックすることである.
- 産科 DIC は突発的に発生し, 経過が急性であり, 診断に時間的余裕がないことが多いため早期に治療に踏み切るための産科 DIC スコア（表 D35-2）を参考にして治療を開始する.
- 判断に迷う場合は厚生省 DIC 診断基準や日本血栓止血学会 DIC 診断基準なども参考にするが, 血液検査の結果が必要であり, 判断に時間を要し, それによって DIC の治療開始が遅れてはならない.

表 D35-1　産科 DIC の基礎疾患

①常位胎盤早期剝離*
②出血性ショック
　　　(2,000 mL 以上時)*
　　弛緩出血，前置胎盤，子宮破裂，癒着胎盤，軟産道損傷(頸管裂傷，腟壁裂傷，後腹膜血腫など)
　　異所性妊娠，原因不明出血など
③重症感染症*
　　敗血症性流産，卵膜炎，産褥熱，その他
④羊水塞栓症*
　　・急性肺性心または人工換気を要する呼吸困難
⑤子癇，重症妊娠高血圧症候群
⑥死胎児症候群(特に妊娠中期)
⑦急性妊娠脂肪肝
⑧胞状奇胎
⑨その他(麻酔，薬物ショック，不適合輸血など)

*：DIC を発症する可能性が高いので要注意．
〔日本母性保護医協会：産婦人科医療事故防止のために改訂版(下巻)，1993 より改変〕

表 D35-2　産科 DIC スコア

基礎疾患(1項目のみ)	点数	臨床症状	点数	検査	点数
早剝(児死亡)	5	急性腎不全(無尿)	4	FDP：10 μg/mL 以上	1
〃　(児生存)	4	〃　　　(乏尿)	3	血小板：100,000 μL 以下	1
羊水塞栓(急性肺性心)	4	急性呼吸不全(人工換気)	4	フィブリノゲン：150 mg/dL 以下	1
〃　(人工換気)	3	〃　　　(酸素療法)	1	PT：15秒以上	1
〃　(補助換気)	2	臓器症状(心臓)	4	出血時間：5分以上	1
〃　(酸素療法)	1	〃　(肝臓)	4	その他の検査異常	1
DIC 型出血(低凝固)	4	〃　(脳)	4		
〃　(出血量：2L以上)	3	〃　(消化器)	4		
〃　(出血量：1〜2L)	1	出血傾向	4		
子癇	4	ショック(頻脈：100以上)	1		
その他の基礎疾患	1	〃　(低血圧：90以下)	1		
		〃　(冷汗)	1		
		〃　(蒼白)	1		

上記に該当する項目の点数を加算し，8〜12 点：DIC に進展する可能性が高い，13 点以上：DIC
〔真木正博，他：産科 DIC スコア．産婦治療 50(1)：119-124，1985 より一部改変〕
日本産婦人科・新生児血液学会の「暫定版産科 DIC 診断基準」(http://www.jsognh.jp/dic/)も参照のこと．

産科異常出血・産科危機的出血への対応

- 下記のフローチャート（図 D35-1）のように対応する．

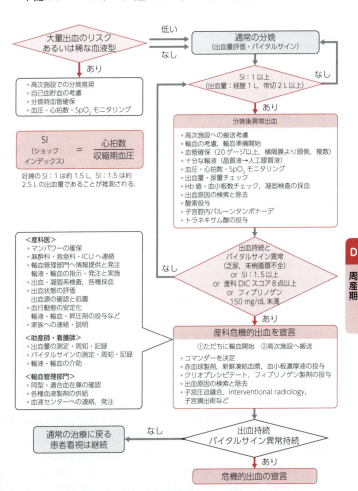

図 D35-1 産科危機的出血への対応フローチャート
〔日本産科婦人科学会，他：産科危機的出血への対応指針 2022．p1，https://www.jsog.or.jp/activity/pdf/shusanki_taioushishin2022.pdf（2023 年 9 月 1 日アクセス）より〕

1 すぐさま行うこととしては

1) バイタルサインの確認とマンパワーの確保
2) 高次施設への搬送の考慮
3) 輸血・凝固因子の準備と補充(後述)
4) 酸素投与と血管確保→十分な輸液
5) 原因の検索と除去
6) 血液検査の依頼
- フィブリノゲン(≦150 mg/dL), 血算, プロトロンビン時間(PT)(≧15秒), 部分トロンボプラスチン時間(APTT)(≧45秒), FDP定量(≧10 μg/mL), アンチトロンビンⅢ(ATⅢ)(≦60%), 血液ガス, 電解質など.
- 羊水塞栓症によるDICの可能性がある場合は, 血清を遠心分離し, アルミホイルで遮光して冷蔵保存. その後, すみやかに血清・血漿に遠心分離し, 凍結保存. 後日検査施設に郵送する〔亜鉛コプロポルフィリン(Zn-CP)・シアリルTN抗原(STN)測定用〕.
7) トラネキサム酸(トランサミン®注10%)投与の検討
- 線溶系の異常亢進による出血傾向に対して投与されるが, 止血したら早期に中止する.
    > トランサミン®注10% 1 g(10 mL)を10分以上かけて投与する.
    > 再投与は過剰投与による血栓形成に注意する.

2 輸血・凝固因子の準備と補充について

1) 弛緩出血などで凝固因子が著しく消費されて出血傾向をきたすような際は, 輸血による凝固因子の補充が必要.
2) 新鮮凍結血漿(FFP)+赤血球濃厚液(RBC)を併用して輸血するときは1〜2:1を目安に行う(目標値ヘマトクリット30%).
3) 血小板のみの著しい低下の場合は血小板輸血.
4) クリオプレシピテートが院内にある場合は少量で有効に凝固因子を補充できる. FFPに比べて肺水腫の危険性が低い.
5) 乾燥人フィブリノゲン(フィブリノゲンHT静注用1 g「JB」)が新たに保険適用となり, 有用性が報告されている. 施設基準があり, 使用の全例報告(日本産科婦人科学会)と, 原則として血中フィブリノゲン150 mg/dL未満という条件があるため注意が必要.

表 D35-3　主に使用される輸血用血液製剤

販売名 (一般名)	略号	貯蔵方法	有効期間	包装	期待される輸血効果 (体重 50 kg)
照射赤血球液-LR「日赤」 (人赤血球濃厚液)	Ir-RBC-LR	2〜6℃	採血後21日間	血液 400 mL に由来する赤血球1袋(約 280 mL)	1袋輸血した予測上昇 Hb 値は約 1.5 g/dL
新鮮凍結血漿-LR「日赤」 (新鮮凍結人血漿 全血採血由来製剤)	FFP-LR	−20℃以下	採血後1年間	血液 400 mL 相当に由来する血漿1袋(約 240 mL)	2袋輸血した予測上昇凝固因子活性は約 20〜30%
照射濃厚血小板-LR「日赤」 (人血小板濃厚液)	Ir-PC-LR	20〜24℃振とう保存	採血後4日間	10 単位1袋 約 200 mL (含有血小板数≧$2.0×10^{11}$)	1袋輸血した予測血小板増加数は約 40,000/μL

産科 DIC への対応

- 治療の基本は①基礎疾患の除去，②消費された凝固因子の補充，③抗凝固薬の投与，④ DIC の原因あるいは結果により起こったショックの治療，となる．

1 抗凝固薬

ⓐ ATⅢ製剤(献血ノンスロン®，ノイアート®，アコアラン®)

- 副作用はほとんどなく，どんな場合にも安全に使用できる．血中 ATⅢ 60%以上が目標．

  ノイアート® 静注用(1,500 単位)(血漿分画製剤)　1 回 1,500〜3,000 単位をゆっくり静注，あるいは短時間点滴静注 1 日 1 回．
  連続使用は 3 日間以内．

ⓑ 酵素阻害薬〔ガベキサートメシル酸塩(エフオーワイ®)，ナファモスタットメシル酸塩(フサン®)〕

- DIC の診断がつけばただちに投与を開始し，FDP が正常になったら中止する．
  下記 1) 2) のいずれかを用いる．

  1) 注射用エフオーワイ®(100 mg，500 mg)
  5%ブドウ糖液 500 mL に 1 日量 1,000〜2,000 mg(20〜39 mg/kg) を溶解して 24 時間かけて持続点滴．

- ※配合禁忌が多く，末梢投与では静脈炎を起こしやすい．可能なかぎり単独ルートで中心静脈から投与する．

2) 注射用フサン®(10 mg, 50 mg)

5%ブドウ糖液1,000 mLに1日量70〜240 mgを溶解して24時間かけて持続点滴(0.06〜0.20 mg/kg/時).

※末梢投与でも静脈炎を起こしにくいが,高カリウム血症に注意.

❍ ウリナスタチン(ミラクリッド®)

- 抗トリプシン作用をもち,抗ショック療法作用が強いため急性循環不全に対しても有効である.

ミラクリッド®注射液(10万単位) 1回10万単位 1日1〜3回 静注または点滴静注 2〜3日間投与.

2 抗ショック療法

❍ メチルプレドニゾロン(ソル・メドロール® 静注用40, 125, 500, 1,000 mg)

ソル・メドロール® 静注用 通常1回30 mg/kg 緩徐に静注
※必要があれば8時間ごとに繰り返す.2日以内にとどめる.

❍ ウリナスタチン(ミラクリッド® 注射液5万単位, 10万単位)

❍ ドパミン塩酸塩(イノバン® 注50 mg, 100 mg)

イノバン® 注 1〜5γ(μg/kg/分)で持続投与.最大20γまで.
※1〜3γでは尿量の増加,3〜10γでは心拍出量の増加,10γでは血管収縮での血圧上昇.

Side Memo パルスオキシメーター

パルスオキシメーターで測定できる動脈血酸素飽和度(SaO_2)は,新生児以外では95〜98%が正常領域である.90%以下を低酸素血症として,何らかの処置が必要.SaO_2をPaO_2に変換して理解するには,表D35-4を利用.非侵襲的なモニターで,禁忌となる症例はないが,ショックなどで末梢の血流が低下している場合は,正確な脈波が得られない.体動が激しい場合も同様.未熟児や仮死児,呼吸障害や先天性心疾患などをもつ新生児にも応用できる.

表D35-4 SaO_2とPaO_2の関係

SaO_2	98	97	96	95	90	80	70	60	50	40
PaO_2	100	90	80	75	58	45	37	31	27	23

D36 新生児の蘇生と呼吸管理

新生児の蘇生

1 留意点
1) 出生児に蘇生処置が必要かどうかを判定する.
 下記のいずれかに問題があれば蘇生の処置を開始する.
- 成熟児か?
- 呼吸や啼泣は良好か?
- 筋緊張は良好か?
2) 新生児仮死の 90% 以上はバッグ・マスク換気だけで改善するため, 急いで挿管する必要はない.
3) 児頭が産道から娩出された段階で, 児の気道吸引をすることは推奨されなくなった.
4) 児の吸引は口腔, 気道の順番で行う. あまり深く吸引をすることは避ける.

2 準備器具
1) 気管挿管チューブ:2.0, 2.5, 3.0, 3.5 mm のチューブとスタイレット.
2) 挿管チューブ固定用絆創膏(通気性のよい伸縮テープ)
3) 吸引カテーテル, 吸引装置
- 口腔用:8~6 Fr
- 気管用:6~5 Fr
4) 新生児用聴診器, ストップウォッチ, 救急薬品, 静脈確保器具

新生児の蘇生法アルゴリズム

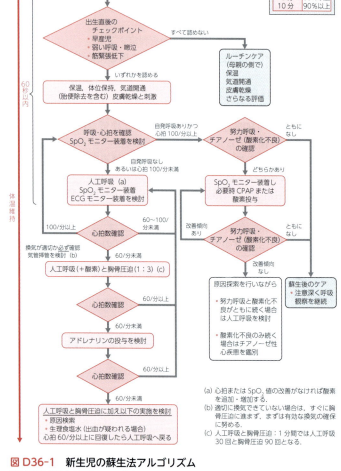

図 D36-1　新生児の蘇生法アルゴリズム
〔日本蘇生協議会(監修):JRC蘇生ガイドライン2020. p234, 医学書院, 2021 より〕

D37 新生児血管確保に必要な器具，手技と輸液療法

静脈カテーテル留置法

1 適応
- 輸液，薬剤投与

2 準備器具
1) IntraFlow™ system：初回接続時は10%グルコース液を使用することが多い．
2) 24Gテフロン留置針（Insyte™など）
3) 消毒用エタノール
4) 固定用テープ〔アクティムーブ® エラスティックテープ（二股，他2本）〕，場合によりシーネ
5) 生理食塩水（10 mL）
6) 注射器（1 mLあるいは2.5 mL）
7) 輸注ポンプ

3 留置血管
- 表在するどの静脈でも使用可（例：背側中手静脈，橈側皮静脈，尺側皮静脈，肘正中皮静脈，大伏在静脈，小伏在静脈）．

4 手技
- カテーテルの先端，挿入部位は腫脹や発赤が確認できるようにしておく．

5 合併症
- 静脈炎，カテーテル敗血症，腫脹，壊死．

動脈カテーテル留置法

1 適応
- 呼吸管理において，頻回の動脈血液ガス分析が必要な場合
- 動脈血圧の連続的モニタリング
- 交換輸血時

2 準備器具
1) IntraFlow™ system：基液にはヘパリンを1単位/mLの割合で混合する．
   生理食塩水 30 mL＋ヘパリン 30 単位（1 mL/時間の速度で注入）
   （生理食塩水 500 mL＋ヘパリン 0.5 mL）
   三方活栓，血圧測定用トランスデューサー
2)〜7) 前述の静脈カテーテル留置法と同様に準備する．
8) 透光器（ペンライトで代用可）

3 留置血管
- 橈骨動脈，尺骨動脈，後脛骨動脈，上腕動脈（やむを得ない場合）

4 手技
- 透光器で血管の走行を確認しながら穿刺し進めていく．血管を突き破る必要はなく，血液の持続的な逆流により確認する．

5 合併症
- カテーテル敗血症，血栓，塞栓，動脈血流域の虚血，壊死，血腫．

輸液組成と投与量

表 D37-1 輸液組成と投与量

生後時間	輸液組成	電解質濃度 (mEq/L) Na$^+$	Cl$^-$	K$^+$	1日量 (mL/kg)
0〜24	10%グルコース液	0	0	0	60〜80
24〜48	10%グルコース液　4 生理食塩水　　　　1	30	30	0	70〜80 70〜80
48<	10%グルコース液　4 生理食塩水　　　　1 1 mol/L KCl 液 1 mL/100 mL	30	30	10	80〜100

上記表を参考にするが,市販の電解質製剤にグルコース液を加えたものを代用してもよい.

〔青木繁幸:新生児の体液と電解質.新生児診療相互援助システム(編):新生児診療ハンドブック.p66,金芳堂,1988 より〕

表 D37-2 主な輸液の電解質濃度

販売名	電解質濃度(mEq/L) Na$^+$	Cl$^-$	K$^+$
ソリタ®-T1(2.6%)	90	70	0
ソリタ®-T3(4.3%)	35	35	20
ソリタ®-T3G(7.5%)	35	35	20
ソリタ®-T4(4.3%)	30	20	0

( )内は糖濃度.

- 血糖,電解質は随時検査を行いつつ補正していく(低血糖の場合は輸液の糖濃度を上げる).
- 摂取水分量は経腸管栄養量・輸液量を合わせた水分量とし,授乳量が1日あたりの目標値に達すれば,静脈栄養は中止する.
- 光線療法中は総水分量を 1.2〜1.5 倍投与する.

D38 新生児に汎用される検査と参考値

血液一般検査

表 D38-1 血液一般検査(新生児)

評価と処置	低値	項目	高値	評価と処置
	400	RBC(×10⁴/μL)	600	
	30	Ht(%)	65	多血症,部分交換輸血を考慮
輸血を考慮(日齢7まで)	11	Hb(g/dL)	22	
感染疑い	100	Plt(×10³/μL)	300	感染疑い
重症感染疑い	5,000	WBC(/μL)	20,000	
		好中球(/μL)	4,000	感染疑い
		幼若好中球/総好中球比	0.25	感染疑い

血液生化学検査

表 D38-2 血液生化学検査(新生児)

評価と処置	低値	項目	高値	評価と処置
		1. 電解質		
生理食塩水投与	130	Na(mEq/L)	150	低濃度 Na の輸液
生理食塩水投与	98	Cl(mEq/L)	110	
アスパラ® カリウム投与	4.5	K(mEq/L)	7	グルコース・インスリン療法や腹膜灌流を考慮
カルチコール® 投与	7	Ca(mg/dL)	11	
リン酸ナトリウム投与	3	P(mg/dL)	8	
マグネゾール® 投与	1.5	Mg(mg/dL)		
		2. 免疫グロブリン(臍帯血)		
	630	IgG(mg/dL)	1,430	母体の 105〜110%
	1	IgM(mg/dL)	20	
	1	IgA(mg/dL)	5	胎内感染疑い

(次ページへつづく)

表 D38-2　血液生化学検査(新生児)(つづき)

評価と処置	低値	項目	高値	評価と処置
		3. その他		
低蛋白血症	4	TP (g/dL)	7	
	3	BUN (mg/dL)	30	腎不全疑い
		Cr (mg/dL)	0.3	腎不全疑い
低血糖を考慮して、10%グルコース液にて輸液開始	40	糖 (mg/dL)	125	輸液中の糖濃度を薄める
		NH_3 (μg/dL)	150	腹膜灌流を考慮

髄液検査

表 D38-3　髄液所見(新生児の正常および中枢神経系疾患)

	正常	脳炎	ウイルス性髄膜炎	化膿性髄膜炎	水頭症
外観	水様透明 キサントクロミー	水様透明〜微濁(ヘルペス脳炎:キサントクロミーを示す)	水様透明〜微濁	混濁〜膿性	水様透明
髄液圧	10〜80 mmH₂O	上昇	上昇	上昇	上昇
細胞数	0〜15/μL	増加(50〜100/μL)(ヘルペス脳炎は時に1,000〜3,000/μL)	増加(1,000/μL以下)	増加(1,000/μL以上)	正〜軽度増加
蛋白量	30〜100 mg/dL	軽度増加	軽度増加	著しく増加	正
糖量	30〜70 mg/dL	正〜増加	正	減少(血糖値の40%以下)	正
グロブリン反応	(−)	(+)	(+)	(+++)	(+)
LD	20〜50 U/L	正常	正常	上昇(LD_4, LD_5増加)	正常

文献

1) 山崎俊夫:新生児頭蓋内出血とCT:成熟児. 周産期医 16(12):1787-1792, 1986.

D39 新生児によくみられる症状とその検査，処置

呼吸障害

- 出生後，表D39-1に示すような病的な呼吸がみられる場合は，胸部単純X線撮影を行い，血液ガス，感染症のチェックをする．

表D39-1 呼吸障害の症状

1. 多呼吸 (tachypnea)	呼吸数が毎分60以上
2. 無呼吸発作 (apnea spell)	20秒以上続く呼吸停止あるいは徐脈を伴う呼吸休止
3. 陥没呼吸 (retraction)	吸気相に一致して胸壁の軟らかい部分が陥没するような呼吸
4. シーソー呼吸 (see-saw respiration)	吸気時に胸郭の前後径が減少し腹部が膨隆するような呼吸
5. 努力性呼吸 (labored respiration)	陥没呼吸，下顎呼吸，鼻翼呼吸など
6. 呻吟 (grunting)	呼気相に聞かれる「うなり」のような呼吸
7. 喘鳴 (stridor)	気道の狭窄により起こる呼吸雑音

- 以下に救急処置を必要とする主な疾患について述べる．

1 呼吸窮迫症候群(respiratory distress syndrome；RDS)

- 早産児，特に超低出生体重児において羊水，胃内容液の肺成熟度テストが陰性であれば高率にRDSの発症が予測される．
- 高い陽圧換気を必要とする場合は，蘇生台あるいは保育器内にてサーファクテン®気管注入用(120 mg)を生理食塩水に懸濁して120 mg/kgを気管挿管して投与する．

2 胎便吸引症候群(meconium aspiration syndrome；MAS)

- 羊水混濁のある場合，児頭娩出後第一啼泣前に口腔と鼻腔を吸引する．吸引羊水が汚濁，粘稠な場合は，喉頭鏡にて喉頭展開し，

声門を観察する．声門が汚濁されていれば，挿管し気管内を吸引する．
- 気管内に混濁羊水があれば，生理食塩水 0.5 mL ずつの注入，バギング，吸引を繰り返し，気管内を洗浄する．
- その後は患児の呼吸状態をみて，人工換気の要否を判断する．

3 気胸

- 急激な換気状態の悪化をみた場合は，ただちに透光試験，胸部X線撮影を行い，気胸の有無を確認する．治療は第 6 肋骨上で皮切し，前腋窩線第 5 肋間よりトロッカーカテーテル（8〜10 Fr）を挿入し，低圧持続吸引（吸引圧 10 cmH$_2$O）を行う．

チアノーゼ

- 末梢性チアノーゼは 2〜3 日以内に消失することが多く，臨床的意義が少ない．中心性チアノーゼは口唇部が指標となり，還元ヘモグロビン 5 g/dL 以上でみられる．
- 中心性チアノーゼがあれば，心疾患，呼吸器疾患，代謝疾患，感染症，神経疾患などを考え，胸部 X 線撮影，血液ガス分析，心エコーなどの検査を行う．

黄疸

- 核黄疸を予防するため，血清ビリルビン濃度を測定し，図 D39-1 に沿い，順次検査を進める．

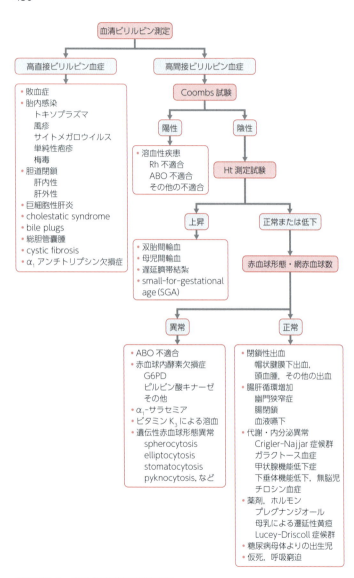

図 D39-1　新生児黄疸の診断手順

〔神戸大学医学部小児科(編)：新版未熟児新生児の管理．第4版，日本小児医事出版社，p228, 2000 より一部改変〕

痙攣

- 新生児痙攣はほとんどが症候性であるが，治療が遅れると重篤な後遺症を残すことがある．特に周産期の低酸素症，低血糖による痙攣は予後が悪い．

1 振戦と痙攣の鑑別

表 D39-2　振戦と痙攣の鑑別

	振戦	痙攣
凝視，異常眼球運動	伴わない	伴う
外的刺激に対する過敏性	過敏である	過敏でない
四肢の異常運動の様相	往復運動が同じ速さで，規律性がある	屈曲のときの速い運動と伸展のときの遅い運動の組み合わせ
肢を屈曲位にした後	停止する	停止しない

2 新生児痙攣の救急処置の手順

1) 病歴聴取：仮死，分娩外傷，母体糖尿病，感染症，薬剤など．
2) 採血：静脈確保（開始は10％グルコースを用いる）．
3) 低血糖：20％グルコース2〜3 mL/kgをゆっくり静注．
4) 低カルシウム血症：8.5％グルコン酸カルシウム（カルチコール®注射液8.5％ 5 mL）　1回2〜3 mL/kgをゆっくり静注．
5) 低マグネシウム血症：10％硫酸マグネシウム（静注用マグネゾール® 20 mL）　1回0.5 mL/kgをゆっくり静注．
6) 痙攣薬

処方例　下記のいずれかを用いる．

1) ノーベルバール®静注用（250 mg）　1回5 mg/kgをゆっくり静注
2) セルシン®注射液（5 mg）　1回0.1〜0.3 mg/kgをゆっくり静注
3) 静注用キシロカイン®（2％）　1回2〜4 mg/kg/時間を投与

消化器症状

1 嘔吐

1) 嘔吐開始時期，吐物内容，吐きかたなどから病態を推察する．疾患としては，感染症，中枢神経系異常，外科的疾患を考え，それらが否定されれば初期嘔吐（生理的嘔吐）の可能性が高い．

2) 検査を行う.
① 胃内吸引と内容の確認, ②感染症の有無のチェック, ③中枢神経系異常の有無のチェック(頭部超音波検査など), ④立位胸腹部単純X線
3) 初期嘔吐は数日続くこともある.

2 吐血と下血

- Apt試験を行い, 児の血液の場合は出血性疾患を考える.
1) Apt試験の実施法：母体血と胎児血の鑑別診断. 1溶の便もしくは吐物と5溶の蒸留水を混ぜ遠心し, 上清4mLに対して1%水酸化ナトリウム1mLを加える.
2) 判定：ピンク色は胎児血, 黄褐色は母体血.

感染徴候

- 新生児感染症は臨床症状がきわめて非特異的であり, いったん発症すると敗血症, 髄膜炎など重症化しやすい.
- 細菌感染を疑う場合は, 速やかに抗菌薬を投与するが, 必ず投与前に血液培養を行い, 起炎菌の同定に努める.

1 新生児のsepsis score

- 奥山らは表D39-3のようなsepsis scoreによって早期診断をすることを勧めている.

表D39-3 新生児のsepsis score(%は頻度)

臨床項目	1. 皮膚色不良	(65.4%)…	3点
	2. 体動不活発・元気がない	(53.9%)…	2.5点
	3. 無呼吸発作の頻発	(45.0%)…	2点
	4. 経皮PO_2の低下・変動	(42.3%)…	2点
	5. 消化器症状(腹部膨満・残乳量増加など)	(22.7%)…	1点
検査項目	1. CRP≧2	(64.7%)…	3点
	2. 未熟好中球/総好中球比>0.25	(33.7%)…	1.5点
	3. BE(ベースエクセス)<−5	(33.7%)…	1.5点
	4. 白血球減少<5,000/μL	(24.4%)…	1点
	5. 好中球絶対数<4,000/μL	(20.3%)…	1点

total score：7.5点以上sepsis疑い

〔奥山和男, 他：Sepsis score作製の試み(2). 昭和59年度厚生省心身障害研究新生児管理班, 新生児管理における諸問題の総合的研究 研究報告書. pp203-206より一部改変〕

❷ 新生児の感染症が疑われる場合の検査

ⓐ 必須検査
- 臍帯血ならびに新生児血の検血一般（白血球分類，網赤血球）：CRP・定量，IgM．
- 新生児胃液・耳介・肛門などの培養検査．
- 新生児胃液の Gram 染色（多核白血球が 400 倍 1 視野に 5 個以上の場合感染を疑う）．

ⓑ 必要に応じて行う検査
- 血液培養，髄液培養，AST，ALT，CRP

皮膚疾患

表 D39-4　新生児の皮膚疾患

病名	頻度	原因	発症時期	部位	性状	治療法
新生児中毒性紅斑	30～40%	不明	生後 1～3 日	体幹，四肢	散在する大小不同の紅斑で中央部に白色調のある蕁麻疹様の丘疹を認める	2～3 日で自然治癒
新生児肛囲皮膚炎	40～50%	糞便の刺激	生後 3～5 日	肛門輪から 2～3 cm の部位	鮮紅色の紅斑，びらん	局所の清拭と乾燥．びらんがあればワセリン塗布
鵞口瘡	1～37%	Candida albicans（産道感染が主）	生後 6～10 日	舌，口腔粘膜	白色の融合した偽膜性斑点	フロリード® ゲル経口用
乳児寄生菌性紅斑		Candida albicans		陰股部，顔面	境界鮮明な鮮紅色の斑	エンペシド® クリーム
伝染性膿痂疹（とびひ）	稀	黄色ブドウ球菌	生後 2～3 日	顔面，体幹，四肢など	小紅斑，小丘疹，小膿胞，びらん	抗菌薬の全身投与と局所の清潔
ブドウ球菌性熱傷様皮膚症候群*	稀	黄色ブドウ球菌の菌体外毒素	生後 2 週頃	口囲，眼囲から全身へ	発熱（発症前），皮膚の剥離，びらん	抗菌薬の全身投与と局所に抗菌薬軟膏

＊：Staphylococcal scalded skin syndrome；SSSS

（次ページへつづく）

表 D39-4 新生児の皮膚疾患(つづき)

病名	頻度	原因	発症時期	部位	性状	治療法
正中部母斑 (salmon patch)	約30〜50%	毛細血管の拡張	出生時に発見	上眼瞼内側,前額,上口唇(身体の正中部に多い)	隆起のない境界不鮮明な淡紅色斑	1歳半までに大部分が自然消失
毛細血管奇形	1〜2%	真皮の成熟した毛細血管拡張と増生	出生時に発見	身体のどこにでも生ずるが,正中よりはずれた部位が普通	隆起のない境界明瞭な鮮紅〜淡紅色斑	自然消失はないとされる.レーザー療法が試みられる
乳児血管腫	1〜2%	真皮〜皮下組織の未熟な毛細血管増生	新生児期には紅斑,貧血斑	身体のどこにでも生ずる	鮮紅〜暗紅色の表面顆粒状の苺実様腫瘤	自然軽快も多いが新生児期にレーザー療法を行う例が増えている

(島田信宏:カラーアトラス新生児の疾患.南山堂,1982 より著者作成)

文献

1) 島田信宏:カラーアトラス新生児の疾患.南山堂,1982.
2) 奥山和男,他:Sepsis score 作製の試み(2).昭和59年度厚生省心身障害研究新生児管理班,新生児管理における諸問題の総合的研究 研究報告書.pp203-206.

D40 新生児高ビリルビン血症の管理

新生児高ビリルビン血症の治療基準

表 D40-1 新生児高ビリルビン血症の治療基準

在胎週数 または 修正週数	総ビリルビン(TB) (mg/dL)						アンバウンド ビリルビン (UB) (μg/dL)
	<24時間	<48時間	<72時間	<96時間	<120時間	≧120時間	
22〜25週	5/6/8	5/8/10	5/8/12	6/9/13	7/10/13	8/10/13	0.4/0.6/0.8
26〜27週	5/6/8	5/9/10	6/10/12	8/11/14	9/12/15	10/12/15	0.4/0.6/0.8
28〜29週	6/7/9	7/10/12	8/12/14	10/13/16	11/14/18	12/14/18	0.5/0.7/0.9
30〜31週	7/8/10	8/12/14	10/14/16	12/15/18	13/16/20	14/16/20	0.6/0.8/1.0
32〜34週	8/9/14	10/14/16	12/16/18	14/18/20	15/19/22	16/19/22	0.7/0.9/1.2
35週以降	10/11/12	12/16/18	14/18/20	16/20/22	17/22/25	18/22/25	0.8/1.0/1.5

修正週数に従って，治療基準値が変わる

1) 血清 TB 値，UB 値の基準値は，出生時週数と修正週数で表に従って判定する．
2) 表の値は，Low モード光線療法(Low PT)/High モード光線療法(High PT)/交換輸血(ET)の適応基準値である．
3) 溶血性疾患の場合は，症例の重症度に合わせてグロブリン投与なども含めて治療を行う．
4) Low モード光線療法は，Low PT 基準値を超えた時点で開始し，24時間継続する．24時間後の血清 TB 値，UB 値のいずれかが基準値を超えていれば継続し，いずれも基準値未満であれば中止する．中止後24時間で必ず血清 TB 値，UB 値の測定を行い，再上昇がないかを確認する．
5) 血清 TB 値，UB 値のいずれかが High PT 基準値を超えたとき，High モード光線療法を開始し，高ビリルビン血症の原因追求を行う(アルブミンと直接ビリルビンの測定は必須)．High モード光線療法開始後4〜8時間で血清 TB 値，UB 値の再検査を行う．
6) TB 値が5 mg/dL 以上で直接ビリルビン値がその10％を超えているときには，直接ビリルビンが原因で見かけ上の UB 高値を示すことから慎重に評価する(UB analyzer, アローズ社を使用の場合)．
7) 血清 TB 値，UB 値のいずれかが ET 基準値を超えているとき：
   a) High モード光線療法を開始し，高ビリルビン血症の原因追求を行う(アルブミンと直接ビリルビンの測定は必須)．
   b) 血清 UB 値が ET 基準値を超えているときはアルブミン投与を行う．1 g/kg/2時間．
   c) 4時間後に血清 TB 値，UB 値の再検査を行う．
   - 血清 TB 値，UB 値のいずれかが ET 基準値以上であれば交換輸血を実施．ただし High モード光線療法開始後からの低下率を計算し，12時間で ET 基準値を下回る予測であれば ET を差し控えてもよいが，基準値を下回るまで適宜再評価する．

(次ページへつづく)

表 D40-1　新生児高ビリルビン血症の治療基準(つづき)

- 血清 TB 値,UB 値ともに ET 基準値未満に下がっていれば High モード光線療法を続行する.
- 血清 TB 値,UB 値が ET 基準値未満でも上昇傾向にあればさらに 4〜8 時間で採血をして評価する.
- 血清 TB 値,UB 値が ET 基準値未満で同じ,もしくは下がり傾向であれば,24 時間後に再検査する.

8) 光線療法は身体表面まで 30 cm の距離で行い,Low モード光線療法ではアトムフォトセラピーアナライザ II (アトムメディカル社)で約 10〜15 $\mu W/cm^2/nm$,High モード光線療法では約 30 $\mu W/cm^2/nm$ であることを確認する.
9) 光線療法中に急性ビリルビン脳症の症状を認める場合は ET を考慮する.

〔森岡一朗,他:早産児の黄疸管理―新しい管理方法と治療基準の考案.日周産期・新生児会誌 53(1):1-9, 2017 より〕

交換輸血

- 光線療法を行っているにもかかわらず,血清ビリルビン値の上昇を認めたり,神経症状(Praagh の第 1 期症状)を呈する場合は交換輸血に踏み切る.

表 D40-2　Praagh の核黄疸の症状分類

第 1 期	筋緊張低下,嗜眠,吸啜反射の減弱
第 2 期	痙性症状,発熱,後弓反張
第 3 期	痙性症状の消退期.第 1 週の終わり頃に始まる
第 4 期	生後 1 か月以後に錐体外路症状が発現し,脳性麻痺となる

(Van Praagh R:Diagnosis of kernicterus in the neonatal period. Pediatrics 28:870-876, 1961 より)

文献

1) 森岡一朗,他:早産児の黄疸管理―新しい管理方法と治療基準の考案.日周産期・新生児会誌 53(1):1-9, 2017.
2) Morioka I:Hyperbilirubinemia in preterm infants in Japan:New treatment criteria. Pediatr Int 60(8):684-690, 2018.
3) Van Praagh R:Diagnosis of kernicterus in the neonatal period. Pediatrics 28:870-876, 1961.

D41 産褥期の乳房管理

産褥期の乳房のマイナートラブル

表 D41-1　産褥期の乳房のマイナートラブル

疾患	予防と対策
扁平乳頭と陥没乳頭	**予防** 妊娠中期に診断し用手的に矯正(Hoffmann法,図D41-1) **対策** ブレストシールドを着用させる
乳頭亀裂と乳頭びらん	**予防** はじめのうちは長時間,同じ乳頭を吸わせず,10〜15分程度で他側に交替させる あらかじめ搾乳し,児が吸啜しやすいようにする **対策** 患側のみ一時授乳を中止し,安静・乾燥させるとともに,排乳のため乳房マッサージを行う ザーネ®軟膏0.5%を1日数回塗布する
副乳房	**対策** 通常,冷罨法にて縮小する

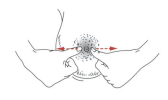
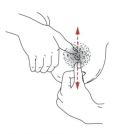

図 D41-1　Hoffmann法による陥没乳頭の矯正手技

産褥期の乳腺炎

表 D41-2 産褥期の乳腺炎の分類

疾患	原因	症状	治療
うっ滞性乳腺炎	乳管の通過の不良	・乳房の腫脹と緊満性疼痛 ・分娩後2〜3日目頃に発症することが多い	・乳汁のうっ滞を改善するため、積極的な授乳と乳房マッサージを行い、乳管を開通させるとともに、哺乳後の乳腺を空虚にする ・乳房の腫脹・熱感があるときは軽く冷罨法を行う
急性化膿性乳腺炎	化膿菌(黄色ブドウ球菌が最も多い)の乳頭からの逆行性感染が主	・乳房:疼痛、浮腫、発赤、熱感 ・全身:悪寒・戦慄を伴う弛張熱 ・分娩後3〜6週に好発する	・局所の安静・冷罨法。患側は排乳のため搾乳する ・適切な抗菌薬の投与 ・波動性のある膿瘍(図D41-2)を認めた場合は、局所麻酔または静脈麻酔下に切開排膿を行う。排膿後はドレーンを挿入する

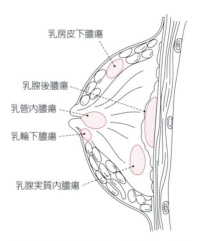

図 D41-2 発生部位による膿瘍の分類

D42 乳汁分泌の促進と抑制

表 D42-1　乳汁分泌の促進法

方法	手技
乳頭の手入れ	妊娠中期から乳頭の大きさと形に注意を払う．もし扁平乳頭や陥没乳頭があれば，36週以後に用手的に矯正したり〔Hoffmann法，図D41-1(p463)〕，ブレストシールドを着用させる
早期授乳	出産後6時間以内に(可能であれば出産後1時間以内に分娩台上で)，授乳を始めるのが望ましい
哺乳の励行	原則として3時間ごとに1回20〜30分程度，1日6〜7回哺乳．産褥初期に乳汁分泌が不十分であっても安易に人工栄養に切り替えず，哺乳する努力を続けさせる．可能であれば母児同室とする
乳房マッサージ	射乳が不十分で乳房が緊満している際には，乳房マッサージにより乳管の開口を助長する．毎回の哺乳後にも余分の乳汁を搾って乳腺を空虚にすると，新しい乳汁の産生がよくなる*
薬物療法	産褥初期の乳汁分泌開始不全(産褥1週間までの乳汁分泌開始不良例)において考慮．ただし，保険適用外であることおよび，副作用の十分な説明と同意が必要である． **処方例** 超早産児の母に対して(徳島大学) ドンペリドン(ナウゼリン®錠10 mg)　1回1錠　1日3回　1〜2週間

＊：乳管の開通が不十分なため乳房が高度に緊満し，圧痛と自発痛のため搾乳できない症例では，ブロモクリプチン(パーロデル®錠2.5 mg)を1錠のみ投与し，乳房の緊張が緩んだタイミングをとらえて乳房マッサージを行い乳管を開通させる．

表 D42-2　乳汁分泌の抑制法

方法	手技
薬物療法	死産や新生児死亡などのため乳汁分泌を抑制する必要がある症例 **処方例** カベルゴリン（カバサール® 錠 1.0 mg） 　　1 錠　単回 **処方例** ブロモクリプチン（パーロデル® 錠 2.5 mg） 　　1 回 1 錠　1 日 2 回　5 日間

〔Aono T, et al：Effect of sulpiride on poor puerperal lactation. Am J Obstet Gynecol 143(8)：927-932, 1982 より一部改変〕

文献
1）日本産科婦人科学会（編集・監修）：産婦人科専門医のための必修知識 2022 年度版．日本産科婦人科学会，2022．
2）日本産科婦人科学会，日本産婦人科医会（編集・監修）：産婦人科診療ガイドライン―産科編 2023．日本産科婦人科学会，2023．

D43 妊娠・授乳と薬剤

- 妊婦・褥婦への薬剤の投与はしばしば必要になる．薬剤投与の可否に関する情報源は，医薬品添付文書を参照していることが多い．しかし，この記載に従えばほとんどの薬剤は，妊婦・褥婦に使用できなくなり実際的ではない．
- 妊婦および授乳婦の薬剤投与に際しては最新の情報を得ることが重要である．最新の添付文書はもちろん，『産婦人科診療ガイドライン』や妊娠と薬情報センター（国立成育医療研究センター，https://www.ncchd.go.jp/kusuri/）の情報などが非常に参考になる．
- ここでは『産婦人科診療ガイドライン―産科編 2023』を参考に示すが，個々のケースにおける症状を勘案し，最適な判断を行うことが望ましい．

妊娠と薬剤

- 妊娠中に投薬する場合は，投薬量，投薬時期，投薬期間を勘案し判断をすることが重要である．

1 妊娠時期と胎児への薬剤の影響

図 D43-1　妊娠時期と胎児への薬剤の影響

1) 妊娠 2 週から 3 週末：All or None
2) 妊娠 4 週から 8 週未満：絶対過敏期（催奇形性が働く最も重要な時期）
3) 妊娠 8 週から 16 週未満：相対過敏期（胎児形態異常などの心配は，特に性分化，口蓋への影響がある）
4) 妊娠 16 週から分娩まで：潜在過敏期（胎児毒性，分娩への影響がある）

> **Side Memo** All or None の解釈について
>
> 　薬物服用が受精前あるいは受精から 2 週間(妊娠 3 週末)までならば,ごく少数の薬物を除き,胎児形態異常出現率は増加しないと説明する.
>
> 　受精前および受精から 2 週間(妊娠 3 週末)までの薬物服用は胎児形態異常を引き起こさない.妊娠 3 週末までに胎芽に与えられたダメージは胎芽死亡(流産)を引き起こす可能性はあるが,死亡しなければダメージは修復され胎児形態異常は起こらない.サリドマイドでは,受精後 20 日目(妊娠 4 週 6 日)以降の服用ではじめて胎児形態異常が起こり,それ以前の服用では胎児形態異常は起こらなかった.しかし,このデータが他の薬物にもあてはまるかどうかの証拠はないので,安全を見込んで「3 週末までは安全」と記載した.
>
> 　ただし,ごく一部の薬物は体内に長期間蓄積され,それ以前の服用であっても胎児形態異常を引き起こしうる.たとえば,角化症治療薬エトレチナート(ビタミン A 誘導体;チガソン®),C 型肝炎治療用抗ウイルス薬リバビリン(レベトール®)などである.

2 妊娠中に投与する場合は注意をすべき薬剤

- ヒトで胎児に影響を与えることが明らかとされている薬剤(原則禁忌)を表 D43-1 に示す.また添付文書上では有益性投与となっているが,胎児や新生児への影響が懸念されている薬剤もあるため注意が必要である(表 D43-4,p472).

表 D43-1　ヒトで催奇形性・胎児毒性が証明されている代表的医薬品

妊娠初期

一般名または医薬品群名	代表的商品名	報告された催奇形性など
カルバマゼピン	テグレトール®, 他	催奇形性
フェニトイン	アレビアチン®, ヒダントール®, 他	胎児ヒダントイン症候群
トリメタジオン	ミノアレ®	胎児トリメタジオン症候群
フェノバルビタール	フェノバール®, 他	口唇・口蓋裂, 他
バルプロ酸ナトリウム	デパケン®, セレニカ®R, 他	二分脊椎, 胎児バルプロ酸症候群
ミソプロストール	サイトテック®	Möbius 症候群, 四肢切断 子宮収縮, 流産
チアマゾール（メチマゾール）	メルカゾール®	MMI 奇形症候群
ダナゾール	ボンゾール®, 他	女児外性器の男性化
ビタミンA（大量）	チョコラ®A, 他	催奇形性
エトレチナート	チガソン®	レチノイド胎児症（皮下脂肪に蓄積して継続治療後は年単位で血中に残存）
ワルファリンカリウム（クマリン系抗凝血薬）	ワーファリン, 他	ワルファリン胎芽病, 点状軟骨異栄養症, 中枢神経異常
メトトレキサート	リウマトレックス®, 他	メトトレキサート胎芽病
ミコフェノール酸モフェチル	セルセプト®	外耳・顔面形態異常, 口唇・口蓋裂, 遠位四肢・心臓・食道・腎臓の形態異常, 他 流産
シクロホスファミド	エンドキサン®	催奇形性
サリドマイド	サレド®	サリドマイド胎芽病（上下肢形成不全, 内臓奇形, 他）

（次ページへつづく）

表 D43-1　ヒトで催奇形性・胎児毒性が証明されている代表的医薬品

妊娠中期・末期 (つづき)

一般名または医薬品群名	代表的商品名	報告された胎児毒性など
アンジオテンシン変換酵素阻害薬（ACE-I）	カプトプリル®, レニベース®, 他	胎児腎障害・無尿・羊水過少, 肺低形成, Potter sequence
アンジオテンシンⅡ受容体拮抗薬（ARB）	ニューロタン®, バルサルタン, 他	
ミソプロストール	サイトテック®	子宮収縮, 流早産
テトラサイクリン系抗菌薬	アクロマイシン®, レダマイシン®, ミノマイシン®, 他	歯牙の着色, エナメル質形成不全
アミノグリコシド系抗結核薬	カナマイシン注, ストレプトマイシン注	非可逆的第Ⅷ脳神経障害, 先天性聴力障害

妊娠末期

一般名または医薬品群名	代表的商品名	報告された胎児毒性
非ステロイド性抗炎症薬（NSAIDs）（インドメタシン, ジクロフェナクナトリウム, 他）	インダシン®, ボルタレン®, 他	動脈管収縮, 新生児遷延性肺高血圧, 羊水過少, 新生児壊死性腸炎

〔日本産科婦人科学会, 日本産婦人科医会（編集・監修）：産婦人科診療ガイドライン―産科編 2023. pp65-66, 日本産科婦人科学会, 2023 より一部改変／林　昌洋：妊婦への投薬に際して注意すべき薬物群. 月刊薬事 53(8)：1085-1089, 2011 より改変〕

表 D43-2　添付文書上いわゆる禁忌の医薬品のうち，特定の状況下では妊娠中であってもインフォームド・コンセントを得たうえで使用される代表的医薬品

医薬品	使用する状況
カルベジロール, ビソプロロール	他の医薬品では治療効果が不十分な心機能低下
ニカルジピン塩酸塩（経口錠）	他の医薬品では治療効果が不十分な高血圧
ワルファリンカリウム（クマリン系抗凝血薬）	人工弁置換術後 ヘパリンでは抗凝固療法の調節が困難な場合
アスピリン（妊娠28週以降，低用量）	妊娠36週までの抗リン脂質抗体症候群 妊娠高血圧腎症予防
コルヒチン	他の医薬品では治療効果が不十分な Behçet 病
添付文書上いわゆる禁忌の抗悪性腫瘍薬	悪性腫瘍
イトラコナゾール（抗真菌薬）	深在性真菌症, 全身性真菌症

〔日本産科婦人科学会, 日本産婦人科医会（編集・監修）：産婦人科診療ガイドライン―産科編 2023. p69, 日本産科婦人科学会, 2023 より一部改変〕

表 D43-3 添付文書上いわゆる禁忌の医薬品のうち，妊娠初期のみに使用された場合，臨床的に有意な胎児への影響はないと判断してよい医薬品

医薬品（一般名）	分類
ハロペリドール，ブロムペリドール（ただしこれらは，妊娠28週以降では新生児薬物離脱症候群のリスクとなる）	ブチロフェノン系抗精神病薬
ヒドロキシジン塩酸塩	抗ヒスタミン薬
アンジオテンシン変換酵素阻害薬（ACE-I），アンジオテンシンⅡ受容体拮抗薬（ARB）（ただしこれらは，妊娠14週以降では胎児毒性を示す）	降圧薬
カルベジロール，ビソプロロール（ただしこれらは，他のβ遮断薬同様，妊娠14週以降では胎児発育不全の可能性や新生児β遮断症状のリスクとなりうる）	β遮断薬
ニカルジピン塩酸塩（経口錠）	カルシウム拮抗薬
ドンペリドン	制吐薬
卵胞ホルモン，黄体ホルモン，低用量ピル	女性ホルモン薬
クロミフェンクエン酸塩，シクロフェニル	排卵誘発薬
インドメタシン，ジクロフェナクナトリウム，スリンダク，メロキシカム（ただしこれらは，妊娠28週以降では胎児毒性を示す）	非ステロイド性抗炎症薬
メトホルミン塩酸塩，グリベンクラミド	経口血糖降下薬
エチドロン酸二ナトリウム，ミノドロン酸，リセドロン酸ナトリウム，ゾレドロン酸	ビスホスホネート製剤
オキサトミド，トラニラスト，ペミロラストカリウム	抗アレルギー薬
センナ，センノシド	緩下薬
オフロキサシン，シプロフロキサシン，トスフロキサシントシル酸塩，ノルフロキサシン，レボフロキサシン，塩酸ロメフロキサシン	ニューキノロン系抗菌薬
イトラコナゾール，ミコナゾール	抗真菌薬
風疹ワクチン，水痘ワクチン，流行性耳下腺炎ワクチン，麻疹ワクチン	生ワクチン
ニコチン置換療法薬	禁煙補助薬

〔日本産科婦人科学会，日本産婦人科医会（編集・監修）：産婦人科診療ガイドライン―産科編 2023. p73. 日本産科婦人科学会，2023 より一部改変〕

表 D43-4 添付文書上いわゆる有益性投与の医薬品のうち，妊娠中の使用に際して胎児・新生児に対して特に注意が必要な医薬品

医薬品	注意が必要な点
チアマゾール(メチマゾール，MMI)(抗甲状腺薬)	催奇形性
プロピルチオウラシル(PTU)(抗甲状腺薬)	催奇形性が否定できない
パロキセチン(選択的セロトニン再取り込み阻害薬，SSRI)	催奇形性の疑い
添付文書上いわゆる有益性投与の抗てんかん薬	催奇形性 新生児薬物離脱症候群
添付文書上いわゆる有益性投与の精神神経用薬	新生児薬物離脱症候群
テオフィリン(気管支拡張薬)	新生児薬物離脱症候群
添付文書上いわゆる有益性投与の非ステロイド性抗炎症薬	妊娠末期の胎児毒性(動脈管早期閉鎖) 胎児腎機能障害とそれに伴う羊水過少
添付文書上いわゆる有益性投与の抗悪性腫瘍薬	催奇形性をはじめ情報が少ない
アテノロール(降圧薬・抗不整脈薬)	胎児発育不全 新生児β遮断症状・徴候
ジソピラミド(抗不整脈薬)	妊娠末期の子宮収縮(オキシトシン様)作用
ポビドンヨード(外用消毒薬)，ヨウ化カリウム(ヨウ素剤)	新生児甲状腺機能低下症・甲状腺腫
イオパミドール(造影剤)	新生児甲状腺機能低下症・甲状腺腫の可能性
アミオダロン(抗不整脈薬)	胎児甲状腺機能低下・甲状腺腫

〔日本産科婦人科学会，日本産婦人科医会(編集・監修)：産婦人科診療ガイドライン―産科編 2023．p75，日本産科婦人科学会，2023 より一部改変〕

授乳と薬剤

- 母乳育児にはメリットが多い．しかし実際には，感冒薬を内服しただけで授乳を止めてしまう母親も多い．母親に薬剤による治療が本当に必要な場合は，母乳育児のメリットと母親の希望を考慮して，安易な授乳中止を避けることが必要である．
- 授乳婦に投与すべきでない，あるいは慎重に検討とされる薬剤を表 D43-5 に示す．

表 D43-5　使用中は授乳中止を検討，あるいは授乳中の使用に際して慎重に検討すべき医薬品

A. 授乳中止を検討	1) 抗悪性腫瘍薬：少量であっても cytotoxic であり，抗悪性腫瘍薬使用中の授乳は中止とすべきである．ただ，授乳をした場合に，実際に児にどのような事象が観察されたかのデータは非常に少ない．抗悪性腫瘍薬使用中で児にとって母乳の有益性が高い場合には個別に検討する． 2) 放射性ヨードなど，治療目的の放射性物質：放射性標識化合物の半減期から予想される背景レベルまでの減衰にかかる期間までは授乳を中止する． 3) アミオダロン（抗不整脈薬）：母乳中に分泌され，児の甲状腺機能を抑制する作用がある．
B. 授乳中の使用に際して慎重に検討	1) 抗てんかん薬：フェノバルビタール，エトスクシミド，プリミドンでは RID が 10％あるいはそれ以上に達するとされている．可能であれば他剤への変更を慎重に検討する． 2) 抗うつ薬：三環系抗うつ薬と選択的セロトニン再取り込み阻害薬（SSRI）の RID は一般に 10％以下であり，児への大きな悪影響は見込まれないものの，児の様子を十分に観察することが望ましい． 3) 炭酸リチウム：児での血中濃度が高くなりやすい．可能ならば必要に応じて乳汁中濃度や児の血中濃度を調べて判断する． 4) 抗不安薬と鎮静薬：ベンゾジアゼピン系薬剤を継続使用する場合は，半減期の短い薬剤を選択し，少ない投薬量での治療が望ましい．ジアゼパムなどの半減期が長い薬剤を投与する場合は，児の様子を十分に観察する． 5) 鎮痛薬：オピオイドは授乳中は 3 日間以上の使用を避ける．特定の遺伝子型の授乳婦では通常量のコデインリン酸塩使用で児のモルヒネ中毒が起こることがある．ペチジンは使用を避ける． 6) 抗甲状腺薬：チアマゾール（メチマゾール，MMI）10 mg/日またはプロピルチオウラシル（PTU）300 mg/日までは児の甲状腺機能をチェックすることなく使用可能であり，さらに MMI 20 mg/日または PTU 450 mg/日までは継続的内服が通常可能と考えられるものの，それを超える場合は慎重に検討する． 7) 無機ヨード：乳汁中に濃縮され，乳児の甲状腺機能低下症の原因となりうるため，可能な限り使用は避ける．

RID：relative infant dose（相対的乳児投与量）

$$\text{RID}(\%) = \frac{\text{経母乳的に摂取される総薬物量(mg/kg/日)}}{\text{当該薬物の児への投与常用量(mg/kg/日)}} \times 100$$

〔日本産科婦人科学会，日本産科婦人科医会（編集・監修）：産婦人科診療ガイドライン―産科編 2023. p78，日本産科婦人科学会，2023 より一部改変〕

D44 産褥精神障害と精神疾患合併妊娠

- 妊娠，出産は，身体面だけでなく精神面や社会環境的にもさまざまな影響を及ぼし，精神疾患の発症や再発，増悪のリスクが高まる．
- 母親のメンタルヘルスの不調は，自殺や母子心中，乳児虐待，愛着障害など母児関係に重大な影響を及ぼすリスクがあり，早期に発見し適切に対応することが求められる．

1 主な産褥精神障害

a マタニティブルーズ
- 分娩後2週以内にホルモンバランスの異常によって生じる一過性の情動障害で，1～2週間で自然消失する．

b 産後うつ病
- 産後2週～数か月で発症し，1日中続く抑うつ気分あるいは1日中日常生活での興味や喜びを感じにくくなることが2週間以上持続し，育児や家事などの日常生活に支障をきたした状態．
- 治療：心理療法，カウンセリング，SSRIをはじめ薬物療法を組み合わせる．
- スクリーニング：産後うつ病の約半数は産前から抑うつ傾向であることが指摘されており，妊産婦のうつ病スクリーニングとして，日本版エジンバラ産後うつ病評価票（EPDS）が施行されている（表D44-1）．9点以上の場合は産後うつ病の疑いと判断し，必要に応じて精神科医に相談するとともに，医療・行政面を含めた支援体制を検討する．ただし質問10は自殺念慮，自殺企図の有無を確認する質問であり，この質問で1点以上の回答があった場合には詳細な内容聴取および精神科医への受診を考慮する．信頼性は，産後1か月が最も高く，9点以上の陽性的中率は50％（陰性的中率は98％）である．

2 主な精神疾患合併妊娠
- 胎児への薬の影響を不安に感じ，患者が妊娠判明後に薬の服用や受診そのものを中断することがある．
- 安易な妊娠中絶や服薬自己中断に至らないよう，精神科と共診し，情報提供をしたうえで，患者・家族らとともに利益とリスク

表 D44-1　日本版エジンバラ産後うつ病評価票(EPDS)

ご出産おめでとうございます．ご出産から今までの間にどのようにお感じになったかをお知らせください．今日だけでなく，過去7日間にあなたが感じられたことに最も近い答えにアンダーラインを引いてください．必ず10項目に答えてください．

[質問]

1. 笑うことができたし，物事のおかしい面もわかった．
   - (0)いつもと同様にできた．
   - (1)あまりできなかった．
   - (2)明らかにできなかった．
   - (3)まったくできなかった．

2. 物事を楽しみにして待った．
   - (0)いつもと同様にできた．
   - (1)あまりできなかった．
   - (2)明らかにできなかった．
   - (3)ほとんどできなかった．

3. 物事が悪くいったとき，自分を不必要に責めた．
   - (3)はい，たいていそうだった
   - (2)はい，時々そうだった．
   - (1)いいえ，あまり度々ではない．
   - (0)いいえ，そうではなかった．

4. はっきりした理由もないのに不安になったり，心配した．
   - (0)いいえ，そうではなかった．
   - (1)ほとんどそうではなかった．
   - (2)はい，時々あった．
   - (3)はい，しょっちゅうあった．

5. はっきりした理由もないのに恐怖に襲われた．
   - (3)はい，しょっちゅうあった．
   - (2)はい，時々あった．
   - (1)いいえ，めったになかった．
   - (0)いいえ，まったくなかった．

6. することがたくさんあって大変だった．
   - (3)はい，たいてい対処できなかった．
   - (2)はい，いつものようにはうまく対処しなかった．
   - (1)いいえ，たいていうまく対処した．
   - (0)いいえ，普段通りに対処した．

7. 不幸せなので，眠りにくかった．
   - (3)はい，ほとんどいつもそうだった．
   - (2)はい，ときどきそうだった．
   - (1)いいえ，あまり度々ではなかった．
   - (0)いいえ，まったくなかった．

8. 悲しくなったり，惨めになった．
   - (3)はい，たいていそうだった．
   - (2)はい，かなりしばしばそうだった．
   - (1)いいえ，あまり度々ではなかった．
   - (0)いいえ，まったくそうではなかった．

9. 不幸せなので，泣けてきた．
   - (3)はい，たいていそうだった．
   - (2)はい，かなりしばしばそうだった．
   - (1)ほんの時々あった．
   - (0)いいえ，まったくそうではなかった．

10. 自分自身を傷つけるという考えが浮かんできた．
    - (3)はい，かなりしばしばそうだった．
    - (2)時々そうだった．
    - (1)めったになかった．
    - (0)まったくなかった．

※各質問とも4段階の評価で，10項目を合計する．

〔岡野禎治，他：日本版エジンバラ産後うつ病自己評価票(EPDS)の信頼性と妥当性．精神科診断 7(4)：525-533, 1996, 山下 洋，他：産後うつ病の母親のスクリーニングと介入について．精神誌 105(9)：1129-1135, 2003, Cox JL, et al：Detection of postnatal depression. Development of the 10-item Edinburgh Postnatal Depression Scale. Br J Psychiatry 150(6)：782-786, 1987 より〕

をバランスよく検討する必要がある．

ⓐ 不安症/強迫症
- ほとんどが非周産期と同等の症状であるが，分娩恐怖，出産に関連したトラウマ記憶に伴う恐怖，児に対する汚染恐怖，加害恐怖，加害衝動など周産期特有の症状もみられる．
- 強迫症は周産期に発症することが多く，妊娠前からみられる強迫症は周産期に悪化しやすい．
- 治療：妊娠前に使用歴がある薬剤や，SSRI が選択されることが多い．

ⓑ 統合失調症
- 妊娠中の初発は少なく，4〜8％が妊娠中に再発・再燃する．胎児への影響を懸念し服薬を中断したり，診療拒否などにより診察や治療に困難をきたすことがある．産後は精神症状が増悪しやすく，産後のうつ状態のリスクを高める．
- 治療：妊娠中〜産後も抗精神病薬治療を継続し，それまで精神状態の安定に寄与していた抗精神病薬を安易に他剤に変更しない．抗精神病薬内服妊婦では，新生児薬物離脱症候群が発症する可能性に留意する．

ⓒ 双極性障害
- 妊娠中は初発も再発も少ないが，産後に発病や再発のリスクが著しく高まる．再発形態は，ほとんどが抑うつエピソードであり，80％は産後 4 週以内に生じる．
- 治療：炭酸リチウムやバルプロ酸は催奇形性があり，またバルプロ酸は用量依存的に知的発達遅延や自閉症スペクトラム症などの発症率が高まることが知られており，他剤に変更か，可能であれば減量する．

文献
1）日本精神神経学会，日本産科婦人科学会：精神疾患を合併した，或いは合併の可能性のある妊産婦の診療ガイド：各論・総論編，第 1.1 版．2021．
2）日本産科婦人科学会，日本産婦人科医会（編集・監修）：産婦人科専門医のための必修知識，2022 年度版，日本産科婦人科学会，2022．
3）日本産科婦人科学会，日本産婦人科医会（編集・監修）：産婦人科診療ガイドライン—産科編 2023，日本産科婦人科学会，2023．
4）妊産婦メンタルヘルスケアマニュアル，日本産婦人科医会，2017．

Side Memo ボンディング障害

親が子に抱く情緒的絆の欠如(ボンディング障害)は,不適切養育のリスクとなる重要な臨床的問題であるため,その困難度や緊急性を判断する必要があり,スクリーニング法として,「赤ちゃんへの気持ち質問票」が用いられている.1歳未満の子どもをもつ母親に実施する.カットオフ値はなく,子どもに対する否定的な気持ちの強度や行動を把握し,リスク要因などを含めて総合的に判断する.

表 D44-2 赤ちゃんへの気持ち質問票

赤ちゃんへの気持ち質問票				
母氏名　　　　　　　　　　　　実施日　年　月　日 (産後　　日目)				
あなたの赤ちゃんについてどのように感じていますか? 下にあげているそれぞれについて,今のあなたの気持ちにいちばん近いと感じられる表現に○をつけてください.				
	ほとんどいつも 強くそう感じる	たまに強く そう感じる	たまに少し そう感じる	全然 そう感じない
1) 赤ちゃんをいとおしいと感じる.	(　)	(　)	(　)	(　)
2) 赤ちゃんのためにしないといけないことがあるのに,おろおろしてどうしていいかわからないときがある.	(　)	(　)	(　)	(　)
3) 赤ちゃんのことが腹立たしくいやになる.	(　)	(　)	(　)	(　)
4) 赤ちゃんに対して何も特別な気持ちがわかない.	(　)	(　)	(　)	(　)
5) 赤ちゃんに対して怒りがこみあげる.	(　)	(　)	(　)	(　)
6) 赤ちゃんの世話を楽しみながらしている.	(　)	(　)	(　)	(　)
7) こんな子でなかったらなあと思う.	(　)	(　)	(　)	(　)
8) 赤ちゃんを守ってあげたいと感じる.	(　)	(　)	(　)	(　)
9) この子がいなかったらなあと思う.	(　)	(　)	(　)	(　)
10) 赤ちゃんをとても身近に感じる.	(　)	(　)	(　)	(　)

(吉田ら (2003) による日本語版)

〔吉田敬子,他(監修):妊娠中から始めるメンタルヘルスケア.p11,日本評論社,2017 より改変〕

D45 胎児・新生児の発育

胎児発育の評価

表 D45-1 胎児頭殿長（CRL）値の妊娠日数ごとの基準値

妊娠日数	CRL (mm)				
	5%ile	10%ile	50%ile	90%ile	95%ile
7w+0	5.7	6.8	10.1	16.0	17.2
7w+2	6.0	7.3	10.5	15.7	16.4
7w+4	6.5	8.1	11.3	16.0	16.6
7w+6	7.2	9.0	12.5	17.0	17.5
8w+1	8.1	10.2	14.0	18.4	19.1
8w+3	9.1	11.6	15.8	20.4	21.3
8w+5	10.3	13.1	17.8	22.7	24.0
9w+0	11.7	14.9	20.0	25.4	27.0
9w+2	13.3	16.7	22.5	28.3	30.3
9w+4	15.1	18.7	25.0	31.4	33.7
9w+6	17.1	20.9	27.6	34.6	37.3
10w+1	19.2	23.1	30.3	37.8	40.7
10w+3	21.5	25.4	33.1	41.0	44.1
10w+5	24.1	27.9	35.8	44.1	47.1
11w+0	26.7	30.4	38.4	47.0	49.8
11w+2	29.6	32.9	40.9	49.6	52.1
11w+4	32.7	35.5	43.3	51.9	53.8

〔日本超音波医学会用語，診断基準委員会：「超音波胎児計測の標準化と日本人の基準値」の公示について．超音波医 30(3)：415-440, 2003 より一部改変〕

表 D45-2　児頭大横径（BPD）値の妊娠週数ごとの基準値

妊娠週数	BPD (mm)				
	−2.0 SD	−1.5 SD	mean	+1.5 SD	+2.0 SD
10w+0	8.0	9.1	12.6	16.0	17.1
11w+0	11.3	12.4	15.9	19.5	20.6
12w+0	14.5	15.7	19.3	22.9	24.1
13w+0	17.8	19.0	22.7	26.4	27.6
14w+0	21.1	22.4	26.1	29.9	31.2
15w+0	24.4	25.7	29.5	33.4	34.7
16w+0	27.7	29.0	32.9	36.9	38.2
17w+0	30.9	32.3	36.3	40.3	41.7
18w+0	34.2	35.6	39.6	43.7	45.1
19w+0	37.4	38.8	43.0	47.1	48.5
20w+0	40.6	42.0	46.2	50.5	51.9
21w+0	43.7	45.1	49.5	53.8	55.3
22w+0	46.7	48.2	52.6	57.1	58.5
23w+0	49.7	51.2	55.7	60.3	61.8
24w+0	52.6	54.2	58.8	63.4	64.9
25w+0	55.5	57.1	61.7	66.4	68.0
26w+0	58.3	59.8	64.6	69.4	71.0
27w+0	60.9	62.5	67.4	72.2	73.9
28w+0	63.5	65.1	70.1	75.0	76.6
29w+0	65.9	67.6	72.6	77.7	79.3
30w+0	68.3	70.0	75.1	80.2	81.9
31w+0	70.5	72.2	77.4	82.6	84.3
32w+0	72.6	74.3	79.6	84.9	86.6
33w+0	74.5	76.3	81.7	87.0	88.8
34w+0	76.3	78.1	83.6	89.0	90.8
35w+0	78.0	79.8	85.3	90.8	92.7
36w+0	79.4	81.3	86.9	92.5	94.4
37w+0	80.7	82.6	88.3	94.0	95.9
38w+0	81.9	83.8	89.6	95.3	97.3
39w+0	82.8	84.8	90.6	96.5	98.4
40w+0	83.6	85.6	91.5	97.4	99.4
41w+0	84.1	86.1	92.2	98.2	100.2
42w+0	84.5	86.5	92.6	99.1	100.7

〔日本超音波医学会用語，診断基準委員会：「超音波胎児計測の標準化と日本人の基準値」の公示について．超音波医 30（3）：415-440, 2003 より一部改変〕

表 D45-3　腹囲(AC)値の妊娠週数ごとの基準値

妊娠週数	AC (cm)				
	−2.0 SD	−1.5 SD	mean	+1.5 SD	+2.0 SD
16w+0	8.5	9.0	10.4	11.8	12.3
17w+0	9.4	9.9	11.4	12.9	13.4
18w+0	10.4	10.9	12.5	14.0	14.6
19w+0	11.3	11.8	13.5	15.1	15.7
20w+0	12.2	12.8	14.5	16.2	16.8
21w+0	13.2	13.7	15.5	17.3	17.9
22w+0	14.1	14.7	16.5	18.4	19.0
23w+0	15.0	15.6	17.5	19.5	20.1
24w+0	15.9	16.5	18.5	20.5	21.2
25w+0	16.8	17.4	19.5	21.6	22.3
26w+0	17.6	18.3	20.5	22.6	23.3
27w+0	18.5	19.2	21.4	23.6	24.4
28w+0	19.3	20.1	22.4	24.7	25.4
29w+0	20.2	20.9	23.3	25.6	26.4
30w+0	21.0	21.8	24.2	26.6	27.4
31w+0	21.8	22.6	25.1	27.6	28.4
32w+0	22.5	23.4	25.9	28.5	29.4
33w+0	23.3	24.2	26.8	29.4	30.3
34w+0	24.0	24.9	27.6	30.3	31.2
35w+0	24.7	25.6	28.4	31.2	32.1
36w+0	25.4	26.3	29.2	32.0	33.0
37w+0	26.0	27.0	29.9	32.8	33.8
38w+0	26.6	27.6	30.6	33.6	34.6
39w+0	27.2	28.2	31.3	34.3	35.4
40w+0	27.7	28.8	31.9	35.1	36.1
41w+0	28.2	29.3	32.5	35.7	36.8
42w+0	28.7	29.8	33.1	36.4	37.5

〔日本超音波医学会用語・診断基準委員会:「超音波胎児計測の標準化と日本人の基準値」の公示について. 超音波医 30(3):415-440, 2003 より一部改変〕

表 D45-4 大腿骨長(FL)値の妊娠週数ごとの基準値

妊娠週数	FL(mm)				
	−2.0 SD	−1.5 SD	mean	+1.5 SD	+2.0 SD
16w+0	14.9	16.2	20.1	24.1	25.4
17w+0	17.4	18.7	22.7	26.7	28.0
18w+0	19.8	21.2	25.3	29.3	30.7
19w+0	22.3	23.7	27.8	31.9	33.3
20w+0	24.8	26.2	30.4	34.5	35.9
21w+0	27.3	28.7	32.9	37.1	38.5
22w+0	29.7	31.1	35.4	39.7	41.1
23w+0	32.1	33.5	37.9	42.2	43.6
24w+0	34.5	35.9	40.3	44.7	46.1
25w+0	36.8	38.3	42.7	47.1	48.6
26w+0	39.1	40.6	45.0	49.5	51.0
27w+0	41.3	42.8	47.3	51.8	53.3
28w+0	43.5	45.0	49.6	54.1	55.6
29w+0	45.6	47.1	51.7	56.3	57.9
30w+0	47.6	49.2	53.8	58.5	60.0
31w+0	49.5	51.1	55.8	60.6	62.1
32w+0	51.4	53.0	57.8	62.5	64.1
33w+0	53.2	54.8	59.6	64.4	66.1
34w+0	54.9	56.5	61.4	66.3	67.9
35w+0	56.5	58.1	63.0	68.0	69.6
36w+0	58.0	59.6	64.6	69.6	71.2
37w+0	59.3	61.0	66.0	71.1	72.7
38w+0	60.6	62.3	67.4	72.4	74.1
39w+0	61.7	63.4	68.6	73.7	75.4
40w+0	62.7	64.5	69.6	74.8	76.5
41w+0	63.6	65.4	70.6	75.8	77.5
42w+0	64.3	66.1	71.4	76.7	78.4

〔日本超音波医学会用語,診断基準委員会:「超音波胎児計測の標準化と日本人の基準値」の公示について.超音波医 30(3):415-440, 2003 より一部改変〕

推定胎児体重

- 推定胎児体重（EFW）の計算式としては，
$1.07 \times BPD^3 + 0.30 \times AC^2 \times FL$（篠塚ら）が用いられる．

表 D45-5　推定胎児体重（EFW）の妊娠週数ごとの基準値

妊娠週数	EFW (g)				
	−2.0 SD	−1.5 SD	mean	+1.5 SD	+2.0 SD
18w+0	126	141	187	232	247
19w+0	166	186	247	308	328
20w+0	211	236	313	390	416
21w+0	262	293	387	481	512
22w+0	320	357	469	580	617
23w+0	386	430	560	690	733
24w+0	461	511	660	809	859
25w+0	546	602	771	940	996
26w+0	639	702	892	1,081	1,144
27w+0	742	812	1,023	1,233	1,304
28w+0	853	930	1,163	1,396	1,474
29w+0	972	1,057	1,313	1,568	1,653
30w+0	1,098	1,191	1,470	1,749	1,842
31w+0	1,231	1,332	1,635	1,938	2,039
32w+0	1,368	1,477	1,805	2,133	2,243
33w+0	1,508	1,626	1,980	2,333	2,451
34w+0	1,650	1,776	2,156	2,536	2,663
35w+0	1,790	1,926	2,333	2,740	2,875
36w+0	1,927	2,072	2,507	2,942	3,086
37w+0	2,059	2,213	2,676	3,139	3,294
38w+0	2,181	2,345	2,838	3,330	3,494
39w+0	2,292	2,466	2,989	3,511	3,685
40w+0	2,388	2,572	3,125	3,678	3,862
41w+0	2,465	2,660	3,244	3,828	4,023

〔日本超音波医学会用語，診断基準委員会：「超音波胎児計測の標準化と日本人の基準値」の公示について．超音波医 30(3)：415-440, 2003 より一部改変〕

出生時体重による評価

- 2010(平成 22)年に厚生労働科学研究班から在胎期間別出生時体格標準値が示されている．日本成長学会・日本小児内分泌学会合同標準値委員会と日本未熟児新生児学会の共同制作で SD やパーセンタイルの計算ソフトが作成されている〔日本小児内分泌学会のサイト(http://jspe.umin.jp/medical/keisan.html)からダウンロード可能〕．

文献
1) 日本超音波医学会用語，診断基準委員会：「超音波胎児計測の標準化と日本人の基準値」の公示について．超音波医 30(3)：415-440，2003.
2) 仁志田博司，他：日本人の胎児発育曲線(出生時体格基準曲線)．日新生児誌 20(1)：90-97，1984.

和文索引

あ

アーキテクト 113
赤ちゃんへの気持ち質問票 477
悪性腫瘍，治療薬の副作用に対する漢方薬処方 289
アクチノマイシン D (ACT-D) 61, 62, 63, 68, 107
アクトネル® 235
アクプラ® 108
アクロメガリー 139
アコアラン® 445
アシクロビル 326
アジスロマイシン 272, 275
アスナプレビル 292
アスパラ-CA® 235
アスピリン・ヘパリン併用療法 185
アセチルスピラマイシン® 270
アセトアミノフェン 81, 219
アセリオ® 81
アゾール 292
アダラート®CR 436
アドエア®250 ディスカス 362
アドナ® 150
アトニン®-O 424
アドリアシン® 107
アドリアマイシン (ADR) 52, 71 → ドキソルビシンもみよ
アナフラニール® 140
アバスチン® 46, 108
アフタ性潰瘍 276
アプレゾリン® 436, 437
アプレピタント 64, 69
アミオダロン 473
アムロジン® 46
アモキシシリン (AMPC) 270
アラキドン酸カスケード 185
アラセナ®-A 278
アリクストラ® 104
アルキル化薬 107
アルダクトン®A 137
アルタット® 140

アルドメット® 140, 436
アルファカルシドール 235
アルファロール® 235
アルプラゾラム 70
アルボ® 293
アレンドロネート 235
アロマターゼ阻害薬 52, 136, 147
アンジュ 198
アンドロゲン不応症 118
アンピシリン (ABPC) 270, 334, 391, 394

い

石塚のスコア (絨毛癌診断) 55
萎縮性腟炎，更年期障害 220
異常発汗，更年期障害 220
異所性妊娠 176, **282**
―――，ART 171
異所性妊娠存続症 (PEP) 176
イソクスプリン 291
イソビスト® 155
一次性頭痛 218
一絨毛膜双胎 401
一絨毛膜二羊膜双胎 402
一過性徐脈 405, 427, 429
――― の細分類 430
一過性頻脈 405, 408, 429
遺伝子変異に基づいた治療 109
遺伝性腫瘍 100
遺伝性乳癌卵巣癌 (HBOC) 100
遺伝相談 300
いとこ結婚 300
イノバン® 446
イプリフラボン 235
イベニティ® 235
イホスファミド (IFM) 52, 68, 107
イホマイド® 107
イミキモド 264
イミプラミン 140
イリノテカン (CPT-11) 43, 44, 68, 107, 289

イレウス 282
インヴェガ® 140
インスリン療法 357
インターフェロン局所注射 265
インダシン® 293
インテバン® 293
咽頭炎 272
インフリー® 293
インフルエンザワクチン 342

う

ウインタミン® 140
ウェールナラ® 227, 235
ヴォトリエント® 53, 108
うっ滞性乳腺炎 464
うつ病,産後 474
ウテメリン® 380
ウブレチド® 36, 239
ウリトス® 241
ウリナスタチン 446
温経湯 285-287
 ——,クロミフェン併用 123, 287

え

エクルーシス 112, 113
エジンバラ産後うつ病評価票(EPDS) 474
エストラーナ® 227, 235
エストラジオール 113, 235
エストリール® 235
エストリオール 235
エストロゲン・ゲスターゲンテスト 115, 120
エストロゲン欠乏症状 220
エストロゲン単独療法,HRT 226
エストロゲン・プロゲスチン(黄体ホルモン)配合薬 140, 150, 151, 227, 235
 —— 療法 149, 226
エストロゲン薬 150, 235
エチドロネート 235
エチニルエストラジオール(EE) 115, 198
エディロール® 235
エトスクシミド 473
エトポシド(ETP) 62, 68, 71, 107

エトレチナート 468
エノール酸 293
エノキサパリン 103, 104
エビスタ® 235
エピルビシン(EPI) 68, 107
エフオーワイ® 445
エフメノ® 227
エブランチル® 36, 239
エリスロシン® 391, 394
エリスロマイシン 391, 394
エリブリン 53, 108
エルカトニン 235
エルゴタミン 292
エルシトニン® 235
エルデカルシトール 235
円錐切除 16, **24**, 26, 72
エンドキサン® 107
エンシトレルビル 332

お

黄体機能不全 121, **129**, 286
黄体形成ホルモン(LH) 112
黄体賦活 126, 130
黄体ホルモン併用卵巣刺激法(PPOS) 41, 171
黄体ホルモン療法
 ——,PCOS 136
 ——,黄体機能不全 130
 ——,機能性出血 149
 ——,子宮内膜増殖症 33
 ——,早産予防 384
黄疸,新生児 455, 456
嘔吐,新生児 457
オキサリプラチン 68
オキシコンチン® 83
オキシトシン 422-424
オキノーム® 82, 83
悪心・嘔吐,抗癌薬 67
オステン® 235
オダイン® 137
乙字湯 288
オパイリン® 293
オピオイド 80, 473
 —— の副作用対策 84
 —— の力価換算表 84

オピオイドローテーション　83
オプソ®　83
オラパリブ　39, 42, 47, 108
オランザピン　69, 70, 84
オンコビン®　107
温存療法，婦人科悪性腫瘍　72
オンダンセトロン　69

か

ガーダシル®　22, 266
外陰癌　277
　　——，腫瘍マーカー　78
　　——の進行期分類とTNM分類　8
　　——の標準的治療法　50
外陰部Paget病　277, 280
外陰部潰瘍　276
外陰部瘙痒症　280
　　——，更年期障害　220
開放性神経管閉鎖障害　309
過活動膀胱（OAB）　241
過活動膀胱症状質問票（OABSS）　242
過期妊娠，分娩誘発法　420
可逆性白質脳症　434
過強陣痛　424
核黄疸　455
　　——の症状分類（Praagh）　462
核酸検出法，HPV　21
鵞口瘡，新生児　459
加重型妊娠高血圧腎症（SPE）　432
ガスター®　64, 140
過多月経　190
　　——，アスリート　216
過長月経　190
顎骨壊死　237
葛根湯　286
活性型ビタミンD$_3$薬　235
カバサール®
　　　　129, 142, 147, 164, 328, 466
カピステン®　293
ガベキサートメシル酸塩　445
カベルゴリン　141, 142, 289, 328, 466
加味逍遙散　285
カリウム減少性利尿薬　291
カルシウム拮抗薬　219
カルシウム薬　235, 292

カルジオリピン（CL）　180, 267
カルシトニン薬　235
カルシトリオール　235
カルチコール®　452, 457
カルナクリン®　164
カルバマゼピン　291
カルボキシマルトース第二鉄注射液
　　　　88
カルボプラチン（CBDCA）
　　　　42, 43, 45, 64, 68, 108, 289
カルボン酸　293
カロナール®　81
がん遺伝子パネル検査　109
感音性難聴，抗癌薬　70
間欠自己導尿法（CIC）　**36**, 239
肝酵素上昇　431, 437
間質性膀胱炎（ハンナ型）　243
間質性膀胱炎・膀胱痛症候群（IC/BPS）
　　　　243
鉗子分娩　426
肝周囲炎（Fitz-Hugh-Curtis症候群）
　　　　273
がん・生殖医療　187
癌性疼痛治療法　80
癌性腹膜炎　39
関節リウマチ（RA）　358
　　——患者の妊娠許容基準　314
感染症，妊娠中　320
感染徴候，新生児　458
乾燥HBグロブリン　336
乾燥人フィブリノゲン　444
癌胎児性フィブロネクチン　378
冠動脈疾患，更年期障害　220
癌肉腫　4
カンプト®　44, 107
漢方療法　285, 286
陥没呼吸，新生児　454
陥没乳頭　463

き

キイトルーダ®　108
気管支喘息合併妊娠　362
気胸，新生児　455
奇形精子症　162
器質性過多月経　191

希釈式自己血輸血　86
記述式子宮頸部細胞診　13
記述式子宮内膜細胞診　14
稀少部位子宮内膜症　210
キシロカイン®　457
基線細変動　405, 427, 428
── の消失　425
基礎体温(BBT)　129, 298
基礎体温法・オギノ式　196
奇胎　54
奇胎後 hCG 存続症　56, 59
奇胎発生率　57
奇胎反復率　59
機能性過多月経　191
機能性子宮出血　148
──, 更年期障害　220
希発月経　118, 121, 132
──, PCOS　131
──, 更年期障害　220
気腹法, 腹腔鏡下手術　97
吸引分娩　426
弓状子宮, HSG　156
急性外陰部潰瘍　276
急性化膿性乳腺炎　464
急性虫垂炎　282
急性妊娠脂肪肝　438
急性腹症　177, 282
急性付属器炎　282
急速遂娩　416, 426, 429
強オピオイド　82
凝固線溶系検査, MPA 療法時　76
強迫症, 産後　476
強皮症(SSc)　358
局所的非対称性陰影(FAD), マンモグラフィ　259
虚実の臨床的鑑別　290
巨大児, 糖尿病合併　355
禁煙　296
緊急避妊法　201
均衡型相互転座　181
近親婚　300

く

クアトロ検査　309
クエン酸第一鉄ナトリウム　291

グラケー®　235
グラニセトロン　64, 69
クラビット®　164, 275
クラミジア感染　154, 273
クラミジア検査　152, 167, 272, 273
クラリシッド®　275
クラリス®　275
クラリスロマイシン　275
グラン®　67
グランダキシン®　223
クリオプレシピテート　444
クリステレル圧出法　426
クリンダマイシン(CLDM)　334, 394
グルコン酸カルシウム　457
グレースビット®　275
クレキサン®　104, 105
クロミッド®　130, 150
クロミフェン療法　**121**, 130, 136
── と他剤の併用　123
クロミフェン・温経湯併用療法
　　　　　　　　　　　123, 287
クロミフェン・メトホルミン併用療法
　　　　　　　　　　　123, 138
クロミプラミン　140
クロルプロマジン　140

け

頸管熟化法　422
頸管成熟度の判定法　421
頸管長　378
頸管縫縮術　349
経頸管摘除術　85
経口エストラジオール　235
経口エストラジオール・プロゲスチン配合薬　235
経口中絶薬　202
経口避妊薬　196, **197**
──, PCOS　136
経産道感染, クラミジア　273
桂枝加芍薬湯　288
桂枝加朮附湯　286
桂枝人参湯　219
桂枝茯苓丸　285, 288, 289
経胎盤感染　321
経腟超音波, HRT　228

経腟超音波，前置胎盤の分類　386
経腟メッシュ手術　247
茎捻転　211
経皮吸収エストラジオール　235
経母乳感染　321
痙攣，新生児　457
劇症型A群連鎖球菌感染症（GAS/STSS）　333
下血，新生児　458
ゲスターゲン，クロミフェン併用　123
ゲスターゲンテスト　115, 120
血液一般検査（新生児）　452
血液型不適合妊娠　369
―，分娩誘発法　420
結核，HSG　156
月経異常，PCOS　131
月経異常，更年期障害　220
月経困難症　192
―，アスリート　215
月経周期日数　118
月経前緊張症，アスリート　215
月経前症候群（PMS）　194
―，アスリート　215
月経前不快気分障害（PMDD）　194, 215
月経の人工移動　151
月経不順，アスリート　216
月経量　190
結合型エストロゲン（CEE）　230
血腫，MRI　95
血小板減少，抗癌薬による　47, 48
血小板減少症，ヘパリン起因性　106, 186
血小板第4因子（PF4）　106
血精液症　162
血栓症　103
―，MPA　75
―，OC・LEP服用による　209
血糖コントロール目標　356
血糖自己測定（SMBG）　354, 356
血糖値，妊娠中　352
血流速度波形分析法　412
ゲムシタビン（GEM）　42, 53, 68, 107
ゲメプロスト　363
下痢，イリノテカン　44

原因不明不妊　167
献血ヴェノグロブリン®IH　327
献血ノンスロン®　445
献血ベニロン®-I　327
ケンタウルス　113
原発性甲状腺機能低下症　139
原発性骨粗鬆症　233
原発（性）無月経　117, 118
―，ゲスターゲンテスト　115
顕微鏡下精巣内精子回収法　162
顕微授精　170

こ

抗CGRP抗体　219
抗Dヒト免疫グロブリン　374
高LDL-C血症　250
抗Müller管ホルモン（AMH）　160
抗RANKL抗体　235, 237
抗SS-A抗体　359
高TG血症　251
抗TNFα抗体製剤　361
抗悪性腫瘍薬　473
降圧薬，HDP　436
高アンドロゲン血症　286
抗アンドロゲン薬　137
抗うつ薬　80, 473
高カリウム血症　137
抗癌性抗生物質　107
抗癌薬　107
――の多剤併用療法　109
――の副作用対策　66
交換輸血　462
抗凝固薬　445
抗凝固療法　103
抗菌薬　292
――，GBS　394
抗痙攣薬　80
高血圧
――，HDP　355, 420, 431, 432, 437
――，更年期障害　220
――，ベバシズマブ　46
高血圧合併妊娠（CH）　432, 433
膠原病合併妊娠　358
抗甲状腺薬　473
抗コリン薬　241

抗サイログロブリン抗体(TgAb) 365
甲状腺機能亢進症 181
甲状腺機能亢進症合併妊娠 364
甲状腺機能低下症 181, 191
甲状腺機能低下症合併妊娠 367
甲状腺クリーゼ 366
甲状腺刺激抗体(TSAb) 364
甲状腺中毒症 366
甲状腺ホルモン 291
抗スクレロスチン抗体 235
硬性下疳 277
抗精子抗体 165, 168, 170
好中球減少,抗癌薬による 47, 48
高テストステロン血症,漢方療法 287
抗てんかん薬 219, 473
高度催吐性化学療法(HEC) 68
高度乏精子症 170
口内炎,抗癌薬による 46, 71
更年期障害 220
── ,HRT 225
── の漢方療法 285
広汎外陰切除術 51
広汎子宮頸部切除 72
広汎子宮全摘術 26, 34, 35
── 後の排尿障害の管理 35
高ビリルビン血症 456, 461
── ,糖尿病合併 356
抗不安薬 473
高プロラクチン血症
 119, 121, 129, 139, 164, 286, 289
── ,治療薬の副作用に対する漢方薬処方 289
── 採血時の注意 143
高プロラクチン血症性排卵障害 139
抗マイクロゾーム抗体(MCHA) 365
抗リン脂質抗体 180, 183
── ,SLE合併 359
抗リン脂質抗体症候群 184
呼吸窮迫症候群(RDS) 383, 454
呼吸障害,新生児 454
呼吸性アルカローシス 362
コクサッキーウイルス感染症,児への影響 320
牛車腎気丸 285, 288, 289

呉茱萸湯 219, 286
コスメゲン® 107
ゴセレリン 207
骨塩量(骨密度)測定法 231
骨吸収抑制薬 237
骨髄抑制 44, 45, 65, 66
骨粗鬆症 231
── ,HRTによる 224
── ,アスリートの 216
── ,原発性 233
── ,更年期障害 220
── ,閉経後 231, 236
── ,ヘパリン投与による 186
── ,老人性 236
── の治療薬 235
骨代謝マーカー 236
骨盤位分娩 418
骨盤臓器脱(POP) 245
骨盤底筋訓練 240, 243, 247
骨盤内炎症性疾患(PID) 272, 273
骨盤リンパ節郭清 27, 34, 37, 72
骨密度(BMD) 233
骨量低下,アスリート 216
コデインリン酸塩 82, 473
孤独感,更年期障害 220
ゴナールエフ® 124, 164
ゴナドトロピン療法 **124**, 130, 144
ゴナトロピン® 164
コリン作動性クリーゼ 239
コリン作動薬 239
コルチコステロイド 68, 80
コルポスコピー 16, 24
五苓散 219, 288
混合性結合組織病(MCTD) 358
── 患者の妊娠許容基準 314
混合性尿失禁 241
コンジローマ 264
コンドーム 196
コントミン® 140
コントラクション・ストレステスト(CST) 406
コンパニオン診断,卵巣癌 40

サーバリックス® 22

サーファクテン® 454
催奇形，放射線被曝 316
催奇形性，感染症 320
催奇形性，薬剤 467
柴胡桂枝湯 286, 288
再生不良性貧血患者の妊娠許容基準 315
臍帯炎 392
臍帯下垂 425
臍帯強度巻絡・過捻転 425
臍帯血 Hb 値 372
臍帯穿刺 372
臍帯動脈 RI の変化 414
臍帯動脈血流 412
—— 波形 403
—— 波形異常 431
臍帯卵膜付着 425
サイトメガロウイルス(CMV)感染症 324
——, 児への影響 320
サイナソイダルパターン 428
再発卵巣癌に対する化学療法 42
細胞診
——, 子宮頸部 13, 21, 24
——, 子宮内膜 14
—— 異常の取り扱い 16
細胞膜の糖鎖抗原(糖蛋白)の構造 77
柴朴湯 288
採卵日固定法 172
柴苓湯 288
サイロキシン(T_4) 364
サイロトロピン(TSH) 364
サインバルタ® 223
酢酸 293
殺精子剤 196
サラゾスルファピリジン 361
サリドマイド 468
サルタノール® インヘラー 362, 363
サワシリン® 270
三塩化酢酸, 尖圭コンジローマ 265
産科 DIC スコア 442
産科異常出血(産科危機的出血) 441
三環系抗うつ薬 140
産後うつ病 474
産褥期の乳房管理 463

産褥子癇 433
産褥精神障害 474
産道感染 321
——, GBS 393
残尿測定, 術後 35

し

ジアゼパム 439, 473
シーソー呼吸, 新生児 454
ジーラスタ® 67
ジェイゾロフト® 194, 223
ジエノゲスト 205, 206
ジェミーナ® 206
ジェムザール® 43, 107
子癇 433
——, 分娩誘発法 420
—— の治療法 439
—— の予防 437
子癇切迫状態 436
子宮鏡下手術 99
子宮鏡検査 99
子宮筋腫 191, **211**
——, MRI 92
子宮頸癌 20
——, MRI 93
——, 温存療法 72
——, 腫瘍マーカー 78
—— の自然史 19
—— の進行期分類と TNM 分類 2
—— の標準的治療法 26
—— の卵巣転移率 28
子宮頸管炎 272, 273
子宮頸管熟化薬 422
子宮頸管長測定 378
子宮頸管縫縮術 349
子宮頸部細胞診の記述式報告様式 13
子宮頸部腺癌 30
子宮収縮 405
子宮収縮抑制薬 291, 377, **380**, 383, 390, 426
子宮出血, 機能性 148
子宮性無月経 116
子宮腺筋症 191, 205
——, MRI 92
子宮腺筋症核出術 206

子宮全摘(出)術 26, 206
子宮腺肉腫の進行期分類 7
子宮体癌(子宮内膜癌) 4
——, HRT による 228, 230
——, MRI 93
——, 温存療法 73
——, 腫瘍マーカー 78
—— の手術術式 34
—— の進行期分類と TNM 分類 4
—— の取り扱い 32
子宮体部肉腫 6
子宮動脈塞栓術(UAE) 211, 212
子宮動脈血流 412
子宮内胎児死亡(IUFD)
——, NT 310
——, 抗リン脂質抗体による 183
——, 双胎間輸血症候群 402
——, 糖尿病合併 356
子宮内避妊器具(IUD) 196
子宮内膜異型増殖症, 温存療法 73
子宮内膜癌→子宮体癌をみよ
子宮内膜細胞診, HRT 228
子宮内膜細胞診の記述式報告様式 14
子宮内膜症 159, **203**, 282
——, ART 170
——, 稀少部位 210
——, 治療薬の副作用に対する漢方薬処方 289
——, 尿管 210
——, 卵巣 160
子宮内膜症性嚢胞 160, 203, 205, 344
子宮内膜腺間質破綻(EGBD) 15
子宮内膜全面搔爬 32, 150
子宮内膜増殖症 32, 191
子宮内膜肥厚 32
子宮内膜日付診 129
子宮内膜ポリープ 85, 191
子宮内容除去術 85
子宮肉腫に対する薬物療法 52
子宮卵管造影法(HSG) **154**, 157
シクロオキシゲナーゼ(COX) 185
シクロホスファミド(CPA)
62, 68, 107
止血薬 150
自己血輸血 86

死産 431
脂質異常症 250, 252
脂質降下薬 292
視床下部-下垂体性排卵障害 286
視床下部性無排卵症 126
シスプラチン(CDDP)
30, 49, 62, 68, 70, 108, 289
ジスロマック® 272, 275
シタフロキサシン 275
ジタン系薬 219
実証 290
児頭骨盤不均衡(CPD) 418, 426
児頭大横径(BPD) 298
—— 値の基準値 479
ジドブジン(AZT) 340
ジノプロスト 422
ジノプロストン 363, 422
ジヒドロテストステロン(DHT) 137
ジプレキサ® 84
脂肪肝, 急性妊娠 438
シムビコート® タービュヘイラー®
362
シメチジン 140
ジメチルスルホキシド(DMSO) 243
死滅精子症 162
弱オピオイド 81
若年性特発性関節炎(JIA)患者の妊娠許容基準 314
芍薬甘草湯 286, 288, 289
習慣流産, 抗リン脂質抗体 183
周産期死亡率 410
——, 骨盤位 419
周産期心筋症 434
重症妊娠高血圧症候群 434
十全大補湯 288, 289
絨毛癌 54, 55, 59
—— の化学療法 60
絨毛癌診断スコア 55
絨毛検査 307, 308
絨毛性疾患 54
絨毛膜羊膜炎 390, 392
出血, MRI 95
出血リスク評価とクレキサン® 投与量の選択 105
出産後甲状腺機能異常症 368

出生時体重　483
出生前診断　307
術前化学療法，子宮頸癌　17, 27
術前化学療法，卵巣癌　38
術前卵巣機能評価　160
受動喫煙　296
授乳と薬剤　472
腫瘍減量手術，卵巣癌　37, 38
腫瘍マーカー，産婦人科領域　77
ジュリナ®　227, 235
腫瘍，マンモグラフィ　258
腫瘍の要精検基準，乳房超音波検査　263
準広汎子宮全摘術　26, 34
漿液性癌　34
漿液性囊胞腺癌，腫瘍マーカー　78
小柴胡湯　288
小青竜湯　288
常染色体異常　301
常染色体顕性遺伝　101, 304
常染色体潜性遺伝　304
常染色体転座保因者　304
小半夏加茯苓湯　288
上皮内腺癌　14
静脈カテーテル留置法，新生児　449
静脈管血流　412
静脈血栓塞栓症(VTE)　209
　──の予防　103
初回腫瘍減量手術　37
食事療法，妊娠中の　356
植物由来の抗癌薬　107
初経遅延　117
女性アスリート診療　215
自律神経失調，更年期障害　220
シルガード®9　22, 266
心因性更年期障害　223
新型コロナウイルス感染症　332
呻吟，新生児　454
心筋障害，抗癌薬　71
神経因性膀胱　238
　──，術後　35
神経性やせ症(神経性無食欲症)　213
神経毒性，TC療法　65
神経ブロック　80
進行期分類(婦人科悪性腫瘍)　2-10

進行期別子宮頸癌治療法　26
人工授精　168
心疾患患者の妊娠許容基準　313
新生児
　──の血管確保　449
　──の呼吸管理　447
　──への筋肉注射方法　336
新生児Basedow病　366
新生児GBS感染症　393
新生児一過性多呼吸(TTN)　417
新生児黄疸　455, 456
新生児仮死　447
新生児感染症　458
新生児痙攣　457
新生児肛囲皮膚炎　459
新生児甲状腺機能亢進症　366
新生児甲状腺機能低下症　367
新生児高ビリルビン血症　461
新生児蘇生　429, **447**
新生児中毒性紅斑　459
新生児低カルシウム血症，糖尿病合併　356
新生児低血糖　356
新生児ヘルペス　325
新生児罹患率，骨盤位　419
新生児淋菌性結膜炎　272
新生児ループス(NLE)　359
振戦，新生児　457
新鮮単一胚盤胞移植　174
新鮮凍結血漿(FFP)　444
新鮮胚移植　299
新鮮分割期胚移植　176
診断的円錐切除術　19, 24
浸透率　304
侵入胞状奇胎　54, 55, 59
心拍数基線　427
心拍数波形　427
シンフェーズ®　198
深部静脈血栓症(DVT)　103
心不全　314

す

髄液所見(新生児の正常および中枢神経系疾患)　453
水腫様流産　57

推定胎児体重(EFW) 482
水痘帯状疱疹ウイルス(VZV)感染症 326
——,児への影響 320
スインブロイク® 84
頭重感,更年期障害 220
スタチン 251
ステーブラ® 241
ステルイズ® 269
スピキュラ 258
スピラマイシン(SPM) 269, 270
スピロノラクトン 137
スピロペント® 240
スプレキュア® 207, 212
スペクチノマイシン(SPCM) 272
スポーツと女性 215
スボレキサント 292
スルガム® 293
スルピリド 140

せ

成育基本法 296
精液検査 161
生化学的妊娠 346
生活習慣病 297
性感染症(STD) 264, 271
性器出血,HRTによる 229, 230
性器の萎縮,更年期障害 220
性機能異常 112
性器ヘルペス 276, 278, 325
清潔間欠自己導尿 36
性交障害,更年期障害 220
性交中絶法 196
制酸薬 291, 292
精子凍結 187
精子無力症 162, 170
脆弱性骨折 233, 234
生殖補助医療(ART) 170
成人T細胞白血病(ATL) 329
精神運動発達遅滞,放射線被曝 316
精神疾患合併妊娠 474
精神神経症状,更年期障害 220
性ステロイドホルモン 112, 132, 196
性染色体異常 303
精巣内精子回収法(TESE) 162, 170

正中部母斑,新生児 460
制吐薬 68, 219
脊椎後彎,更年期障害 220
ゼジューラ® 48, 108
石灰化,マンモグラフィ 260
赤血球凝集抑制法(HI) 322
赤血球濃厚液(RBC) 444
切迫性尿失禁 241
切迫早産 377
——,治療薬の副作用に対する漢方薬処方 289
セデス® 293
セファゾリン 394
セファメジン®α 394
セフェピム 67
セフジニル 291
セフトリアキソン(CTRX) 272
セルシン® 439, 440, 457
セレネース® 84, 140
セロトニン・ドパミン拮抗薬 140
腺異形成 14
線維腺腫,乳房 255, 262
遷延一過性徐脈 425, 429, 430
腺癌,子宮頸部 30
腺癌,子宮体癌 3
前期破水(PROM) 390, 425
——,分娩誘発法 420
尖圭コンジローマ 23, **264**
仙骨腟固定術 247
潜在過敏期,薬剤 467
染色体異常 300, 307
染色体疾患 301
染色体モザイク 308
全身性エリテマトーデス(SLE) 358
—— 患者の妊娠許容基準 314
全前置胎盤 385
喘息 362
選択的エストロゲン受容体モジュレーター(SERM) 235
選択的単一胚移植(eSET) 172, 175
前置血管 388
前置胎盤 385
前置癒着胎盤 387
前兆のある/ない片頭痛の診断基準(ICHD-3) 218

穿通胎盤　387
先天性 CMV 感染症　324
先天性疾患の原因内訳　301
先天性心ブロック　360
先天性水痘症候群　326
先天性風疹症候群(CRS)　321, 341
先天梅毒　270
全胞状奇胎　57
喘鳴，新生児　454

そ

双角子宮，HSG　156
双極性障害，産後　476
総合的活動性指標　314
早産
　──，切迫　377
　──，糖尿病合併　355
　── の予防　384
早産予知マーカー　378
双胎一児発育不全　403
相対過敏期，薬剤　467
双胎間輸血症候群(TTTS)　401
双胎妊娠と周産期異常発生率　400
双胎分娩　401
相同組換え修復欠損(HRD)　39, 40, 43
早発一過性徐脈　429
早発型 HDP　433
早発閉経　120
早発卵巣不全(POI)　120
瘙痒症，外陰部　280
続発無月経　117, 119
　──，ゲスターゲンテスト　115
鼠径リンパ節転移，外陰癌　51
ゾコーバ®　332
組織診，子宮頸部　21, 24
組織診，子宮内膜　15, 32
蘇生，新生児の　429, 447
ゾビラックス®　278
ゾラデックス®　207
ソランタール®　293
ソリタ®　451
ソル・コーテフ®　363
ソル・メドロール®　446
ゾレドロン酸　235
存続絨毛症　54, 56

　──の化学療法　60

た

第 1 度無月経　121, 132
　──，ゲスターゲンテスト　115
第 2 度無月経　121, 124, 132
　──，エストロゲン・ゲスターゲンテスト　116
第XII因子欠乏症　181
大黄甘草湯　288
体外受精・胚移植(IVF-ET)
　　　　　　　　136, 157, 166
大建中湯　288
胎児 well-being　397, 408
胎児機能不全　410
　──，NST　406
　──，分娩中　425
　──，分娩誘発法　420
胎児鏡下胎盤吻合血管レーザー凝固術(FLP)　402
胎児筋緊張　408
胎児形態異常，放射線被曝　316
胎児形態異常，薬剤による
　　　　　　　　361, 365, 468
胎児頸部浮腫(NT)　303, 310
胎児構築異常，糖尿病合併　355
胎児呼吸様運動　408
胎児状態のみかた　409
胎児心拍陣痛図の異常所見　425
胎児心拍数基線　405
胎児心拍数波形　427
胎児心拍動(FHM)，超音波検査　345
胎児水腫
　──，NT　310
　──，双胎間輸血症候群　402
　──，パルボウイルス B19　329
胎児染色体検査　307
胎児体重発育曲線　397
胎児胎盤血流　412
胎児中大脳動脈ドプラ血流計測　370
胎児毒性，薬剤　467
胎児肺成熟療法　383
胎児発育の評価　478
胎児発育不全(FGR)　**396**, 425, 431
　──，抗リン脂質抗体による　183

―――,超音波検査　347
―――,糖尿病合併　355
―――,分娩誘発法　420
―――,放射線被曝　316
代謝拮抗薬　107
体重異常,排卵障害　286
胎児輸血　372
大腿骨近位部骨折　220, 233
大腿骨長(FL)値の基準値　481
胎動　405, 408
ダイドロネル®　235
胎内一児死亡　404
胎嚢(GS),超音波検査　345
胎盤限局性モザイク　309
胎盤早期剥離　425
胎盤部トロホブラスト腫瘍　54
胎便吸引症候群(MAS)　454
大網切除　34
ダイラパン®S　99, 422
多因子性遺伝　305
タガメット®　140
ダカルバジン　68
タキソール®　64, 108
タキソテール®　64, 108
他家血輸血　86
多血症,糖尿病合併　356
多呼吸,新生児　454
多受容体作用抗精神病薬　69
多臓器不全　333, 439
タゾバクタム・ピペラシリン　67
多胎妊娠　399
多胎妊娠予防,ART　175
脱毛,抗癌薬　70
ダナゾール　205, 207, 208, 291
多囊胞性卵巣症候群(PCOS)
　　　112, 119, 121, 124, **131**, 216, 286
―――,アスリート　216
――― の診断基準　134
――― の治療指針　135
多囊胞性卵巣の判定　133
多発性筋炎(PM)　358
多発性喉頭乳頭腫　266
ダプトマイシン　334
多毛,PCOS　131, 137
ダラシン®S　394

炭酸リチウム　473
単純子宮全摘術　26, 32, 34
単純体重減少性無月経　214
単純ヘルペスウイルス(HSV)　276, 325
男性化,PCOS　131
男性不妊　161, 170
男性ホルモン高値　133
胆道疾患　282
蛋白尿,HDP　431, 432
蛋白尿,ベバシズマブ　46

ち

チアノーゼ,新生児　455
チアノーゼ性心疾患　314
チアマゾール(MMI)　365, 366, 473
チウラジール®　365
チェックPROM　389
知覚障害,抗癌薬　70
チガソン®　468, 469
恥骨後式膀胱頸部挙上術　241
致死効果　304
腟癌
―――,腫瘍マーカー　78
――― の進行期分類とTNM分類　10
――― の標準的治療法　49
遅発一過性徐脈　425, 429, 430
遅発型HDP　433
遅発性悪心・嘔吐　67
着床前遺伝学的検査(PGT-M)　175
着床前胚染色体異数性検査(PGT-A)
　　　182
中絶薬　202
中大脳動脈RIの変化　414
中大脳動脈最高血流速度(MCA-PSV)
　　　370
中部尿道スリング手術　240
超音波計測,胎児　298
超音波検査
―――,NT　310
―――,乳癌　256
―――,妊娠時期別　347
調節卵巣刺激(COH)　167, 171
腸穿孔,ベバシズマブ　47
釣藤散　286
貯血式自己血輸血　86

チョコレート囊胞，MRI　94
猪苓湯　285, 288
チラーヂン®　367
治療的円錐切除術　24
治療的頸管縫縮術　350
鎮静薬，授乳　473
鎮痛薬
　——，SLE　360
　——，授乳　473
　——，末期癌　80

つ

椎体骨折　233
通水療法，卵管　157
吊り上げ法，腹腔鏡下手術　97

て

手足症候群，抗癌薬　46, 71
帝王切開後試験分娩(TOLAC)　417
帝王切開術　416
帝王切開瘢痕症候群　417
低活動膀胱　239
低カルシウム血症
　——，ヘパリン　186
　——，新生児痙攣　457
低血糖，新生児痙攣　457
低ゴナドトロピン性性腺機能低下症
　　　　　　　　　　　　　164
定時排尿，術後　35
低置胎盤　386
ディナゲスト®　206
ディビゲル　227
低分子ヘパリン　104
低マグネシウム血症，新生児痙攣　457
低用量アスピリン　147
低用量エストロゲン・プロゲスチン配合薬(LEP)　194, 206, 208, 209
低用量経口避妊薬　198
低用量未分画ヘパリン　104
テガフール・ウラシル(UFT)　107
デキサート®　64
デキサメタゾン　68, 69
デキストラン　146
デスゲストレル(DSG)　198
テストステロン　114, 137

鉄剤　291
テトラサイクリン　269, 291, 292
デノスマブ　235
デュファストン®
　　　　33, 115, 130, 136, 149, 227
デュロテップ® MT パッチ　82, 83
テリパラチド　235
テリボン®　235
テルグリド　289
転移性卵巣癌，腫瘍マーカー　78
電気焼灼法，尖圭コンジローマ　264
点状高エコー，乳癌　262
伝染性紅斑　329
伝染性膿痂疹(とびひ)，新生児　459

と

動悸，更年期障害　220
当帰飲子　288
当帰四逆加呉茱萸生姜湯　285
当帰芍薬散　285, 289, 381
　——，クロミフェン併用　123
凍結後解凍母乳　327
凍結胚移植　299
凍結胚盤胞移植　176
凍結融解胚移植　172
凍結療法，尖圭コンジローマ　264
統合失調症，産後　476
同時化学放射線療法(CCRT)
　　　　　　　　　26, 30, 49, 50
同種血輸血　86
糖代謝異常の診断基準，妊婦　354
疼痛管理　80
頭殿長(CRL)　298, 310
　—— の基準値　478
導尿，間欠自己　36
糖尿病合併妊娠　354
糖尿病患者の妊娠許容基準　312
頭尾方向撮影(CC)，マンモグラフィ
　　　　　　　　　　　　　257
銅付加 IUD　197, 202
動脈カテーテル留置法，新生児　450
動脈血酸素飽和度(SaO_2)　446
動脈血流波形　412
動脈硬化　220, 250
　——，MPA の副作用　75

ドーピング　217
ドキシサイクリン　275
ドキシル®　45, 71, 107
トキソプラズマウイルス感染症，児への影響　320
ドキソルビシン(DOX)　46, 52, 71, 107
ドキソルビシン(リポソーマル)(PLD)　42, 45, 71, 107
特発性血小板減少性紫斑病(ITP)患者の妊娠許容基準　315
特発性造精機能障害　164
ドグマチール®　140, 223
吐血，新生児　458
ドセタキセル(DOC)　64, 68, 108
ドセタキセル＋ゲムシタビン　53
ドパミン塩酸塩　146, 446
ドパミン作動薬　129, 141, 142, 147
トビエース®　241
トフラニール®　140
ドプラ法　412
トポテシン®　44, 107
トラネキサム酸　444
トラベクテジン　53, 107
トラマール®　82
トラムセット®　82
トランサミン®　150, 444
トランデート®　436
トリキュラー®　198
トリグリセライド(TG)　250
トリソミー(21, 18, 13)　301, 308
トリプタノール®　243
トリプタン系薬　219
トリヨードサイロニン(T_3)　364
努力性呼吸，新生児　454
トリラホン®　140
トロビシン®　272
トロンボキサン A_2(TXA$_2$)　185
ドンペリドン　465

な

内外斜位方向撮影(MLO)，マンモグラフィ　257
ナイキサン®　293
内子宮口開大　349
内臓脂肪型肥満　249
内腸骨動脈塞栓術　387
内分泌負荷試験　115
内膜増殖症の取り扱い　32
ナウゼリン®　465
ナサニール®　207, 212
ナファレリン　207, 289
生ワクチン　342
ナルデメジン　84

に

二塩化酢酸　265
ニカルジピン塩酸塩　437, 439
ニフェジピン　436
日本版エジンバラ産後うつ病評価票(EPDS)　475
乳癌，遺伝性　100
乳癌検診　253
── の画像診断　256
乳癌の臨床病期(stage)分類　11
ニューキノロン系抗菌薬　291, 292
乳酸カルシウム　235, 292
乳児寄生菌性紅斑　459
乳児血管腫　460
乳汁分泌の促進法　465
乳汁分泌の抑制法　466
乳汁漏出症　139
乳腺炎　464
乳腺症　255
乳頭びらん　255, 463
乳房 Paget 病　254
乳房管理，産褥期　463
乳房緊満感，HRT による　229, 230
乳房視触診の所見　254
乳房超音波検査　256, 262
乳房マッサージ　463, 465
尿管子宮内膜症　210
尿失禁　239
──，更年期障害　220
尿蛋白，ループス腎炎　314
尿中 hCG　299
尿道炎　272
尿道周囲注入療法　241
尿路感染症，術後　35
尿路結石　282
ニラパリブ　39, 42, 48, 108

妊娠一過性甲状腺機能亢進症（GTT） 364
妊娠黄体囊胞　343
妊娠合併症　313
妊娠許容基準　312
妊娠高血圧（GH）　432
妊娠高血圧症候群（HDP）　431
　——，糖尿病合併　355
　——，分娩誘発法　420
妊娠高血圧腎症（PE）　431
妊娠子癇　433
妊娠脂肪肝，急性　438
妊娠週数　298
妊娠蛋白尿　433
妊娠中の明らかな糖尿病　354
人参湯　288
妊娠糖尿病（GDM）　352
妊娠と薬剤　467
人参養栄湯　288
妊孕性温存療法，婦人科悪性腫瘍　72

ね

ネオキシ®　242
ネダプラチン（NDP）　68, 108
狙い組織診，子宮頸癌　19, 24
粘液性癌　38, 77
粘膜下筋腫　156, 211

の

ノイアート®　445
ノイトロジン®　67
脳血管攣縮　434
脳出血　434
膿精液症　164
脳卒中，更年期障害　220
囊胞性腫瘍，MRI　94
囊胞性ヒグローマ　310, 347
囊胞腺腫　344
ノーベルバール®　457
ノギテカン（NGT）　43, 45, 68, 107
ノバT®380　197, 202
ノバミン®　83, 84
のぼせ，更年期障害　220
ノルエチステロン（NET）　198

ノルエチステロン・エチニルエストラジオール　140
ノルゲストレル　115
ノルレボ®　201
ノンストレステスト（NST）
　　　　　405, 408, 411

は

パール指数　196
パーロデル®　129, 142, 164, 465, 466
バイアスピリン®　147, 293
胚移植　172, 176
ハイカムチン®　45, 107
配偶者間人工授精（AIH）　167, **168**
肺血栓塞栓症（PE）　103
肺高血圧症　314
胚細胞性腫瘍，温存療法　74
バイシリン®G　270
肺水腫　383, 434
胚凍結　147, 187
梅毒　**267**, 277
　——，児への影響　320
梅毒血清反応（STS）　267
梅毒トレポネーマ（TP）　267
排尿筋-外尿道括約筋協調不全（DSD）
　　　　　239
排尿訓練，術後の　35
排尿障害　35, 238
胚盤胞移植　171
ハイブリッドキャプチャーⅡ（HCⅡ），
　HPV　21
排卵障害
　——，GnRHテスト　116
　——，抗精子抗体による　165
　——，高プロラクチン血症性　139
　——，ゴナドトロピン療法　125
　——の漢方療法　286
排卵性過多月経　191
排卵誘発法　399
　——，ゴナドトロピン療法　125
　——，無排卵症　121
　——，無排卵性出血　150
排卵誘発薬，PCOS　136
ハイリスク妊娠の管理　415
パキシル®　223

バキソ® 293
白衣・仮面高血圧 433
麦門冬湯 288
パクリタキセル(TXL, PTX)
　　　　　　　64, 68, 70, 108, 289
橋本病合併妊娠 367
播種性血管内凝固(DIC) 333, 441
破傷風ワクチン 342
破水 389
バゼドキシフェン 235
パセトシン® 270
パゾパニブ 53, 108
白血球精液症 162
パッドテスト 239
発熱性好中球減少症(FN) 66
バップフォー® 242
バファリン® 293
ハラヴェン® 53, 108
パラプラチン® 108
バランス膀胱 35
パリペリドン 140
パルスオキシメーター 446
パルスドプラ法 412
バルトレックス® 279
パルボウイルス B19 感染症 320, 329
パルミコート®タービュヘイラー® 362
パロノセトロン 64, 69
ハロペリドール 84, 140
半夏厚朴湯 285, 288
半夏瀉心湯 289
半夏白朮天麻湯 285
バンコマイシン 394
ハンナ型間質性膀胱炎 243
反復流産 182

ひ

非オピオイド鎮痛薬 81
ビクシリン® 270, 391, 394
皮質盲 434
微小浸潤癌，子宮頸癌 24
ヒスタミン H_2 受容体拮抗薬 140
非ステロイド性抗炎症薬(NSAIDs)
　　　　　　　81, 219, 292
―― とニューキノロン系抗菌薬の相
　互作用 293

ヒステロスコピー 32
ビスホスホネート 235, 237
ヒスロン® 33, 149, 227
ヒスロン®H 33, 53, 73
ビタミン A 469
ビタミン B_6 71
ビタミン D_3 薬 235
ビタミン K 292
ビタミン K_2 薬 235
非定型骨折 237
ヒト T 細胞白血病ウイルス(HTLV-1)
　　　　　　　327
人食いバクテリア 333
ヒト精巣上体蛋白4(HE4) 77
ヒドララジン塩酸塩 436
ヒドロキシエチルデンプン 146
ヒドロコルチゾン 363, 366
避妊法 196
ビノレルビン 68
非配偶者間人工授精(AID) 163, 169
ビビアント® 235
皮膚筋炎(DM) 358
ビブラマイシン® 275
非閉塞性無精子症 162
ヒポクライン® 122, 127
肥満，PCOS 131
肥満症 248
ピモジド 292
表現度 304
標準体重，日本人女性 248
皮様嚢腫 94, 344
ピル 196
疲労骨折 216
ビンクリスチン(VCR) 62, 68, 107, 109
貧血，抗癌薬による 47, 48
頻発月経，アスリート 216

###

ファボワール® 198
ファムビル® 279
ファモチジン 140
ファルモルビシン® 107
不安，更年期障害 220
不安症，産後 476
不育症 179

不育症, 抗リン脂質抗体による 183
フィナステリド 137
フィブラート系薬 251, 292
フィブリノゲンHT 444
フィルグラスチム 67
風疹, 児への影響 320
風疹HI抗体価 322
風疹ウイルス 321
風疹ワクチン 341
フェインジェクト® 88
フェニル酢酸 292
フェノチアジン系 140
フェノバール® 439
フェノバルビタール 439, 473
フェマーラ® 53, 136, 147
フェルデン® 293
フェンタニルクエン酸塩 83
フォサマック® 235
フォルテオ® 235
フォンダパリヌクス 103, 104
不活化ワクチン 342
不規則抗体 374
腹圧性尿失禁 239, 240
腹囲(AC)値の基準値 480
腹腔鏡下手術 96
―, 異所性妊娠 177
―, 子宮体癌 34
―, 子宮内膜症 159
―, 卵巣腫瘍 34, 344
腹腔内出血量推定法 284
副甲状腺ホルモン薬 235
副腎性器症候群 118
副腎皮質ホルモン 291
副乳房 463
フサン® 446
婦人科悪性腫瘍の進行期分類とTNM分類 2-10
婦人科悪性腫瘍の妊孕性温存療法 72
不正性器出血
―, 機能性子宮出血 148
―, 経口避妊薬 201
―, 子宮体癌 32
―, 子宮内膜ポリープ 85
―, 腟癌 49
―, ホルモン療法による 205

ブセレリン 172, 207, 291
ブチロフェノン系 140
不定形無精子症 162
ブドウ球菌性熱傷様皮膚症候群 459
不妊
―, 漢方療法 287
―, クラミジア 274
―, 原因不明の 167
―, 抗精子抗体による 165
―, 子宮内膜症 159
―, 男性の 161
―, 卵管性 157
不妊検査 152
不妊治療 299
部分前置胎盤 385
部分胞状奇胎 57
フマル酸第一鉄 291
不眠, 更年期障害 220
プライムチェック® HSV 278
プラステロン硫酸エステルナトリウム 422, 423
プラチナ製剤感受性/抵抗性再発 42
プラノバール® 115, 149
ブラリア® 235
プリミドン 473
プリンペラン® 140
フルオロウラシル(5-FU) 68, 71, 107
フルタミド 137
ブルフェン® 293
ブレオ® 107
ブレオマイシン(BLM) 68, 71, 107
プレグランディン® 363
プレコンセプションケア 296
プレストアウェアネス 102
プレドニゾロン(PSL) 361
プレマリン® 115, 150, 227
プロウペス® 363, 422
プロクロルペラジン 84
プロゲスチン薬 206
プロゲステロン 112
プロスタグランジン(PG) 192
プロスタグランジン E_2 (PGE_2) 363, 422-424
プロスタグランジン F_{2a} (PGF_{2a}) 422-424

プロスタサイクリン(PGI$_2$) 185
プロスタルモン®・F 424
プロテインS欠乏症 181
プロパジール® 365
プロピオン酸 292, 293
プロピルチオウラシル(PTU) 365, 366, 473
プロプラノロール塩酸塩 367
プロペシア® 137
プロベラ® 33, 115, 150, 227
フロベン® 293
ブロモクリプチン 142, 289, 465, 466
プロラクチン(PRL) 112, 114, 139
プロラクチン産生腫瘍 139
分娩 417, 418
分娩時異常出血 441
分娩子癇 433
分娩時胎児管理 427
分娩時の予防的抗菌薬投与 394
分娩中の胎児機能不全 425
分娩誘発法 420
分娩予定日 298

へ

平滑筋肉腫/子宮内膜間質肉腫の進行期分類とTNM分類 6
閉経後骨粗鬆症 231, 236
——, HRT 225
閉経後脂質異常症 252
閉経後卵巣腫瘍 41
閉塞性無精子症 162
ベオーバ® 242
ペグフィルグラスチム 67
ベサコリン® 36, 239
ベシケア® 241
ベセスダシステム2014 13
ベセルナ® 264
ベタニス® 242
ペチジン 473
ペッサリー療法 247
ペニシリン, 梅毒 269
ベネット® 235
ベバシズマブ(Bev) 38, 42, 46, 68, 108
ヘパリン 186, 243, 450
——, 低分子/未分画 103, 104

ヘパリン起因性血小板減少症(HIT) 106, 186
ペプシド® 107
ペムブロリズマブ 108
ベラパミル 140
ペルジピン® 437, 439
ペルフェナジン 140
ヘルペス, 性器 276, 278, 325
ヘルペスウイルス感染症, 児への影響 320
ヘルペス脳炎 453
辺縁前置胎盤 385
ベンザミド系 140
片頭痛 218
変動一過性徐脈 425, 429, 430
扁平上皮癌
——, 子宮頸癌 3
——, 子宮頸部の後療法 28
——, 腟 49
扁平乳頭 463

ほ

防已黄耆湯 286, 288
乏奇形精子症 162
膀胱過伸展 36
膀胱訓練 243
膀胱痛症候群 243
放射性ヨード 473
放射線被曝 316
胞状奇胎 54
胞状奇胎娩出後のhCG値の減衰パターン 56
乏精子症 162, 170
傍大動脈リンパ節郭清 27, 34, 37
防風通聖散 286, 288
乏無力奇形精子症 162
乏無力精子症 162
母児感染 321, 335
ホスアプレピタント 69
ホスネツピタント 69
ホスファチジルエタノールアミン(PE) 180
母体血清マーカー 309
母体年齢と出生児の染色体異常罹患率との関係 302

補中益気湯　164, 286, 288
ボナロン®　235
ボノテオ®　235
ホリナートカルシウム　177
ボルタレン®　293
ホルモンの基準値　112
ホルモン補充療法（HRT）　223, **224**
ホルモン薬　291
ホルモン療法
　――，子宮腺筋症　205
　――，子宮内膜症　205
　――の比較　208
ポンタール®　293
ボンディング障害　477

ま

マーベロン®　198
マイトマイシンC（MMC）　68, 107
麻黄附子細辛湯　288
マグセント®　382
マグネシウム濃度と中毒症状　383
マグネゾール®　439, 457
マクロプロラクチノーマ　142
マクロプロラクチン　112
マクロプロラクチン血症　139
マクロライド系抗菌薬　269, 292
麻子仁丸　288
麻酔下膀胱水圧拡張術　243
マタニティブルーズ　474
末期癌患者の疼痛管理　80
末梢神経障害，抗癌薬　70
慢性腎臓病患者の妊娠許容基準　313
マンモグラフィ　253, 256, 257

み

ミカルディス®　46
ミクロプロラクチノーマ　142
ミコフェノール酸モフェチル　361
未受精卵子凍結　187
ミソプロストール　202
ミノサイクリン（MINO）　269, 270, 275
ミノドロネート　235
ミノマイシン®　270, 275
ミフェプリストン　202
未分画ヘパリン　103

未分化胚細胞腫　74
ミラクリッド®　446
ミリダシン®　293
ミレーナ®　197, 206

む

無機ヨード　473
無月経　115, 116, **117**-120, 132
　――，アスリート　216
無月経・乳汁漏出症候群　139
無呼吸発作，新生児　454
無侵襲的出生前遺伝学的検査（NIPT）
　　　　　309
無精液症　162
無精子症　162, 170, 303
ムチン性嚢胞腺癌，腫瘍マーカー　78
無痛分娩　417
無排卵周期症　121, 132
無排卵症　121
無排卵性過多月経　191
無排卵性機能性子宮出血　150
無力奇形精子症　162
ムンプス，児への影響　320

め

明細胞癌　34, 38, 74
　――，腫瘍マーカー　78
メシル酸ナファモスタット　446
メソトレキセート®　107
メタボリックシンドローム　248
メチコバール®　164
メチマゾール（MMI）　365, 366, 473
メチルドパ　140, 436
メチルプレドニゾロン　446
メッシュ手術　247
メトクロプラミド　140
メトトレキサート（MTX）
　　68, 71, 107, 177, 178, 314, 361
　――の副作用　177
メトホルミン　138
　――・クロミフェン併用　123
メトロイリンテル　422, 423
メドロキシプロゲステロン酢酸エステル（MPA）　53, 73, 75, 230
　――大量療法　33

メナテトレノン　235
メノエイドコンビ®　227
メフィーゴパック　202
メプチンエアー®　362
めまい，更年期障害　220
メルカゾール®　365
メルカプトプリン　361
メロペネム　67
免疫性不妊症，ART　170
免疫抑制薬　361

も
毛細血管奇形，新生児　460
戻し輸血　86
モルヒネ塩酸塩　83
モルヌピラビル　332

や
ヤーズフレックス®　206
薬物相互作用　291
やせ　213, 286

ゆ
憂うつ，更年期障害　220
ユーエフティ®　107
融解胚移植　172
有茎性筋腫　211
遊離腫瘍細胞（ITC）　3
遊離テストステロン　114
輸液の電解質濃度　451
輸血，自己血　86
輸血用血液製剤　445
癒着胎盤　386

よ
ヨウ化カリウム飽和液　366
葉酸　297
羊歯状結晶証明法　389
羊水過少/過多　401
羊水過多，糖尿病合併　356
羊水感染，GBS　393
羊水検査　307, 308
羊水除去　402
羊水穿刺による絨毛膜羊膜炎の診断　390

羊水塞栓症　444
羊水ポケット　408
羊水量　408
腰痛，更年期障害　220
抑うつ状態，SDS による評価　222
予測性悪心・嘔吐　68, 70
予定帝王切開　418
予防接種，妊婦　341
予防的頸管縫縮術　349
予防的卵管切除　102
予防的卵巣摘出術　102
ヨンデリス®　53, 107

ら
ラゲブリオ®　332
ラステット®　107
ラベタロール塩酸塩　436
ラベルフィーユ®　198
ラミケンアール®　422
ラモセトロン　64, 69
ラロキシフェン　235
卵管炎，クラミジア　273
卵管癌の進行期分類と TNM 分類　7
卵管結紮法　196
卵管采癒着　156, 157
卵管周囲癒着（PTA）　156, 157
卵管性不妊症，ART　170
卵管性不妊症，クラミジア　273, 274
卵管切開術　177
卵管切除術　177
卵管留水症　154, 157
── ，HSG　156
卵管破裂　177
卵管不妊　157
卵巣悪性腫瘍推定値（ROMA）　77, 79
卵巣過剰刺激症候群（OHSS）　125, **144**
── ，ART による　173
卵巣癌　77, 100
── ，温存療法　74
── ，再発　42
── ，腫瘍マーカー　78
── の治療方針　37
── の進行期分類と TNM 分類　7
卵巣機能低下　160
卵巣子宮内膜症　160

卵巣子宮内膜症性嚢胞
　　　　　　　　160, 203, 205, 344
卵巣腫大の判定　133
卵巣出血　282
卵巣腫瘍，MRI　94
卵巣腫瘍合併妊娠　343
卵巣性無月経　120
卵巣組織凍結　187
卵巣チョコレート嚢胞，MRI　94
卵巣嚢腫　343
　──，閉経後　41
卵巣嚢腫茎捻転　282
ランダ®　108
ランツジール®　293
卵胞刺激ホルモン(FSH)　112
卵膜血管　388

り

リカルボン®　235
リクラスト®　235
リスク低減卵管卵巣摘出術(RRSO)
　　　　　　　　　　　　　101
リスパダール®　140
リスペリドン　140
リセドロネート　235
六君子湯　286, 288, 289
リトドリン　289, 291, 357, 380, 426
リバビリン　468
リピオドール®　155
リポソーマルドキソルビシン(PLD)
　　　　　　　42, 45, 71, 107
リムパーザ®　47, 108
流産　282
　──，ART　171
　──，超音波検査　345
　──，糖尿病合併　355
　──，放射線被曝　316
硫酸マグネシウム
　　　　　291, 382, 437, 439, 457
流死産　179
リュープリン®　207, 212
リュープロレリン　207, 289
利用可能エネルギー不足　217
両側付属器切除術　34
苓桂朮甘湯　285

リリカ®　243
淋菌感染症　271
リン酸水素カルシウム　235
臨床的絨毛癌　55
臨床的侵入胞状奇胎　55
リンデロン®　383
リンパ節郭清　27
リンパ節転移　3

る

類上皮性トロホブラスト腫瘍　54
類内膜癌　34, 78
　──，腫瘍マーカー　78
　── の分類　5
ループス腎炎　314
ル・エストロジェル®　227
ルテイン嚢胞　343
ルトラール®　115, 130, 150
ルナベル®　140, 206
ルボックス®　223

れ

レーザー蒸散　24
　──，子宮頸癌　72
　──，尖圭コンジローマ　264
レクサプロ®　223
レシチン　267
レスタミン®　64
レトロゾール　53, 136
レノグラスチム　67
レベトール®　468
レボノルゲストレル(LNG)
　　　　　　　　198, 201, 235
レボノルゲストレル放出子宮内システ
　ム(LNG-IUS)　197, 206, 208
レボフロキサシン　275
レリフェン®　293
レルミナ®　147, 212
レンバチニブ　108
レンビマ®　108

ろ

ロイコボリン®　177, 178
老人性骨粗鬆症　236
ロカルトロール®　235

ロキサチジン 140
ロキソニン® 293
ロセフィン® 272
ロボット支援下手術 34, 98
ロミタピドメシル酸塩 292
ロモソズマブ 235
ロラゼパム 70

わ

ワクチン
——, B 型肝炎 336
——, COVID-19 341
——, インフルエンザ 341
——, 子宮頸癌 22, 266
——, 風疹 322
ワソラン® 140
ワルファリン 103, 291, 292
ワンアルファ® 235
ワンタキソテール® 108

欧文索引

数字
5-FU 68, 71, 107
5-HT$_3$ 受容体拮抗薬 69
13 トリソミー 301, 303, 309
18 トリソミー 301, 303, 309
21 トリソミー 301, 302, 309
50g GCT 352
75g OGTT 352

A
A 群 β 溶血性連鎖球菌 333
$α_1$ 受容体遮断薬 239
ABPC 270, 334, 391, 394
acceleration 405
ACHES, VTE 発症の徴候 209
ACT-D 61, 62, 63, 68, 107
acute feto-fetal hemorrhage 403
AD (autosomal dominant) 101
adenocarcinoma 14, 18, 24
ADR 52, 71 → DOX もみよ
AEH (atypical endometrial hyperplasia) 15
AFD (appropriate for date) 425
AFP 77, 309
AGC (atypical glandular cells) 14, 18
AID 163, 169
AIH (artificial insemination with husband's semen) 167, **168**
AIS (adenocarcinoma *in situ*) 14, 18
All or None 468
AMH 160
AMPC 270
AN (anorexia nervosa) 213
apnea spell 454
Apt 試験 458
Argonz-del Castillo 症候群 139
ART (assisted reproductive technology) 170
ASC-H (atypical squamous cells, cannot exclude HSIL) 13, 16
ASC-US (atypical squamous cells of undetermined significance) 13, 16, 21
Asherman 症候群 119
aspermia 162
asthenoteratozoospermia 162
asthenozoospermia 162
asymmetrical FGR 396
AT Ⅲ 製剤 445
ATEC (atypical endometrial cells) 15
ATL 329
azoospermia 162
AZT 340

B

B型肝炎母子感染防止対策　337
B群溶血性連鎖球菌(GBS)感染症　393
β刺激薬　291
β遮断薬　291
$β_2$アドレナリン受容体刺激薬　240
$β_3$アドレナリン受容体作動薬　242
BAP　236
Basedow病，新生児　366
Basedow病合併妊娠　364
BBT　129, 298
BCG　342
Beecham分類　204
Behçet病　276
Bev　38, 42, 46, 68, 108
biochemical pregnancy　346
Bishop score　421
BLM　68, 71, 107
BMD(bone mineral density)　233
BMI(body mass index)　248, 296, 356
Bowen病　277
BPD　298
BPS(biophysical profile score)　409
brain sparing effect　412
*BRCA*遺伝子検査　40
*BRCA1/2*遺伝子　100
Bromothymol blue(BTB)法　389
BSC(best supportive care)　50
Burch法　241

C

C型肝炎ウイルス(HCV)　330
c-kit　53
Ca^{2+}遮断薬　140
CA15-3　77
CA19-9(CA50)　77
CA72-4　77
CA125　77, 203
CA130　77
CA546　77
CA602　77
CBDCA　42, 43, 45, 64, 68, 108, 289
CDAI　314
CDDP　30, 49, 62, 68, 70, 108, 289
CEA　77
cell-free DNA　309
centor criteria　333
cervical incompetence　349
CH(chronic hypertension)　432, 433
chemical shift artifact　94
Chiari-Frommel症候群　139
Child-Pugh分類　105
Chlamydia trachomatis　273
choriocarcinoma　54
CIC(clean intermittent self-catheterization)　**36**, 239
CIN(cervical intraepithelial neoplasia)　13, 16, 24
——の取り扱い　16
CIN1/2の自然消失率　21
CIN3へ進展する頻度　20
circulating tumor DNA　109
CKD重症度分類　313
CL　180, 267
CLDM　334, 394
CMV　324
COH(controlled ovarian hyperstimulation)　167, 171
combination antiretroviral therapy (cART)　340
concurrent chemoradiotherapy (CCRT)　26, 30, 49, 50
COVID-19　332
COVID-19ワクチン　342
COX　185
CPA　62, 68, 107
CPD　418, 426
CPD液　88
CPT-11　43, 44, 68, 107, 289
——の減量基準　44
craniocaudal(CC)，マンモグラフィ　257
CRL　298, 310
CRS　321, 341
cryptozoospermia　162
CST(contraction stress test)　406
CT　89
CTG　425-430
CTRX　272

CTX 236
cystic hygroma 303, 310, 347

D

da Vinci surgical system 98
DAS28 314
DC 療法 64
ddTC 療法 39, 65
deceleration 405
dermoid cyst 94, 344
DHEA-S 114
DHT 137
DIC(disseminated intravascular coagulation) 333, 441
dilatation and curettage(D&C) 85
dimpling sign 254
DM 358
DMSO(dimethyl sulfoxide) 243
DOC 64, 68, 108
dose dense TC 療法(ddTC 療法) 39, 65
Down 症候群 301, 302, 309
DOX 46, 51, 71, 107
DPD 236
DSD(detrusor sphincter dyssynergia) 239
DSG 198
DVT 103
DXA(dual energy X-ray absorptiometry) 231
dysgerminoma 74

E

early deceleration 429
eclampsia 433
ECLAMPSIA 法 439
EE 115, 198
EFW 482
EGBD(endometrial glandular and stromal breakdown) 15
EIN(endometrioid intraepithelial neoplasia) 15
Eisenmenger 症候群 314
elevated liver enzyme 437
EMA/CO 療法 62

embryonal carci noma 74
endometrial hyperplasia without atypia 15
EP-EMA 療法 62
EPDS 474
EPI 68, 107
epithelioid trophoblastic tumor 54
eSET(elective single embryo transfer) 172, 175
ETP 62, 68, 71, 107

F

FA(folinic acid) 62
FDG(fluorodeoxyglucose) 89
fetal biophysical profile 408, 411
fetal hypoplasia 396
fetal malnutrition 396
FFP 444
FGR 396, 425, 431
――, 抗リン脂質抗体による 183
――, 超音波検査 347
――, 放射線被曝 316
FHM(fetal heart movement), 超音波検査 345
FHR baseline 405
FIGO 予後スコア, 絨毛性疾患 61
FISH 法, 染色体検査 307
Fitz-Hugh-Curtis 症候群 273
flow voids, MRI 92
FL 481
FLP 402
FN(febrile neutropenia) 66
focal asymmetric density(FAD), マンモグラフィ 259
free T_3 364
free T_4 364
Friedewald 式 250
FSH 112
FSH 低用量漸増療法 125
FSH-GnRH パルス療法 126
FTA-ABS(fluorescent treponemal antibody absorption test) 268, 270
funneling 378

G

G 分染法 307
GAS 333
G-CSF の予防投与 66
gBRCA 40, 43
GBS(group B-hemolytic *Streptococcus*) 393
GC 療法 43
GDM(gestational diabetes mellitus) 352
GEM 42, 53, 68, 107
GFR 区分 313
GH(gestational hypertension) 432
glandular involvement 24
Global index 230
GnRH アゴニスト 171, 205, 206, 208, 289
────の効果 212
GnRH アンタゴニスト 147, 171, 212
GnRH テスト 116
GnRH パルス・hCG 療法 122
group A *Streptococcus*(GAS) 333
grunting 454
GS(gestational sac),超音波検査 345
GTH(gestational transient hyperthyroidism) 364

H

H₂ 受容体拮抗薬 81
haemospermia 162
hair ball 94
Hamer-Jacobsen のガイドライン 317
HbA1c 312, 352
HBe 抗原陽性 335
HBOC(hereditary breast and ovarian cancer) 100, 102
HBs 抗原陽性 335
hCG 309
────,クロミフェン併用 123
hCG 測定キット 299
hCG 値,胞状奇胎娩出後 56
HCV 330
HDL コレステロール(HDL-C) 250
HDP(hypertensive disorders of pregnancy) 431
HE4(human epididymis protein 4) 77
HEC(highly emetogenic chemotherapy) 68
HELLP 症候群 434, 437
hemolysis(溶血) 437
HI 抗体価 322
high risk GDM 354
HIT 106, 186
HIV,児への影響 320
HIV 感染症 338
HAL 抗体 376
HMG-CoA 還元酵素阻害薬 292
hMG/FSH-hCG 療法 125
Hoffmann 法 463
Holmstrom 療法 32, 73, **136**, 141
HPV(human papillomavirus) 20, 264
HPV 関連癌 23
HPV ワクチン 22, 266
HRD 39, 40, 43
HRT 223, **224**
HSG(hysterosalpingography) **154**, 157
HSIL(high-grade squamous intraepithelial lesion) 13, 14, 16, 24, 49
HSV 276, 325
HTLV-1 327
Huhner テスト 153, 168
Hunner lesions 243
hydatidiform mole 54

I

IC/BPS(interstitial cystitis/bladder pain syndrome) 243
IFM 52, 68, 107
IgG avidity 324
IgG/IgM 抗体
────,CMV 324
────,抗リン脂質抗体症候群 184
────,パルボウイルス B19 330
────,風疹 322
immature teratoma 74
inhibin A 309
insulin-like growth factor binding protein-1(IGFBP-1) 389

interval debulking surgery(IDS)　37
intra uterine insemination(IUI)　168
IntraFlow™ system　449
invasive hydatidiform mole　54
ITC(isolated tumor cells)　3
ITP　315
IUD　196
IUFD, NT　310
IUFD, 双胎間輸血症候群　402
IVF-ET　136, 157, 166

J・K

junctional zone, MRI　93

Kaufmann 療法　99, 120, 141, **150**
kissing ulcer　276
Klinefelter 症候群　162, 303

L

L-アスパラギン酸カルシウム　235
labored respiration　454
late deceleration　425, 429, 430
LDL コレステロール(LDL-C)　250
LEEP 切除　16, 24, 26, 72
LEP　194, 206, 208, 209
leukospermia　162
LH　112
LHRH テスト　116
LIA 法, HTLV-1　327
Lipschütz 潰瘍　276
LNG　198, 201, 235
LNG-IUS　197, 206, 208
LOD(laparoscopic ovarian drilling)　136
low platelets(血小板減少)　437
LSC(laparoscopic sacrocolpopexy)　247
LSIL(low-grade squamous intraepithelial lesion)　13, 16
luteal support　126
Lynch 症候群　101

M

MAC 療法　62
malignant neoplasms　15

Marfan 症候群　314
MAS(meconium aspiration syndrome)　454
MCA-PSV(middle cerebral artery peak systolic velocity)　370
McDonald 法　349, 350
MCHA　365
MCTD　314, 358
MD(microdensitometry)　231
microdissection TESE　162
MINO　269, 270, 275
Mirror 症候群　402
MLO(mediolateral oblique), マンモグラフィ　257
MMC　68, 107
MMI　365, 366, 473
modified BPS　408
Modified Thayer Martin 培地　272
MPA　33, 53, 73, 230
——による温存療法　73
——の投与上の注意点　75
MRI　89, 90
——, 胎児への影響　319
MTX　61, 62, 68, 71, 107, 177, 178, 314, 361
——の副作用　177
myChoice™ 診断システム　40

N

native tissue repair(NTR)　247
NDP　68, 108
necrozoospermia　162
negative for malignancy　15
Neisseria gonorrhoeae　271
NET　198
New York City 培地　272
New York Heart Association (NYHA)の心機能分類　313
NGT　43, 45, 68, 107
NILM(negative for intraepithelial lesion or malignancy)　13
NIPT(non-invasive prenatal genetic testing)　309
Nitrazine 法　389
NK_1 受容体拮抗薬　69

NLE (neonatal lupus erythematosus) 359
non-HDL コレステロール (non-HDL-C) 250
non-reactive NST 405, 410
NSAIDs 81, 219, 292
NST 405, 408, 411
NT (nuchal translucency) 303, 310
NTX 236

O

OAB (overactive bladder) 241
OABSS (過活動膀胱症状質問票) 242
obese 248
OC・LEP 209
OHSS (ovarian hyperstimulation syndrome) 125, **144**
oligoasthenoteratozoospermia 162
oligoasthenozoospermia 162
oligoteratozoospermia 162
oligozoospermia 162
oncofetal fibronectin 378
oral contraceptive (OC) 197, 209
overt diabetes in pregnancy 354

P

p57 抗体 55
Paget 病, 外陰部 277
Paget 病, 乳房 254
PAN 郭清 27, 34, 37
PaO_2 446
PAOLA1 レジメン 39
Parkinson 病 142
PCG 270
PCOS (polycystic ovary syndrome) 112, 119, 121, 124, **131**, 216, 286
—— , アスリート 216
PDGFR-α, β 53
PDS (primary debulking surgery) 37
PE (肺血栓塞栓症) 103
PE (preeclampsia) 431
PEP (persistent ectopic pregnancy) 176
persistent trophoblastic disease 54

PET/CT (positron emission tomography/CT) 89
Peutz-Jeghers 症候群 101
PF4 (platelet factor 4) 106
PG 192
PGE_2 363, 422-424
$PGF_{2\alpha}$ 422-424
PGI_2 185
PGT-A (preimplantation genetic testing for aneuploidy) 182
PGT-M (preimplantation genetic testing for monogenic diseases) 175
PI (pulsatility index) 412
PID 196, 272, 273
placental migration 385
placental site trophoblastic tumor 54
platinum free interval (PFI) 42
PLD 42, 45, 71, 107
PLD-C 42, 45
PM (多発性筋炎) 358
PMDD (premenstrual dysphoric disorder) 194, 215
PMS (premenstrual syndrome) 194
POF (premature ovarian failure) 120
POI (premature ovarian insufficiency) 120
POP (pelvic organ prolapse) 245
POP-Q 法 245
post-pill amenorrhea 201
posterior reversible encephalopathy syndrome (PRES) 434
PPI 81
PPOS (postmenopausal palpable ovary syndrome) 41, 171
Praagh の核黄疸の症状分類 462
pregestational diabetes mellitus 354
preterm PROM 389
PRL 112, 114, 139
prolonged deceleration 425, 429, 430
PROM 390, 425
protein/creatinine (P/C) 比 432
PSL 361
PTA 156, 157
PTU 365, 366, 473

Q

quick SOFA(qSOFA スコア) 334
Quintero の stage 分類 402
QUS(quantitative ultrasound) 231

R

RA(関節リウマチ) 358
rASRM 分類 204
RBC 444
RDS(respiratory distress syndrome) 383, 454
reactive NST 405
remote after loading system(RALS) 26
resistance index(RI) 412
retraction 454
Rh(D)血液型不適合妊娠 369
Rh 血液型 375
Robertson 転座 181, 302
robot-assisted sacrocolpopexy(RSC) 247
Rokitansky 症候群 118
ROMA(risk of ovarian malignancy algorithm) 77, 79
RPR(rapid plasma reagin)法 267
RRSO(risk reducing salpingo-oophorectomy) 101

S

salmon patch, 新生児 460
SaO_2 446
sBRCA 40
SCC(腫瘍マーカー) 77
SCC(squamous cell carcinoma) 14, 24
SDAI 314
SDS(Self-rating Depression Scale) 222
see-saw respiration 454
selective IUGR 403
sepsis score, 新生児 458
SERM 235
Sheehan 症候群 119
Shirodkar 法 349
Sibai の診断基準 437
SLE 358
SLEDAI(SLE 疾患活動性指数) 360
SLX(SSEA-1) 77
SMBG(血糖自己測定) 354, 356
SPCM 272
SPE(superimposed preeclampsia) 432
SPM 269, 270
SSc 358
SSSS, 新生児 459
STD(sexually transmitted disease) 264, 271
STIC(serous tubal intra epithelial carcinoma) 102
STN 77
Streptococcus agalactiae 393
Streptococcus pyogenes 333
stridor 454
STS(serologic test for syphilis) 267
STSS(streptococcal toxic shock syndrome) 333
Swyer 症候群 118
symmetrical FGR 396

T

T_3 364
T_4 364
tachypnea 454
tBRCA 40
TC 療法 64
TC/DC 療法 30, 38, 42, **64**
TCR(transcervical resection) 85
teratozoospermia 162
TESE(testicular sperm extraction) 162, 170
TG(トリグリセライド) 250
TgAb 365
The Yokohama System(TYS) 15
thermal index(TI) 412
thyroxine binding globulin(TBG) 364
TNM 分類 2-11
TOLAC 417
TOT(trans-obturator tape)手術 240
TP(*Treponema pallidum*) 267

TPHA (*Treponema pallidum* hemagglutination test) 268
TRAb 364
trachelectomy 26
TRACP-5b 236
TSAb 364
TSH 364
TSH 受容体抗体 (TRAb) 364
TTN 417
TTTS 401
Turner 症候群 118, 303
TVM (tension-free vaginal mesh) 247
TVT (tension-free vaginal tape) 240
TXA_2 185
TXL 64, 68, 70, 108, 289

U

UAE (uterine artery embolization) 211, 212
UDP-グルクロン酸転移酵素 (UGT) 44
UFT 107
UGT1A1 遺伝子多型 44

unconjugated E_3 309
unsatisfactory for evaluation 15

V

variable deceleration 425, 429
VCR 62, 68, 107, 109
VEGF 42, 46
VEGFR 53
VTE 209
VZV 326

W

well-being, 胎児 397, 408
WHO 方式の癌性疼痛治療法 80
Women's Health Initiative 230

X

X 線検査の胎児被曝線量 318
X 連鎖潜性遺伝 304

Y

yolk sac tumor 74
―― ,腫瘍マーカー 78

略語一覧

A
AIH；artificial insemination with husband's semen：配偶者間人工授精
AMH；anti-Müllerian hormone：抗ミュラー管ホルモン
ART；assisted reproductive technology：生殖補助医療

B
BBT；basal body temperature：基礎体温

C
CCRT；concurrent chemoradiotherapy：化学療法同時併用放射線療法
CIC；clean intermittent self-catheterization：清潔間欠自己導尿
COH；controlled ovarian hyperstimulation：調節卵巣刺激
CPD；cephalopelvic disproportion：児頭骨盤不均衡
CTG；cardiotocogram：胎児心拍陣痛図

D
DSD；detrusor sphincter dyssynergia；排尿筋-外尿道括約筋協調不全

F
FGR；fetal growth restriction：胎児発育不全
FN；febrile neutropenia：発熱性好中球減少症

G
GBS；group B-hemolytic *Streptococcus*：B群溶血性連鎖球菌
GDM；gestational diabetes mellitus：妊娠糖尿病

H
HBOC；hereditary breast and ovarian cancer：遺伝性乳癌卵巣癌
HDP；hypertensive disorders of pregnancy：妊娠高血圧症候群
HRT；hormone replacement therapy：ホルモン補充療法
HSG；hysterosalpingography：子宮卵管造影法

I
IUFD；intrauterine fetal death：子宮内胎児死亡
IVF-ET；*in vitro* fertilization-embryo transfer：体外受精・胚移植

L
LEP；low-dose estrogen progestin：低用量エストロゲン・プロゲスチン薬
LOD；laparoscopic ovarian drilling：腹腔鏡下卵巣多孔術

M
MAS；meconium aspiration syndrome：胎便吸引症候群

N
NIPT；non-invasive prenatal genetic testing：無侵襲的出生前遺伝学的検査
NT；nuchal translucency：胎児頸部浮腫

O
OAB；overactive bladder：過活動膀胱
OC；oral contraceptive：経口避妊薬